OPÉRATION
WILD FIRE

NELSON DEMILLE

OPÉRATION
WILD FIRE

Traduit de l'anglais (États-Unis)
par François Thibaux

I

VENDREDI
NEW YORK

Nous avons le droit de tuer quatre millions d'Américains, dont deux millions d'enfants, d'en bannir deux fois plus, et d'en blesser et d'en estropier des centaines de milliers.

Souleiman Abou Ghaith
Porte-parole d'Oussama Ben Laden
Mai 2002

Chapitre 1

Je me présente : John Corey, ancien membre du NYPD, la police criminelle de New York, blessé en service commandé, mis à la retraite avec une invalidité de 75 % (chiffre purement comptable dans la mesure où je fonctionne encore à 98 %) et travaillant à présent sous contrat comme agent spécial pour l'ATTF, la Federal Anti-Terrorist Task Force, ou Force fédérale d'action antiterroriste.

– Tu as déjà entendu parler du Custer Hill Club ?

La question venait de mon collègue Harry Muller, dont le bureau faisait face au mien dans le box qui nous était alloué.

– Non. Pourquoi ?

– J'y vais ce week-end.

– Amuse-toi bien, dis-je.

– Une bande de richards d'extrême droite possède ce pavillon de chasse, au nord de New York.

– Ne me rapporte pas de gibier, Harry. Et surtout pas d'oiseaux morts.

Je me levai et me rendis à la cafétéria. Sur le mur, au-dessus de la machine à café, s'affichaient les avis de recherche du ministère de la Justice, concernant principalement de beaux messieurs de confession musulmane, dont la crevure numéro un, Oussama Ben Laden.

On trouvait également, parmi la bonne vingtaine de portraits, celui d'un Libyen nommé Asad Khalil, alias le Lion. Je ne pris pas la peine de m'y attarder. Je connaissais son visage aussi bien que le mien, même si nous n'avions jamais été présentés.

Ma brève relation avec le sieur Khalil avait eu lieu environ deux ans auparavant, alors que je le traquais et que, ainsi que je l'appris à cette occasion, lui me pistait de son côté. Il réussit à s'enfuir. Quant à moi, je m'en tirai avec une balle dans la peau. Comme dirait un sage arabe : « Il est écrit que nous nous rencontrerons à nouveau un jour pour sceller nos destinées. » J'avais hâte d'y être.

Tandis que mon café passait, je feuilletai un exemplaire du *New York Times* posé sur le comptoir. La une de ce jour, vendredi 11 octobre 2002, proclamait : « Le Congrès autorise Bush à employer la force contre l'Irak. » Un intertitre affirmait : « Selon une source officielle, les États-Unis ont un plan d'occupation du pays. »

Cela signifiait que la guerre était programmée et ne pouvait connaître qu'une seule issue : la victoire. Il était donc judicieux d'avoir un plan d'occupation. Je me demandai si quelqu'un, en Irak, était au courant.

Je regagnai mon bureau avec mon café, allumai mon ordinateur et parcourus quelques mémos internes. Il était 16 h 30. Le nombre de mes collègues de l'ATTF regroupés au vingt-sixième étage du 26, Federal Plaza diminuait à vue d'œil.

Théoriquement, depuis le 11 septembre, le samedi et le dimanche se résumaient, pour tout le monde, à deux jours de travail supplémentaires. Pourtant, les vieilles traditions de l'administration fédérale ont la vie dure, surtout celle, sacro-sainte, des départs anticipés du vendredi après-midi. Les membres de la police de New York intégrés à l'ATTF, habitués depuis toujours aux heures supplémentaires, menaient donc la barque en fin de semaine et pendant les congés.

– Où vas-tu, ce week-end ? me lança Harry Muller.

C'était le début du pont de trois jours du Columbus Day. Malheureusement, le hasard m'avait désigné pour être de garde le lundi. Je répondis :

– Je devais faire partie de la parade du Columbus Day, mais je travaille lundi.

– Vraiment ? s'étonna-t-il. Tu devais défiler ?

– Non, mais c'est ce que j'ai dit au capitaine Paresi. Je lui ai raconté que ma mère était italienne et que j'étais censé pousser son fauteuil roulant au milieu de la procession.

Harry éclata de rire.

– Il a gobé ça ?

– Non. Mais il a proposé de pousser le fauteuil de ma mère à ma place.

– Je croyais que tes parents vivaient en Floride.

– C'est le cas.

– Et que ta mère était irlandaise, poursuivit-il.

– Exact. Il ne me reste plus qu'à trouver une mamma italienne pour Paresi.

Harry s'esclaffa de nouveau et retourna à son ordinateur.

Comme la plupart des agents du NYPD affectés à la section Moyen-Orient de l'ATTF, Harry Muller filait et surveillait les personnes « dignes d'intérêt », ce qui, en langage politiquement correct, désignait la communauté musulmane. Toutefois, il se consacrait surtout au recrutement d'informateurs.

La plupart des miens ne sont que des menteurs invétérés et des escrocs au petit pied qui veulent soit de l'argent, soit la nationalité américaine, ou bien cherchent à faire dégommer un des leurs. Il m'arrive quand même de tomber sur un indicateur fiable. Mais je dois alors le partager avec le FBI.

La Force d'action antiterroriste comprend principalement des agents du FBI et des enquêteurss dc la policc ncw-yorkaise, plus des retraités de cette même police, comme moi. Nous comptons en outre dans nos rangs des fonctionnaires délégués par d'autres agences fédérales, telles l'Immigration et les Douanes, sans compter la police de la grande banlieue et de l'État de New York, les autorités portuaires et d'autres organisations trop nombreuses pour que je m'en souvienne.

Dans notre groupe évoluent aussi des gens qui, comme les fantômes, n'existent pas. S'ils existaient, on leur accolerait trois lettres : CIA.

Sur ma messagerie, j'avais trois e-mails. Le premier émanait de mon chef, Tom Walsh, qui avait repris la direction de l'ATTF après la mort de mon ancien patron, Jack Koenig, au World Trade Center. Il disait : « Confidentiel. Rappel. Vu le déclenchement possible des hostilités contre l'Irak, nous devons porter une attention particulière aux ressortissants irakiens vivant sur le sol américain. »

En clair, cela signifiait : « Dénichez-moi un Irakien que nous pourrons relier à une menace terroriste contre les États-Unis, ce qui facilitera la vie aux huiles de Washington avant qu'elles ne balancent la purée sur Bagdad. »

Le message poursuivait : « Le danger principal reste OBL. Nouvelle approche : liens OBL/SH. Briefing à ce sujet la semaine prochaine. Agent spécial Walsh, directeur. »

Pour les non-initiés, OBL sont les initiales d'Oussama Ben Laden ; SH, celles de Saddam Hussein.

Le deuxième message venait de mon second chef, Vince Paresi, dont j'ai déjà parlé, capitaine du NYPD détaché à l'ATTF pour garder un œil sur les flics difficiles qui, parfois, ne jouaient pas franc jeu avec leurs amis du FBI. Je faisais partie du lot. Le capitaine Paresi remplaçait le capitaine David Stein, tué lui aussi, en fait assassiné un an et un mois plus tôt au World Trade Center.

David Stein était un grand monsieur, et je le regrette chaque jour. Jack Koenig, en dépit de ses erreurs et de tous les problèmes qui nous avaient opposés, était un vrai professionnel, un patron rude mais loyal, et un patriote. Sa dépouille ne fut jamais retrouvée. Pas plus que celle de David Stein.

Autre cadavre à avoir disparu, comme deux mille autres : celui de Ted Nash, officier de la CIA, enfoiré de première et ennemi juré de votre serviteur.

J'aimerais pouvoir prononcer quelques paroles aimables à son sujet. Mais la seule oraison funèbre qui me vienne à l'esprit est : « Bon débarras ». D'un autre côté, Nash ayant l'exécrable habitude de revenir d'entre les morts, ce qu'il fit au moins une fois, je m'abstiendrai de sabler le champagne en l'absence de son cadavre dûment identifié.

Adressé à tout le personnel NYPD/ATTF, le message du capitaine Paresi était ainsi conçu : « Placer sous surveillance tous les ressortissants irakiens. Contacter ceux qui ont collaboré avec nous dans le passé, procéder à l'interrogatoire des individus figurant sur les listes de suspects. S'occuper en priorité des Irakiens associés à d'autres ressortissants de pays musulmans : Saoudiens, Afghans, Libyens, etc. Mise au point du recensement et de la surveillance des mosquées lors du briefing de la semaine prochaine. Capitaine Paresi, NYPD. »

Cela peut sembler difficile à croire mais, il n'y avait pas si longtemps, nous nous battions les flancs pour déterminer ce que nous ferions de nos journées. Quant aux rédacteurs des notes de service, ils s'exprimaient avec d'infinies précautions, pour ne pas donner l'impression que nous éprouvions la moindre acrimonie envers les terroristes islamiques et éviter de se montrer désobligeants à leur égard. Les choses avaient très vite changé.

Le troisième e-mail provenait de ma femme, Kate Mayfield, que j'apercevais à sa table, à l'autre bout de la grande salle que se partagent, au vingt-sixième étage, les gens du NYPD et ceux du FBI. Mon épouse est une très belle femme, mais je serais tombé amoureux d'elle même si elle avait été laide. Cela étant, sans sa beauté, je ne l'aurais même pas remarquée, ce qui rend ma réflexion sans objet.

Son message clamait : « Débarrassons le plancher le plus tôt possible, rentrons à la maison, faisons l'amour. Je te préparerai du chili con carne et des hot-dogs. Ensuite, je te servirai à boire pendant que tu regarderas la télé en caleçon. »

En fait, il ne proposait rien de tout cela. Il disait : « Passons un week-end romantique à Long Island, à déguster les vins du North Fork. Je réserve un B&B. Je t'aime. Kate. »

Quel projet abominable ! Les vins ont tous le même goût. Quant aux Bed & Breakfast, ce sont des masures d'un autre âge avec des lits qui grincent et des salles de bains datant du XIXe siècle. En plus, on doit prendre son petit déjeuner en compagnie des autres pensionnaires, généralement des snobinards qui s'efforcent de commenter ce qu'ils ont lu dans le supplément artistique du *New York Times*. Chaque fois que j'entends le mot « art », je sors mon revolver.

Je tapai ma réponse : « Merveilleuse idée. Merci d'y avoir pensé. Je t'aime. John. »

Comme la plupart des hommes, je préfère de loin affronter la gueule d'un fusil d'assaut plutôt qu'une épouse en colère.

Kate, qui travaille sous son nom de jeune fille et qu'on appelle donc Mme Mayfield, est agent du FBI et juriste. Elle fait également partie de mon équipe, qui se limite à un autre agent du NYPD et à un autre membre du FBI. Nous y ajoutons à l'occasion quelqu'un d'une autre agence, comme l'ICE ou la CIA. Notre dernier coéquipier de la CIA fut Ted Nash, déjà mentionné. Je le soupçonne fortement d'avoir eu une relation romantique avec celle qui n'était encore que ma future femme. Ce n'était pas pour cette raison que je ne l'appréciais guère. C'était la raison pour laquelle je le haïssais. Je ne l'appréciais guère pour des motifs professionnels.

13

Harry Muller débarrassait son bureau, bouclant dans ses tiroirs ses documents sensibles pour que les femmes de ménage, musulmanes ou non, ne puissent les photocopier ou les envoyer chez Ali Baba.

– Il te reste vingt et une minutes avant la cloche, lui dis-je.

Il leva les yeux et répliqua :

– Je dois aller chercher un attirail technique.

– Pourquoi ?

– Je te l'ai dit. Je fais une planque à la campagne. Au Custer Hill Club.

– Je croyais que tu y étais invité, objectai-je.

– Non. J'y entrerai en douce.

– Pourquoi t'a-t-on imposé cette corvée ?

– Va savoir ! Est-ce que je pose des questions ? Je possède un camping-car, des chaussures de marche et un serre-tête. Je suis donc qualifié.

– Très juste.

Ainsi que je l'ai dit, Harry Muller était un vétéran de la police new-yorkaise, comme moi. Retraité après vingt ans de bons et loyaux services, dont dix dans l'unité de renseignement, il effectuait à présent, pour le compte des Fédéraux, des opérations de filature et de surveillance afin que les Costards, ainsi que nous surnommons les gens du FBI, puissent faire fonctionner leurs méninges.

– C'est quoi, ce bazar d'extrême droite ? Je croyais que tu étais avec nous.

Nous, c'est-à-dire la section Moyen-Orient, qui englobait, ces temps-ci, à peu près 90 % de l'ATTF.

– Va savoir, répondit Harry. Je dois simplement prendre des photos. On ne me demande pas d'aller à la messe avec eux.

– Tu as lu les messages de Walsh et de Paresi ?

– Ouais.

– Tu crois vraiment la guerre imminente ? questionnai-je.

– Euh... Laisse-moi réfléchir.

– Est-ce que ce groupe d'extrême droite a un rapport quelconque avec l'Irak ou OBL ?

– Va savoir...

Il regarda sa montre et ajouta :

– Il faut que je passe au service du matériel avant que ça ferme.

– Tu as tout le temps. Tu opères seul ?

– Oui, répondit Harry. Pas de problème. C'est une planque de routine. Entre nous, Walsh m'a dit qu'il s'agissait en fait de noircir du papier, histoire de prouver que nous ne collons pas seulement au train des Arabes. Nous nous occupons aussi des cinglés de chez nous : néonazis, milices, millénaristes en tout genre. Si on sort un lapin du chapeau, c'est bon pour les médias et le Congrès, pas vrai ? On l'a fait plusieurs fois avant le 11 septembre, tu te souviens ? Bon, il faut que j'y aille. Je te verrai lundi. J'ai rendez-vous avec Walsh à la première heure.

– Il travaille lundi ?

– Comme il ne m'a pas proposé d'aller boire une bière chez lui, j'en déduis qu'il sera là.

– Très juste, acquiesçai-je. À lundi, donc.

Harry s'en alla.

Ce qu'il venait de me dire sur la nécessité de remplir de la paperasse me laissait perplexe. D'autant que nous avons une section chargée du terrorisme d'origine américaine. Aller fouiner à la campagne du côté d'un pavillon de chasse fréquenté par des rupins d'extrême droite me paraissait un peu bizarre. Je trouvai également curieux que Tom Walsh vienne au bureau un jour de congé pour écouter le rapport de Harry sur une mission de routine.

J'adore me mêler de ce qui ne me regarde pas, ce qui fait de moi un grand flic. Je me dirigeai donc vers un ordinateur inoccupé et lançai sur Internet, via Google, une recherche sur le Custer Hill Club.

N'obtenant rien, j'essayai « Custer Hill ». On m'annonça 400 000 résultats. La seule première page donnait un nombre impressionnant de golfs, de restaurants, et plusieurs références au Dakota du Sud, en rapport avec les ennuis du général George Amstrong Custer à Little Big Horn. J'étudiai les réponses pendant dix minutes, sans trouver de Custer Hill dans l'État de New York.

Je revins à mon bureau, où je pourrais utiliser mon mot de passe de l'ATTF pour avoir accès aux fichiers internes de l'ACS, ou Automated Case System, moteur de recherche du FBI.

Le Custer Hill Club apparut tout de suite. Mais, apparemment, je n'étais pas censé dénicher le moindre renseignement sur cette vénérable institution. Sous son nom s'alignaient de multiples lignes de X. D'ordinaire, on obtient toujours quelque chose sur les dossiers protégés, comme leur date d'ouverture, la personne à contacter pour les consulter ou, au moins, leur niveau de classement. Or, celui-là restait barré de bout en bout.

Je n'avais donc réussi qu'à alerter les cerbères de la sécurité, qui savaient à présent que j'avais effectué une recherche sur un dossier confidentiel sans rapport avec mon travail du moment, à savoir l'Irak. Pour les embrouiller un peu, je tapai : « Club des chameliers irakiens porteurs d'armes de destruction massive ».

Aucune réaction.

J'éteignis mon ordinateur, verrouillai mes tiroirs, attrapai mon imperméable et me dirigeai vers le bureau de Kate.

Nous nous sommes rencontrés, elle et moi, dans le cadre de nos activités professionnelles, alors que nous travaillions tous les deux sur le cas du susdit Asad Khalil, un vilain nabot venu aux États-Unis pour buter le plus grand nombre de gens possible. Il ne s'en priva pas, puis tenta de me tuer et de faire subir le même sort à Kate, avant de prendre la fuite. Même si elle ne fut pas l'une de mes plus grandes réussites, cette affaire nous rapprocha, Kate et moi. La prochaine fois que je verrai le sieur Khalil, je le remercierai avant de le flinguer et d'assister à sa lente agonie.

– Je t'offre un verre ? proposai-je à Mme Mayfield.

– Volontiers.

Et elle retourna à son ordinateur.

Originaire du Middle West, ma chère et tendre a commencé sa carrière à Washington avant d'être mutée à New York, ce qu'elle accepta tout d'abord de mauvaise grâce. À présent, elle savoure avec délectation le bonheur de vivre dans la plus grande mégalopole du monde, en compagnie de l'homme le plus brillant de la planète.

– Kate, pourquoi partons-nous à la campagne ce week-end ?

– Parce que cette ville me rend dingue.

Les grandes cités font parfois cet effet.

– Sur quoi travailles-tu ? demandai-je.

– J'essaie de trouver un B&B dans le North Fork.

– Avec ce long week-end, ils sont certainement complets.

– Ne sois pas pessimiste.

– N'oublie pas que je travaille lundi, ajoutai-je.

– Comment pourrais-je l'oublier ? Tu t'en plains depuis une semaine.

– Je ne me plains jamais.

Pour une raison que j'ignore, elle trouva ça drôle. Je contemplai son visage à la lueur de l'écran de son ordinateur. Elle était aussi belle que le jour de notre rencontre, trois ans plus tôt. D'ordinaire, les femmes qui partagent ma vie vieillissent très rapidement. Ma première épouse, Robin, affirme que notre petite année de mariage lui a paru durer dix ans.

– Je te retrouve chez Ecco, dis-je.

– Ne te saoule pas tout de suite.

Je traversai la grande salle presque vide, en direction de la cage d'ascenseur, devant laquelle patientaient nombre de mes collègues. J'échangeai quelques mots avec certains d'entre eux, puis remarquai Muller. Il portait une grosse valise métallique contenant sans doute un appareil photo et divers objectifs.

– Harry, je te paye un coup.

– Désolé. Je dois prendre la route le plus tôt possible.

– Tu pars dès ce soir ?

– Exact, répondit-il. Je dois être là-bas à la première heure. Ils se réunissent demain. Il faut que je photographie les plaques d'immatriculation et les participants au fur et à mesure de leur arrivée.

– Ça ressemble aux planques minables que nous faisions autrefois aux mariages et aux enterrements.

– Tout juste. Même merde.

Nous nous engouffrâmes dans l'ascenseur.

– Où est Kate ? s'enquit Harry une fois au rez-de-chaussée.

– Elle arrive.

Harry était divorcé mais fréquentait une femme.

– Comment va Lori ? lui demandai-je.

– En pleine forme.

– Et tu la laisses toute seule ? Tu vas où, déjà ?

– Où ? Euh... près de Saranac Lake.

Nous nous engageâmes sur Broadway. En ce frais jour d'automne, le long des rues et sur les trottoirs, flottait cette atmosphère si particulière propre aux vendredis après-midi. Je saluai Harry et pris la direction du sud.

Lower Manhattan forme un enchevêtrement de gratte-ciel et

de rues étroites, avec peu de soleil et beaucoup d'agitation. S'y côtoient le Lower East Side, où je suis né et où j'ai grandi, Chinatown, Little Italy, TriBeca et Soho. Les activités y sont multiples et diamétralement opposées : d'un côté, les affaires et les finances à Wall Street ; de l'autre, les tribunaux municipaux, les services administratifs et de police à City Hall, Federal Plaza, Police Plaza, et j'en passe. Enfin, lien indispensable entre elles, les cabinets d'avocats, dont celui où officie mon ex-femme, qui ne défend que la crème des criminels en col blanc. Ce fut l'une des causes de notre divorce, l'autre étant sa propension à confondre cuisine et sexe avec congélateur.

Au-dessus de ma tête se découpait un grand pan de ciel vide, là où s'étaient jadis dressées les Twin Towers. Pour la plupart des Américains, et même des New-Yorkais, leur absence n'est plus qu'une trouée sur l'horizon. Mais ceux qui travaillent ou vivent dans cette partie de la ville et avaient coutume de les voir tous les jours ne s'y habitueront jamais. On descend l'avenue, on lève machinalement les yeux et on sursaute : elles ne sont plus là.

Tout en marchant, je repensai à ma conversation avec Harry Muller. D'un côté, sa mission n'avait rien que de très banal. De l'autre, elle ne tenait pas debout. Nous nous apprêtions à attaquer l'Irak, nous menions une guerre en Afghanistan, la crainte d'un autre attentat terroriste nous rendait paranoïaques, et Harry allait baguenauder au fin fond de l'État de New York pour surveiller un rassemblement de fachos friqués aussi dangereux pour la sécurité nationale que le portier de mon immeuble.

Deuxième absurdité : ce dossier que Tom Walsh demandait à Harry de constituer, au cas où un journaliste désœuvré ou un membre du Congrès en mal de publicité auraient cherché à savoir si l'ATTF ne négligeait pas la menace terroriste intérieure. Cela aurait peut-être eu un sens quelques années plus tôt mais, depuis le 11 septembre, les néonazis, les membres des milices et les maniaques de la gâchette se tenaient tranquilles. Mieux, les conséquences de l'attentat avaient constitué pour eux une divine surprise. Ils approuvaient sans réserve l'union sacrée qui prévalait depuis lors, le massacre des méchants, les arrestations en masse et autres saines réactions.

Enfin, il y avait cet entretien prévu le lundi, jour de congé.

Même si, effectivement, tout cela semblait bizarre, il valait peut-être mieux que je ne m'en préoccupe pas trop. Après tout, cela ne me regardait pas. Or, chaque fois que je pose trop de questions sur quelque chose qui, au 26, Federal Plaza, paraît curieux, je me retrouve dans le pétrin. Comme me le disait ma mère : « Pétrin est ton second prénom. » Je l'ai crue jusqu'à ce que j'apprenne, grâce à mon extrait de naissance, que c'était Aloysius. Un de ces jours, je rectifierai.

Chapitre 2

Je me rendis chez Ecco, sur Chambers Street, restaurant italien de vieille facture, le meilleur, dans son genre, de l'Ancien et du Nouveau Mondes.

Une foule d'habitués, hommes d'affaires et péronnelles en tailleur, s'agglutinait au bar. Je lançai quelques bonjours.

Même si je ne connaissais pas tout le monde, j'aurais pu, étant un bon flic et un observateur avisé de la vie new-yorkaise, désigner dans la salle les avocats richissimes, les hauts fonctionnaires, les magistrats, les financiers. Il m'arrive même de tomber nez à nez avec mon ex. L'un de nous deux, un jour, devra renoncer à fréquenter l'établissement.

Je me fis servir un Dewar's soda et échangeai quelques mots avec mes voisins immédiats. Kate arriva. Je commandai pour elle un verre de vin blanc, ce qui me rappela mon problème de week-end.

– As-tu entendu parler du mildiou du North Fork ? questionnai-je.

– Qu'est-ce que c'est ?

– Une horrible maladie de la vigne, qui se transmet aux êtres humains.

Elle fit mine de ne pas m'avoir entendu.

– J'ai trouvé un B&B sur Internet, dit-elle. À Mattituck. Un endroit absolument charmant.

Tout comme le château de Dracula sur le site de la Transylvanie...

– As-tu entendu parler du Custer Hill Club ? repris-je.

– Non. Je ne l'ai pas vu sur le site du North Fork.

– En fait, ça se trouve un peu plus haut dans l'État de New York.

– Ah... C'est joli ?

– Je n'en sais rien, avouai-je.

– Veux-tu que nous y passions le prochain week-end ?

– J'irai d'abord y jeter un coup d'œil.

Apparemment, ce nom n'éveillait rien chez Mme Mayfield, qui détient parfois des informations qu'elle ne partage pas avec moi. Bien sûr, nous sommes mari et femme, mais elle fait partie du FBI et a accès à des dossiers qui me sont interdits. Je me demandai quand même pourquoi elle avait tout de suite pensé, à propos du Custer Hill Club, à un lieu de villégiature et non, par exemple, à une société historique, un country-club ou une autre association du même genre. Cela tenait peut-être au thème de notre conversation. Ou alors, elle savait très bien de quoi je parlais.

Changeant de sujet, j'évoquai les mémos sur l'Irak, ce qui nous amena à discuter géopolitique. Selon l'agent spécial Mayfield, la guerre contre l'Irak était non seulement inévitable mais nécessaire.

Le 26, Federal Plaza est une administration orwellienne, dont les collaborateurs s'adaptent automatiquement au moindre changement de ligne du Parti. Quand le politiquement correct était à l'ordre du jour, on aurait pu prendre la Force d'action antiterroriste pour un organisme social chargé de la réinsertion des psychopathes souffrant d'un déficit d'estime de soi. À présent, tout le monde ne parlait plus que de tuer les fondamentalistes islamiques et de gagner la guerre contre la terreur. Le mot « terrorisme » aurait été plus approprié. Mais, dans notre monde, le langage suit, lui aussi, l'évolution de la pensée officielle.

En bonne employée du gouvernement, Mme Mayfield n'affiche guère d'opinions politiques propres. Elle n'éprouva donc aucune difficulté à haïr un jour les Talibans, al-Qaida et OBL, puis à reporter son aversion sur Saddam Hussein dès la parution de la directive le désignant comme l'ennemi public numéro un.

Peut-être suis-je injuste. D'autant que je ne suis pas totalement rationnel en ce qui concerne Ben Laden et al-Qaida. J'ai perdu de nombreux amis le 11 septembre. Et sans l'intervention de la providence, nous nous serions trouvés ce jour-là, Kate et moi, dans la tour nord au moment de son effondrement.

J'avais rendez-vous au Windows on the World, au 107ᵉ étage, pour un petit déjeuner assez particulier. J'arrivai en retard. Kate m'attendait dans le vestibule. David Stein, Jack Koenig et mon ancien partenaire Dom Fanelli, mon meilleur ami, étaient à l'heure, tout comme nombre d'autres participants, dont ce salopard de Ted Nash. Aucun ne survécut.

Je ne suis pas spécialement fragile. Trois balles dans le buffet et des heures passées à me vider de mon sang au fond d'une ruelle n'ont pas eu d'effet durable sur ma santé mentale, ou ce qui en tient lieu. Ce jour-là, pourtant, me choqua bien plus que je ne m'en rendis compte tout d'abord. On peut le comprendre. Après tout, je me trouvais juste sous l'avion au moment où il percuta la tour. Aujourd'hui encore, lorsqu'un long-courrier passe au-dessus de ma tête...

– John ?

Je dévisageai Kate.

– Pardon ?

– Je t'ai demandé si tu en voulais un autre.

Je regardai mon verre vide. Elle commanda pour moi un second whisky. J'avais vaguement conscience que la télévision, au fond du bar, diffusait les informations du jour. Un journaliste commentait le vote du Congrès sur l'Irak. De nouveau, le 11 septembre me revint en mémoire.

J'avais tenté de me rendre utile en aidant les pompiers et les policiers à évacuer les gens du rez-de-chaussée. En même temps, je ne cessais de chercher Kate. Ensuite, alors que je sortais du bâtiment en transportant une civière, j'avais levé les yeux. Et j'avais vu toutes ces silhouettes se jetant dans le vide. Kate, croyais-je, était là-haut. Et j'étais sûr de l'avoir vue sauter...

Je la fixai, là, près de moi. Elle me rendit mon regard et murmura :

– À quoi penses-tu ?

– À rien.

Et puis le second avion avait percuté l'autre tour. Plus tard, je perçus l'étrange grondement du béton et de l'acier en train de s'écrouler. Je n'avais jamais rien entendu de tel. Je sens encore le sol trembler sous mes pieds tandis que la tour s'effondrait et qu'une pluie de verre pulvérisé tombait soudain du ciel. Comme tout le monde, je courus à perdre haleine. J'ignore toujours si ce fut moi qui lâchai la civière ou si l'autre porteur l'abandonna le premier, ou même si j'en transportais réellement une. Je crois que je ne m'en souviendrai jamais.

Kate, elle, ne put trouver le sommeil pendant des semaines. Elle pleurait beaucoup, souriait rarement. Elle me rappelait les victimes de viol dont j'avais recueilli le témoignage et qui avaient perdu non seulement leur innocence mais aussi leur âme.

Les bureaucrates sensibles de Washington conjurèrent quiconque était concerné par la tragédie d'accepter un soutien psychologique. Je n'ai pas pour habitude de parler de mes problèmes, professionnels ou personnels, à des inconnus. Mais Kate insista. J'allai donc voir l'un des psychiatres recrutés par les Fédéraux pour satisfaire aux innombrables demandes.

Le gus étant un peu fêlé lui-même, nous ne fîmes que peu de progrès lors de la première séance. Je passai la deuxième et les suivantes au Dresner, le bar le plus proche de chez moi. Aidan, le barman, se révéla un conseiller avisé.

– La vie est pourrie, me disait-il. Buvez-en un autre.

Kate, de son côté, suivit une thérapie pendant six mois. Depuis, elle allait beaucoup mieux. Pourtant, je savais que sa blessure ne cicatriserait sans doute jamais tout à fait. C'était peut-être une bonne chose.

Elle s'était toujours comportée de façon loyale vis-à-vis du FBI, contestant rarement son règlement, son fonctionnement et ses méthodes. En fait, elle me critiquait, moi, lorsque je risquais un commentaire acerbe sur les Fédéraux.

En apparence, sa loyauté restait intacte et elle adhérait toujours à la ligne du Parti. Toutefois, en son for intérieur, elle se rendait compte que cette ligne avait effectué un virage à 180 degrés, ce qui la rendait un peu plus cynique et l'amenait à se poser davantage de questions. Ce changement d'attitude me confortait : maintenant, nous avions quelque chose en commun. Travailler et vivre avec elle posait moins de problèmes. Elle se montrait une meilleure partenaire, autant au bureau que dans l'intimité.

Je ne reniais en rien la Kate au regard posé et candide dont j'étais tombé amoureux. Parfois, son absence de doute et sa rectitude d'autrefois me manquaient. Mais j'appréciais de plus en plus la femme plus expérimentée et plus forte qu'elle était devenue, celle qui, comme moi, avait vu le diable en face et ne craignait plus de l'affronter.

L'angoisse faisait désormais partie de notre existence, comme les couleurs symbolisant les niveaux d'alerte. Aujourd'hui, l'alerte était à l'orange. Qu'en serait-il demain ? Je n'avais qu'une certitude : elle n'était pas près de revenir au vert et, en tout cas, pas de mon vivant.

II

SAMEDI
ÉTAT DE NEW YORK

Chapitre 3

L'inspecteur Harry Muller gara son camping-car sur le bas-côté d'une petite route forestière, rassembla son matériel sur le siège du passager, sortit sa boussole et la consulta. Il prit à travers bois la direction du nord, vêtu d'une tenue de camouflage d'automne et coiffé d'une casquette de laine noire.

Planté de pins bien espacés sur un sol couvert de mousse et de fougères humectées de rosée, le terrain était facile d'accès. Peu à peu, le jour commença à filtrer à travers les pins, révélant, à ras de terre, une brume épaisse. Hormis le chant des oiseaux et de furtifs mouvements d'animaux dans les sous-bois, tout était calme.

Il faisait froid. Harry soufflait de la buée. Mais la beauté de la forêt le mettait de bonne humeur. Autour de son cou pendaient une paire de jumelles, une petite caméra et un appareil numérique dernier cri, un Nikon mégapixel 12 doté d'un objectif de 300 mm. Il avait également sur lui un exemplaire du *Guide Sibley des oiseaux*, qu'il exhiberait si quelqu'un lui demandait ce qu'il faisait là, et un Glock 9 mm qu'il mettrait sous le nez de son interlocuteur si cette réponse ne le satisfaisait pas.

Le dénommé Ed, qui l'avait briefé au service du matériel, lui avait expliqué que le Custer Hill Club se trouvait au centre d'une propriété privée de deux mille hectares, entourée d'une clôture de grillage surmontée de barbelés aussi effilés que des lames de rasoir. Voilà pourquoi le préposé au matériel avait ajouté à son attirail des pinces coupantes, que Harry avait glissées dans sa poche latérale.

Il atteignit la clôture au bout de dix minutes. Tous les trois mètres, des panneaux métalliques proclamaient : « Propriété privée. Défense d'entrer, sous peine de poursuites ». Un autre précisait : « Danger. Domaine protégé par des gardes armés et des chiens ».

Sa longue expérience avait appris à Harry que ce genre de mise en demeure n'était souvent que de la poudre aux yeux. Mais il prit celle-là au sérieux. Aussi s'étonna-t-il que Walsh n'ait rien su au sujet des gardes en armes et de leurs molosses, ou bien qu'il ait été au courant et ne lui en ait pas parlé. Dans les deux cas, il aurait, lundi, deux mots à lui dire.

Il alluma son téléphone cellulaire. La réception était bonne, ce qui paraissait un peu étrange dans ces montagnes. Il composa à la hâte le numéro du mobile de Lori, sa petite amie. Après cinq sonneries, il fut connecté à sa boîte vocale.

– Salut, mon ange, chuchota-t-il. C'est l'homme de ta vie. Comme je suis en pleine montagne, ça risque de ne pas passer trop longtemps. Je voulais juste te faire un petit coucou. Je suis arrivé ici vers minuit et j'ai dormi dans le camping-car. À présent, je suis en service commandé, tout près du pavillon de chasse des barjos d'extrême droite. Donc, ne me rappelle pas. Je te téléphonerai plus tard d'un poste fixe si mon mobile ne fonctionne plus. J'ai encore quelque chose à faire à l'aéroport local en fin de journée ou demain matin. Je risque donc de passer une nuit de plus dans le coin. Je te préviendrai en temps voulu. À bientôt. Je t'embrasse.

Il raccrocha, saisit ses pinces, creusa une trouée dans les barbelés et se faufila à l'intérieur de la propriété. Immobile, le regard aux aguets, il tendit l'oreille. Il remit ensuite les pinces dans sa poche, au cas où il aurait à sortir par un autre endroit de la clôture. Et il poursuivit sa progression dans les bois.

Cinq minutes plus tard, il tomba, jaillissant d'entre les pins, sur un poteau téléphonique de dix mètres surmonté d'un boîtier cadenassé. Il s'en approcha. Sous quatre projecteurs fixés au poteau, à environ six mètres de hauteur, cinq fils électriques couraient le long d'une traverse. L'un d'eux alimentait le téléphone. Un deuxième était relié aux projecteurs. Quant aux trois autres, il s'agissait de câbles épais, capables d'écouler une grande quantité de courant.

Frappé par un détail inhabituel, Harry braqua ses jumelles vers le sommet. Ce qu'il avait confondu avec des rameaux provenant des arbres environnants sortait en réalité du poteau lui-même. Il s'agissait d'une végétation de plastique, identique à celle dont les compagnies de téléphone entourent leurs poteaux et leurs relais en zone urbaine, pour les dissimuler ou les rendre moins inesthétiques. Mais pourquoi y en avait-il là, au milieu des bois ?

Il baissa ses jumelles et, avec son Nikon, prit quelques clichés du poteau, conformément à ce que lui avait enjoint Tom Walsh : « Outre les voitures, les visages et les plaques minéralogiques, photographier tout élément intéressant. »

Ces faux rameaux lui semblaient dignes d'intérêt. Après les avoir photographiés, il les filma donc dix secondes avec sa caméra, puis se remit en marche.

Le terrain devint peu à peu plus escarpé. Les pins s'effacèrent devant de grands chênes, des ormes et des érables dont les feuilles formaient un mélange éclatant de rouge, d'orange et de jaune. Un tapis de feuilles mortes bruissait sous ses pieds.

Il consulta rapidement sa carte et sa boussole : le pavillon se trouvait droit devant, à moins d'un kilomètre.

Il croqua une barre de céréales et poursuivit son chemin, jouissant de l'air frais des monts Adirondack tout en restant en alerte. Même pour un agent fédéral, pénétrer en fraude dans une propriété privée constituait un délit. Sans mandat, il n'avait pas plus le droit d'être là qu'un braconnier. Pourtant, lorsqu'il lui en avait demandé un, Walsh avait répondu :

– Nous n'avons aucune raison officielle de surveiller cet endroit. Pourquoi nous adresser à un juge si nous devons nous heurter à un refus ?

Ainsi que le disaient les hommes du NYPD quand ils enfreignaient la loi, « mieux vaut implorer la clémence après que demander la permission avant ».

Comme tous les membres de la Force antiterroriste, Harry savait que, deux minutes à peine après l'attaque de la seconde tour, les règles avaient changé et qu'on pouvait transgresser les lois immuables. Dans l'ensemble, cela rendait son travail plus facile, mais parfois, comme à présent, un peu plus risqué.

Les arbres commençaient à s'éclaircir. Nombre d'entre eux avaient été abattus, peut-être pour être transformés en bois de chauffage, ou pour des raisons de sécurité. Harry progressait presque à découvert.

Au sommet de la pente, il s'arrêta sous le dernier érable encore debout, inspecta le paysage à la jumelle. En bas, une route goudronnée menait à un portail flanqué d'une guérite de bois. Des projecteurs montés sur des pylônes métalliques l'encadraient de chaque côté. D'autres pylônes, en bois, supportaient chacun cinq rangées de fils téléphoniques qui, émergeant de la forêt, bordaient la route et disparaissaient à son extrémité, dans le fouillis des arbres. Harry en déduisit que cette installation prolongeait ce qu'il avait vu près de la clôture. Les pylônes et les fils ceinturaient les vingt kilomètres de la propriété, qu'on pouvait donc éclairer dans sa totalité. *Ce n'est pas un pavillon de chasse*, pensa-t-il.

La route grimpait jusqu'à un énorme chalet à un étage donnant sur une pelouse où flottait le drapeau américain ; un peu en dessous, accroché au même mât, un fanion jaune. Au-delà de la maison, au sommet de la colline, se dressait une tour qui ressemblait à un centre d'émission de radio ou à un relais de téléphonie cellulaire. Harry la photographia au télescope avec son Nikon.

Constituée de rondins et de galets, la façade du chalet s'ornait d'un grand portique à colonnes. Le toit se hérissait de six cheminées de pierre d'où sortait une fumée grise. Une Jeep noire était garée devant les fenêtres éclairées du rez-de-chaussée, sur une vaste aire de gravier. La maison était donc habitée et attendait des invités. C'était la raison de la présence de Harry à deux cents mètres de là.

Il prit, toujours au télescope, quelques clichés du parking et du chalet, qu'il filma ensuite avec sa caméra. Il lui faudrait se rapprocher pour photographier les voitures, leurs occupants et leurs plaques d'immatriculation. Ed lui avait montré, sur une vue aérienne, que les alentours de la demeure étaient en terrain découvert. Il aurait quand même la possibilité de se dissimuler derrière l'un des amas rocheux qui parsemaient la pente. Il lui suffirait de courir de l'un à l'autre jusqu'à un point d'observation situé à une centaine de mètres du chalet et du parking. De là, il pourrait filmer et photographier les véhicules en stationnement ainsi que les gens pénétrant dans la maison. Il devait, selon les instructions de Walsh, rester là jusqu'en fin d'après-midi, puis se rendre à l'aéroport pour y étudier la liste des passagers arrivés et des voitures louées en début de journée.

Quelques années plus tôt, des membres de l'Armée républicaine irlandaise avaient, non loin de là, monté un camp d'entraînement. La réserve forestière des monts Adirondack est aussi vaste que l'État du New Hampshire. Mélange de terrains publics et de propriétés privées, c'est un endroit idéal pour la chasse, la randonnée et l'expérimentation d'armes illégales. Les hommes de l'IRA s'exerçaient dans les bois au maniement de fusils automatiques et de lanceurs de grenades qu'ils comptaient utiliser, une fois rentrés chez eux, contre les Britanniques. Harry, qui les surveillait, ne leur en avait pas laissé le temps. On les avait tous coffrés et Harry avait eu droit à des félicitations, ce qui expliquait sans doute qu'on lui ait confié une autre mission du même ordre. Celle-là, toutefois, était un peu différente : les gens qu'il devait espionner n'avaient apparemment commis aucun crime, et certains d'entre eux avaient sans doute le bras long.

Il s'apprêtait à bondir vers le premier amas de roches lorsque trois Jeep noires, surgies de l'arrière du chalet, foncèrent en zigzaguant dans sa direction.

– Merde !

Il fit demi-tour et courut vers l'orée de la forêt, d'où lui parvinrent aussitôt des aboiements de chiens.

– Re-merde !

Les Jeep pilèrent devant les arbres. Deux hommes armés de fusils de chasse sautèrent à terre. Accompagnés de bergers allemands qui tiraient sur leur laisse en montrant les dents, trois autres surgirent du bois, des armes de poing à la ceinture. Un quatrième se précipita vers lui, courant comme s'il chargeait.

Harry comprit qu'ils ne pouvaient l'avoir repéré aussi vite que grâce à la présence, dans le secteur, de détecteurs de mouvements et de sons. *Ces gens*, se dit-il, *tenaient vraiment à leur intimité.* Quant à lui, il n'éprouva pas, en dépit de son anxiété, de réelle frayeur. Même s'il était mal parti, il ne se sentait pas en danger.

Les gardiens avaient formé un cercle autour de lui, tout en gardant une distance de cinq ou six mètres. Ils portaient une tenue de camouflage de type militaire, avec un petit drapeau étoilé sur leur épaule droite, et une casquette ornée de l'aigle américain. De leur oreille gauche dépassait le fil d'un écouteur. Aucun ne paraissait particulièrement jeune. Harry eut l'impression d'avoir affaire, peut-être à cause de l'uniforme, à des vétérans de l'armée.

Leur chef s'approcha de lui. Son badge indiquait son prénom : Carl.

– Monsieur, lui dit-il, vous êtes sur une propriété privée.

– Vraiment ? bredouilla Harry d'un air penaud.

– Oui, monsieur.

– Mon Dieu... Si j'avais su...

– Comment avez-vous franchi la clôture, monsieur ?

– Quelle clôture ? s'étonna Harry.

– Celle qui entoure la propriété, avec des panneaux en interdisant l'entrée.

– Je n'ai rien vu de tel. Oh, cette clôture-là... Désolé, Carl. Je suivais un pic. Il s'est envolé par-dessus le grillage, j'ai trouvé une ouverture et...

– Qu'est-ce que tu fous là ?

Carl devenait moins aimable. « Monsieur » semblait avoir disparu de son vocabulaire. Harry sortit son guide, tapota ses jumelles et répondit :

– J'étudie la faune.

– C'est quoi, ces appareils ?

– En fait, je photographie les oiseaux. Et je les filme. Aussi, si vous avez la bonté de m'indiquer la sortie de la propriété ou, mieux, de m'y conduire, je m'en vais de ce pas.

Carl ne répondit pas. Harry y vit le premier signe d'ennuis possibles. Le vétéran déclara enfin :

– Il y a, tout autour d'ici, des milliers d'hectares de terrain public. Pourquoi as-tu troué la clôture ?

– Je n'ai fait aucun trou, mec. J'en ai trouvé un. Tu piges, Ducon ?

Tous se rendirent compte, Harry le premier, qu'il ne s'exprimait plus comme un paisible ornithologue. Il faillit exhiber sa carte des Fédés, clouer le bec à ces enfoirés et exiger qu'ils le ramènent à son camping-car. Il se ravisa. Pourquoi révéler à ces guignols qu'il était un agent fédéral chargé de les espionner, ce qui aurait mouillé Walsh jusqu'au cou ?

– Je me casse.

Il fit un pas en direction de la forêt. Aussitôt, les fusils se braquèrent sur lui et les pistolets sortirent de leur étui. Les trois chiens grognèrent, tirant de plus belle sur leur laisse.

– Arrête, ou je les lâche.

Harry prit une grande inspiration et obéit.

– Nous avons deux façons de procéder, dit Carl. En douceur, ou de façon brutale.

– Va pour la brutalité.

Carl jeta un bref coup d'œil à ses neufs compagnons, aux chiens, enfin à Harry, puis adopta un ton conciliant.

– Monsieur, nous avons pour instruction très stricte de conduire tout intrus au chalet, d'appeler le shérif et de faire escorter l'individu en question jusqu'aux limites de la propriété. Aucune charge ne sera retenue contre vous, mais le shérif vous signifiera que, si vous pénétrez de nouveau en fraude dans l'enceinte du domaine, vous serez inculpé et arrêté. Il vous est interdit, selon la loi et les clauses de notre police d'assurance, de quitter les lieux à pied et de votre propre chef. Quant à nous, nous ne vous guiderons pas jusqu'à la sortie. Seul le shérif est habilité à le faire. Ceci pour votre propre sécurité.

Harry considéra un instant la situation. Même si elle ne lui souriait guère, il pourrait en profiter pour découvrir l'intérieur du chalet, glaner peut-être quelques informations et faire parler le shérif local.

– D'accord, mon pote, dit-il à Carl. On y va...

D'un geste, le vétéran lui ordonna de tourner les talons et de marcher vers les Jeep. Harry crut que les gardes allaient le faire monter dans l'un des véhicules, mais non. Peut-être avaient-ils un contrat d'assurance draconien...

Les Jeep roulèrent au pas tout près de lui, tandis qu'on l'entraînait vers la route et qu'on lui faisait gravir la colline en direction de la maison, encadré par toute la troupe.

En marchant, il pensa à ces dix hommes armés accompagnés de chiens, à la guérite, à la clôture grillagée, aux barbelés plus tranchants que des rasoirs, aux projecteurs et aux boîtiers de téléphone, à la présence probable de détecteurs. Tout cela ne ressemblait guère à un club de chasse ou de pêche. Il se sentit soudain furieux contre Walsh, qui l'avait à peine briefé, furieux surtout contre lui-même, pour ne pas avoir anticipé le danger.

Car, en dépit des apparences, son instinct, aiguisé par vingt-cinq ans dans la police et cinq dans la Force antiterroriste, lui soufflait que ce danger était bien réel.

Pour en avoir le cœur net, il interpella Carl, qui marchait à côté de lui :

– Dis donc, pourquoi ne pas appeler le shérif sur ton mobile ? Ça te ferait gagner du temps.

Le vétéran ne répondit pas. Harry fourra une main dans sa poche et ajouta :

– Tu peux utiliser le mien, si tu veux.

Alors, Carl aboya :

– Garde tes pognes bien en vue et ferme ta sale gueule !

Un frisson glacé parcourut l'échine de Harry Muller.

Chapitre 4

Harry se retrouva assis devant un bureau. Face à lui, un homme d'une soixantaine d'années, grand et mince, se présenta : Bain Madox, président et propriétaire du Custer Hill Club. Il ne s'agissait pas, précisa-t-il, de son occupation principale, mais d'un simple passe-temps. Madox était surtout président et propriétaire de la Global Oil Corporation, ou Goco, dont Harry avait entendu parler, fonction qui expliquait les deux photographies sur le mur : l'une d'un tanker, l'autre d'un puits de pétrole flambant au milieu du désert.

Sensible à l'intérêt de Harry pour ces photos, Madox précisa :

– Koweït. La guerre du Golfe... Je déteste voir brûler du bon pétrole, surtout si personne ne me rembourse.

Il portait un blazer bleu et une chemise écossaise aux couleurs criardes. Harry, lui, n'avait sur lui que son caleçon long en Thermolactyl. Aidé par deux gardes qui, brandissant un aiguillon, lui avaient promis de s'en servir à la moindre velléité de résistance, Carl venait de lui faire subir une humiliante fouille corporelle. Il se tenait à présent derrière lui avec un de ses hommes. Tous deux serraient leur aiguillon dans une main. Pas de trace du shérif. Harry était certain qu'on ne l'avait même pas prévenu.

Il considéra Madox tranquillement installé derrière son immense bureau, dans son vaste cabinet de travail lambrissé de pin, au premier étage du chalet. Au-delà, par la fenêtre, il apercevait la pente sur laquelle s'adossait la maison et, tout en haut, la grande antenne qu'il avait vue depuis la forêt.

35

Madox s'adressa aimablement à lui.
– Désirez-vous du café ? Du thé ?
– Allez vous faire foutre.
– Est-ce un refus ?
– Allez vous faire foutre.

Les deux hommes se dévisagèrent. Harry admira le bronzage totalement hors de saison de Madox, ses cheveux gris coiffés en arrière, son long nez d'aigle, ses yeux gris. *Riche, mais futé*, pensa-t-il. Tout, en lui, respirait la force, l'intelligence, l'autorité. Avoir capturé et retenir prisonnier un agent fédéral semblait ne le troubler en rien. *Mauvais signe*, se dit Harry.

Madox sortit une cigarette d'une boîte près de lui.
– Vous fumez ?
– Appelez le shérif. Tout de suite.

Madox alluma sa cigarette avec un gros briquet d'argent, tira pensivement une bouffée.
– Qu'est-ce qui vous amène ici, agent Muller ?
– L'observation des oiseaux.
– Je ne voudrais pas me montrer grossier, mais ce violon d'Ingres ne me semble guère martial pour un spécialiste de la lutte antiterroriste.
– Je vous accorde une minute avant de vous mettre en état d'arrestation.
– Permettez-moi donc de l'utiliser à bon escient.

Madox détailla les effets éparpillés sur son bureau : le téléphone cellulaire et le bipeur de Harry, son trousseau de clés, la caméra, le Nikon, les jumelles, le guide des oiseaux, une carte d'état-major de la zone, la boussole, les pinces coupantes, sa carte d'agent fédéral et son Glock 9 mm, ce « bébé Glock » facile à dissimuler et dont il avait, en homme avisé, ôté le chargeur.
– Que dois-je déduire de tout cela, monsieur Muller ?
– Déduis-en ce que tu voudras, mec. Rends-moi mon fourbi et laisse-moi me tirer d'ici, ou tu prendras entre vingt piges et perpète pour séquestration d'un agent fédéral.

Madox grimaça légèrement, révélant son agacement et son impatience.
– Allons, monsieur Muller, nous avons dépassé ce stade depuis longtemps. Laissez-moi jouer au détective. Je vois ici une paire de jumelles, une petite caméra vidéo, un appareil

numérique dernier cri doté d'un téléobjectif et un guide des oiseaux. Je pourrais en conclure que j'ai affaire à un ornithologue amateur plein d'enthousiasme. Si enthousiaste, en fait, que vous vous êtes muni de pinces au cas où une clôture viendrait s'interposer entre vous et un geai, et d'une arme de poing 9 mm au cas où ce volatile s'agiterait un peu trop pour vous permettre de le photographier. J'observe également, sur votre carte d'état-major, des cercles au feutre rouge autour du périmètre de ma propriété, de la guérite de l'entrée, de ce chalet et d'autres édifices. Cela me laisse supposer qu'on a pris des photographies aériennes de mon domaine et que ces cercles rouges ont été tracés intentionnellement sur votre carte... Je remarque également, sur mon bureau, ce badge et une carte professionnelle qui vous identifient comme un membre retraité de la police de New York. Félicitations... Mais ce qui m'intéresse bien davantage, c'est l'autre badge et l'autre carte professionnelle, qui vous présentent comme un agent fédéral affecté à la Force d'action antiterroriste. Et nullement à la retraite...

Il scruta la photo de la carte, puis Harry.

– Vous travaillez, aujourd'hui ?

– D'accord, soupira Muller, tentant une dernière fois de rendre plausible sa couverture. Laissez-moi vous répéter ce que j'ai déjà dit à vos matons. Je suis venu dans la région pour le week-end, avec l'intention de camper dans la forêt. J'observe et je photographie les oiseaux. Je suis effectivement agent fédéral et la loi m'oblige à conserver en permanence mes pièces d'identité sur moi. Inutile de chercher midi à quatorze heures.

– Votre explication se tient parfaitement, répondit Madox. Mais mettez-vous à ma place. Et je me mettrai à la vôtre. Je suis donc l'agent fédéral Harry Muller. Un inconnu me raconte que tous les objets étalés sur mon bureau, et qui me prouvent que cet individu effectue une mission de surveillance, sont uniquement destinés à l'observation des oiseaux. Dois-je le laisser partir ? Ou exiger de lui une explication plus logique et, disons, plus franche ? Que feriez-vous à ma place ?

– Désolé, je n'ai pas entendu. La fumée de votre cigarette étouffe le son de votre voix.

Madox sourit. Il ouvrit le guide Sibley, chaussa ses lunettes et parcourut une page.

– Où avez-vous la plus grande chance de rencontrer un huart, monsieur Muller ?

– Près d'un lac.

– C'était trop facile.

Il feuilleta le livre, puis demanda :

– Quelle est la couleur de la fauvette azurée ?

– Marron.

– Non, monsieur Muller. Azur signifie bleu. Bleu ciel. Une autre : quelle est la couleur du mâle de la... ? Non, je n'aurai pas la cruauté de poursuivre. Voyons plutôt ce que révèle l'écran de mon ordinateur. Voilà vos photographies. Je n'y distingue aucun oiseau. En revanche, je constate que vous vous intéressez à mes installations téléphoniques... Et à la tour qui surplombe le chalet... Enfin, au chalet lui-même... Ah, il y a quand même un oiseau sur le toit... Un hasard...

Il s'empara de la caméra vidéo, appuya sur *Replay*, approcha le viseur de son œil.

– Voilà encore le poteau téléphonique... Je constate que le feuillage de plastique vous a intrigué... Encore le chalet : une vue rapprochée, cette fois... L'oiseau s'envole. On dirait un grand héron bleu. Il aurait dû migrer vers le sud depuis longtemps. Mais l'automne est anormalement chaud, cette année. Effet de serre, si vous croyez à cette salade.

Il reposa la caméra.

– Savez-vous quelle est la meilleure façon de lutter contre le réchauffement de la planète ? Non ? Je vais vous le dire. L'hiver nucléaire.

Il éclata de rire.

– Une vieille blague.

Il se renversa dans son fauteuil, alluma une autre cigarette. Il souffla de parfaits ronds de fumée, les regarda s'élever puis se désagréger.

– Un art qui se perd, murmura-t-il.

Laissant Bain Madox à la pratique de son art, Harry balaya la pièce des yeux. Il entendit, derrière lui, le souffle des deux gardes tandis qu'il se concentrait sur un mur couvert de certificats encadrés, qui pouvaient lui en apprendre davantage sur l'homme assis en face de lui. Captant son regard, Madox lui dit :

– Le premier, en haut à gauche, atteste que j'ai été décoré de la Silver Star. Suivent la Bronze Star, la Purple Heart, puis ma promotion au grade de sous-lieutenant de l'armée des États-Unis. Viennent ensuite, en dessous, les médailles et les citations acquises au cours de la guerre du Vietnam. J'ai servi dans le 7ᵉ régiment, de la 1ʳᵉ division de cavalerie aéroportée. Le 7ᵉ de cavalerie était l'ancienne unité du général Custer. C'est une des deux raisons du nom de ce club. Plus tard, je vous révélerai peut-être la seconde. Toutefois, dans ce cas, je serai obligé de vous tuer.

Il s'esclaffa de nouveau :

– Je plaisantais. Allons, ne faites pas cette tête. Ce n'était qu'une boutade.

Harry se força à sourire. *Enfoiré.*

– Sur la dernière rangée, précisa Madox, vous trouverez mes diplômes de combattant au sol et de tireur d'élite, le document qui sanctionne mon stage d'entraînement dans la jungle, et enfin mon ordre de démobilisation. J'ai quitté le service au bout de huit ans, avec le grade de lieutenant-colonel. On gagnait vite ses galons, à l'époque. Les nombreux officiers tués éclaircissaient les rangs. Avez-vous été mobilisé ?

– Non, répondit Harry, décidant de jouer la montre. J'étais trop jeune. Ensuite, on a aboli la conscription.

– On devrait la rétablir.

– Tout à fait d'accord. Il faudrait aussi mobiliser les femmes. Puisqu'elles réclament l'égalité des droits, elles devraient avoir les mêmes devoirs que nous.

– Vous avez tout à fait raison.

– Mon fils, poursuivit Harry sur sa lancée, a dû se faire recenser en prévision d'un éventuel rétablissement du service militaire. Mais pas ma fille. N'est-ce pas absurde ?

– Totalement. Vous avez un fils et une fille ?

– Oui.

– Marié ?

– Divorcé.

– Ah, moi aussi.

– Les femmes vous rendent dingue.

– Seulement si on leur laisse la bride sur le cou.

– C'est ce que nous faisons.

– Avons-nous le choix ? répliqua Madox en riant. Bien.

Vous êtes ici en mission de surveillance pour le compte de la Force fédérale d'action antiterroriste. Pourquoi ?

– Combien de temps avez-vous servi au Vietnam ?

Madox dévisagea Harry quelques secondes, puis répondit :

– Deux périodes d'une année chacune, puis une troisième, abrégée par une balle d'AK-47 qui est passée à trois centimètres de mon cœur, a perforé mon poumon droit et m'a brisé une côte en ressortant.

– Vous avez de la chance d'être en vie.

– C'est ce que je me dis tous les jours. Chaque journée est un présent. Vous a-t-on déjà tiré dessus ?

– Cinq fois. On m'a raté.

– C'est vous qui avez de la chance d'être en vie !

Madox se tut un instant avant de murmurer :

– Ça vous change. Pas forcément en mal. Mais vous ne serez plus jamais le même.

– Je sais. Certains de mes amis ont été touchés.

Il pensa à John Corey qui, lui, était resté aussi fêlé après avoir été blessé qu'auparavant.

– Parfois, je me dis que j'aurais dû m'engager. La guerre du Vietnam était finie, mais j'aurais pu être utile. Peut-être aurais-je eu la chance de participer à l'invasion de la Grenade...

– Ne soyez pas trop sévère avec vous-même. La plupart des Américains n'ont jamais combattu. Et, pour vous avouer la vérité, la guerre est une expérience terrifiante. Je ne souhaite à personne de ressentir la peur, l'épouvante... À présent, nous sommes engagés dans un autre conflit. Contre le terrorisme. Et vous, monsieur Muller, vous êtes apparemment en première ligne. Exact ?

– Euh, oui.

– Et, par terrorisme, nous voulons dire « terrorisme islamique ». Exact ?

– Oui, mais...

– Donc, vous cherchez ici des activistes musulmans. Puis-je vous être utile en quoi que ce soit ? Surtout n'hésitez pas, monsieur Muller. Personne n'est plus désireux que moi de vaincre le terrorisme. En quoi puis-je vous aider ?

– Euh... Eh bien, voilà. Il y a cinq ans, je me suis occupé de ces types de l'IRA. Des terroristes, eux aussi... À une vingtaine de kilomètres d'ici. Ils avaient un camp d'entraînement.

Harry raconta l'affaire à Madox, puis conclut :

– Huit d'entre eux ont fini dans une prison fédérale. Ils purgent des peines allant de trois à vingt ans.

– Ah, oui. Je m'en souviens, parce que ça s'est passé près d'ici...

– Exact. Cette fois, c'est la même chose. Nous surveillons tout un ensemble de propriétés privées pour nous assurer qu'elles n'abritent pas d'activités suspectes impliquant l'IRA. Nous avons reçu des rapports des services de renseignement affirmant que...

– Cela n'a donc rien à voir avec le terrorisme islamique ?

– Non. Pas aujourd'hui. Nous travaillons sur l'IRA.

– À la lumière du 11 septembre, cela me paraît un gaspillage de temps et de moyens.

– C'est également mon avis. Mais on ne peut rien négliger.

– Sans doute. Vous pensez donc que le Custer Hill Club est... quoi ? Un camp d'entraînement de l'Armée républicaine irlandaise ?

– Eh bien, mes chefs ont eu vent d'une activité suspecte dans le secteur et m'ont envoyé y jeter un œil. Au cas où des gens utiliseraient votre propriété à votre insu...

– Personne ne peut pénétrer chez moi sans que j'en sois averti. Vous avez pu vous en rendre compte.

– Oui. D'ailleurs, je le mentionnerai dans mon rapport...

– Et certainement pas des gens effectuant un entraînement paramilitaire.

– Oui, je...

– Mais cela n'explique pas pourquoi vous avez pris des clichés de mon chalet. Vous devriez être dans les bois, à la recherche de ces hommes de l'IRA. Dois-je me sentir flatté de votre intérêt pour mon domaine ? Ou me considérer comme visé ? À ce propos, avez-vous un ordre de mission écrit ou un mandat pour ce genre d'activités ?

– Bien sûr. Mais pas sur moi.

– N'êtes-vous pas censé garder votre mandat sur vous ? Or, ajouta Madox en désignant les objets répandus sur son bureau, nous n'avons rien trouvé de tel. Pas même en fouillant votre rectum...

– Salopard !

Harry se leva brutalement et hurla :

– Je me tire d'ici !

Il bondit vers le bureau de Madox pour récupérer ses affaires. Aussitôt, une douleur atroce vrilla son flanc droit. Il s'effondra et perdit connaissance.

Lorsqu'il reprit conscience, il était étendu sur le sol. Une sueur froide le couvrait tout entier. Il distingua vaguement, dans un brouillard, Carl penché sur lui et tapotant de son aiguillon le creux de sa paume.

– Tu veux une autre décharge ?

Harry tenta de se relever, mais ses jambes se dérobèrent sous lui. L'autre garde le souleva par les aisselles et le replaça dans son fauteuil. Il tenta de reprendre son souffle et de maîtriser le tremblement de ses muscles. Sa vision était toujours floue et ses oreilles tintaient.

– L'électricité produit un effet sidérant sur l'organisme, déclara calmement Madox. Et ne laisse quasiment aucune trace. Où en étions-nous ?

Harry essaya de répondre par une insulte. Mais aucun son ne sortit de sa bouche.

– Vous tentiez, reprit Madox, de me faire croire que vous effectuiez une mission de routine sur d'éventuels camps d'entraînement de l'IRA. Vous ne m'avez pas convaincu.

Harry prit une profonde inspiration et bredouilla :

– C'est la vérité.

– Laissez-moi vous rassurer. Il n'y a aucun membre de l'Armée républicaine irlandaise sur ma propriété. En fait, monsieur Muller, mes ancêtres sont anglais, leur lignée se perd dans la nuit des temps et je n'éprouve aucune sympathie pour ce qui vient d'Irlande. Mais laissons cela et venons-en au fond du problème. Quelle est l'opinion exacte de vos supérieurs sur ce qui se passe ici ?

Harry garda le silence.

– Avez-vous besoin d'une autre stimulation électrique pour répondre à ma question ?

– Non... Je ne sais rien. Ils ne m'ont rien dit.

– Ils ont dû vous donner quelques bribes : « Harry, nous soupçonnons ce Custer Hill Club d'être... » Quoi ? Comment ont-ils défini cette association et ses membres ? C'est très important pour moi, et j'aimerais que vous me le précisiez. Vous me l'apprendrez tôt ou tard. Le plus tôt sera le mieux.

Silence. Harry réfléchissait à toute vitesse. Il ne s'était jamais trouvé, lors d'un interrogatoire, à la place du suspect. Et on ne lui avait jamais appris comment se comporter en de telles circonstances. Il hésitait entre se cramponner à son histoire de terroristes irlandais ou révéler à Madox le peu qu'il savait. L'essentiel, c'était de quitter les lieux vivant, même s'il n'arrivait pas encore à croire sa vie menacée.

– Monsieur Muller ? Nous sommes passés de l'observation des oiseaux à cette histoire de terroristes irlandais, touchant conte de fées s'il en est. À présent, venons-en à la vérité. Vous me paraissez un peu embrouillé. Permettez-moi donc de vous aider. On vous a dit que le Custer Hill Club n'était qu'un ramassis de vieilles ganaches d'extrême droite, riches comme Crésus et conspirant pour mettre sur pied une opération illégale. Exact ?

Harry acquiesça.

– Que vous a-t-on dit d'autre à notre sujet ?

– Rien. Je n'ai pas besoin d'en savoir davantage.

– Très bien. On vous en a donc dévoilé le moins possible. Mais vos supérieurs vous ont-ils appris que plusieurs de nos membres occupent des positions haut placées, aussi bien dans la société civile qu'au sein du gouvernement ?

– Je n'avais pas à être au courant.

– Il faut que vous le soyez. C'est pourquoi vous êtes ici, qu'on vous ait mis dans la confidence ou non. À la vérité, les membres de ce club disposent d'un grand pouvoir, qu'il soit financier, politique ou militaire. Savez-vous qu'un de nos membres est le secrétaire d'État adjoint à la Défense ? Et qu'un autre est conseiller du Président pour la sécurité ? Saviez-vous cela ?

Harry secoua la tête.

– Nous n'apprécions guère qu'une agence gouvernementale espionne illégalement nos activités qui, elles, sont parfaitement légales. Nous chassons, nous pêchons, nous échangeons des idées autour d'un verre et nous discutons de l'état du monde. La Constitution des États-Unis garantit le droit de réunion, la liberté de parole et le respect de la vie privée. Exact ?

Harry acquiesça.

– Un de vos chefs a donc outrepassé ses attributions et devra répondre de ses actes.

Harry le croyait. Ce n'était pas la première fois que ses supérieurs prescrivaient de leur propre initiative, sans en référer à quiconque, la surveillance de groupes ou d'individus totalement innocents. D'un autre côté, c'était à cela, précisément, que servait cette surveillance : vérifier si un soupçon d'activité criminelle était justifié ou non.

– Je pense qu'il a déconné.

– On ne peut mieux dire. Et vous vous êtes retrouvé au milieu.

– Exact.

– Vous n'êtes pas un agent du FBI ?

– Non.

– Ni de la CIA ?

– Foutre non !

– Alors, vous êtes quoi ? Un agent sous contrat ?

– Oui. Retraité du NYPD. Travaillant pour le FBI.

– Un sous-fifre, donc...

– Si on veut.

– Je ferai en sorte qu'on ne vous sanctionne pas.

– Trop aimable. Et merci pour la décharge.

– Je ne vois pas de quoi vous parlez.

Madox consulta sa montre et ajouta :

– J'attends des invités. Le saviez-vous ?

– Non.

– Cela n'a donc rien à voir avec votre présence ici aujourd'hui ?

Silence.

– Répondez, monsieur Muller. J'ai une matinée chargée.

– Euh.. Eh bien... On m'a donné pour instructions de voir si quelqu'un...

– On vous a ordonné de photographier mes invités, de relever le numéro de leur plaque minéralogique, de noter leur heure d'arrivée, etc.

– Oui.

– Comment ceux pour qui vous travaillez ont-ils su que nous organisions une réunion ici, aujourd'hui ?

– Je n'en ai pas la moindre idée.

– Pourquoi avez-vous photographié mon installation téléphonique ?

– Je suis simplement tombé dessus.

– Quand êtes-vous arrivé ?

– La nuit dernière.

– Est-ce que quelqu'un vous accompagne ?

– Non.

– Comment vous êtes-vous rendu jusqu'ici ?

– Au volant de mon camping-car.

– Ce sont les clés du véhicule ?

– Oui.

– Où se trouve-t-il ?

– Sur la route forestière située au sud.

– Près de l'endroit où vous avez pénétré dans ma propriété ?

– Oui.

– Êtes-vous censé faire un rapport par téléphone ?

Walsh ne lui avait rien demandé de tel, mais Harry répondit :

– Oui.

– Quand ?

– En quittant la propriété.

– Je vois.

Madox s'empara du mobile de Harry et l'alluma.

– Vous avez un message. Vous vous étonnerez peut-être de la qualité de la réception, ici, au milieu de nulle part. C'est parce que je possède mon propre relais. Vous savez maintenant, ajouta-t-il en montrant la fenêtre, à quoi sert cette tour. Cela vous permettra de légender votre photo. Vous pourrez également préciser qu'elle est dotée d'un système de brouillage, pour que personne ne puisse écouter mes conversations. N'est-il pas merveilleux d'être riche ?

– Je n'ai pas eu l'occasion de m'en rendre compte.

– Quel est le code de votre boîte vocale ?

Harry le lui donna. Madox composa le numéro de la messagerie, tapa le code et actionna l'amplificateur.

– Salut, mon ange, dit Lori. J'ai eu ton message. Je dormais. Aujourd'hui, je vais faire du shopping avec ta sœur Anne. Appelle-moi plus tard. J'aurai mon mobile sur moi. D'accord ? Fais-moi savoir si tu dois rester là-bas plus longtemps. Je t'aime et tu me manques... Méfie-toi de ces barjos fachos. Ils aiment leurs flingues. Fais attention.

– Elle est charmante, commenta Madox. Mis à part sa remarque sur les barjos fachos et leurs flingues... Apparemment, elle croit que vous pourriez passer la nuit ici. Elle a peut-être raison.

Il éteignit le téléphone.

– Vous savez sans doute que ces appareils émettent un signal qu'on peut suivre à la trace.

– Oui, c'est mon boulot.

– Stupéfiante technologie. Je peux appeler mes enfants n'importe quand et n'importe où. Bien sûr, ils ne décrochent jamais. Mais ils me rappellent au bout de cinq messages, ou quand ils ont besoin de quelque chose.

Harry se força à sourire.

– Bien, conclut Madox. Vous semblez être ce que vous affirmez. Pour me montrer tout à fait franc, monsieur Muller, j'ai cru un instant que vous travailliez pour une puissance étrangère.

– Quoi ?

– Je ne suis pas paranoïaque. Mais les membres de ce club ont des ennemis partout à travers le monde. Des ennemis déterminés. Nous sommes tous patriotes, monsieur Muller, et nous avons causé nombre de problèmes aux ennemis de l'Amérique.

– Vous avez bien fait.

– J'étais certain que vous approuveriez. Et ces gens sont également vos ennemis. Donc, pour citer la vieille expression arabe : « Les ennemis de mes ennemis sont mes amis. »

– Très juste.

– Parfois, pourtant, l'ennemi de mon ennemi est aussi mon ennemi. Non parce qu'il tient à l'être, mais parce que nous divergeons sur la façon de traiter notre adversaire commun. Mais nous aborderons ce sujet une autre fois.

– Parfait. Je vous téléphone la semaine prochaine.

Bain Madox se leva, consulta sa montre.

– Monsieur Muller, puisque vous et votre agence vous intéressez tant à notre club et à ses membres, je vais vous faire une faveur que je n'ai jamais accordée à personne. Je vais vous autoriser, vous, un étranger, à assister à la réunion de notre conseil de direction, qui se tiendra cet après-midi, après un déjeuner de bienvenue en l'honneur des participants. Voulez-vous vous joindre à nous ?

– Je... Non, pas vraiment. Je crois que je devrais...

– Je pensais que vous étiez ici pour recueillir des informations. Êtes-vous si pressé ?

– Pas vraiment, mais...

– Je vous laisserai même prendre des photos.

– Merci, mais...

– À mon avis, cette réunion nous sera utile à tous les deux. Vous y apprendrez quelque chose et j'observerai votre manière de réagir à notre discussion. Parfois, voyez-vous, nous nous enfermons dans notre tour d'ivoire et perdons un peu le contact avec la réalité extérieure. Ce n'est pas sain... Je veux que vous vous sentiez libre de vos commentaires, que vous nous disiez si nous ressemblons vraiment à une bande de vieilles ganaches, à des « fachos barjos ». Nous escomptons, de votre part, une opinion sincère sur notre prochain projet. Le Projet vert.

– Le Projet vert ?

Madox regarda brièvement les gardes. Puis il s'approcha de Harry, se pencha vers lui et chuchota à son oreille :

– Apocalypse nucléaire.

Chapitre 5

Pieds nus et les yeux bandés, Harry Muller fut entraîné dans un escalier jusqu'au sous-sol du chalet, humide et froid, où résonnait un bourdonnement de machines et de moteurs électriques.

Une porte s'ouvrit. On le poussa en avant. La porte claqua derrière lui, une barre métallique glissa le long du battant. Ensuite, le silence.

Harry tendit l'oreille un instant. Puis il enleva son bandeau et regarda autour de lui. Il était seul.

On l'avait enfermé dans une petite pièce aux murs et au sol de béton peints de laque grise, au plafond bas recouvert d'une plaque de métal ondulé. Violemment éclairée par une lampe au néon, elle n'était meublée que d'un lit de fer scellé au plancher. On avait déposé, sur le matelas, son pantalon et son treillis de camouflage. Il les enfila, fouilla dans ses poches. On ne lui avait rien rendu.

Dans un coin, le lavabo sans miroir et les toilettes sans siège ni chasse d'eau accentuaient encore la ressemblance avec une cellule de prison. Harry marcha jusqu'à la porte d'acier, qui n'avait ni poignée ni judas, la poussa violemment. Elle ne bougea pas d'un pouce.

Il chercha un ustensile qui aurait pu lui servir d'arme. Mais, hormis le lit et un vieux radiateur qui émettait une vague chaleur, la pièce était vide.

Il remarqua alors, dans un coin du plafond, une petite caméra pivotante et un micro encastré tout à côté. Il leva le majeur et hurla :

– Fumiers !

Personne ne répondit.

Il sauta en l'air, gifla la caméra. Elle continua à balayer la pièce. Tout à coup, un son aigu, insupportable, envahit la cellule. Harry plaqua ses paumes contre ses oreilles et s'éloigna du micro. Le sifflement s'amplifia. Harry cria :

– Ça va, ça va !

Le sifflement cessa.

– Assis ! intima une voix.

– Des clous !

Salauds ! Attendez un peu que je sois sorti d'ici !

Il devait être, pensa-t-il, 10 ou 11 heures du matin. Son estomac gargouillait, mais il n'avait pas particulièrement faim. Il avait seulement soif. Et il fallait qu'il se soulage.

La caméra le suivit tandis qu'il se dirigeait vers les toilettes. Il urina, puis ouvrit l'unique robinet du lavabo. Il se lava les mains au maigre filet d'eau froide, but dans ses paumes. Comme il n'y avait pas de serviette, il s'essuya contre son pantalon avant d'aller s'asseoir sur le lit. Il repensa à sa conversation avec Madox.

Apocalypse nucléaire.

Qu'est-ce que c'est que ce délire ?, se dit-il. Et cette réunion à laquelle il était, lui aussi, invité... Tout cela ne tenait pas debout. À moins... À moins que tout cela ne fût un coup monté.

Il se redressa brusquement.

C'est ça ! On m'a envoyé dans un de ces camps d'entraînement à la con !

Dès lors, tout devenait limpide. Son entretien avec Madox, l'attirail que lui avait confié le responsable du matériel, l'obligation de trouer la clôture, les gardes, cette cellule dans une maison particulière, tout ce bazar grotesque n'était qu'un test... Une de ces épreuves destinées à mettre les agents sur le gril : survie, résistance, évasion...

Pour l'évasion, il avait échoué, du moins pour le moment. D'où sa présence dans la cellule. Il se remémora l'interrogatoire mené par Madox. L'épreuve de résistance... *Merde ! Est-ce que j'ai foiré là aussi ? Qu'est-ce que j'ai bien pu lui raconter ? Je l'ai insulté, je lui ai débité mes salades sur l'observation des oiseaux, puis sur l'IRA. Pas mal... Et les aiguillons, la décharge... Est-ce qu'ils vont jusque-là ? Pour-quoi pas ? Mais j'ai tenu.*

Tout à l'heure, on lui offrirait une nouvelle occasion de s'évader, de s'enfuir dans les bois. Épreuve de survie... *Oui, c'est comme ça que ça va se passer.* Il soupira, rassuré. Il n'y avait pas d'autre solution. Il ne pouvait s'agir que d'une de ces inventions démentes du FBI ou de la CIA. On l'avait sélectionné pour une mission importante et on cherchait à savoir ce qu'il avait dans le ventre. Le Custer Hill Club n'était qu'une réplique de la ferme de la CIA en Virginie.

Parfait, se dit-il. *J'ai réussi le premier test. Maintenant, il va y avoir la réunion. Ils vont essayer de me piéger. Du calme, Harry, ce n'est qu'un jeu...*

Il leva les yeux vers la caméra et beugla :

– Je vais vous dévisser la tronche, bande de tarés !

Il sourit et s'allongea sur le matelas. Il bâilla, puis s'endormit.

Le froid et la lumière crue du néon le firent rêver qu'il se trouvait dehors. Il marchait dans les bois, photographiait des oiseaux. Des hommes l'abordaient. Ensuite, Madox lui rendait aimablement son arme.

– Vous allez en avoir besoin, lui disait-il.

Alors, les hommes le mettaient en joue, lâchaient les chiens sur lui.

Il s'éveilla en sursaut, essuya la sueur glacée qui mouillait son visage.

– Bon Dieu !

Il se renversa sur le lit, fixa le plafond de métal. Quelque chose le tracassait. Quelque chose, chez Madox, lui paraissait trop... réel.

– Non, ça ne peut pas être vrai...

Parce que, si ça l'était, sa vie était en danger.

La porte s'ouvrit et une voix lança :

– Viens avec nous.

III
SAMEDI
NORTH FORK, LONG ISLAND

Chapitre 6

Kate et moi arrivâmes au Bed & Breakfast de Mattituck avant la fermeture, prévue à 22 heures. Nous fûmes accueillis par la propriétaire, qui me rappela les charmantes matrones du Metropolitan Correctionnal Center de New York.

La masure à l'ameublement vieillot correspondait en tous points à ce j'avais imaginé. Arsenic et vieilles dentelles.

Le lendemain, samedi, nous fîmes la grasse matinée, ce qui nous épargna le petit déjeuner préparé par la maîtresse de maison et la compagnie des autres hôtes, dont un couple qui, séparé de notre chambre par une mince cloison, nous avait, au cours de la nuit, gratifiés de son intimité. La femme avait tendance à crier mais, grâce à Dieu, elle n'avait eu qu'un orgasme.

Nous passâmes le samedi au milieu des vignes du North Fork, qui ont remplacé les champs de pommes de terre que j'ai connus enfant. Le vignoble, arrivé à maturité, produit d'excellents chardonnay, merlot et autres. Nous goûtâmes plusieurs crus. J'appréciai particulièrement le sauvignon blanc, sec, fruité, avec un léger arrière-goût de... pomme de terre.

Le soir, nous dînâmes sur une péniche aménagée en restaurant et offrant une vue grandiose sur Peconic Bay. Romantique en diable, du moins selon Kate.

En attendant notre table, nous patientâmes au bar. Le barman, jeune éphèbe affable et maniéré, nous proposa une dizaine de vins locaux consommables au verre. Kate et lui comparèrent les mérites des différents crus. Il me demanda :

– Lequel, monsieur, aurait votre préférence ?

– Tous sont exquis. Servez-moi un bourbon.

Une pile de journaux encombrait le bar. Je notai la une du *Time* : « Le Pentagone commande plus de 500 000 doses de vaccin antivariolique. » L'invasion, à moins que Saddam Hussein ne plie le genou, n'était plus qu'une question d'heures. Je songeai à téléphoner à mon bookmaker pour lui demander le montant des paris du jour en faveur de la guerre.

L'hôtesse nous escorta jusqu'à notre table. Kate étudia le menu, puis me proposa de partager une douzaine d'huîtres avec elle.

– C'est aphrodisiaque, mumura-t-elle en souriant.

– Pas vraiment, répondis-je. J'en ai avalé une douzaine la semaine dernière et seulement onze ont fait de l'effet.

Les fruits de mer étant la spécialité de l'établissement, je commandai un canard de Long Island. Ils nagent aussi, non ? Je me sentais détendu, soulagé de me trouver loin du stress du bureau et de la ville.

– Tu as eu une riche idée, dis-je à Kate.

– Nous avions besoin de souffler un peu.

J'eus une brève pensée pour Harry perdu au fin fond de l'État de New York et fus tenté d'interroger Kate sur le Custer Hill Club. Mais nous étions en vacances.

Elle se chargea de la carte des vins. Après une discussion fascinante avec le garçon, elle opta pour un rouge, qu'elle goûta religieusement. Elle le trouva corsé, avec un goût de prune, ce qui irait parfaitement avec mon canard, même s'il ne s'en souciait guère. Elle leva son verre et déclara :

– À nos bipeurs, que nous n'écouterons pas.

– Amen.

Nous trinquâmes et bûmes. Le dîner fut charmant. Les beaux yeux bleus de Kate brillaient à la lueur des bougies. Le vin rouge me chauffait les joues et me mettait d'excellente humeur. On aurait pu croire que tout allait pour le mieux dans le meilleur des mondes. C'était faux, bien sûr, mais on a le droit de rêver un peu.

Tous mes amis évoquent encore la façon dont leur vie a changé depuis le 11 septembre 2001. Nombre d'entre eux, tout comme Kate et moi, se sont en quelque sorte éveillés en se disant : « Il est temps d'oublier ce qui n'a aucune importance, de renforcer nos liens avec ceux que nous aimons et de nous débarrasser de ceux que nous n'aimons pas. Nous ne sommes pas morts. Donc, nous devons vivre. »

Mon père, vétéran de la Seconde Guerre mondiale, tenta un jour de me décrire l'état du pays après Pearl Harbor. Peu doué pour les mots, il eut du mal à exprimer ce que ressentaient les Américains après le 7 décembre 1941. Il trouva enfin les termes justes et me dit :

– Nous étions tous terrifiés. Alors, nous avons bu et baisé comme des fous. Nous avons rendu visite à des gens que nous n'avions pas vus depuis longtemps. Nous avons reçu des masses de lettres et de cartes postales. Nous nous sommes rapprochés les uns des autres, nous nous sommes entraidés...

Silence. Puis :

– Pourquoi avons-nous eu besoin d'une guerre pour agir de la sorte ?

Parce que, papa, nous sommes ainsi faits...

Après le 11 septembre, mes parents essayèrent pendant deux jours de me joindre depuis la Floride. Lorsqu'ils m'eurent enfin au bout du fil, il passèrent un quart d'heure à m'affirmer à quel point ils m'avaient toujours aimé, ce qui fut pour moi une sacrée surprise. Mais je suis sûr qu'ils étaient sincères.

Tel était, en octobre 2002, notre état d'esprit. Pourtant, d'ici un an ou deux, si une nouvelle attaque contre le pays ne se produisait pas, nous retournerions à notre petite vie étriquée et égoïste, où certains mots n'auraient plus droit de cité. Alors, au diable la pudeur et la peur du ridicule !

– Je t'aime, dis-je à Kate.

Elle posa sa main sur la mienne.

– Je t'aime aussi, John.

C'était une des conséquences heureuses de cette tragédie. Je n'étais pas, le 10 septembre, le mari le plus attentionné du monde. Mais le lendemain, lorsque j'avais crue Kate morte, mon univers s'était écroulé en même temps que les tours. Et j'avais compris, en la revoyant bien vivante, qu'il me faudrait lui avouer plus souvent mon amour, car nous ne savions plus, désormais, de quoi demain serait fait.

IV

SAMEDI
ÉTAT DE NEW YORK

L'Amérique, soutenue par les Juifs, est devenue le centre mondial de la corruption morale, idéologique, politique et économique, le chantre de la destruction des valeurs. Sa sous-culture propage l'abomination et la licence parmi tous les peuples de la terre.

Souleiman Abou Ghaith
Porte-parole d'Oussama Ben Laden

Chapitre 7

Les yeux bandés et les chevilles entravées, Harry Muller se tenait dans ce qui lui parut être un confortable fauteuil de cuir. Il respirait une odeur de feu de bois et de fumée de cigarettes. Autour de lui, on parlait sans élever le ton. Il reconnut, parmi toutes les autres, la voix de Bain Madox.

Quelqu'un fit glisser son bandeau sur son cou. Ses yeux, peu à peu, s'habituèrent à la lumière. Il était assis à l'extrémité d'une longue table en bois de pin. Autour de cette table s'étaient installés cinq autres hommes : deux de chaque côté et, à l'autre bout, en face de lui, Bain Madox. Tous conversaient comme s'il n'avait pas été là.

On avait déposé devant chaque participant un bloc-notes, un stylo, une bouteille d'eau et une tasse de café. Madox avait, en outre, un clavier à portée de main.

Harry se trouvait dans une bibliothèque, ou un vaste cabinet de travail. Sur sa gauche, des bûches brûlaient dans la cheminée, encadrée par deux fenêtres dont les rideaux l'empêchaient de voir à l'extérieur. Mais il savait, d'après le chemin qu'il avait parcouru, les yeux bandés, depuis sa cellule, qu'il était au rez-de-chaussée.

Carl et un autre garde veillaient près de la porte, le pistolet à le ceinture, cette fois sans aiguillon.

Sur le plancher, au centre de la pièce, une valise de cuir, massive et usagée, reposait sur un chariot à roulettes.

Comme s'il remarquait Harry pour la première fois, Madox lui lança :

– Soyez le bienvenu, monsieur Muller. Café ? Thé ?

Nelson DeMille

Harry refusa d'un geste.

– Messieurs, dit Madox aux quatre autres participants, voici l'homme dont je vous ai parlé : Harry Muller, agent retraité du NYPD et membre de la Force fédérale d'action antiterroriste. Veillez à ce qu'il se sente à son aise.

Tous saluèrent d'un léger signe de tête. Le visage de deux d'entre eux lui était vaguement familier.

– Messieurs, poursuivit Madox, nous avons, vous ne l'ignorez pas, quelques amis au sein de la Force antiterroriste. Pourtant, pas un seul ne savait que M. Muller débarquerait ici aujourd'hui.

– Il faudra tirer tout cela au clair, déclara un participant.

Les autres acquiescèrent à l'unisson.

Harry tenta de deviner ce qui se cachait derrière ces propos pompeux, pour se persuader qu'il assistait bien à une mise à l'épreuve. Toutefois, au fond de lui, cet espoir s'évanouissait peu à peu, même s'il s'y raccrochait encore.

Madox fit un signe aux gardes, lesquels quittèrent la pièce.

Harry dévisagea les hommes assis autour de la table. Deux d'entre eux avaient à peu près l'âge de Madox. Le troisième était plus âgé. Quant au quatrième, assis à sa droite, il était plus jeune. Tous portaient un blazer bleu et une chemise à carreaux identique à celle de Madox, comme s'ils avaient revêtu l'uniforme du jour.

Harry s'attarda sur les deux hommes dont les traits lui paraissaient familiers. Il était certain de les avoir vus à la télévision ou dans les journaux. Madox intercepta son regard et lui dit :

– Pardonnez-moi de ne pas vous avoir présenté les membres de mon conseil de direction...

Un des participants l'interrompit.

– Bain, inutile de révéler nos noms.

– Je crois, de toute façon, que M. Muller a reconnu certains d'entre vous.

Nul ne répondit, sauf Harry.

– Je n'ai pas besoin de connaître vos noms...

– Vous devez savoir, lui dit Madox, en quelle auguste compagnie vous vous trouvez...

Il désigna l'homme placé directement à sa droite, le plus âgé, et celui qui l'avait interrompu.

– Harry, voici Paul Dunn, conseiller du Président pour les

affaires de sécurité et membre du Conseil national de sécurité, que vous avez certainement reconnu.

Il se tourna vers le personnage assis à la droite de Dunn, près de Harry.

– Permettez-moi de vous présenter le général d'aviation James Hawkins, membre de l'état-major interarmes, que vous reconnaissez sans doute, bien qu'il ait toujours préféré rester dans l'ombre. Et voici, à ma gauche, Edward Wolffer, secrétaire d'État adjoint à la Défense, qui, lui, raffole des projecteurs. Ne vous interposez jamais entre lui et une caméra de télévision, ou vous recevrez un coup de coude dans les côtes.

Madox sourit, mais personne ne l'imita.

– Ed et moi, reprit-il, sommes sortis la même année, en avril 1967, de l'école d'officiers d'infanterie de Fort Benning, en Géorgie. Nous avons servi eu Vietnam en même temps. Depuis, il s'est fait un nom, pendant que, de mon côté, je gagnais beaucoup d'argent.

Wolffer resta de marbre devant cette pique qu'il avait dû entendre des centaines de fois.

– Et à votre droite, Harry, se tient Scott Landsdale, de la Central Intelligence Agency, qui, lui, fuit toute forme de publicité et assure la liaison entre la CIA et la Maison-Blanche.

Landsdale avait l'air vaniteux, comme tous les membres de la CIA avec qui Harry avait eu la malchance de travailler.

– Tel est le conseil de direction du Custer Hill Club, conclut Madox. Nos autres membres présents, une dizaine ce weekend, sont partis en randonnée ou à la chasse aux oiseaux, ce qui, je l'espère, ne vous choquera pas.

Il précisa, à l'intention des participants :

– M. Muller est ornithologue amateur...

Harry ravala l'insulte qui lui brûlait la langue. La réalité venait de s'imposer à lui : ces huiles n'étaient pas venues de Washington pour participer à un test destiné à vérifier si ses compétences justifiaient une promotion ou une mission d'importance.

– Ce week-end de trois jours, lui expliqua Madox, devait, à l'origine, être consacré à une discussion informelle sur les affaires du monde, à un échange d'informations et à de joyeuses retrouvailles entre amis de longue date. Mais votre présence m'a obligé à organiser d'urgence une réunion du comité de direction.

– Je ne veux pas en entendre davantage, répliqua Harry.

– Mais vous êtes enquêteur. J'ai eu un peu de temps pour me renseigner auprès de mes amis de l'ATTF, et il en ressort que vous en faites bien partie.

Harry garda le silence, mais se demanda qui pouvaient être ces fameux amis.

– Votre appartenance au FBI ou à la CIA, précisa Madox, nous aurait fortement inquiétés.

– Bain ! s'exclama Scott Landsdale. Je peux vous garantir que M. Muller n'est pas un agent de la CIA.

– Sans doute êtes-vous bien placé pour le savoir, murmura Madox avec un petit sourire.

– Et je suis sûr qu'il ne fait pas, non plus, partie du FBI. Il est ce qu'il paraît être : un flic, chargé de surveillance pour le compte du FBI.

– Merci de cette assurance.

– De rien. À mon tour d'en exiger une, Bain. Vous n'avez pas été très clair sur le moment où M. Muller sera considéré comme manquant.

– Demandez-le-lui vous-même. Il est juste à côté de vous.

Landsdale se tourna vers Harry.

– Quand vos supérieurs vont-ils commencer à se demander où vous êtes ? Ne mentez pas. Je sais comment on travaille au 26, Federal Plaza. Et ce que j'ignore, je peux facilement le découvrir.

Le connard typique de la CIA, pensa Harry. *Toujours à feindre d'en savoir plus qu'il n'en sait.*

– Dans ce cas, découvrez-le vous-même, répondit-il.

– Est-ce qu'on va vous contacter ? insista Landsdale sans relever la remarque.

– Aucune idée. Je ne suis pas devin.

Madox s'interposa.

– Je consulte le mobile et le bipeur de Muller toutes les demi-heures. Il n'a reçu qu'un message de Lori, sa petite amie, à qui j'enverrai plus tard un SMS depuis son portable.

– Quelqu'un, à l'ATTF, ne prendra pas ses trois jours de congés réglementaires, déclara Landsdale. Muller, quand êtes-vous censé regagner le 26, Federal Plaza ?

– Quand j'y serai.

– Qui vous a confié cette mission ? Walsh ou Paresi ?

Décidément, ce type en savait trop sur l'ATTF...

– Je prends mes ordres sur une cassette qui s'autodétruit.

– Moi aussi. Que vous a dit cette cassette, Harry ?

– J'ai déjà répondu. Surveillance de l'IRA.

– Absurde. Mais la mission de M. Muller a probablement été décidée à Washington et, selon la sacro-sainte tradition du renseignement, personne n'en apprend plus à un subalterne que ce qu'il a, pense-t-on, besoin de savoir. C'est ainsi, malheureusement, que le 11 septembre est arrivé. Les choses ont changé, mais les vieilles habitudes ont la vie dure. C'est parfois mieux ainsi. M. Muller, par exemple, ne peut pas nous révéler ce qu'il ignore. À mon avis, nous n'avons rien à craindre au cours des prochaines quarante-huit heures. Sa petite amie s'inquiétera sans doute pour lui bien avant ses supérieurs. Harry, a-t-elle un rapport quelconque avec la police ou les services de renseignement ?

– Oui. Elle bosse pour la CIA... C'est une ancienne prostituée.

Landsdale s'esclaffa :

– Je crois que je la connais.

– Scott, coupa Madox, merci de votre aide. Harry, votre visite ici, même en tant que simple sous-fifre chargé de nous surveiller, nous a un peu perturbés.

Harry considéra les autres participants, qui semblaient effectivement soucieux.

– Quoi qu'il en soit, reprit Madox, un bien pourrait sortir de tout ceci. Nous pensions avoir du temps devant nous pour lancer le Projet vert, mais j'ai peur que nous ne devions hâter les choses.

Il fixa les membres de son conseil. Deux d'entre eux approuvèrent. Les deux autres ne cachèrent pas leur exaspération.

– Harry, ajouta-t-il, votre présence dans cette pièce nous rappelle avec force que certaines personnes, au sein du gouvernement, s'intéressent de trop près à ce que nous sommes et à ce que nous faisons.

Il fixa de nouveau les quatre hommes. Ils acquiescèrent, presque à contrecœur.

– Donc, messieurs, si vous n'avez pas d'autres objections,

M. Muller restera avec nous, afin que nous puissions garder un œil sur lui... Je veux qu'il soit parfaitement clair dans votre esprit, Harry, qu'il ne vous sera fait aucun mal. Nous sommes simplement obligés de vous garder ici jusqu'au démarrage du Projet vert. Peut-être deux ou trois jours. Vous saisissez ?

Harry comprit qu'il serait peut-être mort avant ces deux ou trois jours. D'un autre côté, ces hommes n'avaient pas le profil des assassins auxquels il avait eu affaire au cours de sa carrière de policier, et Madox ne mentait peut-être pas. Il avait du mal à croire ou à se persuader que ces personnages respectables envisageaient sérieusement de le tuer. Sauf Landsdale...

– N'imaginez pas le pire, Harry. De toute façon, ce que vous allez entendre pendant une heure dépassera tellement tout ce que vous pouvez concevoir que votre propre sort vous paraîtra sans importance.

Harry observait toujours les quatre autres participants. Jamais il n'avait vu d'hommes aussi puissants témoigner d'une telle anxiété. Le plus âgé, Dunn, conseiller du Président, avait pâli. Ses mains tremblaient. Hawkins, le général, et Wolffer, du ministère de la Défense, affichaient une mine sombre. Seul Landsdale semblait détendu. Mais ce n'était qu'un masque.

Ce qui se passait dans cette pièce, Harry l'ignorait encore. En tout cas, l'appréhension des participants était bien réelle. Cette constatation le soulagea un peu : il n'était pas le seul à redouter ce qui allait suivre.

Chapitre 8

Bain Madox se leva et proclama :

– Je déclare ouverte la réunion d'urgence de la direction du Custer Hill Club ! Messieurs, vous savez tous que le premier anniversaire de l'attentat du 11 septembre a poussé la sécurité intérieure à placer la Nation en état d'alerte orange. Notre réunion a pour but de décider si nous devons poursuivre la réalisation du Projet vert, qui réduira l'alerte à son niveau le plus bas, symbolisé par cette couleur. Harry, cela vous conviendrait, n'est-ce pas ?

– Tout à fait.

– Vous vous retrouveriez peut-être au chômage.

– Pas de problème.

– Parfait. Si le conseil me le permet, j'aimerais, en préambule, expliquer à Harry les bases de notre action. Ce petit rappel nous sera d'ailleurs utile à tous. Harry, avez-vous entendu parler du concept de destruction mutuelle ?

– Euh... Oui.

– Pendant la guerre froide, la doctrine militaire des États-Unis était la suivante : si les Soviétiques lançaient contre nous leurs missiles, nous répliquerions automatiquement de façon massive, avec tout notre arsenal. Des milliers de têtes nucléaires s'abattraient sur les deux pays, provoquant leur destruction mutuelle. Vous vous souvenez de cela ?

Harry hocha la tête.

– Paradoxalement, cette perspective rendait, à l'époque, le monde beaucoup plus sûr. Aucune hésitation de notre part, pas de débat politique. Cette stratégie était d'une simplicité lumineuse. La simple apparition de milliers de missiles nucléaires sur nos écrans radar aurait signifié notre mort. La seule question que nous aurions pu nous poser, s'il y en avait une, était d'ordre moral. Était-il légitime de tuer des millions de Soviétiques avant de périr à notre tour ? Pour nous, la réponse ne faisait aucun doute. Mais quelques bonnes âmes de Washington estimaient que la vengeance ne justifiait pas la vitrification d'une bonne partie de la planète, que nous n'atteindrions aucun objectif en éradiquant les hommes, les femmes et les enfants innocents dont le gouvernement aurait décidé l'anéantissement. La destruction mutuelle, fondée sur une riposte automatique, balayait toute forme de scrupules. Nous ne dépendions plus d'un Président aux nerfs fragiles, harcelé par sa conscience, jouant au golf ou lutinant au bord d'une piscine une stagiaire complaisante.

Il y eut quelques gloussements polis.

– Il en résulta ce que nous avons appelé l'équilibre de la terreur. Chaque camp savait qu'une première frappe déclencherait immédiatement une riposte qui détruirait toute trace de civilisation dans les deux pays. Mais cela ne se produisit jamais, parce que c'était impossible. Même le plus dérangé des dictateurs soviétiques n'aurait pu envisager ce scénario. En dépit des bêlements des pacifistes et des intellectuels de gauche, cette doctrine préserva le monde de l'apocalypse nucléaire.

Où diable veut-il en venir ? se demanda Harry.

Madox se rassit, alluma une cigarette et lui dit :

– Avez-vous entendu parler de Wild Fire ?

– Non.

– Cela ne me surprend pas. Wild Fire est un protocole secret, connu uniquement par les membres les plus éminents du gouvernement. Et par nous. Et bientôt par vous, si me prêtez attention.

Paul Dunn, le conseiller du Président, s'interposa :

– Bain, est-il indispensable d'évoquer cela devant M. Muller ?

– Comme je l'ai déjà dit, Paul, ce rappel nous sera utile à tous. Très bientôt, nous prendrons une décision qui changera le monde tel que nous le connaissons, et son avenir pour le millénaire à venir. Le moins que nous puissions faire est de nous expliquer devant M. Muller, qui représente la Nation que nous nous apprêtons à sauver. Et de nous conforter nous-mêmes, avant le grand jour.

Landsdale, le représentant de la CIA, lança à la cantonade :

– Il vous faut laisser Bain mener les opérations à sa façon. Vous devriez le savoir.

– C'est vrai, répliqua Edward Wolffer. Nous nous apprêtons à vivre un moment capital de l'histoire du monde. Je ne voudrais pas que Bain, ou qui que ce soit, puisse penser que nous n'avons pas consacré à cet événement le temps nécessaire.

Madox se tourna vers son vieil ami.

– Merci. Il est possible que personne n'apprenne jamais ce qui va se passer ici aujourd'hui, mais nous le savons, et Dieu le sait. Et si, un jour, le monde vient à en prendre connaissance, nous aurons à nous justifier devant Dieu et l'humanité.

– Laissons Dieu où Il est, commenta sèchement Landsdale.

Madox l'ignora, tira sur sa cigarette et reprit :

– Vous vous souvenez que les premiers attentats islamiques ont été perpétrés dans les années 1970...

Il commença par le massacre des jeux Olympiques de Munich, puis évoqua trente ans de détournements d'avions, d'attentats à la bombe, d'enlèvements, d'exécutions et de massacres commis par les djihadistes.

Tous l'écoutèrent en silence, ponctuant parfois d'un signe de tête la mention de telle ou telle attaque. Harry, lui aussi, avait bonne mémoire. Il fut pourtant sidéré par le nombre d'attentats qui s'étaient produits au cours des trente dernières années. Surpris, également, d'en avoir oublié autant jusqu'à ce que Madox les lui rappelle, même les plus importants, comme l'attaque suicide contre des marines qui avait tué deux cent quarante et un Américains au Liban, ou la bombe qui, placée à bord du vol 103 de la Pan Am, avait, au-dessus de Lockerbie, coûté la vie à des centaines de personnes.

Peu à peu, la colère le submergeait. Nul doute que si l'on avait, en cet instant, introduit un terroriste ou un simple musulman dans la pièce, tous les participants l'auraient réduit en charpie. Madox savait enflammer les foules. Pour enfoncer le clou, il ajouta :

– Chacun de nous, ici, déplore la perte d'un ami ou d'une connaissance dans les attaques contre le World Trade Center et le Pentagone.

Il regarda le général Hawkins.

– Votre neveu, le capitaine Tim Hawkins, a perdu la vie au Pentagone.

Il regarda Scott Landsdale.

– Deux de vos collègues de la CIA sont morts au World Trade Center. Exact ?

Landsdale acquiesça. Madox s'adressa alors à Harry.

– Et vous ? Avez-vous perdu quelqu'un ce jour-là ?

– Mon patron... Le capitaine Stein et plusieurs de ses collaborateurs ont péri dans la tour nord.

– Toutes mes condoléances...

Il termina sa relation de toutes les atrocités, brutalités et violences dirigées contre l'Amérique et le monde occidental.

– Il s'agissait, conclut-il, de quelque chose d'inédit. Ni l'Amérique ni le monde ne surent comment réagir. Nombre de gens pensèrent que cela finirait par se calmer. Or, cela ne fit qu'empirer. En fait, le monde occidental n'était pas équipé pour enrayer ce phénomène et nous manquions de la volonté nécessaire pour neutraliser ces gens qui nous assassinaient. Même lorsque les États-Unis furent agressés sur leur propre sol, lors de l'attentat à la bombe perpétré en 1993 contre le World Trade Center, nous n'avons strictement rien fait. N'est-ce pas, Harry ?

– Oui... Mais cela a modifié notre comportement et...

– Je ne l'ai pas remarqué.

– Eh bien... Le 11 septembre a tout changé. Nous sommes beaucoup plus au fait de...

– Mon pauvre Harry, vous et vos amis de l'ATTF, le FBI, la CIA, les renseignements de l'armée, le MI-5 et le MI-6, Interpol et les pitoyables services secrets européens pourraient passer le reste de leur misérable existence à traquer les terroristes islamiques, cela ne ferait aucune différence.

– Je ne sais pas...

– Moi, je le sais. L'année dernière, ce furent le World Trade Center et le Pentagone. L'année prochaine, ce sera la Maison-Blanche et le Capitole. Et puis, une année, ajouta-t-il en soufflant quelques ronds de fumée, ce sera une ville américaine entière. Une bombe atomique. Vous en doutez ?

Harry resta coi.

– Harry ?

– Non, je n'en doute pas.

– Bien. Pas plus que quiconque autour de cette table. Voilà pourquoi nous sommes là. Harry, que feriez-vous pour prévenir une tel désastre ?

– Eh bien... Il m'est arrivé de travailler pour le Nest, ou Nuclear Emergecy Support Team, l'organisme chargé de prévenir les catastrophes nucléaires. Vous connaissez ?

Bain Madox eut un sourire dédaigneux.

– Le Nest... Le nid... Quel nom ridicule... Qui ne connaît, parmi nous, ces pompiers de l'ère atomique ? Un petit millier de volontaires issus des milieux scientifiques, gouvernementaux et judiciaires, qui se déguisent souvent en touristes ou en hommes d'affaires. Ils sillonnent l'Amérique à pied ou en voiture, vont d'une ville à l'autre et inspectent les cibles potentielles, barrages, centrales nucléaires, transportent leurs détecteurs de rayons gamma et de neutrons dans des attachés-cases, des sacs de golf, des glacières portatives, que sais-je encore ? Exact ?

– Oui.

– Avez-vous déjà découvert une bombe atomique ?

– Jusqu'à présent, non.

– Et vous n'en trouverez jamais. N'importe qui pourrait cacher un engin nucléaire ou une bombe sale dans un appartement de Park Avenue, avec le compte à rebours enclenché ; et les chances du Nest ou de Harry Muller de mettre la main dessus seraient proches de zéro. Exact ?

– Allez savoir. On a parfois du bol.

– Voilà qui n'est guère rassurant. La question est la suivante : comment le gouvernement américain pourrait-il empêcher une arme de destruction massive d'anéantir une ville américaine ? Harry, inspirez-vous du concept de destruction massive et dites-moi comment empêcher des terroristes d'introduire et de faire exploser une bombe atomique dans une ville des États-Unis. Ce n'est pas une hypothèse d'école. Répondez-moi, je vous prie.

– D'accord. De la même façon qu'avec les Russes, je présume. Ils ne nous ont pas attaqués parce qu'ils savaient que nous les anéantirions aussitôt.

– Exact. Mais la nature de l'ennemi a changé. Le réseau terroriste mondial ne ressemble en rien à l'Union soviétique. Nous avions affaire à un empire, avec un gouvernement, des

69

villes, des cibles bien définies. Tout reposait sur un plan éla-
boré par le Pentagone et connu des Soviétiques. Mais si l'organisation terroriste internationale provoque une explosion
nucléaire dans une de nos cités, contre qui riposter ? Contre
qui, Harry ?

Harry réfléchit un moment, puis répondit :

– Bagdad.

– Pourquoi Bagdad ? Comment impliquer de façon sûre
Saddam Hussein dans une attaque nucléaire contre l'Amérique ?

– Quelle différence ? Une capitale arabe en vaut une autre.
Ils recevront tous le message.

– Bien sûr. Mais il existe un plan bien meilleur. Sous l'administration Reagan, le gouvernement américain a conçu et mis
sur pied ce protocole secret baptisé Wild Fire. Il prévoit la
destruction de l'ensemble du monde islamique par des missiles
nucléaires en réponse à une attaque atomique sur le sol américain. Qu'en pensez-vous ?

Harry garda le silence.

– Vous pouvez parler librement. Vous êtes au milieu d'amis.
N'aimeriez-vous pas, au fond de votre cœur, voir les sables
d'Arabie changés en une mer de verre fondu ?

Harry considéra l'ensemble des participants.

– Si, dit-il.

– Eh bien, voilà ! Harry Muller, représentatif, sur bien des
points, de l'Américain moyen, aimerait voir l'islam disparaître
dans un holocauste nucléaire.

Harry Muller était heureux d'avoir poussé Madox dans son
délire. Car il ne pouvait s'agir que de cela : un délire partagé
par quelques sexagénaires en mal d'orgasme. Il ne voyait aucun
rapport entre ce que disait Madox et ce qu'il était en mesure
de faire. Cela lui rappelait l'époque du NYPD, lorsqu'il interrogeait des anarchistes qui parlaient de révolution mondiale, de
soulèvement des masses et autres foutaises. Son patron avait
trouvé à ce sujet un qualificatif évocateur : pollution nocturne.

D'un autre côté, les hommes assis autour de lui n'avaient
rien d'adolescents boutonneux. Ils étaient puissants. Et sérieux.

Madox interrompit sa réflexion.

– Comment pousser le gouvernement des États-Unis à
mettre rapidement un terme au terrorisme et à cette menace

nucléaire imminente contre notre territoire ? Eh bien, je vais vous le dire. Le gouvernement doit déclencher Wild Fire.

Silence. Madox regarda Harry bien en face.

– Soixante-dix bombes atomiques de la taille d'une valise ont disparu de l'arsenal de l'ancienne Union soviétique. Vous le saviez ?

– Soixante-sept, rectifia Harry.

– Merci. Vous-êtes vous demandé si une ou plusieurs de ces bombes ont pu se retrouver entre les mains de terroristes islamiques ?

– Nous pensons que cela s'est produit.

– Vous avez raison. Cela s'est produit. Je vais vous révéler un fait connu d'à peine vingt personnes à travers le monde : une de ces bombes a été découverte l'année dernière à Washington. Non par le Nest, mais par le FBI, renseigné par un informateur.

Harry ne trouva rien à répondre. Un frisson glacé descendit le long de sa colonne vertébrale.

– Je suis certain, continua Madox, que d'autres bombes du même type ont été introduites dans notre pays, probablement par la frontière passoire du Mexique. Sans doute, ajouta-t-il en souriant à Harry, y en a-t-il une cachée dans un appartement en face de votre bureau.

– Je ne crois pas. Nous avons passé la zone au peigne fin.

– Ce n'était qu'une image. Ne la prenez pas à la lettre. Mais la question demeure : pourquoi une arme nucléaire ayant disparu de l'ancien arsenal soviétique n'a-t-elle pas explosé dans une ville américaine ? Pensez-vous que les terroristes islamiques éprouveraient le moindre scrupule éthique à l'idée de rayer une ville américaine de la carte et de tuer des millions d'hommes, de femmes et d'enfants innocents ?

– Non.

– Moi non plus. Pas plus que quiconque, d'ailleurs, depuis le 11 septembre. Je vais vous expliquer pourquoi cela n'a pas eu lieu et pourquoi cela n'arrivera pas. Pour constituer une dissuasion crédible, comme ce fut le cas pour le concept de destruction mutuelle, Wild Fire n'est pas resté un secret absolu pour tout le monde. En fait, depuis sa mise en œuvre, les administrations qui se sont succédé à Washington ont notifié aux dirigeants des pays musulmans que toute attaque contre une ville des États-Unis entraînerait automatiquement une riposte nucléaire américaine sur cinquante à cent de leurs cités, sans compter d'autres cibles.

– Magnifique, dit Harry.

– Comme peuvent l'attester les éminentes personnalités qui vous entourent, Wild Fire constitue, pour le gouvernement américain, un excellent moyen de pression contre ces dirigeants, une incitation pressante à contrôler les terroristes originaires de leurs pays, à partager leurs informations avec nos services de renseignement, bref, à faire tout ce qui est en leur pouvoir pour ne pas être vaporisés. En fait, le tuyau qui a permis de découvrir la bombe de Washington provenait du gouvernement libyen. Cela semble donc fonctionner.

– Superbe.

– Le Nest n'est qu'une pathétique réaction défensive à la terreur nucléaire. Wild Fire, lui, y répond de façon offensive. C'est une épée de Damoclès suspendue au-dessus des dirigeants musulmans et qui s'abattra sur leur tête s'ils n'empêchent pas leurs amis terroristes d'en venir au nucléaire. Mieux encore, il ne fait aucun doute que ceux de ces gouvernements qui abritent, arment et soutiennent des terroristes les ont prévenus. Que les fous de Dieu les aient crus ou non est une autre histoire. Il semble pourtant que ce soit le cas, ce qui explique pourquoi nous n'avons pas été attaqués par des armes de destruction massive. Qu'en pensez-vous, Harry ?

– Pour moi, ça se tient.

– Pour moi aussi. Les gouvernements musulmans ont également été informés de ceci : le déclenchement de Wild Fire est programmé depuis longtemps et ne dépendra d'aucune décision en haut lieu. Aucun Président en exercice n'aura le pouvoir de le différer ou de l'annuler, ce qui dissuade nos ennemis de compter sur une quelconque faiblesse du locataire de la Maison-Blanche. En cas d'attaque nucléaire, le Président n'aura aucune marge de manœuvre. Comme au temps de la guerre froide. Exact, Paul ?

– Exact, répondit Paul Dunn.

– Harry, vous semblez perplexe. À quoi pensez-vous ?

– Eh bien... Je suis sûr que le gouvernement s'est penché sur la question, mais... Si on vitrifie le Moyen-Orient, qu'adviendra-t-il des puits de pétrole ?

72

Cette question fit sourire les participants, dont Madox qui désigna Edward Wolffer du regard.

– Le secrétaire adjoint à la Défense m'a assuré qu'aucun champ d'extraction ne figure sur la liste des cibles. Pas plus que les raffineries ou les ports de chargement des tankers. Tous resteront intacts, mais passeront en de nouvelles mains. Il faut bien que je gagne ma vie, Harry...

– D'accord. Mais que faites-vous des conséquences sur l'environnement ? Les retombées, l'hiver nucléaire et tout le bazar ?

– Je vous l'ai dit. La meilleure façon d'enrayer le réchauffement de la planète consiste à provoquer cet hiver nucléaire. Je plaisante. Plus sérieusement : les effets de cinquante ou même de cent explosions nucléaires au Moyen-Orient ont été étudiés avec soin par le gouvernement. Ce ne sera pas si catastrophique... Bien sûr, cette partie du monde sera plongée dans la nuit. Mais pour le reste de la planète, si l'on en croit les simulations faites sur ordinateur, la vie continuera.

– Vraiment ?

Quelque chose d'autre chiffonnait Harry.

– Puisque les terroristes savent qu'ils s'exposent à une réplique massive de notre part, ainsi que vous l'avez affirmé, existe-t-il vraiment un risque qu'ils passent à l'action ? Avez-vous entendu parler d'une menace réelle ?

– Absolument pas. Et vous ? En fait, mes collègues ici présents estiment que Wild Fire est une dissuasion si crédible que la possibilité qu'une ville américaine disparaisse après la mise à feu d'une arme nucléaire reste infime. Voilà pourquoi nous devrons le faire nous-mêmes.

– Faire quoi ?

– Nous, Harry, les hommes présents dans cette pièce, avons conçu le Projet vert : l'explosion d'une bombe atomique dans une ville américaine, qui entraînera le déclenchement de Wild Fire, c'est-à-dire l'anéantissement de l'islam.

Harry crut avoir mal entendu. Il se pencha vers Madox pour écouter la suite.

– La beauté de ce plan réside en ceci : le gouvernement n'aura même pas à acquérir la certitude que cette attaque aura été provoquée par des terroristes musulmans. La culpabilité des fous d'Allah étant une présomption quasi automatique, aucune preuve ne sera nécessaire pour déclencher Wild Fire. Brillant, non ?

Harry respira profondément.

– Vous êtes cinglé.

– En avons-nous vraiment l'air ?

Les quatre autres, non, pensa Harry, Mais Madox, lui, paraissait passablement dérangé. Harry respira de nouveau à fond et demanda :

– Vous avez une bombe ?

– Bien sûr. Pourquoi croyez-vous que nous soyons là ? En fait, nous en avons quatre. Et...

Madox se leva, marcha jusqu'à la valise de cuir noir, la tapota et dit :

– En voici une.

Chapitre 9

Bain Madox proposa une courte pause. Tous les participants, sauf Scott Landsdale et Harry Muller, quittèrent la pièce.

Landsdale changea de place et s'installa en bout de table, face à Harry. Les deux hommes se jaugèrent. Enfin, Landsdale déclara :

– Je sais à quoi vous pensez. Ne l'envisagez même pas.

– Je vous entends mal. Rapprochez-vous.

– Arrêtez de faire le mariole, monsieur l'inspecteur. Vous ne vous échapperez pas. Vous ne sortirez d'ici que lorsque nous vous laisserons partir.

– Ne misez pas là-dessus vos caleçons de soie aux initiales de la CIA.

– Si vous répondez à quelques questions, je pourrai intervenir en votre faveur.

– C'est ce que je racontais aux suspects. Moi aussi, je mentais.

Landsdale ne tint pas compte de cette remarque et lança :

– Lorsque Tom Walsh vous a confié cette mission, que vous a-t-il dit ?

– De m'habiller chaudement et de garder mes reçus d'essence.

– Excellent conseil. Et merci de m'avoir confirmé qu'il s'agissait de Walsh. Qu'étiez-vous censé faire de vos photos numériques ?

– Dénicher un agent de la CIA et les lui faire avaler.

– Votre mission impliquait-elle une visite à l'aéroport ?

Landsdale connaissait son métier. Comme tous les salopards de la CIA, c'était un excellent professionnel.

– Non, répliqua Harry, mais c'est une bonne idée. Je parie que je trouverai votre nom dans le listing des arrivées.

– Harry, j'ai plus de cartes d'identité que vous n'avez de chaussettes propres dans vos tiroirs. Qui d'autre, au 26, Federal Plaza, était au courant de votre mission ?

– Comment diable le saurais-je ?

– Un détail que je n'ai pas mentionné auparavant : selon un de mes amis du 26, vous avez parlé devant la cage d'ascenseur à l'un de vos collègues, un certain John Corey. Vous teniez à la main une valise métallique fournie par le service du matériel. Corey s'est-il enquis de ce que vous alliez faire ?

Silence.

– J'essaie de vous aider, Harry.

– Je vous croyais de la CIA.

– Justement. Pensez-vous qu'on ait pu sciemment vous envoyer au casse-pipe ?

– C'est-à-dire ?

– Réfléchissez. Walsh a reçu l'instruction, probablement de Washington, de charger un flic du NYPD de venir jusqu'ici photographier les gens débarquant au chalet. Un boulot pépère, du moins en apparence. Mais ceux qui ont ordonné cette surveillance, et peut-être Walsh lui-même, savaient que vous n'arriveriez pas à un kilomètre de la maison sans vous faire prendre.

– Je suis parvenu plus près que ça.

– Félicitations. Mais ce que je crois, Harry, c'est que vous avez joué le rôle de l'agneau du sacrifice. Vous me suivez ?

– Non.

– Tout ceci est tellement maladroit que je n'y vois qu'une seule explication : on vous a envoyé ici exprès, pour nous foutre une trouille bleue. Et nous pousser à annuler le Projet vert. Ou, au contraire, à l'accélérer. Qu'en pensez vous ?

– J'ai travaillé avec la CIA. Vous voyez des complots partout, sauf là où il y en a. Voilà pourquoi vous vous plantez neuf fois sur dix.

– Un partout. Mais laissez-moi partager ma paranoïa avec vous. Des gens haut placés, par l'intermédiaire de Walsh, vous ont expédié ici dans le but de nous forcer à agir, ou alors pour permettre au FBI d'obtenir un mandat de recherche vous concernant et, en vous cherchant, de tomber sur les quatre bombes atomiques qu'ils nous soupçonnent de détenir.

Harry ne réagit pas. Il réfléchissait à ces deux scénarios.

– Envisageons d'abord, précisa Landsdale, la première hypothèse : quelqu'un veut nous inciter à passer à l'acte. Qui cela pourrait-il être ? Mon agence, peut-être. Ou bien la Maison-Blanche elle-même, désireuse de trouver un prétexte pour déclencher Wild Fire... Étudions maintenant la deuxième possibilité. On vous a jeté dans la gueule du loup pour que vous disparaissiez et que le FBI puisse fouiller le chalet avec un motif valable et un mandat. Les seuls éléments compromettants actuellement cachés dans cette maison sont les quatre bombes et vous. Or ni les bombes ni vous ne resterez ici bien longtemps. Pour le reste, posséder un émetteur d'ELF n'est pas illégal. Simplement difficile à expliquer. Nous sommes d'accord ?

Harry eut l'impression de se réveiller dans un hôpital psychiatrique, dix minutes après sa prise de contrôle par les patients. Et qu'est-ce que c'était que cette histoire d'elfes ?

– Vous savez, bien entendu, ce que signifie ELF ?

– Sûr. Les elfes, ce sont les assistants du père Noël.

Landsdale sourit.

– Donc vous l'ignorez. *Extremely Low Frequency...* ELF. Très basses fréquences. Cela vous dit quelque chose ?

– Non.

Landsdale n'eut pas le temps d'aller plus loin. La porte s'ouvrit et les quatre autres participants pénétrèrent dans la pièce.

Landsdale jeta un coup d'œil à Madox. D'un mouvement du menton, il désigna le couloir.

– Excusez-nous un moment, murmura-t-il aux trois autres.

Lui et Landsdale sortirent. Madox s'adressa à Carl, en faction sur le seuil.

– Gardez un œil sur M. Muller.

Landsdale l'attendait dans le corridor.

– Bien. Bain, j'ai parlé à Muller. Il est dans le bleu complet, sauf en ce qui concerne sa mission proprement dite. Ni Walsh ni personne d'autre ne l'a briefé : précaution habituelle quand on envoie un sous-fifre surveiller un endroit sensible.

– Je sais tout cela, Scott. Où voulez-vous en venir ?

– Je suis certain que ceux qui nous ont envoyé Muller, quels qu'ils soient, comptaient sur sa capture. J'en déduis que la CIA est au courant de ce qui se trame ici, tout comme le ministère de la Justice et le FBI.

– Je n'y crois pas.

– Vous devriez. Je pense également, me fiant à mes informations, que le ministère et le FBI ont l'intention de vous coffrer. Mais vous avez des partisans et des amis au sein du gouvernement. Sans compter la CIA, qui tient à ce que vous continuiez. Vous me suivez ?

– Nul, au gouvernement, mis à part les personnalités rassemblées ici, ne sait quoi que ce soit à propos du Projet vert ou...

– Bain, oubliez un peu votre ego à la noix. Vous êtes manipulé, utilisé et...

– Des clous !

– Pas du tout. Écoutez, vous avez conçu un plan magnifique. Mais vous avez trop tardé. Les culs-bénits du ministère de la Justice et du FBI vous ont repéré. Ils veulent faire ce qu'ils croient juste et déjouer ce complot. La CIA, elle, le voit d'un tout autre œil. Elle pense que votre plan est sublime, brillant, mais qu'il traîne en longueur.

– Savez-vous tout cela de source sûre ? Ou n'est-ce qu'une supposition ?

– Un peu des deux. En tant que chargé de liaison entre la CIA et la Maison-Blanche, je ne suis pas totalement dans le secret de ce qui se décide au siège de l'agence, à Langley. Mais j'ai travaillé dans un département d'opérations clandestines et j'ai entendu parler de vous bien avant que nous n'entendiez parler de moi... Chaque branche clandestine des services secrets a ses personnages légendaires, ses demi-dieux. J'ai collaboré avec l'un d'eux. Et il m'a révélé l'existence de Wild Fire. C'est à ce moment-là, Bain, que votre nom est apparu, comme celui d'un homme seul ayant les moyens de le déclencher.

Cette information sembla mettre Madox mal à l'aise.

– Est-ce pour cela que j'ai été amené à faire votre connaissance ?

– Disons que c'est pour cette raison qu'on m'a nommé... Votre petit complot a inspiré une conspiration semblable, impliquant certains individus à la CIA et au Pentagone... Et peut-être à la Maison-Blanche. En d'autres termes, il existe à Washington, en dehors des membres de votre conseil de direction, des gens qui vous aident. Je suis sûr que vous me comprenez. Et que vous comprenez également que, si vous n'existiez pas, les membres du gouvernement qui rêvent de déclencher Wild Fire seraient obligés de disséminer leurs propres bombes dans des villes américaines.

Il se força à sourire.

– Mais nous aimons encourager l'initiative privée. Et le patriotisme...

– Qu'en concluez-vous, Scott ?

– Ceci : ceux qui ont envoyé Harry ici veulent aboutir à une conclusion rapide. Si c'est le FBI, vous êtes perdu. Si ce sont des gens de la CIA, ils vous demandent de vous dépêcher... Je suis certain que chaque organisation suit de très près les agissements de l'autre. Il en résulte une course contre la montre. Quelle conception de la sauvegarde de la sécurité des États-Unis l'emportera ?

Madox le fixa quelques instants. Puis :

– Je n'ai besoin que de quarante-huit heures.

– J'espère que vous disposerez d'autant de temps... J'ai un contact à l'ATTF. Selon cet informateur, Muller travaille à la section Moyen-Orient, et non au terrorisme intérieur. Il est donc curieux qu'on lui ait confié cette mission. Mon contact m'a en outre appris qu'un certain John Corey, lui aussi ancien du NYPD et membre de la section Moyen-Orient, avait d'abord été désigné pour effectuer cette surveillance. Désigné spécialement. Pourquoi ? Toute la question est là. Après tout, qu'importe l'identité de celui qu'on décide de sacrifier ?

Il alluma une cigarette et reprit :

– Je me suis alors souvenu que l'agent de la CIA qui m'avait révélé l'existence de Wild Fire avait été, à une époque, détaché à l'ATTF, où il avait eu quelques différends avec le dénommé Corey. En fait, ils rêvaient de s'entre-tuer. Leur problème provenait, semble-t-il, de l'actuelle épouse de Corey, du FBI, elle aussi déléguée à l'ATTF. « Cherchez la femme », conclut-il en souriant.

– La jalousie amoureuse est le moteur de l'Histoire, répliqua Madox, souriant à son tour. Des empires se sont écroulés parce que Jack se tapait Jill, qui le trompait avec Jim. Mais quel rapport avec ce qui nous occupe ?

– À mon avis, le fait que John Corey devait se trouver à la place de Muller, prisonnier dans la pièce d'à côté et attendant la mort, n'est pas une coïncidence.

– Les coïncidences existent, Scott. Et puis, qu'est-ce que ça change ?

Landsdale hésita un instant.

– S'il ne s'agit pas d'une coïncidence, dit-il enfin, j'y vois la main du maître, de celui qui m'a dévoilé l'existence de Wild Fire, qui m'a fait nommer à la Maison-Blanche et m'a introduit au Custer Hill Club... Mais c'est impossible, parce que cet homme est mort. Ou supposé mort... au World Trade Center.

– Ou on est mort, ou on ne l'est pas, observa finement Madox.

– Ce type est un vrai fantôme. Mort quand ça l'arrange, vivant quand il lui faut réapparaître. En tout cas, s'il est vraiment derrière la présence de Muller ici, je crois bien davantage en nos chances de lancer le Projet vert au cours des prochaines quarante-huit heures, et plus encore à la riposte immédiate du gouvernement, au déclenchement de Wild Fire.

– Si cela vous rassure, Scott, j'en suis ravi pour vous. Mais l'essentiel, monsieur Landsdale, n'est pas ce qui se concocte à Washington. C'est ce qui se passe ici. Je travaille sur ce projet depuis près d'une décennie, et je le mènerai jusqu'au bout.

– Pas si on vous coffre d'ici un jour ou deux... Soyez heureux de compter des amis à Washington, et reconnaissant à mon ancien mentor des opérations spéciales, s'il est vivant et veille sur vous.

– Si vous le dites... Peut-être pourrai-je, quand tout sera terminé, rencontrer cet homme, à condition qu'il soit toujours de ce monde, et lui serrer la main. Comment s'appelle-t-il ?

– Même s'il était vraiment mort, je ne vous le dirais pas.

– Eh bien, si vous le croisez vivant, et s'il a effectivement été mon ange gardien sur ce projet, remerciez-le pour moi.

– Je n'y manquerai pas.

– Bien. Reprenons la réunion.

Tandis que Landsdale se dirigeait vers la porte, Madox hocha la tête, ravi d'avoir appris que ce personnage mystérieux était si bien considéré. En fait, ainsi qu'il le savait, l'homme en question n'avait pas péri le 11 septembre, mais il était en route pour le Custer Hill Club. M. Ted Nash, vieil ami de Bain Madox, l'avait appelé juste avant la réunion du conseil de direction pour savoir si John Corey se trouvait dans son bureau. Lorsque Madox lui avait répondu que ses gardes avaient pris dans leurs filets un certain Harry Muller, Nash, déçu, avait bougonné : « Ce n'est pas le bon poisson. » Il était pourtant resté optimiste.

– Je vais voir ce que je peux faire pour amener Corey jusqu'au Custer Hill Club. Vous l'apprécierez, Bain. C'est un enfoiré égocentrique, presque aussi intelligent que nous.

Madox suivit Landsdale dans la pièce et, une fois à sa place, annonça :

– Nous allons aborder l'ordre du jour.

Il désigna la valise noire.

– Cet objet, que vous voyez pour la première fois, est une RA-155 de fabrication soviétique, pesant environ 150 kilos et contenant à peu près 50 kilos de plutonium de très grande qualité, plus un système de mise à feu.

Harry contempla la valise. À l'époque où il travaillait pour le Nest, on ne lui avait jamais décrit ce qu'il devait chercher. Les engins nucléaires étaient de formes et de tailles différentes et leur instructeur avait dit : « Ils ne seront ornés d'aucun symbole, ni d'un crâne posé sur deux tibias. Ne vous fiez qu'à votre détecteur. »

– Cette petite merveille, poursuivit Madox, dégagera environ cinq mégatonnes, soit la moitié de la puissance de la bombe d'Hiroshima. Ces engins étant déjà anciens et nécessitant une maintenance constante, l'explosion pourrait être moindre. Mais ce ne sera pas une consolation si vous vous trouvez dans son périmètre immédiat.

Il sourit.

– En fait, lança Landsdale, nous sommes tous assis à côté d'elle. Peut-être devriez-vous vous abstenir de fumer, Bain.

Madox resta impassible.

– Pour votre information, messieurs, cette petite chose raserait Manhattan et provoquerait instantanément la mort d'un demi-million de personnes, plus cinq cent mille autres décès dus aux conséquences de l'explosion.

Il marcha jusqu'à la valise, posa une main dessus.

– Extraordinaire technologie. On peut se demander ce que Dieu avait en tête en créant les atomes, que des créatures mortelles manipuleraient pour libérer cette fabuleuse énergie.

Harry Muller se força à grand-peine à détourner les yeux de la valise. Il sembla remarquer pour la première fois la bouteille d'eau posée devant lui. Il s'en empara et but une lampée.

– Vous n'avez pas l'air bien, remarqua Madox.

– Aucun de vous n'a l'air bien non plus ! Bordel, où avez-vous déniché cette bombe ?

– Ce fut la partie la plus facile du plan. Simple question d'argent, comme tout dans la vie. Nous avons utilisé mon jet privé pour transporter ces petits bijoux depuis l'une des anciennes républiques soviétiques. Si cela peut vous intéresser, j'ai déboursé dix millions de dollars de ma poche. Pas pour une seule. Pour les quatre... Vous pouvez imaginer le nombre de bombes que des gens comme Ben Laden se sont déjà procurées.

Harry finit sa bouteille, puis fit glisser vers lui celle de Landsdale, en même temps que son stylo à bille, qu'il fourra dans sa poche. Aucun participant ne s'en aperçut. Tous écoutaient Madox, qui martelait :

– Nous ne sommes pas des monstres ! Nous sommes des hommes honnêtes, qui allons sauver la civilisation occidentale, nos familles, notre nation, notre Dieu !

– En tuant des millions d'Américains ? s'écria Harry.

– Les terroristes islamiques les auraient tués de toute façon. Il vaut mieux que nous le fassions avant eux. Et c'est nous qui choisirons les cibles, pas eux.

– Vous êtes tous tombés sur la tête !

– Ça suffit, Harry ! Il n'y pas si longtemps, vous acceptiez tranquillement l'idée d'anéantir le monde musulman : des hommes, des femmes, des enfants, plus des touristes occidentaux, des hommes d'affaires, et tous ceux qui seront au Moyen-Orient la semaine prochaine !

– La semaine prochaine ?

– Oui. Vous pouvez remercier pour cela votre organisation, et vous-même. Aujourd'hui, vous étiez le seul à rôder autour du chalet. Demain ou après-demain, nous subirons peut-être l'assaut d'agents fédéraux, ou même de soldats, qui fouilleront toute la maison pour vous retrouver... et tomberont sur ceci.

Il frappa la valise. Harry en bondit presque de son siège.

– Nous devons donc vous mettre en lieu sûr et expédier les valises vers leur destination finale... En attendant, mes amis, nous allons étudier les phases de l'opération. Tout d'abord...

Madox regagna son fauteuil et actionna une touche de son clavier. Les lampes baissèrent d'intensité tandis qu'un écran plat s'allumait sur le mur, illuminant une carte en couleur du Moyen-Orient et de l'est de l'Asie.

– Considérons à présent le monde de l'islam, que nous nous apprêtons à détruire.

Chapitre 10

– Messieurs, voici la terre d'islam. Elle part de la côte atlantique de l'Afrique du Nord, englobe le Moyen-Orient et l'Asie Centrale, s'étire jusqu'à l'Asie du Sud-Est et se termine par l'Indonésie surpeuplée, dernier champ de bataille de la guerre contre le terrorisme. Ces pays abritent aujourd'hui un milliard de musulmans qui, la semaine prochaine, auront pour la plupart disparu.

Madox se tut, alluma une lampe de bureau, se pencha sur les papiers étalés devant lui.

– Ed nous a procuré la liste des villes musulmanes visées par Wild Fire... Aussi fournie que la lettre d'un fils Rockefeller au père Noël...

Sa plaisanterie tomba à plat.

– Il va maintenant nous donner quelques détails sur Wild Fire.

Le secrétaire d'État adjoint à la Défense, Edward Wolffer, prit la parole :

– En fait, il existe deux listes : la liste A et la liste B. La liste A inclut l'ensemble du Moyen-Orient, cœur de l'islam, plus quelques cibles spécifiques en Afrique du Nord, en Somalie, au Soudan, en Asie Centrale et à l'est du continent. Cette liste n'a que peu varié au cours des vingt dernières années. Nous n'y avons ajouté que quelques cibles, par-ci par-là, comme le nord des Philippines, devenu l'un des foyers de l'extrémisme islamique. Il nous est aussi arrivé d'en supprimer. Par exemple, notre occupation de l'Afghanistan nous a amenés à retirer de la liste la plus grande partie de ce pays, tout comme certaines aires de la région du Golfe, d'Asie Centrale et d'Arabie saoudite, où sont actuellement basées des troupes américaines...

Tout le monde hocha la tête. Certains participants prirent des notes.

– Nous avons, d'un autre côté, inclus de nouvelles cibles au sud de l'Afghanistan, spécialement autour de Tora Bora et de la frontière pakistanaise, où nous soupçonnons Ben Laden de se cacher. Si ce fils de pute survit à Wild Fire, il régnera sur un glacis dont il sera le seul habitant.

Il y eut quelques rires polis.

– Pourquoi deux listes ? demanda Landsdale.

– Wild Fire prévoit deux ripostes possibles. La liste A y est incorporée de toute façon. En ce qui concerne la liste B, tout dépendra du niveau et du type d'agression perpétrée sur le sol américain. Je m'explique : s'il s'agit d'une attaque biologique ou chimique, seuls les objectifs de la liste A seront détruits. Si nous avons affaire à une attaque nucléaire anéantissant une ou plusieurs villes des États-Unis, la riposte impliquera également la liste B... Sans débat.

– Nous savons, dit Madox, que ce sera une attaque nucléaire, puisque c'est nous qui aurons installé les bombes.

Silence. Enfin, Paul Dunn murmura :

– Bain, vous devriez modérer votre enthousiasme.

– Désolé, Paul. Mais nous ne sommes pas dans une réunion du Conseil national de sécurité. Chacun, ici, peut dire ce qu'il pense.

Paul Dunn se tut. Wolffer reprit son exposé.

– Il a fallu tenir compte des retombées radioactives et des conséquences climatiques... D'où l'établissement de ces deux listes. D'autant que, bien sûr, les pays musulmans n'abritent pas tous des terroristes et ne sont pas tous hostiles aux États-Unis. Mais Wild Fire simplifie en grande partie la question en adaptant la riposte à la nature de l'agression. Si une arme chimique ou biologique ne tue, mettons, que vingt mille personnes à New York ou Washington, cette attaque n'entraînera que l'anéantissement des soixante-deux objectifs de la liste A. Nous ne voulons pas qu'on nous reproche d'avoir agi de façon disproportionnée...

L'absurdité de cette phrase provoqua l'hilarité de Landsdale, qui fut le seul à la trouver drôle.

– En l'état actuel des choses, poursuivit Wolffer, les deux listes comprennent un total de cent vingt-deux cibles. Nous prévoyons des pertes initiales de l'ordre de deux cent millions de personnes, et le décès de cent millions d'autres dans les six mois, victimes des radiations. Sans compter les conséquences de la famine, des suicides, des émeutes, etc.

Silence. Puis :

– Les responsables de Wild Fire se sont assurés qu'aucun futur Président, pas plus que son administration, n'aura à faire le moindre choix stratégique ou moral. Si X se produit, nous répondrons par la liste A. Si Y arrive, nous ajouterons la liste B. C'est simple comme bonjour.

Harry Muller se détourna de la carte et observa les quatre hommes, dont l'écran éclairait le visage. Eux qui, une demi-heure plus tôt, avaient donné quelques signes de nervosité, étaient à présent parfaitement calmes. Madox avait un rictus étrange, comme s'il regardait un film pornographique. Il remarqua l'attention de Harry, lui adressa un clin d'œil.

Harry se tourna de nouveau vers l'écran. *Dieu tout-puissant, je ne rêve pas. Tout ceci est bien réel. Seigneur, aidez-nous !*

– Wild Fire n'est qu'une réplique de Mad, expliquait Wolffer. En fait, ce projet fut proposé, conçu et mis en place pendant l'administration Reagan, par un groupe de vétérans de la guerre froide. Ils ont affronté sans ciller l'Union soviétique et l'ont terrassée. Ils nous ont transmis une grande leçon et un immense héritage. Pour nous montrer dignes de ces hommes, qui nous ont laissé un monde libéré de la terreur communiste, nous devons infliger aux islamistes ce que eux n'auraient pas hésité à faire subir aux Soviétiques.

Silence encore. Après quelques secondes, le général Hawkins intervint :

– Au moins, les dirigeants russes avaient un peu d'honneur et une peur salutaire de la mort. Il aurait été consternant d'avoir à détruire leurs villes et leur peuple. Mais les autres fumiers méritent leur sort.

– Décrivez-nous ce qui les attend, demanda Madox à Wolffer.

Le secrétaire d'État adjoint s'éclaircit la voix.

– Ils vont recevoir sur le crâne cent vingt-deux têtes nucléaires lancées par nos sous-marins patrouillant dans l'océan Indien, plus quelques missiles balistiques intercontinentaux tirés depuis l'Amérique du Nord. Les Russes seront prévenus, par courtoisie et à titre de précaution, une minute avant le lancement.

Le général Hawkins précisa :

– Ces armes représentent un infime pourcentage de notre arsenal. Il nous restera des milliers de têtes nucléaires, au cas où une deuxième frappe serait nécessaire, ou si les Russes et les Chinois se montrent peu compréhensifs.

Wolffer acquiesça.

– La liste A, reprit-il, comprend presque toutes les capitales du Moyen-Orient : Le Caire, Damas, Amman, Bagdad, Téhéran, Islamabad, Riyad, etc., plus d'autres cités d'importance, les camps d'entraînement terroristes répertoriés et toutes les installations militaires.

Il consulta brièvement ses notes.

– Au départ, Mogadiscio figurait sur la liste B ; mais, depuis l'échec de notre opération en Somalie, nous l'avons incluse dans la liste A, pour effacer le souvenir de cette honteuse débâcle. Même chose en ce qui concerne Aden, au Yémen. L'*USS Cole* sera lui aussi vengé.

– Je suis heureux de constater, commenta Madox, que cette liste tient compte des récents événements. Nous avons de nombreuses revanches à prendre.

– Certes, répondit Wolffer. Mais, alors que nous rêvons tous de venger les marines massacrés à Beyrouth, cette capitale est absente de la liste. La moitié de sa population est chrétienne, et Beyrouth deviendra pour nous une importante tête de pont au centre du nouveau Moyen-Orient... Notez aussi qu'Israël ne sera plus entouré d'ennemis, mais d'un glacis.

– Les Israéliens sont-ils au courant de l'existence de Wild Fire ?

– Ils savent ce que savent nos ennemis. On leur a présenté ce projet comme une possibilité. L'idée de se retrouver couverts de poussières radioactives ne les enchante guère, mais ils ont un bon programme de défense civile, qu'ils appliqueront jusqu'au retour à la normale.

– À votre avis, Ed, lança Landsdale en souriant, puis-je

réserver une place d'avion pour aller passer les fêtes de Pâques en Terre sainte ?

– Nous parlons d'un monde entièrement nouveau, Scott. Un monde où la sécurité dans les aéroport reviendra à son niveau des années 1960. Un monde où vous, votre famille et vos amis pourrez sans crainte vous dire au revoir à la porte des départs, où on ne fouillera plus vos bagages. Un monde où les passagers ne seront plus traités comme des terroristes en puissance, où la sécurité des vols dépendra de facteurs mécaniques et non plus de la présence de terroristes à bord ou de bombes dissimulées dans des chaussures. Un monde où les touristes et les hommes d'affaires américains ne constitueront plus des cibles pour les fous de Dieu. Dans ce nouveau monde, messieurs, chaque Américain sera traité avec courtoisie, respect, et un peu de crainte, à l'image de vos pères et de vos grands-pères qui ont libéré l'Europe et l'Asie des forces du Mal. Alors, oui, Scott, prévoyez d'aller passer Pâques en Terre sainte. Vous y serez bien accueilli et n'aurez plus à craindre l'irruption de kamikazes dans des cafés bondés.

Cette tirade eut l'effet escompté. Wolffer laissa les participants la méditer un instant, avant de continuer son exposé.

– Les cibles de la première frappe comptent également les lieux saints de l'islam, comme Médine, Fallouja, Qum, etc. Leur seule destruction arrachera le cœur de l'islam. Toutefois, nous devrons épargner sa ville la plus sacrée, La Mecque, non par égard pour la religion musulmane, mais pour la transformer en cité otage, destinée à être rasée si des terroristes survivants nous menacent de représailles ou passent à l'acte. Les gouvernements du Moyen-Orient le savent et nous ont demandé d'épargner également Médine si le pire se produisait. Nous avons refusé.

– Superbe réponse ! s'écria Madox. J'ai eu des rapports exécrables avec la famille royale saoudienne. La semaine prochaine, ce pays aura sombré dans le néant et sa seule richesse, le pétrole enfoui sous le sable, tombera entre nos mains.

– L'autre lieu saint de l'islam à être épargné, dit Wolffer, insensible à la joie de Madox, sera, bien sûr, Jérusalem, que nous, chrétiens, révérons par-dessus tout, autant que les juifs. Nous espérons qu'après Wild Fire les Israéliens en expulseront les musulmans, qu'ils les chasseront aussi de Bethléem, de

Nazareth et des autres sites sacrés du christianisme sous leur contrôle. S'ils ne le font pas, nous nous en chargerons.

Madox intervint une fois encore.

– À ce propos, je vois, sur la liste, plusieurs villes turques, mais pas Istanbul.

– Istanbul est un trésor historique, situé en Europe, et qui redeviendra Constantinople. Les musulmans en seront bannis. En fait, messieurs, il existe, pour le monde d'après Wild Fire, un projet politique qui redessinera quelques frontières et expulsera des populations de zones où nous ne souhaitons pas leur présence. Jérusalem, Beyrouth et Istanbul me sont venues à l'esprit, mais je ne connais pas tous les détails de ce plan. Je sais simplement, tout comme vous, messieurs, que la destruction de Bagdad et de l'Irak rendra inutile une guerre contre Saddam Hussein, sans parler de la Syrie, de l'Iran ou de toute autre contrée hostile, que nous n'aurons pas à affronter, puisqu'elles n'existeront plus...

Cette perspective détendit l'atmosphère. Chacun y alla de son commentaire. Il y eut des plaisanteries, des rires, surtout lorsque Wolffer se moqua des journalistes.

– Nous possédons sept mille têtes nucléaires qui ne demandent qu'à être employées. Avec une petite partie de cet arsenal, nous allons obtenir des résultats inouïs. Le *New York Times* et le *Washington Post* ne pourront plus s'interroger à longueur de pages sur l'issue de la guerre contre le terrorisme...

– Et je ne lirai plus, s'esclaffa Madox, d'articles pleurnichards sur une petite fille et sa pauvre grand-mère coupées en deux par une rafale américaine !

Nouveaux rires. Wolffer lui-même gloussa.

– Je ne crois pas que le *New York Times* ou le *Washington Post* enverront des reporters au milieu des cendres, pour recueillir de touchants témoignages sur la dimension humaine de la tragédie.

– Excellent ! s'exclama Madox.

Il regarda de nouveau l'écran.

– Je constate que le barrage d'Assouan figure lui aussi sur la liste.

Il déplaça le curseur sur l'Égypte et le sud du Nil.

– Je suppose qu'il s'agit de la cible mère...

– En effet, répondit Wolffer. Un missile doté de plusieurs

charges fera sauter ce barrage et déversera des milliards d'hec-
tolitres dans le Nil, qui submergera l'Égypte jusqu'à la Méditerranée, tuant entre quarante et soixante millions d'habitants.
Ce sera la frappe la plus meurtrière et il n'y pas, là-bas, de
puits de pétrole. Malheureusement, nous devrons accepter la
perte de milliers de touristes occidentaux, d'archéologues,
d'hommes d'affaires, de diplomates en poste, et de sites historiques. Mais les pyramides devraient résister... Nous aurons,
hélas, à déplorer des dommages collatéraux du même genre
dans les autres pays. De l'ordre de cent mille Occidentaux,
américains pour la plupart...

Silence. Personne ne riait plus.

– Autre mauvaise nouvelle, ajouta Wolffer. Nous sommes
incapables de prévoir quand ces zones redeviendront habitables
et socialement assez stables pour permettre la reprise de
l'exploitation pétrolière. Toutefois, une analyse du ministère de
la Défense prédit qu'il n'y aura pas de réelle pénurie, dans la
mesure où les pays producteurs de pétrole n'en consommeront
plus. Et d'autres sources d'approvisionnement, jointes à nos
propres réserves, suffiront à assurer à court terme la demande
des États-Unis et de l'Europe occidentale. Quant au pétrole
saoudien, il sera de nouveau disponible, pour nous en priorité,
d'ici deux ans.

– Vos technocrates, ricana Madox, devraient consulter les
professionnels du secteur privé ! Selon ma propre analyse, des
tankers bourrés de pétrole saoudien vogueront de nouveau vers
les États-Unis d'ici un an. Et si nous montons en épingle,
conclut-il gaiement, les problèmes de pompage et de transport,
nous pourrons compter sur un pétrole à cent dollars le baril.

Wolffer hésita quelques secondes, puis répondit :

– Bain, le ministère de la Défense table plutôt, puisque nous
contrôlerons toutes les opérations de pompage et de transport,
sur un baril à vingt dollars. L'idée est que nous aurons besoin
d'un pétrole bon marché pour soutenir notre économie, que la
destruction de deux villes américaines importantes aura plongée
dans une crise sévère.

Madox balaya cette argumentation d'un revers de la main.

– C'est aussi une exagération. Nous aurons une chute des
cours de la Bourse de quelques milliers de points pendant un
an. Certaines villes connaîtront un exode de population durant

quelques mois, comme New York après le 11 septembre. Mais lorsqu'il sera clair que l'ennemi est mort et enterré, les États-Unis vivront une renaissance qui sidérera le monde. Ne soyez pas pessimiste. Si l'effondrement de l'Union soviétique a été l'aube du siècle américain, l'éradication de l'islam inaugurera un millénaire de *Pax americana*, de prospérité et de confiance. Et une puissance sans rivale. Le millénaire américain fera passer l'Empire romain pour un pays du tiers-monde. Tout sera différent. Une fois évanouie la dernière menace globale contre les États-Unis, la Nation tout entière se regroupera derrière le gouvernement, comme après le 11 septembre ou Pearl Harbor. Nos ennemis intérieurs, y compris la communauté musulmane, de plus en plus importante, seront muselés sans que personne proteste. Et on ne verra plus de manifestation contre la guerre, ni en Amérique ni ailleurs. Quant aux salopards qui, à travers le monde, ont dansé de joie après le 11 septembre, ils seront morts ou viendront nous baiser les pieds.

Il reprit son souffle. Son débit s'accéléra.

– Les nains européens fermeront leur clapet, ce qui les changera. Même chose pour Cuba, la Corée du Nord. Idem pour les Russes, qui ne moufteront pas. Parce que tous sauront que si nous avons employé une fois l'arme nucléaire, nous n'hésiterons pas à recommencer. Et, quand le temps sera venu, nous étoufferons dans l'œuf les velléités de la Chine, qui rentrera dans le rang et ne se posera plus en rivale de la superpuissance.

Pendant cette diatribe, Harry Muller observa les autres participants. Tous semblaient mal à l'aise, dès lors que Madox, ayant réglé le problème musulman, se trouvait de nouveaux ennemis à anéantir. Sans compter la question pétrolière, qui paraissait importer bien plus au président de la Global Oil Company que l'éradication du terrorisme. Harry savait déjà que cet homme était fou. À présent, il prenait conscience de l'étendue de sa folie, et de celle de ses comparses.

– En tant que vétéran du Vietnam, enchaîna Madox, je vous garantis que nous laverons aussi notre honneur bafoué lorsque les troupes américaines défileront dans Hanoi et Saigon sans que la Chine ou qui que ce soit bouge le petit doigt ! Pour nous, mes amis, ne pas recourir au nucléaire, continuer à combattre nos ennemis par des moyens conventionnels ou des pressions diplomatiques, sacrifier des vies et des fortunes dans cette bataille, la prolonger sans perspective de victoire est immoral ! Nous avons les moyens d'en finir rapidement, de façon décisive et à moindre coût, en utilisant les armes que nous possédons déjà. Ne pas nous en servir contre ceux qui n'hésiteraient pas à les utiliser contre nous s'ils le pouvaient serait un suicide national, une erreur stratégique fatale, un défi au bon sens et une insulte à Dieu !

Bain Madox se rassit.

On aurait entendu voler une mouche.

Harry Muller scruta de nouveau les traits de ces hommes, toujours baignés par la faible lumière de l'écran. *Oui*, pensa-t-il. *Ils savent qu'il est fou. Mais ils s'en moquent, parce qu'il dit ce qu'ils pensent.*

Madox alluma une cigarette. Puis, d'une voix redevenue égale, il annonça :

– Bien. Parlons maintenant de ces villes américaines que nous devons sacrifier, du moment opportun pour passer à l'action et de la façon de procéder.

V

SAMEDI
NORTH FORK, LONG ISLAND

Chapitre 11

Après le dîner sur la péniche, Kate et moi roulâmes vers Orient Point, à l'extrême est du North Fork. Le ciel était en partie couvert, mais je distinguais des étoiles, ce qui m'arrive rarement à Manhattan.

Bordé à l'est par l'océan Atlantique, entouré au nord par Long Island Sound et au sud par Gardiner's Bay, le North Fork est une langue de terre à la beauté austère. L'eau qui la baigne de tous côtés retient la chaleur de l'été et donne des automnes d'une douceur inhabituelle sous ces latitudes. Ce microclimat, peut-être accentué par le réchauffement général, a favorisé la plantation récente des vignobles et l'explosion du tourisme, qui ont remodelé la région.

Enfant, je m'y rendais en vacances avec mes parents, en compagnie d'autres familles qui ne craignaient pas l'inconfort, n'avaient pas les moyens de s'offrir un séjour dans les Hamptons ou ne tenaient pas à se mêler à la foule des estivants friqués.

Une de ces âmes intrépides, Albert Einstein, s'y réfugia durant l'été 1939. Installé à Nassau Point, où il n'y avait pas grand-chose à faire, il eut le temps de réfléchir. Sa méditation porta ses fruits. Il écrivit au Président Roosevelt une missive aujourd'hui célèbre, la *Lettre de Nassau Point*, dans laquelle il lui conseillait vivement de poursuivre les recherches sur l'arme nucléaire avant que les nazis ne fabriquent leur propre bombe. La suite, comme on dit, appartient à l'Histoire.

Inspiré par la tiédeur de la nuit, je suggérai à Kate :
– Allons prendre un bain de minuit.

Elle me jeta un regard en coin et répondit :

– On est en octobre, John.

– Nous devrions profiter du réchauffement climatique avant l'invasion des congés payés. Ici, dans dix ans, les palmiers auront remplacé les vignes et des milliers de gens fêteront Noël en se dorant au soleil.

– Alors, revenons piquer une tête dans dix ans.

Je continuai à rouler sur la route 25, escarpée et sinueuse, ancienne voie coloniale que l'on appelait, lors de la domination britannique, la route du Roi. De vieilles demeures de bois, peintes en blanc, y côtoient des résidences secondaires de cèdre et de verre. Devenir riche ne m'a jamais tenté. Il m'arrive pourtant de songer à provoquer une nouvelle révolution, ce qui me permettrait de réquisitionner quelques-unes de ces maisons d'agents de change perchées au-dessus des flots. Bien sûr, je les restituerais après quelques années. À mon humble avis, cette expérience profiterait à tout le monde.

Nous approchions d'Orient Point, non loin du terminal du ferry de New London, dans le Connecticut. Au-delà s'étendait la zone interdite qu'une navette gouvernementale reliait à l'ultrasecret Centre d'études des maladies animales de Plum Island.

Cela me rappela l'été que j'y avais passé pour récupérer de mes blessures par balles et où je m'étais retrouvé impliqué dans une étrange affaire de double assassinat, alors que j'étais censé observer la cicatrisation de mes plaies.

Je me liai, à cette occasion, avec une certaine Emma Whitestone, à qui je pense encore un peu trop souvent. L'affaire me mit en relation avec une autre dame, nommée Beth Penrose, policier du comté chargée de l'enquête. Beth précéda Kate. Inutile d'ajouter que le double assassinat de Plum Island et le nom de Beth Penrose reviennent rarement dans nos conversations.

Ce fut également en m'occupant de ce cas que je fis la connaissance de M. Ted Nash, de la Central Intelligence Agency. Cette rencontre devait avoir une profonde influence sur mon existence, et sur la sienne. Sa vie s'étant achevée avant la mienne, il ne pense plus beaucoup à moi, alors que lui, de temps à autre, me revient en mémoire.

Autre ironie du destin : Ted Nash avait connu Kate avant

moi et je reste persuadé qu'il s'est passé quelque chose entre eux avant que j'apparaisse.

Il m'arrive d'imaginer qu'il a survécu au 11 septembre et que nous nous retrouvons face à face. Il s'ensuit un affrontement verbal dont, bien entendu, je sors vainqueur, puis une confrontation physique, à mains nues, que j'abrège avec brio en le précipitant du haut d'une falaise ou d'un gratte-ciel, ou bien en lui brisant le cou avec un craquement délectable.

– À quoi penses-tu ? me demanda Kate.

J'émergeai de ma rêverie et répliquai :

– À la beauté du monde.

– Comment t'appelles-tu, déjà ?

– Ne te moque pas. J'essaie de me mettre dans l'ambiance de... ce que tu voudras.

– Parfait. Regagnons le B&B et faisons l'amour.

Je fis immédiatement demi-tour sur la route déserte et appuyai sur l'accélérateur.

– Ralentis.

Je levai le pied. Selon le vieil adage, pour faire l'amour, les femmes ont besoin d'une raison ; les hommes, eux, n'ont besoin que d'un endroit. Dans cet esprit, je virai brusquement à gauche après un panneau indiquant Parc régional d'Orient Beach.

– Qu'est-ce que tu fais ?

– Je cherche un coin romantique.

– John, rentrons au B&B et...

– C'est plus près.

– Allons, John. Je n'aime pas faire ça dehors.

Cause toujours. Je m'engageai sur un chemin sombre qui serpentait au milieu des joncs et débouchai, devant Gardiner's Bay, sur une petite plage de sable.

Je coupai le contact. Nous sortîmes de la Jeep, ôtâmes souliers et chaussettes, et marchâmes jusqu'au rivage. À l'est, se profilait la côte mystérieuse de Plum Island et, au sud, celle de Gardiner's Island, propriété de la famille Gardiner depuis le XVIIe siècle et où, dit-on, le capitaine Kidd enfouit son trésor, ce qui est peut-être vrai, même si les Gardiner n'en ont jamais soufflé mot. Encore plus au sud, de l'autre côté de la baie, scintillaient les lumières des Hamptons, dont les résidents possèdent plus de trésors que n'aurait pu rêver d'en amasser, en une vie entière de pillage et de meurtres, le pirate le plus sanguinaire. Mais je m'égare.

– On plonge, dis-je à Kate.

J'enlevai ma veste, la jetai sur le sable. Kate risqua un orteil dans l'eau et s'écria :

– Elle est gelée !

– Elle est plus chaude que l'air, affirmai-je en me débarrassant de ma chemise, de mon pantalon et du reste. Allez, viens.

Je fis un pas dans l'eau. Glaciale, effectivement. Je frissonnai. Kate s'en aperçut et me poussa.

– Vas-y, Tarzan.

Avec un cri à figer le sang, je plongeai.

Je crus que mon cœur allait s'arrêter. Je me maintins sous l'eau le plus longtemps possible. J'émergeai enfin, agitai les jambes.

– Une fois qu'on y est, elle est bonne, mentis-je en claquant des dents.

– Très bien. Restes-y. Je retourne au B&B. Ciao !

– Je croyais que les agents du FBI n'avaient peur de rien !

– Sors de là avant de mourir de froid !

– Entendu... Oh, mon Dieu, j'ai des crampes !

Je me laissai couler, sortis de nouveau la tête en crachant de l'écume.

– Au secours !

Kate hurla. Elle se déshabilla à la hâte, prit une grande inspiration, courut dans l'eau jusqu'à la taille, puis plongea et fonça vers moi.

Je me mis sur le dos, les yeux au ciel. Je crus apercevoir Pégase à travers les nuages. Kate arriva à ma hauteur.

– Salaud ! cria-t-elle.

– Pardon ?

– Tu as fait semblant de te noyer, mais ce sera vrai dans une minute !

– Je n'ai jamais dit que je me noyais. Viens faire la planche. Je vais te montrer Pégase.

– Je n'arrive pas à croire que tu aies fait ça. Je gèle !

– L'eau est plus chaude que...

Elle plaqua une main sur mon visage, enfonça ma tête sous la surface. Et la maintint longtemps.

Je finis par me dégager, nageai sous l'eau, contournai Kate

et me retrouvai derrière elle. Son somptueux postérieur était juste en face de moi. Comment résister ? Amoureusement, je mordis sa fesse droite.

Kate jaillit littéralement hors de l'eau. Quand je refis surface, elle nageait en cercle, scrutant le fond lugubre et noir. Je criai :

– J'ai mordu un requin blanc !

Elle pivota dans ma direction et m'envoya une bordée d'injures.

Bon. Assez joué...

– Je sors, dis-je. Tu restes ?

Sans répondre, elle nagea vigoureusement vers la plage.

Elle allait vite, mais je la rattrapai. Nous fîmes la course jusqu'au rivage. Galamment, et surtout pour dissiper sa mauvaise humeur, je la laissai gagner. Lorsque je regagnai la plage, elle s'essuyait avec ma chemise. Hors de l'eau, il faisait très froid. Mes dents claquaient de plus en plus.

– C'était rafraîchissant, dis-je.

Silence. Je tentai une nouvelle approche.

– Tu nages comme une sirène.

Elle ne parut pas m'entendre et rassembla ses vêtements.

– Kate ? Hou, hou...

– Je n'ai jamais rencontré de ma vie un adulte aussi infantile, aussi stupide, aussi débile, aussi con, aussi...

– J'en déduis que...

– Ne m'adresse pas la parole !

– D'accord.

Nous restâmes donc là, nus l'un en face de l'autre, tremblant de la tête aux pieds. Ses lèvres bleuies et ses cheveux trempés la rendaient plus sublime encore, avec sa poitrine défiant les lois de la pesanteur, son ventre plat, plus ferme qu'un comptoir de bar, sa toison blonde et ses jambes interminables, les plus belles qu'il m'ait été donné de voir.

Elle aussi me regardait. Faisant le premier pas, je m'avançai vers elle. Elle hésita puis, lâchant ses vêtements, vint à ma rencontre.

Et ce fut là, sous les étoiles perdues entre les nuages, que je vécus – elle aussi j'espère – un moment unique. Le froid se dissipa comme par miracle. Kate m'étendit sur le dos, me caressa. Je la laissai faire. Elle eut un orgasme intense mais calme, apaisant.

Ensuite, il fallut bien rentrer. Kate avait retrouvé sa bonne humeur. Dans la Jeep, elle poussa le chauffage à fond.

– Si j'attrape une pneumonie, dit-elle, ce sera ta faute.

– Je sais. Je suis désolé.

– J'ai vraiment cru que j'avais été mordue par un requin.

– Je sais. C'était idiot. Je suis désolé.

– Et ne fais plus jamais semblant de te noyer.

– C'était impardonnable. Je suis désolé.

– Tu es un enfoiré.

– Je sais. On remet ça ?

Elle éclata de rire, me prit la main. Elle alluma la radio, tomba sur une station du Connecticut qui diffusait des mélodies de Johnny Mathis, Nat King Cole et Ella Fitzgerald.

Nous arrivâmes enfin au B&B. La clé refusa tout d'abord de tourner dans la serrure et je faillis défoncer la porte. Kate parvint à l'ouvrir. Nous montâmes les escaliers en courant, comme deux adolescents éblouis par leur première expérience.

La douche brûlante nous fit oublier les eaux glacées de la baie. Et ce qui suivit nous fit oublier tout le reste.

VI

SAMEDI
ÉTAT DE NEW YORK

Le pouvoir croit toujours avoir une belle âme, se préoccuper du sort des faibles et servir les voies de Dieu, alors qu'il ne cesse de bafouer ses lois.

John Adams

Chapitre 12

— Il nous faut tout d'abord, commença Bain Madox, programmer le Projet vert dans le temps. Les bombes miniaturisées, dit-il en montrant la valise, nécessitent un entretien régulier, indispensable à leur bon fonctionnement et à une efficacité maximale. Le cœur de plutonium rend cette opération très délicate. Fort heureusement, j'ai engagé un physicien nucléaire de premier plan : un Russe nommé Mikhaïl, émigré aux États-Unis. Je l'ai prévenu : il sera là dans la journée de demain. Le soir même, si tout se passe bien, les engins seront prêts.

— Ce Mikhaïl sait-il quoi que ce soit sur le Projet vert ? Ou sur Wild Fire ? s'enquit Scott Landsdale.

— Bien sûr que non. Il croit que les bombes seront introduites dans des villes du Moyen-Orient, ce qui lui convient tout à fait. Inutile qu'il en apprenne davantage.

— Où se trouve-t-il, actuellement ?

— Il vit sur la côte Est et enseigne dans une université. Vous n'avez pas besoin, vous, d'en savoir plus. Quant à lui, il sait que le travail pour lequel je le paye est urgent. À cinquante mille dollars la visite, il arrivera ventre à terre.

— Et vous faites confiance à ce type ? rétorqua Landsdale.

— Absolument pas. Mais je lui offert un million de dollars cash si les bombes explosent, payable le jour même. Au prorata, bien sûr, du nombre d'engins ayant fonctionné et des dégâts qu'ils auront provoqués. C'est une carotte appréciable.

— Et comment réagira-t-il lorsqu'elles auront rasé, non des capitales du Moyen-Orient, mais des villes des États-Unis ?

– Je n'en ai aucune idée. Cela a-t-il la moindre importance ?

– Que deviendra Mikhaïl après les explosions ?

– Vous posez beaucoup de questions, Scott.

– Je m'inquiète simplement de notre sécurité. Je ne peux m'empêcher d'imaginer votre moujik, après quelques vodkas de trop, racontant à un inconnu que son emploi à temps partiel consiste à assurer la maintenance de bombes atomiques au Custer Hill Club.

– Je n'ai aucune intention de laisser ce genre d'incident se produire.

– Cela signifie-t-il que vous vous occuperez de lui ?

Madox regarda les participants, puis laissa tomber :

– Ne vous faites aucun souci.

Harry ne perdait pas une miette de cette conversation entre messieurs du meilleur monde programmant l'assassinat d'un témoin. Si Mikhaïl, qui ne connaissait qu'une partie de la vérité, était voué à passer à la trappe, lui, Harry Muller, n'avait aucune chance de s'en sortir vivant.

– La visite inopinée de M. Muller, reprit Madox, nous oblige à accélérer les choses. Cependant, je ne vois aucune raison qui nous empêche de mettre notre projet à exécution dans les prochains jours. Puisqu'on nous a forcé la main, nous ne pouvons plus reculer.

– Bain, hasarda Paul Dunn, nous pourrions cacher ces engins en attendant un moment plus propice...

– Ce moment propice, Paul, c'est maintenant. J'ai la conviction que des membres du gouvernement commencent à subodorer quelque chose. Il nous faut absolument les prendre de vitesse. Les bombes doivent arriver à destination d'ici un jour ou deux. Quant à vous, il est impératif que vous vous trouviez à Washington, auprès du Président, pour que la mise en œuvre du Projet vert déclenche aussitôt Wild Fire. Quel est l'agenda du Président pour lundi et mardi ?

Dunn se pencha sur un document étalé devant lui.

– Il sera à la Maison-Blanche lundi matin, pour le Columbus Day. Il s'envolera ensuite pour Deaborn, dans le Michigan, où il arrivera vers 15 h 30. Nous ne sommes plus qu'à trois semaines des élections, vous le savez. Il prononcera donc un discours de soutien à la candidature de Dick Posthumus au poste de gouverneur de l'État. Puis il assistera, au Ritz Carlton de Deaborn, à un dîner en l'honneur de Thaddeus McCotter, qui brigue un siège au Congrès. Il embarquera ensuite à bord d'*Air Force One*, atterrira à l'aéroport militaire de Wright-Paterson aux alentours de 22 heures, regagnera la Maison-Blanche en hélicoptère et se posera sur la pelouse sud vers 22 h 30.

– Le Colombus Day, avança Madox après un instant de réflexion, serait une date hautement symbolique aux yeux de terroristes islamiques décidés à provoquer un holocauste nucléaire sur notre territoire.

– Bain, pour de multiples raisons, un jour férié poserait certains problèmes... Tout d'abord, ni Ed ni moi n'accompagnerons le Président lors de son déplacement de lundi. Quant à Scott, il ne sera pas non plus à la Maison-Blanche.

– Exact, confirma Landsdale. J'ai, ce jour-là, un pique-nique d'entreprise et un match de base-ball.

Madox éclata de rire.

– Nous devrons donc différer l'attaque nucléaire contre les États-Unis.

Il s'adressa à Edward Wolffer :

– Peut-être pourriez-vous nous fournir quelques précisions sur Jeep, pour nous aider à prendre notre décision...

Wolffer hocha la tête et répondit :

– Vous connaissez sans doute quelques détails sur Jeep, le Joint Emergency Evacuation Plan, qui organise l'évacuation du chef de l'exécutif en cas d'urgence. Pendant la guerre froide, ce plan concernait, outre le Président, un petit groupe de dirigeants militaires et politiques. Il s'agissait de les transporter le plus rapidement possible, soit à Wright-Paterson, soit au National Airport, selon l'endroit où se trouverait le Président à ce moment précis. Là, les attendrait un jet E-4B prêt à décoller. Cet avion est connu sous le nom de code de Kneecap, ou Rotule. On le surnomme parfois l'Avion du Jugement dernier... Le Président, bien entendu, emportera avec lui le chiffre de la force de frappe et pourra déclencher une riposte depuis le poste de commandement installé à bord... Toutefois, à la suite du 11 septembre, le plan Jeep a été légèrement modifié. En effet, si nous sommes confrontés à un attentat terroriste, nous ne disposerons pas des dix ou quinze minutes de répit que nous donneraient un ou plusieurs missiles balistiques à longue portée se dirigeant vers notre pays. D'autant qu'on craindra l'explosion imminente d'une bombe à Washington. Les dispositions prévues sont donc différentes. Le Président sera transporté aussitôt par hélicoptère, directement de la pelouse de la Maison-Blanche jusqu'à un endroit sûr et très éloigné de la capitale fédérale, cible numéro un pour les terroristes.

– Nous savons qu'il n'en est rien puisque, pour des raisons évidentes de survie nationale, nous ne l'avons pas inscrite sur notre liste, railla Madox. Sans mentionner le fait que vous vous trouverez sur place à l'heure H... Vous aurez tous l'occasion de vous comporter en héros en demeurant à votre poste dans la confusion et la panique qui suivront les explosions. Vous devrez tous les trois, Ed, Paul et Scott, influer sur les événements.

– Nous l'avons déjà fait en suscitant les modifications de Jeep, rétorqua Wolffer. L'hélicoptère dans lequel prendra place le président ne sera pas aussi bien équipé qu'*Air Force One* ou que le E-4B du Jugement dernier en matériel de communication et en systèmes de réception de messages cryptés. Le temps qui s'écoulera entre l'attaque et la riposte sera donc largement consacré aux procédures d'évacuation, et il y aura moins de risques que le Président reçoive des messages ou de mauvais conseils susceptibles de l'amener à contrecarrer le déclenchement de Wild Fire.

– Idéal pour nous, conclut Madox.

Il se tourna vers Paul Dunn.

– Donc, quel est son emploi du temps pour mardi ?

– Il passera toute la journée à la Maison-Blanche. À 14 heures, il présidera une réunion ministérielle sur l'accession à la propriété des classes défavorisées. Le reste de la journée, il travaillera dans le bureau Ovale. Ensuite, dîner avec des amis et la première dame, servi par un personnel restreint. Scott devrait travailler tard dans son bureau de l'aile ouest, et Ed se trouver le plus souvent possible auprès du secrétaire d'État à la Défense. Au Pentagone, Jim sera en contact permanent avec les chefs d'état-major. Quant à moi, je dînerai à la Maison-Blanche.

Bain Madox parut un instant perdu dans ses pensées.

– Bien, dit-il enfin. Mardi semble être par conséquent le meilleur jour pour l'exécution de notre projet. Cela nous laisse une bonne marge de manœuvre. D'abord, il faut que Mikhaïl soit arrivé et dispose d'assez de temps pour réviser les engins. Je devrai également être certain que mes avions seront là et prêts à décoller, m'assurer que les générateurs Diesel alimenteront bien l'antenne Elf. Je vérifierai moi-même le bon fonctionnement de l'émetteur et contrôlerai la préparation logistique des deux vols vers les villes que nous aurons choisies.

Harry écoutait toujours. À l'inverse des autres, qui semblaient n'avoir aucune difficulté à suivre, il n'était pas très sûr de comprendre de quoi parlait Madox, sauf lorsque ce dernier trancha :

– Disons donc mardi en début de soirée. Je sais que le Président se couche tôt. Je ne tiens pas à ce qu'on le tire de son lit pour l'entraîner en pyjama jusqu'à l'hélicoptère.

Sourires. Puis :

– Mettons l'heure du dîner, alors que Paul et la First Lady seront avec lui, ce qui rendra l'évacuation plus facile. Je déciderai du moment précis et le communiquerai à Scott et Ed, qui travailleront tard, ce soir-là, dans leur bureau.

Il se tourna vers le général Hawkins.

– Et vous, Jim, vous travaillerez tard au Pentagone.

Hawkins acquiesça. Madox reprit la parole :

– Messieurs, le monde nouveau commencera donc mardi soir, dans trois jours et quelques heures. Vous resterez tous en contact les uns avec les autres. Et vous, Scott, calmerez le jeu en annonçant que vous savez de source sûre que les deux villes victimes des attentats nucléaires seront les seules à subir ce sort.

– Je ferai de mon mieux, répondit Landsdale. Mais peu de gens croient la CIA, ces temps-ci...

– La Maison-Blanche vous a cru à propos des armes de destruction massives irakiennes... qui, à mon avis, n'existent pas.

Landsdale ne put s'empêcher de sourire.

– Elles sont peut-être réelles, ou bien imaginaires. De toute façon, après Wild Fire, la question n'aura plus d'intérêt, ce qui arrangera tout le monde.

Madox approuva, puis interrogea Wolffer :

– Comment Wild Fire entre-t-il en action ?

– Après l'annonce et la confirmation d'une attaque avec des

armes de destruction massive, en l'occurrence nucléaires, contre des villes américaines, le secrétaire d'État à la Défense envoie un message crypté à Colorado Springs, disant simplement : « Wild Fire est lancé », suivi par le niveau de la riposte : liste A ou liste B. Si Washington a été détruite et/ou s'il n'y a pas de message du secrétaire d'État ou du Président, Wild Fire se déclenche de toute façon. En d'autres termes, dès que les gens de Colorado Springs sauront de source sûre, et quelle que soit cette source, qu'une ville américaine a été détruite, ils enverront un message crypté aux silos de missiles qui auront été choisis comme sites de riposte, et aux centres d'opérations navales de Norfolk et de Pearl Harbor, qui contacteront la flotte sous-marine. Les sous-marins et les silos recevront un ordre de prélancement. Wild Fire prévoit un intervalle d'une demi-heure entre le prélancement et le lancement proprement dit. Pendant ce délai, les gens de Colorado Springs attendront un message chiffré du Président susceptible de suspendre ou d'annuler Wild Fire.

– Je croyais, intervint Landsdale, qu'il n'avait pas le pouvoir d'annuler la riposte...

– Il en a le droit, mais uniquement s'il obtient la preuve irréfutable que l'agression nucléaire n'est pas le fait de terroristes islamistes. Il ne dispose donc pour cela que d'une demi-heure. S'il se trouve à bord d'un hélicoptère, en route pour un endroit sécurisé, il aura moins de chances de recevoir cette information. Comme nous l'avons souligné tout à l'heure, il y a une forte présomption de culpabilité contre les terroristes islamistes, surtout depuis le 11 septembre. En fait, toutes les bombes porteront les empreintes d'al-Qaida. En l'absence d'autres renseignements impliquant, par exemple, la Corée du Nord ou un groupe terroriste intérieur qui serait au courant de l'existence de Wild Fire, le feu nucléaire se déversera sur la terre d'islam. Bref, nous tirons d'abord et nous posons des questions ensuite. Si nous nous sommes trompés sur l'origine de l'attaque, nous aurons, de toute manière, fait œuvre de salubrité publique.

– Si j'en crois Paul, souligna Madox, le Président actuel n'essaiera pas d'annuler Wild Fire.

– Il a été briefé deux fois sur ce programme, répondit Paul Dunn. Une première fois immédiatement après le 11 septembre, la seconde à l'occasion du premier anniversaire de l'attentat. Cela ne lui pose aucun problème et il comprend très bien que tout ce qu'on lui demande, c'est de ne rien faire.

– Si Colorado Springs, précisa Wolffer, n'a rien reçu du Président au bout de trente minutes, ce silence équivaudra à un ordre de tir. Donc, une heure après une attaque nucléaire contre les États-Unis, nous aurons anéanti ses responsables.

– J'espère que non, fit remarquer Landsdale. Nous sommes les responsables.

Cet humour laissa Madox de marbre.

– Non, Scott, les extrémistes islamiques porteront l'entière responsabilité de la destruction de leur terre d'origine. Il y a trop longtemps qu'ils nous provoquent. Et quand on joue avec le feu, on se brûle.

– Tous les garnements le savent, ironisa Landsdale. Bain, qu'avez-vous prévu pour l'acheminement des bombes ?

– Mes deux jets Citation sont actuellement en route pour l'aéroport régional des Adirondack. Demain, ou lundi au plus tard, quand Mikhaïl m'aura assuré que les engins sont prêts, les pilotes et les copilotes transporteront les quatre bombes dans deux Jeep jusqu'à l'aéroport et les chargeront à bord de mes deux avions. Les valises auront au préalable été enfermées dans des malles cadenassées, ce qui leur évitera d'attirer la curiosité. Vous constaterez, en effet, qu'elles ne ressemblent guère à des bagages ordinaires... Ensuite, les pilotes et les copilotes gagneront les deux villes que nous aurons choisies. Là, ils se rendront en taxi dans des hôtels sélectionnés à l'avance, avec leurs valises, et attendront mes instructions.

– Vous fiez-vous à eux ? interrogea Landsdale.

– Ils travaillent pour moi depuis longtemps, et ce sont d'anciens militaires. Ils obéissent aux ordres.

– Leur demandera-t-on, à un moment donné, de quitter leurs chambres ?

– Malheureusement, ils s'y trouveront encore quand les valises exploseront. Bien évidemment, ils en ignorent le contenu, mais ils savent qu'il est précieux et qu'ils ne doivent pas les laisser un seul instant sans surveillance.

Harry Muller écoutait en silence. Il avait renoncé à faire le décompte des morts. Il n'avait qu'une certitude : ses chances de sortir vivant du Custer Hill Club étaient descendues au-dessous de zéro...

Même si on lui avait entravé les chevilles, il gardait les mains libres. Les participants n'étant sans doute pas armés, il pourrait peut-être s'échapper. Il jeta un coup d'œil furtif à la porte, puis aux rideaux des fenêtres. Madox s'en aperçut.

– Vous vous ennuyez, Harry ? Vous avez rendez-vous ?

– Allez vous faire foutre !

– Bain, dit Paul Dunn, sa présence n'est plus nécessaire, si elle l'a jamais été.

– Je crois, au contraire, qu'il doit rester avec nous. Je ne tiens pas à ce qu'il parle aux gardes et les perturbe avec des propos délirants sur je ne sais quelles bombes atomiques... Plus tard, je lui donnerai un sédatif. M. Muller devra dormir jusqu'à mardi.

Nul ne réagit, sauf Harry qui beugla :

– Cette enflure va me buter ! Vous êtes conscient de ça ?

– Allons, murmura Landsdale en lui tapotant l'épaule, personne ne vous fera de mal.

Harry repoussa violemment sa main.

– Vous êtes tous des tueurs !

– Harry, dit Madox, vous vous emportez pour rien. Peut-être avez-vous besoin de ce sédatif maintenant. À moins que vous ne consentiez à la boucler et à entendre le reste de l'exposé... Oui ? Parfait. Messieurs, je reprends... Les pilotes resteront donc à leur poste. Mardi, lorsque Paul me dira que le Président et son épouse sont en train de dîner à la Maison-Blanche, j'activerai l'émetteur ELF et enverrai le code digital à trois chiffres qui provoquera l'explosion simultanée des quatre bombes. Avant d'avoir terminé sa salade, le Président aura reçu la terrible nouvelle. Et le compte à rebours vers le déclenchement de Wild Fire commencera, tandis qu'on évacuera par hélicoptère le Président et la First Lady vers une destination sûre. Certains d'entre vous ont-ils été désignés pour les accompagner ?

– Moi, répondit Paul Dunn, mais seulement si je me trouve à proximité.

– Vous ne pourrez pas être plus proche d'eux qu'en dînant à leur table.

Le général Hawkins s'éclaircit la gorge.

– Je sais que nous avons déjà discuté de l'emplacement des engins, mais maintenant que le temps est venu j'aimerais savoir plus précisément ce que vous avez en tête... Vous avez mentionné deux villes. Or nous avons quatre bombes.

– Ainsi que je l'ai déjà indiqué, répliqua Madox, ce sont des armes de faible puissance, et peut-être pas aussi fiables que nous le souhaiterions. J'ai donc décidé, après avoir consulté Mikhaïl, d'en placer deux dans chaque ville. De cette façon, si l'une n'explose pas, nous pourrons toujours compter sur l'autre. Si les deux fonctionnent, l'explosion n'en sera que plus impressionnante. Donc, si nous choisissons, admettons, San Francisco, comme une des villes, le pilote descendra dans un hôtel avec une valise, et le copilote dans un établissement voisin avec la deuxième. Si une seule bombe explose, elle détruira l'hôtel où l'on aura placé la seconde : il est important qu'on ne découvre pas, dans une chambre, une bombe intacte et un pilote hébété qui permettraient de remonter jusqu'à... eh bien, jusqu'à moi. En d'autres termes, en cas d'échec d'une bombe, l'explosion de sa jumelle détruira la preuve de la présence d'un autre engin dans un endroit différent. Enfin, si aucune bombe n'explose, j'appellerai mes pilotes pour leur transmettre d'autres instructions.

– Quel est le degré de fiabilité de ces engins ? demanda le général Hawkins.

– Mikhaïl m'a assuré que chacun d'eux était fiable à 90 %. Mais nous n'en serons certains que lorsqu'ils auront explosé. Comme je vous l'ai dit, ils datent de 1977. Ils sont donc vétustes. De plus, comme toutes les bombes miniaturisées, ils sont plus sophistiqués et plus complexes que... disons... une tête nucléaire d'une mégatonne. Mais, selon Mikhaïl, qui les a entretenus avec soin, ils sont en très bon état.

– Les Soviétiques, commenta le général Hawkins, excellaient dans la fabrication des armes, en particulier nucléaires. Cependant, ajouta-t-il en souriant, pendant la guerre froide, nous plaisantions sur leur incapacité à fabriquer des bagages convenables, ce qui nous mettait à l'abri d'une catastrophe provoquée par des engins miniaturisés introduits subrepticement dans notre pays.

Il y eut quelques rires dont celui de Madox, qui regarda la valise et s'exclama :

– Il est vrai que celle-ci a piètre allure !

Silence. Il dévisagea tour à tour chacun des participants, puis déclara :

– Le temps est venu de prendre la décision la plus difficile : quelles villes devront être sacrifiées pour que notre nation et le monde soient enfin libérés de la terreur islamique ? Messieurs ?

Chapitre 13

Bain Madox pressa une touche de son clavier. Sur l'écran, une carte des États-Unis remplaça celle du monde musulman.

– Oubliez votre nationalité. Mettez-vous dans la peau d'un terroriste islamiste. Vous avez les moyens de détruire deux villes américaines. Lesquelles agréeraient le plus à Allah ?

Il alluma une cigarette, suivit des yeux les ondulations de fumée devant la carte.

– Procédons par élimination. Si j'étais un terroriste islamiste, je privilégierais en premier lieu Washington et New York... Mais je ne suis pas vraiment un terroriste islamiste. Washington ne figure donc pas sur notre liste. Et New York n'y sera pas non plus, à cause de la Bourse et de son importance vitale pour l'économie mondiale. Et outre le fait que nous y comptons tous, y compris M. Muller, nos amis et nos familles.

– N'oubliez pas votre appartement de Park Avenue, Bain, lança Landsdale.

– Scott, j'ai des propriétés un peu partout. Cela n'entre pas en ligne de compte. Seuls importent des êtres chers qui vivent dans les villes que nous allons détruire. Nous les en éloignerons sous un prétexte quelconque. Mais nous aborderons cette question le moment venu.

– Où habite votre ex-épouse ? demanda Landsdale.

– Palm Beach, répliqua Madox d'une voix irritée. Aucun intérêt pour les terroristes.

Landsdale ricana.

– Si je devais débourser la pension alimentaire que vous lui versez, je ne serais pas du même avis.

– Très drôle... Je crois, de toute façon, qu'il nous faut éliminer l'ensemble de la côte Est. Une explosion nucléaire sur l'axe Boston-Baltimore créerait de graves dommages à notre économie, ce que nous devons éviter. D'un autre côté, n'oublions pas que nous devons faire croire à un attentat terroriste.

Les cinq participants envisageaient un holocauste nucléaire en s'exprimant le plus naturellement du monde, comme des hommes d'affaires discutant de l'implantation d'une usine sur un site plutôt que sur un autre. C'était tellement irréel que Harry eut du mal, tout à coup, à imaginer les implications de leur débat.

– Detroit serait un candidat sérieux, reprit Madox. C'est déjà une ville morte, elle compte une importante population musulmane et se trouve tout près du Canada, dont le pacifisme bêlant et les idéaux de gauche commencent à nous pomper. Ce serait un excellent signal à envoyer à nos chers alliés.

Edward Wolffer le coupa net.

– Detroit ferait une cible superbe pour nous, mais, pour les raisons que vous venez de mentionner, les terroristes islamiques l'épargneraient.

Chacun, dès lors, y alla de sa préférence. Landsdale penchait pour Miami, à cause de son influente minorité juive. Le général Hawkins opta pour Disney World. Tout le monde éclata de rire. Allait-on tuer Mickey ?

– Pensez aux enfants, plaida gaiement Madox. Ne les faisons pas pleurer. Nous ne sommes pas des monstres.

Harry n'en était pas si sûr. Les hommes qu'il avait en face de lui ne correspondaient en rien aux psychopathes qu'il avait affrontés. C'étaient des êtres en apparence normaux, cultivés, bien installés au sommet de la hiérarchie sociale. Ils avaient tous une famille, des amis qui les estimaient. Les seuls individus auxquels il aurait pu les comparer étaient les membres de l'Armée républicaine irlandaise qu'il avait traqués. Tout à fait normaux, eux aussi, hormis la haine qui les rongeait. À leurs yeux, aucun de leurs actes ne constituait un crime. Il repensa à ce type de l'IRA qui, alors qu'il l'interrogeait, avait commandé un sandwich au thon pour son déjeuner parce qu'on était vendredi et, de plus, en plein carême. Une fois relâché faute de preuves et rentré à Belfast, il avait abattu deux policiers de sang-froid. Ces gens-là étaient plus terrifiants que n'importe quel tueur en série.

Les participants discutaient toujours. Ils venaient d'éliminer Chicago, essentielle à la prospérité américaine. Madox suggéra alors trois noms hautement symboliques.

– Los Angeles, San Francisco et Las Vegas. Sodome, Gomorrhe et... et... ?

– Babylone, précisa Landsdale.

– Merci. San Francisco réunit toutes les conditions. Son rôle économique ne pèse rien en regard de sa dépravation, de ses valeurs antipatriotiques et politiquement correctes, de son défaitisme et de son écœurant pacifisme. Un furoncle purulent planté dans le cul de l'Amérique.

Edward Wolffer protesta. Sa fille habitait San Francisco et il en aimait l'architecture. D'un autre côté, le pacifisme et le politiquement correct que venait de dénoncer Madox ne pouvaient qu'inciter les islamistes, en dépit des mœurs dissolues de ses habitants, à l'épargner. Madox réagit violemment. Il donna un grand coup de poing sur la table et cria :

– Trêve de bavardages ! San Francisco est sélectionnée !

– Bain, déclara calmement Landsdale, vous ne faites que présider cette réunion. Vous n'avez pas à nous imposer vos vues.

– Excusez-moi. Je me suis laissé emporter. Je reprends. Êtes-vous tous d'accord pour sélectionner San Francisco ?

Les participants hésitèrent un instant, puis acquiescèrent. Landsdale, cependant, crut bon d'intervenir.

– N'oublions pas que nombre de musulmans nous ont accusés d'avoir nous-mêmes organisé les attentats contre le World Trade Center et le Pentagone, pour pouvoir les attaquer en retour. Même si leur idée était logique, ils avaient tort. Cette fois, ils auront raison. Choisissons donc nos cibles de façon rationnelle pour que personne, du moins pendant quelques heures, ne croie à notre culpabilité.

Madox ignora cette remarque et reprit :

– Les deux autres villes en lice sont Los Angeles et Las Vegas... Los Angeles pose un problème. Elle est si vaste que deux bombes atomiques n'y causeraient pas plus de dégâts que les tremblements de terre ou les émeutes qui la ravagent à intervalles réguliers. Par conséquent, je propose de cibler uniquement Hollywood et Beverly Hills. Ai-je besoin d'expliciter mes raisons ?

– Là-dessus, nous sommes tous sur la même longueur d'onde, opina le général Hawkins.

– Parfait. Une fois n'est pas coutume, nous partageons sur Hollywood l'opinion des fous d'Allah. Comme nous, ils voient dans La Mecque du cinéma l'incarnation absolue de la décadence. Permettez-moi de vous citer un texte de Souleiman Abou Ghaith, porte-parole officiel de Ben Laden : « L'Amérique, soutenue par les juifs, est devenue le centre mondial de la corruption morale, idéologique, politique et économique, le chantre de la destruction des valeurs. Sa sous-culture propage l'abomination et la licence parmi tous les peuples de la terre. » Peut-on rêver meilleure description de Hollywood ?

Cette fois, son humour porta. Tous gloussèrent.

Ravi de son effet, il actionna quelques touches de son clavier. Un plan de Los Angeles se déploya sur l'écran.

– Voici une vue d'ensemble de cette agglomération tentaculaire. Si nous nous concentrons sur Hollywood et sur Beverly Hills, précisa Madox en agrandissant une partie du plan, nous constatons que les effets de nos deux bombes se chevaucheront à peine. Cela implique que l'on pourrait remonter jusqu'à nous si l'un des engins n'explosait pas. Je pense quand même que nous devons prendre ce risque, à cause de l'immense retentissement qu'aura l'anéantissement de ces deux quartiers.

– À mon avis, déclara Paul Dunn, on remontera jusqu'à nous de toute manière. Bain, dans les deux villes, les deux points zéro, où les radiations au sol seront les plus intenses, seront des hôtels. Le FBI finira bien, au fil de son enquête, par obtenir la liste de leurs clients. Et ses agents tomberont forcément sur le nom de nos quatre pilotes. De plus amples investigations révéleront leurs plans de vol et l'atterrissage de leurs appareils sur les aéroports de ces deux villes. Le FBI ou la CIA n'y verront certes pas une coïncidence.

Madox garda le silence un moment, puis s'adressa à Harry Muller.

– Harry, qu'en pensez-vous ?

– Vous êtes tous givrés.

– Nous connaissons votre opinion à notre sujet. Je vous demande un avis strictement professionnel.

Harry réfléchit un instant :

– Si j'étais chargé de l'affaire, il me faudrait environ une semaine pour reconstituer le puzzle. On part du lieu du crime, les hôtels identifiés comme points zéro. Ensuite, on se procure la liste de réservation des clients conservée sur un ordinateur situé ailleurs qu'à l'hôtel et on l'épluche sans relâche, vingt-quatre heures sur vingt-quatre, jusqu'à ce que, grâce à un détail, une connexion se fasse.

– Serait-ce différent si mes pilotes descendaient dans ces établissements sous de faux noms et payaient avec des cartes de crédit bidon ?

– Oui, mais...

– Tel est notre plan, Harry ! Tel est notre plan, Paul ! Je ne suis pas si bête.

Harry releva le défi et objecta :

– Pourra-t-on considérer comme une coïncidence le fait que deux de vos avions auront atterri dans les villes détruites et que vous aurez perdu quatre pilotes dans la catastrophe ?

– Foutaises ! Savez-vous combien de coïncidences on a relevé après l'effondrement des tours jumelles ? Le risque, s'il existe, qu'on remonte jusqu'à nous après une explosion ayant tué un million de personnes est insignifiant. Et si des agents du FBI viennent frapper à ma porte, ce sera sans doute pour me féliciter... Et si le FBI, tout comme le gouvernement, arrive à la conclusion que le Custer Hill Club a quelque chose à voir avec ces attentats qui auront provoqué Wild Fire, croyez-vous vraiment qu'ils iront le crier à la face du monde ? Que diront-ils ? « Désolés, nous avons fait une boulette » ? Déclaration suivie, bien évidemment, de regrets officiels pour la mort de deux cents millions de musulmans, d'excuses sincères auprès des survivants en état de choc et de la promesse que cela ne se reproduira plus.

Tous les participants opinèrent.

– Continuons, dit Madox. J'ai déjà étudié la question de Los Angeles. À mon sens, les deux meilleurs hôtels pour le pilote et le copilote seraient le Beverly Wilshire, à Beverly Hills, et le Hollywood Roosevelt Hotel. Je leur réserverai, avec une fausse carte de crédit, une chambre dans chacun des établissements, exigeant qu'elle se trouve à l'étage le plus élevé, pour avoir la plus belle vue et, ce qui est notre but, disposer de la meilleure altitude pour l'explosion. Si mes calculs sont justes et si les bombes fonctionnent au maximum de leur puissance, les deux ondes de choc se chevaucheront. La destruction de Beverly Hills nous débarrassera d'un nombre appréciable de vedettes sans talent, de directeurs de studio surpayés et de multiples personnalités de la gauche caviar.

— J'espère que Demi Moore n'habite pas dans les parages, lâcha Landsdale.

— Je vous offrirai sa photo, Scott. Bien. Quant à l'anéantissement de Hollywood, il libérera le monde de la fine fleur de l'industrie cinématographique, dont la Paramount, la Warner et les studios de télévision de la chaîne ABC. Et nous soufflerons, en prime, les locaux de la Guilde des acteurs. Je crains que nous en soyons réduits, pendant un certain temps, à regarder de vieux DVD.

Deux participants sourirent poliment. Paul Dunn intervint :

— Los Angeles est une des métropoles les plus importantes du pays, avec une population de plus de quinze millions d'habitants. Deux explosions nucléaires rasant Beverly Hills et Hollywood provoqueront une panique indescriptible. Des millions de gens essaieront de fuir, ce qui aura des conséquences catastrophiques.

— Paul, vous voyez tout en noir. Soyez positif. Songez que cela résoudra définitivement le problème des immigrants clandestins. Ils connaissent la route du Mexique.

— C'est une remarque raciste, Bain.

— Navré, ironisa Madox avec une grimace de fausse contrition. En fait, je partage vos scrupules, quoique pour des raisons différentes. Je possède des stocks de pétrole et des raffineries au sud de Los Angeles. Pourtant, je reste optimiste. La situation redeviendra normale en moins d'un an. Plus important, les islamistes rêvent vraiment de détruire Hollywood. Donc nous sélectionnons cette cible.

Tout le monde acquiesça.

— Maintenant, reprit Madox, le fin du fin : Las Vegas.

Il pressa d'autres touches. Une vue aérienne et nocturne de Las Vegas illumina l'écran.

— Voilà, selon moi, la cible idéale. Un cloaque peuplé de drogués, de gens sans foi ni loi, d'artistes minables, de femmes de petite vertu...

– Minute ! coupa Landsdale. Certains d'entre nous les aiment, ces femmes-là...

– Je vous donne l'opinion des islamistes. Quant à moi, je ne vois aucune raison de laisser intact un seul trottoir de ce bouge. Las Vegas est éloignée d'autres centres d'habitation et unanimement haïe dans le monde musulman. Je la place donc en tête de notre liste.

Encore une fois, les quatre hommes approuvèrent.

Madox se tourna vers la vue de Las Vegas, oasis de lumières scintillantes cernée par un sombre désert et de noires collines.

– En fait, dit-il, son éradication présente des avantages économiques certains. Elle se développe trop vite, consomme trop d'eau, si rare dans la région, et trop d'électricité. Je propose de placer les bombes dans deux grands hôtels de sa partie la plus animée. Elles détruiront les établissements de jeu mais épargneront les quartiers périphériques, qui votent massivement républicain.

Il sourit, pressa une touche. L'écran s'éteignit et la lumière revint dans la pièce.

– Bien, conclut-il. Nous avons donc trois villes sélectionnées. Nous n'en retiendrons que deux. Voulez-vous que nous votions ?

– Je crois qu'il serait difficile pour nous, objecta Paul Dunn, de... de choisir nommément ces deux cités promises à la dévastation nucléaire. Bien sûr, nous en avons sélectionné trois... Mais il serait peut-être plus facile pour nous de procéder, pour la désignation finale, à un tirage au sort.

Madox consulta les trois autres, qui hochèrent la tête. Il arracha trois feuilles du bloc posé devant lui, écrivit sur chacune d'elles le nom d'une ville, les brandit tour à tour pour que chacun puisse les voir.

– Ainsi, vous n'insinuerez pas que j'ai inscrit San Francisco deux fois...

Avec un petit rire, il plia les feuilles en quatre, les déposa dans une grande chope à café vide, qu'il fit glisser sur la table.

– Harry, vous serez le doigt de Dieu. Choisissez Sodome et Gomorrhe.

– Jamais !

– Alors, procédons de façon différente. Désignez la ville qui ne sera pas détruite. Dieu guidera votre main.

– Plutôt crever !

D'un air excédé, Landsdale s'empara de la chope. Il en extirpa deux feuilles, les enflamma avec son briquet et les jeta dans le cendrier. Les autres, fascinés, regardèrent le papier se consumer.

– Voici les deux villes perdantes, annonça Landsdale.

Il exhuma la dernière feuille de la tasse et clama :

– La gagnante de la Loterie nationale nucléaire est...

– Ne regardez pas, ordonna Madox. Glissez la feuille dans votre poche. Vous nous la montrerez plus tard. Je tiens à ce que personne ne soit déçu, perturbé ou distrait pendant le reste de la réunion.

Landsdale fourra dans la poche de sa veste le nom de la ville qui serait épargnée et dit à Harry :

– Nous ne le connaîtrons pas avant que tout soit consommé.

Harry pensa qu'il n'en saurait jamais rien.

Chapitre 14

Restait à régler les derniers détails.

Au fond de lui-même, Harry Muller ne pouvait s'empêcher d'estimer que l'explosion de cent vingt-deux bombes nucléaires sur la terre d'islam n'aurait peut-être pas été une si mauvaise chose. Mais l'existence de quatre engins tapis sur le sol américain le terrifiait, tout comme elle semblait perturber Wolffer, Hawkins, Dunn et Landsdale. Ils s'efforçaient néanmoins de dominer leur appréhension. Madox, lui, paraissait à l'aise.

– Si j'avais pu choisir la date du Projet vert, plaisanta-t-il, j'aurais adoré raser Hollywood pendant la cérémonie des Oscars.

Subitement revigoré, presque espiègle, le général Hawkins saisit la balle au bond.

– Par une merveilleuse coïncidence, au moment des Oscars, les eaux du barrage d'Assouan auraient atteint leur niveau le plus élevé. De plus, avec un peu de chance, nous aurions même pu nous offrir le pèlerinage de La Mecque.

Madox opina d'un air rêveur.

– Dommage. Enfin... À cause de M. Muller, nous n'aurons pas ce privilège. Toutefois, même si les étoiles, la lune et les planètes ne sont pas alignées mardi, son arrivée parmi nous fut un signe de Dieu, l'injonction d'agir sur-le-champ ou de renoncer. De toute façon, nous n'avons nul besoin d'une conjoncture idéale pour provoquer l'holocauste. Le feu nucléaire crée lui-même sa propre perfection. Il est transcendant. Divin.

– Bain, murmura Scott Landsdale, avant que vous ne deveniez riche et puissant, quelqu'un a-t-il un jour accolé à votre patronyme le terme de « fêlé » ?

Madox se versa un verre d'eau, fixa longuement Landsdale et répondit enfin :

– Il m'arrive de me laisser griser par Wild Fire. On a rarement vu, au cours de l'Histoire, un problème insurmontable résolu par une solution simple. Il est encore plus rare que la providence confie cette solution à quelques hommes de bien. Cela m'enthousiasme.

Cette fois, personne, pas même Landsdale, ne réagit.

– Réglons maintenant quelques détails pratiques, reprit Madox. En premier lieu, vous devrez tous être partis dans la journée de demain. Les autres membres du club s'en iront lundi, comme prévu. J'ai organisé le transport vers le service religieux de demain matin.

– J'aimerais aller à l'église, dit Harry.

– Impossible, mon cher. Vous ferez la grasse matinée... Il va sans dire, messieurs, qu'aucun d'entre nous ne dévoilera aux autres membres le sujet de la réunion d'aujourd'hui. Efforcez-vous de paraître naturels et d'agir de façon normale. Ainsi que vous le savez peut-être, Steve Davis habite San Francisco. Jack Harlow et Walt Bauer, eux, vivent dans les environs de Los Angeles. Ne les lorgnez pas d'un air consterné, comme des morts en sursis. Le fait que nous ignorions le nom des villes sacrifiées devrait vous aider... Si votre talent d'acteur n'est pas à la hauteur de la situation, racontez-leur que nous avons parlé de l'imminence de la guerre en Irak, sujet hautement préoccupant s'il en est. Et, surtout, surveillez votre consommation d'alcool. Compris ?

Les participants acquiescèrent.

– En ce qui concerne les communications, nous avons tous, comme les vendeurs de drogue, des téléphones mobiles indécelables. Nous n'utiliserons que ceux-là. De plus, comme vous le savez, je possède ici ma propre tour relais, dotée d'un brouilleur de voix. Mais ne m'appelez que lorsque j'aurai besoin d'avoir de vos nouvelles... Ce qu'il me faudra savoir de la réalisation du Projet vert, je l'apprendrai par les bulletins d'information. À l'heure du dîner, toutes les chaînes de radio et de télévision, sauf, bien sûr, celles des deux villes détruites, interrompront leurs programmes et ne parleront que de cela...

J'espère, une heure plus tard, apprendre par un flash la riposte nucléaire des États-Unis à l'attaque perpétrée sur notre sol... Paul ? Ed ?

— Oui, répondit Ed Wolffer, le déclenchement de Wild Fire sera annoncé à la Nation et au monde. Nous n'avons aucune raison de le garder secret. Il paraît difficile de dissimuler très longtemps un tir massif de missiles suivi de cent vingt-deux explosions nucléaires... Au cours de la soirée, le Président s'adressera au pays depuis son refuge et révélera l'existence de Wild Fire. En principe, cela devrait apaiser la population, consolider son moral.

— En tout cas, cela stimulera le mien ! s'écria Madox... Tout le monde a été déprimé, après le 11 septembre, par l'absence de représailles immédiates de notre part. Cette fois, les Américains ne pourront pas accuser leur gouvernement de se montrer trop timoré.

— Exact, dit le général Hawkins. Mais on risque de nous reprocher une réaction disproportionnée...

— Jim, le monde et les médias garderont un silence hébété. On n'entendra pas voler une mouche. Pas même un moustique... Ce sera une nuit très intéressante. Bien évidemment, je resterai ici, pour envoyer le signal Elf qui fera exploser les engins.

Il s'approcha de nouveau de la valise, posa ses deux mains sur le cuir noir.

— C'est moi, messieurs, qui appuierai sur le bouton nucléaire. Et, en le faisant, j'implorerai le pardon de Dieu. Vous, vous ferez en sorte que la riposte soit effective, que la fureur de Wild Fire se déchaîne.

— Après mardi, combien de temps comptez-vous rester ici, Bain ? demanda le général Hawkins.

Madox regagna son siège et rétorqua :

— Je n'en sais rien. Pourquoi ?

— L'anéantissement des deux villes va provoquer une immense panique. La population va s'imaginer que l'ennemi possède d'autres bombes. Toutes les villes seront évacuées. Ce sera le chaos. Il y aura malheureusement des blessés, des morts... Les membres de nos familles, nos amis seront en danger... Et il me sera impossible d'appeler les gens que je connais à travers toute l'Amérique pour les exhorter à ne pas

123

bouger. Tout ce que nous pouvons espérer, c'est que la riposte et la destruction de l'islam calmeront les esprit. Mais, entre-temps...

– Jim, où voulez-vous en venir ?

– Euh... Maintenant que l'heure est arrivée... Je pense... Nous pensons tous à la réalité de ce qui va se produire.

– Je conçois que tout cela vous paraisse très soudain, Jim, mais vous auriez dû l'envisager après le 11 septembre, lorsque nous avons commencé à concevoir le Projet vert.

– Oui, je sais. Toutefois... Je vous imagine ici, en sécurité dans le saint des saints, alors que nous serons tous les quatre à Washington, que nos familles et nos amis seront disséminés aux quatre coins d'un pays plongé dans le chaos. Où se trouveront vos proches ?

– Où qu'ils soient, ils n'en bougeront pas. De toute manière, mes enfants ne répondent jamais à mes appels.

– Votre décision vous appartient. Pourtant, je crois qu'il vous faudra rentrer à New York le plus rapidement possible après les événements.

– Pourquoi ?

– Pour partager notre expérience, Bain.

– Très bien... Je ferai de mon mieux pour regagner New York dans les meilleurs délais. Mais il me faudra d'abord détruire l'émetteur ELF et m'en débarrasser, au cas où quelqu'un se présenterait ici avec un mandat de perquisition. C'est mon travail. Le vôtre, messieurs, consiste à rester à Washington, ou dans le refuge secret du Président, pour influer sur le cours des choses. Nous sommes d'accord ?

Tous approuvèrent.

Harry avait l'impression que la réalité commençait à s'imposer à eux. Il se souvint des groupes radicaux sur lesquels il avait enquêté pendant des années. Ils parlaient haut et fort, en vouant le monde entier aux gémonies parce que, au fond d'eux-mêmes, ils n'avaient aucune intention de risquer leur vie en posant une bombe, en tuant un flic, en dévalisant une banque ou en enlevant quelqu'un. Pourtant, de temps à autre, quand ils avaient un Bain Madox à leur tête, ils passaient à l'action. Mais dans la moitié des cas, un membre du groupe révélait le projet à la police ou retournait sa veste après le crime pour passer un marché avec la justice.

À présent que le temps était venu, pensa-t-il, l'un de ces hommes retrouverait-il la raison avant mardi ? Dunn, le conseiller du Président, avait l'air un peu chancelant. Peut-être sifflerait-il la fin de la partie. Le général, lui aussi, paraissait ébranlé. Mais Harry connaissait ce genre d'individus. Il irait jusqu'au bout, quitte, ensuite, à se brûler la cervelle. Quant au représentant du ministère de la Défense, Wolffer, il s'était impliqué tout entier dans le projet. Il ne reculerait pas.

Restait Landsdale. Harry se remémora les propos de Corey sur Ted Nash, sa bête noire à la CIA, aujourd'hui décédé. « Un officier de la CIA ment de la même façon à tout le monde. » Si Landsdale avait ratifié tout ce qui s'était dit pendant la réunion, Harry l'aurait soupçonné de jouer double jeu. Mais il avait contredit plusieurs fois Madox, lui avait donné du fil à retordre. Il était donc loyal au projet, même s'il se méfiait de son concepteur. Madox lui accordait sa confiance. Sinon, il ne l'aurait pas convoqué à la réunion. Harry sentait que Landsdale lui était bien plus lié que les autres.

Enfin, il y avait Madox lui-même. Il possédait tout. Mais une force le poussait à tout risquer. Il ne s'agissait ni de pétrole, ni d'argent, ni de pouvoir. Cette force, c'était la haine, qui animait tous les hommes de son espèce. Il y avait aussi une bonne dose de folie, qui nourrit la haine. Ou bien était-ce l'inverse ?

Comme s'il avait deviné ses pensées, Madox se tourna vers lui.

– Désirez-vous dire autre chose que « Plutôt crever » ?

– Oui. En tant que représentant de la loi, je vous rappelle que conspirer en vue de commettre un meurtre constitue un crime.

– Nous parlons de guerre, agent Muller, pas de meurtre. Un général doit parfois sacrifier ses soldats, et même des civils, pour que d'autres combattants restent en vie et poursuivent la lutte.

– Foutaises !

Madox eut un geste de mépris et s'adressa de nouveau aux membres du bureau.

– Messieurs, le 11 septembre 2001, dix-neuf pirates de l'air islamistes, qui n'avaient aucune raison valable de s'en prendre à nous et n'avaient pas votre envergure, ont réalisé leur plan.

Aucun n'a déserté, aucun n'a trahi les siens. Tous sont allés de leur plein gré au-devant de la mort. Je ne vous demande pas de sacrifier vos vies. Je demande simplement que nous, patriotes américains, ne fassions pas moins de mal à nos ennemis qu'ils ne nous en ont fait. Je souhaiterais que chacun de vous, tour à tour, entérine ou récuse le Projet vert. Ed ?

Ed Wolffer se leva et clama :

– Messieurs, ce que nous nous apprêtons à accomplir exige du courage et de la détermination. Nous n'en manquons pas. Et, du fond du cœur, nous sommes tous persuadés, je n'en doute pas, que notre action est juste et nécessaire. Il n'est plus temps de penser à nous-mêmes et aux risques que nous prenons. Dressons-nous pour servir notre pays, comme le font chaque jour les hommes et les femmes en uniforme qui y consacrent leur existence. Je vote pour l'exécution du Projet vert.

Le général Hawkins se leva à son tour.

– En tant qu'officier, j'ai juré, comme vous, de défendre la Constitution. J'ai également fait le serment d'obéir au commandant en chef de nos armées. Je prends ces serments au sérieux et, après mûre réflexion, j'ai décidé que je pouvais en conscience approuver le Projet vert.

Au tour de Paul Dunn. Debout lui aussi, il déclara :

– J'aurais préféré que nous disposions d'un peu plus de temps. Mais il faut abattre ses cartes quand on les a en main. Je vote pour le projet.

Scott Landsdale resta assis.

– J'ai la très forte intuition, dit-il, que c'est notre dernière chance d'agir. Harry Muller n'a pas été envoyé ici pour observer les oiseaux. Notre meilleure défense contre un gouvernement futur et une éventuelle accusation de complot consiste à prendre l'offensive. Je vote oui.

Bain Madox se leva le dernier. Il resta un instant immobile, le regard braqué sur le fond de la pièce, perdu dans ses pensées. Il murmura enfin, fixant l'ensemble des participants :

– Merci pour votre courage et votre loyauté. Vous êtes des soldats au service de la civilisation.

– Les bons soldats n'assassinent pas les civils ! cria Harry. En avez-vous assassiné au Vietnam ? Est-ce pour ça qu'on vous a décerné la Silver Star ?

Madox le toisa puis se détourna.

– Messieurs, dit-il, nous formons la petite armée destinée à vaincre la terreur et à arrêter l'expansion musulmane. Nous sommes les héritiers d'une longue lignée de bons chrétiens, hommes et femmes, qui ont défendu la foi et la civilisation occidentales contre l'islam. Les Espagnols et les Français, avant de devenir des poltrons, l'ont combattu à l'ouest. Les croisés ont porté la guerre au cœur de la terre musulmane. Dans les Balkans, les chrétiens ont affronté les Turcs pendant un demi-siècle... Peut-être connaissez-vous l'histoire du roi polonais Jean, qui vola spontanément au secours de Vienne assiégée. L'Europe entière, pourtant menacée, se cachait la tête dans le sable. Mais lui, guidé par le Saint-Esprit, se lança dans la bataille sans espérer la moindre récompense !

– Pas même une concession pétrolière ? ricana Landsdale.

Madox parut ne pas avoir entendu.

– Comme lui, messieurs, nous défendons les portes de l'empire, face aux hordes barbares. Nous obéissons au dessein de Dieu, qui nous a désignés pour cette tâche immense. En sacrifiant deux villes américaines qui, telles Sodome et Gomorrhe, ne méritent pas de survivre, nous empêcherons l'ennemi de détruire d'autres cités de notre pays, ce qu'il aurait fait en choisissant son heure. Nous allons sauver Washington, New York, Seattle, Chicago, Atlanta, Dallas... Palm Beach... Je veux que vous vous imprégniez de cette évidence et que vous dormiez bien cette nuit, le cœur, l'esprit et l'âme en paix... Si Jésus-Christ se trouvait parmi nous, il nous dirait : « Allez, les gars ! Plaquez sur vos couilles votre coquille de cuivre et foncez ! »

Les quatre participants se regardèrent à la dérobée, sans faire de commentaire sur ce message un peu particulier du Rédempteur. Madox but une grande gorgée d'eau, que Harry commençait à soupçonner d'être de la vodka pure.

– Bien ! À présent, je vous demande d'incliner la tête et de prier en silence pour que Dieu nous guide, nous donne Sa force et, peut-être, Son absolution au cas où notre action lui poserait un petit problème. Vous aussi, Harry, priez avec nous.

Il se tut, baissa la tête. Les autres l'imitèrent à contrecœur. Harry, lui aussi, se recueillit. Il pria pour qu'un des quatre hommes retrouve la raison, perde son sang-froid ou reçoive de Dieu un message plus raisonnable.

Madox, au bout d'une minute, brisa le silence.

– Amen... dit-il. Les cocktails seront servis au bar à partir de 17 heures. Poker dans la salle de jeu, si cela intéresse quelqu'un. Nous avons un nouveau jeu de fléchettes, avec pour cible l'effigie de Saddam Hussein. Dîner à 19 h 30. Costume-cravate, je vous prie. En partant, jetez vos notes dans la cheminée. La réunion est terminée. Merci d'être venus.

Les quatre hommes rassemblèrent leurs affaires et, l'un après l'autre, quittèrent la pièce. Madox et Harry restèrent face à face.

– Nous voilà seuls, Harry.

Ils se jaugèrent de part et d'autre de la table. Harry évalua la situation. S'il réussissait à neutraliser Madox, la fenêtre était sa meilleure chance. Mais s'il parvenait à parler aux deux cerbères qui montaient la garde de l'autre côté de la porte et à leur révéler ce qui se tramait, il pourrait peut-être empêcher la catastrophe.

– À quoi pensez-vous, Harry ?

– À votre plan. Il est sublime.

– À d'autres. Comment m'avez-vous trouvé ?

– Parfait. Mais vous m'avez un peu embrouillé avec vos références historiques...

Tout en parlant, il se disait qu'en trois secondes, même avec les chevilles entravées, il pourrait bondir et assommer Madox.

– Votre incompréhension me navre, Harry. Souhaitez-vous que cette foutue guerre contre le terrorisme dure jusqu'à ce que vos petits-enfants sucrent les fraises ?

– Eh bien, à mon sens...

Il saisit le lourd cendrier de métal où Landsdale avait brûlé les papiers du tirage au sort, le jeta à la tête de Madox, puis bondit sur ses pieds, tandis que Madox se baissait pour l'éviter. Il franchit en moins de deux secondes les trois mètres qui le séparaient de son adversaire. Madox s'était déjà redressé. Il recula jusqu'au mur, sortit une arme de sous sa veste et tira presque à bout portant, au moment où Harry s'apprêtait à plonger sur lui.

Harry s'arrêta net, surpris de ne pas sentir la balle le frapper et de constater que l'arme n'avait produit aucun son. Il fit un pas vers Madox. Mais il eut soudain les jambes lourdes. La pièce se mit à tournoyer.

– Vous avez besoin de vous calmer, souffla Madox.

Les jambes de Harry se dérobèrent sous lui. Il remarqua quelque chose qui sortait de sa poitrine, y posa sa main.

– Un dard tranquillisant, précisa Madox, que nous utilisons pour endormir les ours. Hors saison, nous n'avons pas le droit de les tuer.

Harry arracha le dard de sa poitrine, regarda le sang qui en maculait la pointe.

– Je n'ai pas le droit, non plus, de tuer un agent fédéral. Vous devrez donc mourir d'une autre façon. Probablement lors d'un accident de chasse.

La porte s'ouvrit.

– Tout va bien, monsieur Madox ?

– Oui, Carl. Veuillez conduire M. Muller jusqu'à sa chambre.

Un autre garde entra. Carl et lui marchèrent vers Harry, incapable de se redresser. Autour de lui, la pièce s'assombrissait. Il respira profondément et chuchota :

– Nucléaire...

Il savait qu'il devait rester immobile, pour que le tranquillisant ne se répande pas trop vite dans ses veines.

– Ils vont... exploser... la valise...

Le premier garde le remit sur ses pieds. Carl le prit par les aisselles, le traîna vers la porte.

– Je vous ai beaucoup apprécié, lança Madox. Vous avez du cran. Et vous m'avez rendu un fier service. Sans rancune, donc... Carl, gardez-le sous sédatif. Je m'occuperai de lui plus tard.

Ils sortirent. Bain Madox referma la porte. Il se baissa, nettoya méticuleusement les cendres de cigarettes tombées sur le tapis persan. Puis il marcha vers la valise, étendit les mains sur le cuir lisse et brillant.

– Ô Dieu, implora-t-il, faites qu'elle fonctionne...

VII

DIMANCHE
NORTH FORK, LONG ISLAND
& NEW YORK

Chapitre 15

Le dimanche matin, Kate et moi descendîmes à l'heure pour le petit déjeuner. Les autres pensionnaires, trois couples, correspondaient à ce que j'avais imaginé : bobos new-yorkais amateurs de bons vins. Ils devisaient avec le plus grand sérieux, comme s'ils participaient à une émission d'une radio culturelle, et se passaient religieusement des pages de l'édition dominicale du *New York Times*, tels des textes sacrés qu'ils auraient découverts enroulés dans leur rond de serviette.

Après nous être présentés, nous nous installâmes aux deux places encore vides de la table de la salle à manger. La logeuse nous apporta du café et du jus d'orange, et nous recommanda des flocons d'avoine chauds pour commencer.

– Avez-vous des petits pains ? demandai-je.

– Non.

– Je ne peux pas lire le *Times* sans petit pain. Les flocons d'avoine chauds vont avec le *Wall Street Journal*. Avez-vous le *Wall Street Journal* ?

Kate me coupa la parole.

– Nous prendrons volontiers des flocons d'avoine, merci.

Indisposé par une légère gueule de bois qui, provoquée par le vin rouge, me mettait de mauvaise humeur, je laissai Kate se mêler à la conversation. Selon la une du *Times,* Rumsfeld venait d'ordonner aux militaires de hâter les préparatifs d'une intervention armée. Tous convenaient qu'étant donné l'état d'esprit de l'administration en place, la guerre contre l'Irak était inévitable. Chacun, autour de la table, y allait de sa prévision. Janvier, février ou mars ?

Remarquant mon manque d'intérêt, l'un des hommes, Owen, m'interpella.

– Qu'en pensez-vous, John ? Pourquoi cette administration veut-elle entrer en guerre contre un pays qui ne nous a rien fait ?

Sa question me parut piégée, comme celles que je posais aux suspects, du genre : « Quand as-tu cessé de battre ta femme et commencé à travailler pour al-Qaida ? » Je répondis en toute honnêteté :

– Je crois que nous pourrions éviter une guerre en faisant liquider Saddam et sa bande de psychopathes par des tireurs d'élite ou quelques missiles de croisière.

Silence. Un autre homme, Mark, hasarda :

– Donc... Vous n'êtes pas partisan de la guerre... Mais nous devrions, à votre avis, tuer Saddam Hussein ?

– C'est ainsi que je vois les choses. Il faut garder les guerres pour les cas de nécessité absolue.

Une des femmes, Mia, murmura d'un air pensif :

– Existe-t-il des guerres nécessaires ?

– Qu'auriez-vous fait après les attentats contre le World Trade Center et le Pentagone ? Vous auriez envoyé l'Armée du Salut distribuer des bonbons en Afghanistan ?

– John aime la provocation, dit Kate.

Je crus que j'avais mis un terme à la conversation, ce qui me convenait tout à fait, mais Mark, qui semblait s'intéresser à moi, me lança :

– Que faites-vous dans la vie, John ?

D'habitude, je réponds que je suis spécialiste des termites. Cette fois, décidé à en finir, je répliquai :

– Je suis agent fédéral, intégré à la force d'action antiterroriste.

Nouveau silence, rompu par Mark lui-même :

– Vraiment ?

– Vraiment. Et Kate est agent spécial du FBI.

– Nous travaillons ensemble, précisa-t-elle.

– Comme c'est intéressant ! s'écria l'une des dames, nommée Alison.

Le troisième homme, Jason, intervint :

– À votre avis, le niveau d'alerte, qui est passé à l'orange, correspond-il à la réalité ? Ou s'agit-il d'une manipulation politique ?

– Aucune idée, Jason. Qu'en dit le *Times* ?

Il s'entêta.

– Quelle est aujourd'hui la réalité de cette menace ?

– La menace terroriste en Amérique est bien réelle, expliqua Kate. Je peux toutefois, sans révéler le moindre secret, vous affirmer que nous ne disposons pas d'informations précises sur l'imminence d'un attentat.

– Alors pourquoi, insista Jason, sommes-nous en état d'alerte orange, ce qui correspond à un risque élevé d'attentat ?

– Simple précaution, liée au premier anniversaire du 11 septembre, répondit Kate.

– C'est du passé, asséna Mark. En fait, on maintient le pays dans la crainte, pour que l'administration puisse faire voter des lois sécuritaires qui portent atteinte aux libertés civiles. Approuvez-vous cela, John ?

– Entièrement. En fait, Mark, l'agent spécial Mayfield et moi sommes ici pour enquêter sur la subversion antigouvernementale et je dois vous avertir que tout ce que vous dites pourra être retenu contre vous devant un tribunal militaire.

Mark grimaça un faible sourire.

– Vous faites de nouveau de la provocation, me dit Alison.

– Ce doit être l'effet de ma lotion après-rasage.

Alison gloussa. Je crois que je lui plaisais. Et je la soupçonnais fortement d'être la crieuse de la nuit précédente.

La troisième femme, Pam, s'adressa à Kate et à moi.

– Avez-vous déjà arrêté un terroriste ?

– Si vous parlez d'un terroriste islamique, non, répondit Kate. Mais...

Elle se leva et souleva son pull-over, exhibant une longue cicatrice blanche qui, partant de son flanc gauche, courait jusqu'au bas de ses reins.

– Un gentleman libyen, nommé Asad Khalil, m'a blessée avec un fusil à lunette. Il a aussi touché John.

Ma cicatrice descendait le long de ma hanche droite. Il m'aurait fallu baisser mon pantalon pour la montrer à ces dames.

Kate rajusta son pull et ajouta :

– Donc, non, je n'ai jamais arrêté de terroriste. Mais l'un d'eux m'a tiré dessus. Et je me trouvais devant les tours jumelles quand elles ont été percutées.

J'étais sûr que tout le monde, surtout Alison, rêvait de voir ma cicatrice. Je n'eus pas le temps de réaliser son souhait.

– John ?

– Oui ?

– Allons-y.

– Mais je sens une délicieuse odeur de saucisses en train de frire...

– Nous avons beaucoup à faire.

– Très bien.

Je me levai et lançai à la cantonade :

– Nous partons pour Plum Island. Vous savez, le laboratoire militaire de recherches biologiques. On a constaté la disparition de huit litres d'anthrax et nous sommes chargés de les retrouver. Il vaudrait mieux qu'un avion pulvérisateur ne déverse pas le produit sur les vignes ou...

Je toussai deux fois.

– Excusez-moi. Bonne journée.

Nous quittâmes le gîte et marchâmes jusqu'à la Jeep.

– Tu ne devrais pas raconter des choses pareilles, dit Kate.

– Raconter quoi ?

– Tu le sais très bien.

Elle éclata de rire, ce qu'elle n'aurait jamais fait avant le 11 septembre, ou six mois après. Mais, je l'ai déjà dit, elle était devenue une femme différente. Beaucoup moins stricte qu'autrefois, elle appréciait mon esprit mordant.

– Où allons-nous ? m'enquis-je une fois au volant.

– Je connais un grand magasin d'antiquités à Southold.

– Allons plutôt à l'église. C'est moins cher.

– Southold. Première à gauche.

Nous passâmes donc la matinée à chiner. Je ne suis pas fanatique des antiquités. Je ne vois pas l'intérêt qu'on peut trouver à ces vieilleries rouillées ou rongées par les vers. À tout prendre, l'anthrax me paraît moins dangereux pour la santé. Inutile de préciser que nous n'achetâmes rien.

– Pourquoi faire l'acquisition d'une antiquité ? me dit Kate. J'en ai une sous la main.

Nous déjeunâmes dans un troquet où j'eus enfin mon petit pain, les saucisses et les œufs qui m'avaient manqué au petit déjeuner. Ensuite, nous rendîmes visite à quelques marchands de vin. Nous en repartîmes avec une douzaine de bouteilles que nous aurions pu trouver à Manhattan pour le même prix, fîmes une halte dans une ferme où l'on vendait des produits bio.

Nous prenons rarement nos repas chez nous. Kate ne sait pas faire la cuisine. Quant à moi, n'en parlons pas. Et je ne mange ni fruits ni légumes. Nous en achetâmes pourtant une tonne, avec des feuilles pleines de terre, plus un sac de vingt-cinq kilos de pommes de terre de Long Island.

– Kate, qu'allons-nous faire de tout ça ?

– Tu vas percuter un cerf et je te préparerai un ragoût.

– Excellente idée.

Nous retournâmes au B&B pour prendre nos affaires et régler la note. Et nous reprîmes enfin la route de New York.

– As-tu passé un bon week-end, John ?

– Merveilleux. Sauf le petit déjeuner.

– Il est bon que tu discutes avec des gens qui n'ont pas les mêmes idées que toi.

– Je le fais sans arrêt. Je suis marié.

– Très drôle... Si nous allions un peu plus au nord, le week-end prochain ?

– J'en rêve... À propos, que sais-tu du Custer Hill Club ? La dernière fois que tu m'en as parlé, je n'ai pas saisi ce que tu m'as dit.

Elle réfléchit un instant.

– Je sais simplement que tu as failli y passer le week-end.

– Mais encore ?

– Eh bien... Tom Walsh m'a demandé si je voyais une objection à ce qu'il t'envoie là-bas en mission de surveillance.

– Vraiment ? Et qu'as-tu répondu ?

– Que, oui, j'y voyais une objection.

Silence. Puis :

– Comment as-tu entendu parler du Custer Hill Club ?

– Par Harry Muller, qui a hérité de la mission.

– Et que t'a-t-il appris ? interrogea Kate.

– C'est moi qui pose les questions. Pourquoi, toi, ne m'en as-tu pas parlé ?

– Tom m'a demandé de ne pas le faire. Mais j'allais te mettre au courant.

– Quand ?

– Maintenant. Sur le chemin du retour.

– Parfait. Pourquoi ne voulais-tu pas que j'y aille ?

– J'avais envie que nous passions le week-end ensemble.

– Je n'en ai rien su avant vendredi après-midi.

– J'y pensais depuis longtemps.

– Tu as réservé le Bed and Breakfast à la dernière minute. C'est à moi que tu t'adresses, chérie. Tu ne vas pas apprendre à un vieux singe à faire la grimace... Un macaque ridé doublé d'un brillant policier.

Elle se tut un instant.

– Eh bien... cette mission ne me plaisait pas. J'ai donc dit à Tom que nous avions des projets. Ensuite, il a bien fallu que je les justifie et que je m'organise.

– Cette mission ne te plaisait pas ? Pourquoi ?

– Je ne sais pas. Une intuition... Quelque chose dans le comportement de Tom.

– Pourrais-tu être plus précise ?

– Non. Impossible. En y repensant, j'ai peut-être mal interprété ses propos. Et puis je ne tenais pas à me retrouver seule pendant le week-end.

– Pourquoi ne t'es-tu pas portée volontaire pour partir en mission avec moi ?

– John, restons-en là. Je suis navrée de t'avoir menti, et désolée de ne pas t'avoir mis au courant plus tôt.

– Excuses acceptées, si tu me dis ce que tu sais sur ce Custer Hill Club.

– Pas grand-chose. Selon Tom, c'est un club de loisirs qui regroupe des hommes puissants et riches.

– J'y aurais passé un excellent moment.

– Tu étais censé prendre des photos de...

– Je sais tout ça. Ce que j'ignore, c'est la raison pour laquelle il fallait surveiller ces hommes.

– Je n'en ai aucune idée. Vraiment. Tom ne m'a pas mise dans la confidence. On peut supposer qu'il s'agit de gens aux idées conservatrices, peut-être même radicales.

– Ce n'est pas un crime.

– Je n'en sais pas davantage.

Je roulais à présent sur la voie rapide de Long Island, en direction du soleil couchant. La Jeep empestait le potager, les bouteilles s'entrechoquaient à l'arrière. Je réfléchis à ce que Kate venait de m'apprendre, mais je ne disposais pas d'assez de faits pour parvenir à une conclusion quelconque. Pourtant, quelques éléments me chiffonnaient, notamment les opinions politiques des membres du club et leur position sociale. Les cinglés d'extrême droite qui en arrivent à se lancer dans des activités criminelles sont presque toujours des pouilleux. En fait de club, ils se réunissent généralement dans une station-service ou une cabane au fond des bois. Mais ce groupe-là avait l'air d'une tout autre nature.

Au cas où j'aurais voulu me renseigner un peu plus, je pourrais toujours interroger Harry le lendemain matin.

– John, murmura Kate, pardon de t'avoir caché ma discussion avec Tom à propos de la mission qu'il voulait te confier. Je te sens furieux.

– Pas le moins du monde. Je suis heureux que ma carrière se trouve en de si bonnes mains. Que Tom et toi organisiez les week-ends du petit Johnny me touche au plus haut point.

– John... N'en fais pas une montagne. Va voir Walsh demain et dis-lui que sa façon de diriger le service ne te plaît pas.

– J'en ai bien l'intention.

– Ne charge pas bille en tête. Essaie de te montrer diplomate.

– Je serai très subtil. Puis-je lui balancer un coup de boule ?

Nous roulâmes un moment en silence. Je décidai de parler à Harry avant d'affronter Walsh le lendemain. Je composai son numéro de portable sur mon téléphone intérieur.

– Qui appelles-tu, John ?

– Mon conseiller psychologique.

Après six sonneries, la voix de Harry déclara :

– Ici le détective Harry Muller. Après le bip, laissez votre message et un numéro où vous joindre.

– Harry, ici Corey. J'ai des patates, des légumes et du vin rouge. L'un de nous deux devra percuter un cerf pour compléter la recette. Rappelle-moi dès que possible.

Je raccrochai, me tournai vers Kate.

– Cette mission aurait pu me valoir de l'avancement. À moins que j'aie été dévoré par un ours...

– C'était peut-être ce que voulait Tom.

– Que j'aie une promotion ou que je me fasse bouffer ?

– Devine.

Je souris, lui pris la main. Elle alluma la radio. Nous parlâmes peu pendant le reste du trajet.

Alors que nous approchions du Midtown Tunnel, les lumières de Manhattan surgirent devant nous. Ni Kate ni moi ne fîmes la moindre remarque sur l'absence des tours jumelles. Mais nous savions l'un et l'autre ce que nous pensions.

Ma première réflexion cohérente après l'attentat me revint en mémoire : « Un homme qui vous menace avec un couteau n'a pas d'arme à feu sur lui. » Je me souvins également d'avoir dit à un flic, près de moi :

– Merci, mon Dieu. Cela prouve qu'ils n'ont pas de bombe atomique.

– Pas encore, avait répondu le flic.

VII

LUNDI
NEW YORK

Chapitre 16

Colombus Day. On célèbre ce jour-là la mémoire d'un homme blanc qui, en titubant, prit pied sur un continent en croyant se trouver ailleurs. Je connais. J'ai vécu des expériences semblables en sortant du Dresner, mon bar favori.

Kate et moi nous étions habillés normalement. Chaussé de mocassins confortables, je portais des jeans noirs, une chemise de sport et une veste de cuir. Kate, elle aussi, était en jeans, avec des bottines, un pull à col roulé et une veste de daim.

– Ton sac à main jure avec ton maquillage, remarquai-je.

– J'irai en acheter un autre aujourd'hui.

Je devrais apprendre à tenir ma langue.

Nous quittâmes notre appartement de la 72ᵉ Rue Est. Alfred, notre portier, héla un taxi pour nous.

La circulation, en ce jour férié, était fluide. Il nous faudrait peu de temps pour arriver au 26, Federal Plaza. C'était une superbe matinée d'automne. Il faisait beau, l'air était vif. Je fredonnai quelques mesures de *Autumn in New York*.

Le chauffeur, un certain Ziad Al-Shehhi, parlait en arabe dans son téléphone cellulaire. Je me penchai en avant, un doigt sur les lèvres. Puis je chuchotai :

– Il s'adresse à son chef de cellule d'al-Qaida. Il lui dit quelque chose sur les soldes du Colombus Day chez Bergsdorf.

Kate soupira. M. Al-Shehhi raccrocha.

– Savez-vous qui l'on fête lors du Colombus Day ? lui dis-je.

Il me jeta un coup d'œil dans le rétroviseur et répondit :

– Colombus Circle ? Colombus Avenue ? Vous m'avez dit Federal Plaza.

– Vous n'avez jamais entendu parler de la *Niña*, de la *Pinta* et de la *Santa Maria* ?

– Comment ?

– Et la reine Isabelle la Catholique ? Ça ne vous dit rien ?

– Pardon, monsieur ?

– John. Arrête.

– J'essaie juste de l'aider à passer son examen de citoyenneté.

– Ça suffit.

Je me renversai sur la banquette et repris le refrain de *Autumn in New York*.

Alors qu'elle était en congé, comme presque tout le monde à l'ATTF, Kate avait décidé de venir au bureau avec moi, pour me tenir compagnie et rattraper de la paperasserie en retard. Nous déjeunerions ensemble, puis elle m'abandonnerait pour aller faire les soldes.

Même quand nous partageons les mêmes horaires, nous ne faisons pas toujours le trajet ensemble. Parfois, l'un de nous deux met trop de temps à se maquiller. L'autre s'impatiente et s'en va.

Kate avait le *Times* dans sa serviette. Je lui demandai de me passer la page des sports, mais elle préféra me montrer la une : « Rumsfeld préconise une action préventive pour déjouer toute attaque. » L'article expliquait que les États-Unis devaient agir pendant la « période précédant la crise » pour empêcher une agression contre la Nation. Si Saddam Hussein lisait le *Times,* il ne lui restait plus qu'à convoquer son bookmaker et à parier sur une invasion pour la fin janvier.

L'autre grand événement était l'attentat à la voiture piégée contre un night-club de Bali fréquenté par des Occidentaux. Un second front, semblait-il, venait de s'ouvrir dans la guerre menée par le terrorisme mondial. On comptait 184 morts et plus de 300 blessés : le bilan le plus lourd depuis le 11 septembre 2001.

Le *Times* reconnaissait que l'attentat était sans doute l'œuvre d'« extrémistes » musulmans. Excellente déduction. Et superbe expression, typique de la presse bien pensante. Pourquoi qualifier les auteurs de cet attentat de terroristes ou d'assassins ? C'était trop subjectif. Adolf Hitler était un extrémiste.

Nous ne gagnerions pas la guerre contre le terrorisme tant que nous n'aurions pas gagné la guerre des mots.

Je me concentrai sur les mots croisés du *Times* et demandai à Kate :

– Quelle est la définition d'un Arabe modéré ?

– Je donne ma langue au chat.

– Un tireur fou qui a épuisé ses munitions.

Elle secoua la tête, consternée. Mais Ziad s'esclaffa. L'humour comble le fossé entre les cultures.

– La journée va être longue, murmura Kate.

Elle ne croyait pas si bien dire.

Chapitre 17

Harry ne se trouvait pas à son bureau lorsque nous arrivâmes au 26, Federal Plaza, à 8 h 55. Il ne s'y trouvait pas non plus à 9 h 15, ni à 9 h 30. Or, si j'en croyais ma dernière conversation avec lui, il était censé voir Walsh le matin même. Walsh était là. Mais pas Harry.

Pour une fois, le bureau était calme. Je comptai trois membres du NYPD à leur poste, et un agent du FBI : Kate. Le poste de commandement, situé quelque part au vingt-sixième étage, devait normalement être entre les mains d'au moins un agent, chargé des téléphones, des radios et d'Internet. Grâce à Dieu, les terroristes profitaient de ce long week-end pour aller cueillir des champignons en Nouvelle Angleterre.

À 9 h 45, je téléphonai à Harry sur son mobile. Je laissai un message, avant de tenter de le joindre chez lui, dans le Queens. Nouveau message, cette fois sur son répondeur. Ensuite, je l'appelai sur son bipeur, ce qui équivaut, dans notre métier, à une démarche officielle.

À 10 h 05, Kate quitta son poste et me rejoignit.

— Tom Walsh veut nous voir, dit-elle.

— Pourquoi ?

— Aucune idée. Tu lui as déjà parlé ?

— Non.

La porte était ouverte. Nous entrâmes.

Walsh se leva et nous accueillit à mi-chemin, signe que nous ne risquions pas une volée de bois vert. Il nous entraîna jusqu'à la table ronde près de la fenêtre, nous fit asseoir. La table était encombrée de papiers et de dossiers. Ce désordre contrastait avec la netteté qui caractérisait ce bureau lorsque Jack Koenig l'occupait.

Sur la grande fenêtre panoramique d'où l'on apercevait jadis les tours jumelles, Walsh avait collé un décalque noir du World Trade Center, avec ces mots : « 11 septembre. N'oubliez jamais. »

Il faisait toujours aussi beau, comme le matin de l'attentat, un an et un mois plus tôt. Sans le rendez-vous au Windows of the World, Jack Koenig aurait sans doute assisté à la catastrophe depuis son bureau. Et David Stein aurait tout vu depuis le sien. Les circonstances voulurent qu'ils aient vu cela de beaucoup plus près.

Tom Walsh entra d'emblée dans le vif du sujet.

– John, le service de sécurité informatique m'a appris que vous aviez utilisé votre mot de passe pour essayer d'accéder, vendredi, à un dossier confidentiel.

– C'est exact.

Je le fixai droit dans les yeux. Il était jeune ; trop, peut-être, pour diriger le service. La quarantaine, irlandais aux cheveux sombres, bien de sa personne, célibataire. Il avait la réputation d'être un homme à femmes et de ne jamais boire une goutte d'alcool. Bref, une exception : un Irlandais préférant les dames au whisky.

– Quel intérêt aviez-vous à consulter à ce dossier ?

– Oh, je n'en sais trop rien, Tom. Dans la mesure où je n'y avais pas accès, je ne vois pas en quoi il aurait pu m'intéresser.

Je crus déceler, dans son regard, un léger agacement.

Étant moi-même à demi irlandais, je préférais son style à la raideur teutonne de Jack Koenig. Mais, en cet instant précis, il n'avait plus rien de jovial.

– Qu'est-ce que c'est que cette histoire de « Club de chameliers détenteurs d'armes de destruction massive » ?

– Une blague, rien de plus.

Je jetai un coup d'œil à Kate. Elle paraissait plus gênée qu'amusée.

– Je vois, dit Tom.

Il se tourna vers Kate, membre comme lui du FBI et sans doute plus digne, à ses yeux, de confiance.

– Avez-vous parlé de cette surveillance à John ?

– Oui, mais pas avant dimanche.

– Donc, John, Harry Muller vous en a parlé.

On ne moucharde jamais un collègue. Je répondis donc :

– Harry Muller ? Qu'a-t-il à voir avec ce machin... Comment l'appelez-vous, déjà ?

– D'accord. De toute façon, ça n'a aucun rapport.

– Bien sûr. Pendant que j'y suis, puis-je formuler une plainte officielle sur le fait que vous ayez demandé à mon épouse la permission de m'envoyer en mission dans l'État de New York ?

– Je ne lui ai demandé aucune autorisation. Je vous ai simplement fait une fleur à tous les deux. Vous êtes mariés, et je ne voulais pas que cette mission perturbe vos projets personnels pour le week-end.

– La prochaine fois, adressez-vous à moi.

– Entendu. Un point pour vous.

– Pourquoi mon nom vous est-il venu à l'esprit ?

Visiblement, il n'avait nulle envie d'aborder ce point. Il répondit tout de même :

– Vous me paraissiez le mieux à même d'accomplir ce travail.

– Tom, vous savez peut-être que j'ai effectué ma dernière planque en zone rurale à Central Park, où je me suis perdu pendant deux jours.

Il eut un sourire poli.

– En fait, cette planque-là était un peu particulière, avoua-t-il.

– C'est-à-dire ?

– Pour commencer, elle impliquait une violation de propriété privée sans mandat, ce qui est tout à fait dans vos cordes. En second lieu, le Custer Hill Club étant très bien gardé, le chargé de mission risquait fort d'être intercepté et interrogé par des vigiles, et je savais que vous vous en seriez bien tiré... Les membres de ce club sont des gens politiquement influents à Washington...

Je commençais à comprendre pourquoi personne ne tenait à s'adresser à un juge pour obtenir un mandat de perquisition. En outre, il semblait y avoir un léger hiatus entre ce que m'avait raconté Harry (surveillance de routine, constitution d'un dossier, etc.) et ce que venait de me révéler Tom Walsh. Puisque Harry ne m'aurait jamais menti, j'en conclus que Walsh ne l'avait pas entièrement briefé.

– En somme, résumai-je, vous aviez besoin d'un flic pour servir de bouc émissaire si les choses tournaient mal.

– C'est absolument faux !... Venons-en au fait. Nous n'avons pas de nouvelles de Harry Muller.

Je me doutais bien que c'était pour cette raison qu'il nous avait convoqués, mais j'avais espéré me tromper.

– Était-il censé vous contacter ? demandai-je.

– Uniquement en cas de problème.

– Parfois, Tom, c'est quand on a un problème que les autres restent sans nouvelles.

– Merci de votre perspicacité. Bien. Laissez-moi vous dire ce que je sais. Harry Muller est donc parti d'ici vendredi avant 17 heures. Il est allé prendre du matériel au service technique, puis a récupéré au sous-sol son camping-car, avec lequel il était venu au bureau en prévision de sa mission. Jennifer Lupo est tombée sur lui par hasard au parking. Ils ont échangé quelques mots. C'est la dernière personne de ma connaissance à lui avoir parlé. Le lendemain matin samedi, à 7 h 48, Harry a appelé sa petite amie sur son portable.

Il y avait un magnétophone sur la table. Walsh pressa un bouton.

– Salut, mon ange, dit la voix de Harry. C'est l'homme de ta vie. Comme je suis en pleine montagne, ça risque de ne pas passer trop longtemps. Je voulais juste te faire un petit coucou. Je suis arrivé ici vers minuit et j'ai dormi dans le camping-car. À présent, je suis en service commandé, tout près du pavillon de chasse des barjos d'extrême droite. Donc, ne me rappelle pas. Je te téléphonerai plus tard d'un poste fixe si mon mobile ne fonctionne plus. J'ai encore quelque chose à faire à l'aéroport local en fin de journée ou demain matin. Je risque donc de passer une nuit de plus dans le coin. Je te préviendrai en temps voulu. À bientôt. Je t'embrasse.

– Nous savons donc, commenta Walsh, qu'il est arrivé là-bas et qu'il se trouvait non loin de la propriété. À 9 h 16, sa petite amie l'a rappelé et a laissé un message sur sa boîte vocale. La compagnie du téléphone nous l'a transmis.

Il pressa de nouveau le bouton. La voix de Lori Bahnik retentit dans l'appareil.

– Salut, mon ange. J'ai eu ton message. Je dormais. Aujourd'hui, je vais faire du shopping avec ta sœur Anne. Appelle-moi plus tard. J'aurai mon mobile sur moi. D'accord ? Fais-moi savoir si tu dois rester là-bas plus longtemps. Je t'aime et tu me manques... Méfie-toi de ces barjos fachos. Ils aiment leurs flingues. Fais attention.

– De toute évidence, dis-je à Walsh, vous lui avez parlé...

– Oui, ce matin. Elle m'a appris que, samedi après-midi, vers 16 heures, elle avait reçu sur son mobile un message SMS de Harry, qui disait...

Il consulta une feuille de papier étalée sur sa table et lut : « Désolé d'avoir manqué ton appel. Mauvaise réception ici. Tombé par hasard sur des amis. Pêchent et chassent. À lundi. »

Aucun de nous trois ne fit de commentaire sur l'origine du message, qui pouvait très bien avoir été envoyé par quelqu'un d'autre que Harry. Mais, apparemment, Lori pensait qu'il venait de lui, car Walsh ajouta :

– Elle n'était pas contente du tout. Elle l'a rappelé après avoir reçu le SMS et il n'a pas répondu. Elle a continué à essayer de le joindre et à laisser des messages. Elle lui a également écrit cinq ou six SMS. Elle lui a téléphoné pour la dernière fois dimanche soir. Selon ce qu'elle m'a raconté, ses messages devenaient de plus en plus vindicatifs. Elle a fini par le menacer de rompre s'il ne la contactait pas.

– À quel moment sa colère s'est-elle muée en inquiétude ?

– Dimanche soir, vers 22 heures. Elle avait le numéro d'ici en dehors des heures ouvrables et a appelé. Elle a parlé à l'agent du FBI de garde, Ken Reilly, et lui a fait part de son anxiété.

J'ai souvent reçu des appels de ce genre, émanant de petites amies, de petits amis, de maris ou d'épouses. On fait de son mieux pour déterminer s'il existe vraiment une raison de s'inquiéter. Dans à peu près 100 % des cas, l'être cher n'est pas mort, mais risque de l'être à peine rentré chez lui.

– Ken a tenté de la rassurer, poursuivit Walsh, mais une compagne n'a pas droit aux mêmes égards qu'une épouse ou un membre de la famille. Il ne lui a donc pas été d'un grand secours. Il a pris son numéro, lui a assuré qu'il la rappellerait s'il avait du nouveau. Il a effectivement essayé de joindre Harry sur son mobile et son bipeur. Sans succès. Cela ne l'a pas inquiété outre mesure.

Il n'y avait aucune raison de se faire du souci, sauf, peut-être, à propos du silence du bipeur de Harry. Bien sûr, c'était le week-end, et les agents ont tendance à oublier leur bipeur ou à se trouver, mettons, dans un bar bruyant ou au fond d'un lit paisible, où le bipeur n'est d'aucune utilité. Mais, d'un autre côté, Harry était réellement en mission.

– C'est peut-être un simple problème de mauvaise réception, hasardai-je.

Walsh acquiesça et reprit :

– Quand je suis arrivé ici, à 8 heures, je me suis fait transmettre les rapports de l'agent de garde pendant le week-end. J'ai alors pris connaissance de celui de Ken Reilly sur Lori Bahnik et Harry Muller. Moi non plus, je ne me suis pas affolé. J'ai quand même appelé Harry sur son portable, chez lui et sur son bipeur. J'ai ensuite joint Mlle Bahnik et je lui ai parlé. Ensuite, j'ai passé d'autres coups de fil, dont un au bureau du FBI d'Albany. J'ai dit à Gary Melius, le chef de l'antenne locale, de lancer un avis de recherche à propos d'un agent manquant. Il m'a répondu qu'il le ferait, mais j'ai bien senti qu'il se demandait si l'agent Muller avait disparu en mission ou de son propre gré. Quoi qu'il en soit, il a averti la police de l'État. Elle a elle-même prévenu la police locale, qui connaît bien les lieux mais dispose d'un effectif réduit. On cherche du côté des hôpitaux de la région. Mais, jusqu'ici, on n'a découvert aucune admission sous le nom de Harry Muller, ni aucun blessé non identifié.

Il nous dévisagea un instant, Kate et moi, cherchant à deviner, j'imagine, ce que cela éveillait en nous et, par extension, comment il allait présenter les choses lorsqu'il devrait en référer en haut lieu.

– La police de l'État, conclut-il, recherche le camping-car de Harry, dont elle connaît le modèle, la couleur et le numéro d'immatriculation. Il y a encore un quart d'heure, elle n'avait rien trouvé... Il faut dire que la région est vaste, et il faudra du temps pour repérer le véhicule, à supposer qu'il s'y trouve encore.

– Son mobile et son bipeur émettent-ils toujours des signaux ? demanda Kate.

– La compagnie du téléphone travaille là-dessus. Jusqu'à présent, la réponse est non.

Je savais, grâce à la conversation que j'avais eue avec lui

avant son départ, que Harry aurait dû regagner le bureau ce matin-là à la première heure. Mais Walsh n'y avait pas encore fait allusion. Je l'interrogeai donc :

– Harry devait-il vous faire un rapport ce matin ?

– Oui. Il devait, à 9 heures au plus tard, rendre au service du matériel son équipement, son appareil photo, sa caméra et les cartes numériques, puis me rendre compte de sa mission.

– Et pourtant, vous ne vous inquiétez toujours pas.

– Je commence à me poser des questions. Mais je ne serais pas surpris s'il m'appelait dans l'instant ou déboulait dans mon bureau.

– Moi, si. Harry Muller ne manquerait jamais un rendez-vous avec un supérieur.

Walsh ne répondit pas.

En cet instant, son apparente décontraction ne me plaisait guère. Bien sûr, un directeur récemment nommé doit éviter de réveiller le grand patron du FBI à 1 heure du matin pour lui annoncer qu'il fait nuit. En outre, Harry n'était pas un agent du Bureau fédéral d'investigation, mais un de ces membres du NYPD dont la réputation d'indépendance n'était plus à faire et qui, j'étais bien placé pour le savoir, en prenaient à leur aise avec la discipline. Évidemment, aux yeux de l'ATTF, leur vie et leur sécurité comptaient autant que celles des gens du FBI, mais ils étaient fantasques, imprévisibles. D'où l'absence de réaction de Ken Reilly en apprenant que Harry manquait à l'appel. Inutile, s'était-il dit, de déranger Tom Walsh, de l'appeler un dimanche soir pour si peu.

Pourtant, la question centrale demeurait : la mission de Harry était-elle vraiment une planque de routine ? L'avait-on envoyé surveiller le Custer Hill Club pour une raison anodine, uniquement pour constituer un fichier sur de vieux barbons d'extrême droite, au cas où... ? Je ne pus m'empêcher de mettre les pieds dans le plat.

– À votre avis, la disparition de Harry a-t-elle un rapport direct avec sa mission ?

Walsh avait une réponse toute prête. Il déclara sans hésiter :

– Je ne tiens pas à me lancer dans des spéculations hasardeuses. Mais si je le faisais, je dirais qu'il est possible qu'il ait été victime d'un accident. La forêt, là-bas, s'étend sur des milliers d'hectares. Il a pu se perdre, se blesser, se casser une jambe, se faire prendre dans un piège à ours, ou même avoir été attaqué par un ours. De plus, m'a assuré le chef de notre antenne d'Albany, les gens, là-bas, chassent parfois hors saison. Harry portait très certainement une tenue de camouflage. Un chasseur lui a peut-être tiré dessus par mégarde. Dans ces grands espaces, tout est possible.

– L'expédier seul là-bas n'était pas une bonne idée, commenta Kate. On aurait dû lui allouer un partenaire.

– Vous avez peut-être raison. Toutefois, j'ai envoyé des dizaines d'agents effectuer des planques solitaires en pleine campagne. Les monts Adirondack ne sont pas la jungle africaine.

– Mais vous venez de suggérer que... insista Kate.

– Ne me faites pas dire ce que je n'ai pas dit. Il s'agit d'une procédure de routine, et vous n'avez pas soulevé cette question lorsque nous avons parlé de la possibilité de confier cette mission à John. Revenons au problème immédiat.

À mon sens, le problème immédiat était Tom Walsh lui-même. Excédé par sa langue de bois, je lui lançai :

– Tom, parlez-moi plutôt du Custer Hill Club, sans tourner autour du pot.

Il réfléchit un instant, puis répondit :

– Je ne vois pas ce que cela a à voir avec la disparition de Harry, mais si vous y tenez... D'après ce que je sais, c'est-à-dire pas grand-chose, il s'agit d'un club très privé et très fermé de chasse et de pêche, dont les membres sont, pour la plupart, riches ou puissants, ou les deux.

– Vous avez également sous-entendu qu'ils étaient influents.

– C'est ce qu'on m'a affirmé. Mettons que les membres du club viennent pour moitié de Washington, et pour moitié de Wall Street.

– D'où tenez-vous ces informations ?

– On m'a briefé. Ne me demandez pas qui. En tout cas, je suis sûr que la liste authentique et complète de ces membres n'est pas sur la place publique, ce qui explique le désir du ministère de la Justice de faire surveiller cette réunion.

– Qui vous a appelé ?

– Cela ne vous regarde pas.

– Tant pis.

Songeant au message téléphonique de Harry à sa compagne, j'ajoutai :

– Qu'est-ce que Harry était censé faire à l'aéroport ? Et quel aéroport ?

Walsh hésita un instant.

– L'aéroport régional des Adirondack, dit-il enfin. Certains des participants à la réunion du week-end y sont sans doute arrivés par la ligne régulière qui dessert la région. Harry devait s'y rendre samedi ou en début de matinée dimanche et se procurer des copies des listings de passagers.

Il oubliait de préciser qu'on pouvait très bien accéder à ces listes depuis n'importe quel ordinateur de la compagnie, ou même depuis le 26, Federal Plaza, avec la coopération de la compagnie elle-même. Par conséquent, la véritable mission de Harry à l'aéroport consistait à découvrir qui y avait atterri à bord d'avions privés ou loués, de vérifier en même temps les contrats de location de voiture pour tenter d'identifier les participants à la réunion. J'eus tout à coup envie de m'intéresser de beaucoup plus près à cette affaire.

Tom Walsh s'empressa de changer de sujet.

– La police de l'État dispose d'un avion de recherche équipé de détecteurs infrarouges capables de localiser de grands organismes vivants, ou morts depuis peu. Ses hommes sont équipés pour retrouver des personnes disparues dans les bois.

– Très bien.

À mon tour de changer de sujet.

– Vous avez laissé entendre qu'il s'agissait d'une mission de routine. Or vous êtes venu ici, un jour férié, pour écouter le compte rendu de Harry. D'un autre côté, le service du matériel est ouvert, pour récupérer ses photos et ses vidéos en vue de les transmettre le plus rapidement possible à Washington, en même temps que les renseignements recueillis à l'aéroport.

– Où voulez-vous en venir ?

– Quelle était l'urgence de cette planque ?

– Je n'en ai aucune idée. Je me contente d'obéir aux ordres, comme vous... Vous les traitez par-dessus la jambe, mais pas moi. Je ne pose que les questions nécessaires à la compréhension de ma mission. Notre travail consiste à recueillir des informations. Parfois, nous savons pourquoi. Parfois, non. Il arrive qu'on nous demande d'agir à partir de ces informations. Il arrive aussi que d'autres agissent à notre place.

– Depuis quand dure cette affaire ?

– Un certain temps.

Comme toujours, je me heurtai au choc des cultures entre le FBI et la police. Kate vola à mon secours.

– Tom, depuis que j'ai intégré l'ATTF, je collabore avec de nombreux membres du NYPD. J'ai appris beaucoup de choses grâce à eux, et ils ont appris beaucoup de nous.

En fait, je n'avais pratiquement rien appris du FBI. Avec la CIA, c'était une autre histoire.

Kate enfonça le clou.

– Depuis le 11 septembre, nous devons penser de façon différente, poser toutes les questions qui nous viennent à l'esprit et affronter nos supérieurs lorsque leurs réponses ne nous satisfont pas.

Walsh la dévisagea un moment, puis murmura :

– J'ai l'impression que quelqu'un exerce sur vous une mauvaise influence.

– Pas du tout. C'est ce qui s'est passé il y a un an qui a provoqué ce changement.

Walsh fit mine de ne pas avoir entendu.

– Revenons à cctte disparition...

Kate lui coupa la parole et prit son ton de juriste :

– Tom, je ne comprends toujours pas pourquoi on a mis ce groupe sous surveillance. De quelle activité illégale ou de quel crime fédéral soupçonne-t-on ces gens ?

– Ce dont on les soupçonne n'a rien à voir avec la disparition présumée de Harry. De toute façon, vous n'avez pas à le savoir.

Je ne partageais pas son avis.

– C'est un groupe réactionnaire. Exact ? Des barbons de la droite pure et dure...

Il opina.

– Donc, considérant l'influence politique et financière de ce pseudo-club de chasse et de pêche, nous parlons peut-être d'un complot en vue de s'emparer du pouvoir.

Tom sourit et répliqua :

– Ils l'ont déjà fait le jour des élections.

– Un point pour vous. Nous souhaiterions quand même apprendre ce qu'on vous a communiqué en haut lieu.

De nouveau, il hésita.

– Puisque vous y tenez... Pour ce que ça vaut, on m'a dit

que le problème avait un rapport avec une manipulation des cours du pétrole. Le club est officiellement présidé par un certain Bain Madox, dont vous avez peut-être entendu parler. Il possède et dirige la Global Oil Corporation, ou Goco. Je ne puis vous en dévoiler davantage.

Ce nom me disait effectivement quelque chose. Et une manipulation des cours du pétrole était fort plausible, mais elle n'expliquait pas l'existence du Custer Hill Club, ni une réunion secrète de ses membres. Il y avait quelque chose de louche.

Je tentai quand même ma chance.

– J'ai lu votre note, lui dis-je.

– C'est encourageant.

– Je croyais que les Irakiens étaient en première ligne.

– Exact.

– Qu'est-ce que le Custer Hill Club a à voir avec l'Irak ou la guerre à venir ?

– Pour autant que je sache, rien. La mission de Harry a été décidée parce que les membres du club se réunissaient ce week-end, ce qui, j'imagine, n'arrive pas si souvent. Je ne vois pas ce qui vous chiffonne là-dedans. Revenons-en au sujet de cet entretien. Pour être tout à fait franc, je n'ai pas encore signalé la disparition de Harry en haut lieu. Or, très bientôt, quelqu'un va me réclamer les informations qu'on m'a demandées. Je vais devoir expliquer que j'ai provisoirement perdu le contact avec l'agent envoyé sur le terrain. Ce ne sera pas une conversation agréable. Toutefois, si nous avons un peu de chance d'ici là, je serai peut-être en mesure de fournir à mes supérieurs des éléments satisfaisants.

– Kate et moi, déclarai-je, aimerions nous rendre là-bas et participer aux recherches.

J'étais sûr que Walsh aurait préféré mille fois confier cette tâche à quelqu'un d'autre. Mais j'étais de garde ce jour-là, et il savait que Harry et moi étions amis. De plus, il lui fallait un agent du FBI sur place le plus rapidement possible. Or, Kate avait commis l'erreur de venir passer une demi-journée au bureau un jour férié. Walsh pourrait donc annoncer à Washington qu'il avait déjà expédié une équipe sur les lieux.

– Je me doutais bien que vous seriez volontaires. J'ai donc tout arrangé.

– Parfait. Nous partirons dès que possible.

Il consulta sa montre.

– En fait, vous partez dans cinq minutes. Une voiture vous attend en bas pour vous conduire à l'héliport de Downtown. De là, un hélicoptère du FBI vous emmènera jusqu'à l'aéroport des Adirondack. Le vol dure environ deux heures. Une voiture Hertz, louée au nom de John, sera mise à votre disposition à l'aéroport. Dès que vous serez là-bas, appelez-moi. Je vous donnerai d'autres instructions.

– Aurons-nous un contact sur place ? demanda Kate.

– Des agents basés à Albany et d'autres envoyés par nous vous contacteront ce soir ou demain.

– Avons-nous un mandat de perquisition pour le Custer Hill Club ?

– John, d'après les dernières informations que j'ai reçues de nos gens d'Albany, ils essaient de dégoter un procureur en vacances, qui devra à son tour trouver un juge fédéral acceptant de travailler aujourd'hui.

– Ont-ils essayé les bars ?

– Le procureur, précisa Walsh, devra faire admettre au juge qu'il s'agit d'une affaire fédérale et le convaincre de délivrer un mandat de perquisition pour la propriété du Custer Hill Club, soit un domaine d'environ trente kilomètres carrés, mais non pour le chalet lui-même. Car nous n'avons aucune raison de croire que Harry se trouve dans la maison.

– Nous n'avons pas besoin de mandat, rétorqua Kate, si la vie de quelqu'un est en danger immédiat.

Walsh acquiesça :

– Je suis sûr que le propriétaire, M. Madox, acceptera qu'on recherche une personne peut-être égarée ou blessée dans sa propriété. Nous adopterons d'abord cette démarche. Mais si Madox ne se montre pas coopératif, ou s'il n'est tout simplement pas là et si le gardien du club ne sait pas quoi faire, nous exécuterons le mandat de perquisition.

– Et comment expliquerez-vous à M. Madox, si vous avez affaire à lui, qu'un de vos agents a disparu dans sa propriété ? questionna Kate.

– Il n'est pas obligé de savoir qu'il s'agit d'un agent fédéral. Nous confierons la perquisition à la police de l'État. En fait, nous essaierons de faire tout ce qui sera en notre pouvoir sans révéler à Madox qu'il est sous surveillance.

– Tom, dis-je, si Harry s'est fait gauler par les agents de sécurité du club, Madox sait déjà à quoi s'en tenir.

– D'abord, nous n'avons aucune raison de penser que Harry est détenu au Custer Hill Club, ni aucune preuve de sa capture. Mais s'il s'est fait prendre, il a dû débiter son bobard de couverture.

– C'est-à-dire ?

– Ornithologue amateur égaré dans la forêt.

– Aussi crédible que ma grand-mère paralytique. Et si on l'a fouillé ? J'espère qu'il n'avait pas son Glock et sa carte de Fédé sur lui... Un flic qui se fait passer pour un dealer ne se balade pas avec son flingue et son insigne.

Walsh n'apprécia que modérément la leçon.

– Le Custer Hill Club n'est pas un repère de truands. Gardez donc vos analogies avec le NYPD pour vous. De toute façon, il est peu probable que Harry ait été arrêté et fouillé par des gardes du club.

– Bien. Il est donc perdu ou blessé à l'intérieur de la propriété. La police de l'État et la police locale devraient lancer des recherches aériennes et terrestres dès maintenant. Qu'attendons-nous ?

– Nous n'attendons pas, John. Nous avançons pas à pas. La police fouille déjà les bois qui entourent la propriété. Personnellement, je ne crois pas que nous retrouverons Harry dans l'enceinte du domaine. Et vous non plus, si vous y réfléchissez. Montrons-nous rationnels et essayons de concilier notre inquiétude à propos de Harry avec la nécessité de laisser M. Madox dans le bleu.

– J'avoue que moi-même, pour l'instant, je patauge.

– Il n'y a aucune différence entre cette mission et les autres. On s'éclaire le mieux possible pour faire le prochain pas dans le noir.

– C'est du charabia.

– Non, c'est la politique officielle de la maison.

– John, dit Kate, il faut y aller.

Walsh se leva en même temps que nous. Nous nous serrâmes la main.

– Si j'ai du nouveau pendant que vous serez en route, je joindrai l'hélicoptère par radio. Si vous devez passer la nuit là-bas, débrouillez-vous pour dénicher une chambre.

– Ne comptez pas nous revoir avant que nous ayons retrouvé Harry.

– Bonne chance.

Après un détour par nos boxes pour éteindre nos ordinateurs et rassembler nos affaires, nous prîmes l'ascenseur jusqu'au rez-de-chaussée. Une voiture et un chauffeur nous attendaient dehors.

– Qu'en penses-tu ? me demanda Kate une fois installée sur la banquette.

– Je pense que tu ne devrais jamais aller au bureau un jour férié. Le zèle ne reste jamais impuni.

– Je ne le regrette pas. Je parlais de Harry.

– Si j'en crois mon expérience et les statistiques, l'explication la plus plausible d'une disparition, notamment d'un adulte de sexe masculin, est soit un accident encore non découvert, soit un suicide, soit une fuite préméditée. Et, dans de rares cas, un meurtre.

– Tu crois qu'il a eu un accident ?

– Non.

– Qu'il s'est suicidé ?

– Pas Harry.

– Qu'il tire au flanc quelque part ?

– Non.

– Donc...

– Oui.

Nous ne prononçâmes plus une parole pendant le reste du trajet.

Chapitre 18

Quelques hélicoptères stationnaient sur la piste d'envol. On reconnaissait facilement le nôtre au sigle du FBI peint sur la carlingue, ce qui n'est pas le cas de tous nos appareils. J'aurais préféré voyager et atterrir sans signe distinctif, mais le pilote m'expliqua qu'il n'y avait pas d'autre banane disponible dans l'immédiat. Notre équipée commençait bien...

Nous grimpâmes à bord. Le Bell Jet Ranger décolla de l'East River et prit la direction du nord. À ma gauche, se dressaient les tours de l'île de Manhattan. Sur ma droite s'étalaient les mystérieuses étendues de Brooklyn et du Queens, où je m'aventure rarement.

Nous continuâmes à voler vers le nord au-dessus de l'Hudson, suivant, après avoir dépassé le Tappan Zee Bridge, sa majestueuse vallée. Je ne suis pas un fanatique des grands espaces. Mais là, je ne pus m'empêcher d'admirer le superbe paysage, succession de petites villes, de fermes et d'arbres dont les feuilles d'automne scintillaient au soleil.

– Nous devrions acheter une maison de week-end dans le coin, dit Kate.

Je m'y attendais. Où qu'elle aille, à la campagne, au bord de la mer ou à la montagne, elle veut une maison. Nous en sommes, je crois, à quatorze. Je répondis, comme d'habitude :

– Merveilleuse idée.

Sur les hautes berges de l'Hudson, ce Rhin américain, trônaient toutes sortes de domaines et de manoirs. J'en désignai un.

– Voilà un beau château à vendre. J'aperçois la pancarte.

Insensible à mon ironie, Kate poursuivit :

– Parfois, je rêve de tout envoyer promener, de m'installer à la campagne et de mener une vie normale. Y as-tu déjà songé ?

J'avais entendu plusieurs fois ce genre de réflexion, non seulement de la bouche de Kate, mais de la part de nombreuses personnes depuis le 11 septembre. Les psys des médias y voyaient la manifestation d'un stress post-traumatique, la peur de la guerre ou d'un autre attentat, et j'en passe.

– J'ai failli le faire l'année dernière, dis-je. Tu t'en souviens... Mais, après les attentats, j'ai su que je n'irais nulle part. À présent, je suis motivé.

– Je comprends. Mais... je pense tout le temps que ça va recommencer, peut-être en pire : l'anthrax, un gaz mortel, des radiations...

Je gardai le silence. Elle ajouta :

– Beaucoup de gens ont quitté la ville, John.

– Je sais. Il est bien plus facile, maintenant, de commander un taxi ou de réserver une table de restaurant.

– Ce n'est pas drôle.

– Non, ce n'est pas drôle.

Je connaissais des gens qui, depuis le 11 septembre, avaient acheté des résidences campagnardes, des bateaux pour pouvoir s'enfuir rapidement ou étaient carrément allés se fixer à Dubuque. C'était peut-être très malin, mais pas très sain.

– Je suis plus âgé que toi, dis-je à Kate, et je me rappelle un temps où tout était différent. Je n'aime pas ce que ces salauds ont fait à notre existence quotidienne. Je souhaiterais survivre assez longtemps pour voir les choses s'améliorer. J'aimerais aussi participer à cette amélioration. Je suis sérieux...

Elle ne répondit pas. Nous contemplâmes tous les deux le beau paysage d'automne.

Sur la rive ouest de l'Hudson apparut l'académie militaire de West Point, dont les hautes flèches gothiques capturaient le soleil. Une formation de cadets défilait devant les bâtiments.

– Les choses ne s'amélioreront pas de ton vivant ou du mien, murmura Kate.

– On ne sait jamais. En tout cas, nous ferons de notre mieux pour que cela arrive.

Elle réfléchit un instant :

– Cette disparition de Harry... Elle n'a aucun rapport avec le terrorisme islamiste. Pourtant, elle est liée au même problème.

– Lequel ?

– Tout cela met en cause des gens engagés dans une lutte pour le pouvoir. La religion, la politique, la guerre, le pétrole, le terrorisme... Le monde s'achemine vers des désastres bien pires que ceux que nous avons connus jusqu'à présent.

– Sans doute. En attendant, retrouvons Harry.

Elle se tourna vers la vitre.

Kate est physiquement courageuse. Je m'en suis rendu compte lorsque le sieur Khalil nous a utilisés comme cible d'entraînement pour son fusil à lunette. Mais l'année qui venait de s'écouler l'avait profondément marquée. Nous qui luttions contre diverses menaces ne pouvions que nous sentir ébranlés par la lecture quotidienne de rapports confidentiels sur le terrorisme, intérieur ou extérieur. Cette tension permanente, jointe à l'imminence de la guerre en Irak, commençait à affecter les nerfs de certains de nos collaborateurs.

Kate avait ses bons et ses mauvais jours. Celui-là n'était pas un jour faste. En fait, notre dernier bon jour, nous l'avions vécu le 10 septembre 2001.

IX

LUNDI
ÉTAT DE NEW YORK

Chapitre 19

Deux heures et quinze minutes après avoir quitté l'héliport de Downtown, nous survolâmes la ville de Saranac Lake. Quelques instants plus tard, j'aperçus un triangle formé par trois autoroutes entourées par la forêt. Je crus voir deux ours rôdant à la lisière des bois.

À 13 h 30, l'hélico amorça sa descente. De superbes avions d'affaires stationnaient sur la piste. Seul l'un d'eux arborait sur la queue un logo d'entreprise. Normal : pour des raisons de sécurité et pour ne pas avoir à rendre compte de leurs escapades à leurs actionnaires, les gros bonnets préfèrent voyager incognito. Je cherchai quand même un jet orné du sigle Goco. Peine perdue.

Après s'être annoncé par radio, le pilote se posa derrière un long bâtiment de rondins semblable à un chalet. Curieuse architecture pour un aérodrome. Il faut croire que les montagnards des Adirondack tiennent à leur faux style rustique. Je fus surpris de constater que les hangars ne ressemblaient pas à des cabanes.

Le pilote coupa les gaz. Le vacarme cessa subitement. Le copilote sauta du cockpit et ouvrit en grand la porte de la carlingue. Il offrit sa main à Kate, qui sauta à son tour. Pour moi, cette main ne fut pas nécessaire.

— Avez-vous vu les ours ? demandai-je au copilote, une fois à terre.

— Pardon ?

— Laissez tomber. Vous restez ?

— Non. On fait le plein et on rentre à New York.

Un camion de fuel roulait déjà vers nous. Le service, ici, était bien plus rapide que chez mon pompiste. Le sigle du FBI y était peut-être pour quelque chose.

La piste était presque déserte. Les jets d'affaires s'alignaient tout au bout, devant quelques avions de tourisme. Je ne décelai aucune activité.

Il faisait plus froid qu'à New York. En dépit du soleil, de la buée se formait devant ma bouche.

— Sens cet air ! s'exclama Kate.

— Je ne sens rien du tout.

— Le parfum des montagnes, John. Et regarde ces arbres !

— Où diable sommes-nous ?

— Au pays de Dieu.

— Ça tombe bien. J'ai quelques questions à lui poser.

Visiblement, le chalet faisait office de terminal. Nous marchâmes jusqu'à l'entrée, que précédait une véranda couverte entourée d'une balustrade de bois. Assis à une table de pique-nique, devant un distributeur de Pepsi-Cola, l'agent de sécurité fumait une cigarette. Impossible de confondre cet endroit avec l'aéroport international Kennedy.

— Je vais appeler Tom, me dit Kate.

— Pourquoi ?

— Pour de plus amples instructions.

— Je n'ai pas besoin d'instructions.

— Quelqu'un nous attend peut-être...

— Je ne vois pas comment on pourrait nous rater.

En fait, il n'y avait pas âme qui vive. Sur le parking ne se côtoyaient qu'une dizaine de véhicules, sans doute abandonnés par des gens du cru, partis pour un exil définitif, loin de cette contrée sauvage oubliée de Dieu.

Nous pénétrâmes dans le terminal, où il faisait bien plus chaud que dehors. L'intérieur était exigu, fonctionnel et silencieux.

Il y avait quand même un checkpoint, avec un détecteur de métaux et un scanner à bagages. Mais ni employé de sécurité, ni passager. J'en conclus qu'aucun départ imminent n'était prévu.

Kate balaya le terminal du regard.

— Personne pour nous accueillir, conclut-elle.

— Comment repérer qui que ce soit dans cette foule ?

Toujours sérieuse, elle ajouta :

– Il y a les agences de locations de voitures, un restaurant, des toilettes. Par où veux-tu commencer ?

– Par là.

Je m'avançai vers le seul guichet de vente de billets, à l'enseigne de la Continental Commutair.

– John, qu'est-ce que tu fais ?

– Voyons ce que Harry était censé découvrir ici.

– Ce n'est pas ce que Tom...

– On s'en fout.

Elle réfléchit quelques secondes, puis approuva :

– Oui, qu'il aille se faire voir.

Je m'approchai du petit comptoir, d'où nous observaient un jeune homme et une femme d'âge mûr et de stature imposante. Ils avaient l'air d'être frère et sœur, ce que leurs parents, malheureusement pour eux, devaient être aussi. La dame – Betty, à en croire son badge – esquissa un sourire poli.

– Bonjour. Que puis-je pour vous ?

– Je voudrais un billet pour Paris, répondis-je.

– Par Albany ou Boston ?

– Ni l'un ni l'autre... C'est possible ?

– Monsieur, il n'existe, depuis cet aéroport, aucun vol direct pour des destinations autres qu'Albany et Boston.

– Sans blague ? Et les arrivées ?

– Même chose. Albany ou Boston. Continental Commutair. Deux liaisons par jour. Vous venez de rater celle de Boston.

Sans se retourner, elle désigna du pouce les horaires placardés derrière elle, contre la paroi.

– Départ pour Albany à 15 heures.

Une compagnie, deux villes, deux vols pour chaque ville. Cela me facilitait le travail.

– J'aimerais parler au directeur, dis-je à la dame.

– Vous l'avez en face de vous.

– Je croyais que vous vendiez les billets.

– C'est ce que je fais.

– J'espère que vous n'êtes pas aussi pilote.

Pour couper court à mes âneries, Kate exhiba sa carte.

– FBI, madame. Agent spécial Mayfield. Voici l'inspecteur Corey, mon assistant. Pourrions-nous vous parler en privé ?

Betty nous dévisagea.

– Oh... Vous êtes les gens qui viennent d'atterrir en hélicoptère.

Les nouvelles vont vite, pensai-je.

– Oui, madame. Où pourrions-nous consulter les listings des passagers ?

Elle se laissa glisser de son tabouret, ordonna à Randy, son alter ego, de garder la boutique et nous invita à la suivre.

Nous contournâmes le comptoir jusqu'à une porte donnant sur un petit bureau équipé d'ordinateurs, de fax et autres machines électroniques. Betty s'installa à une table puis, preuve qu'elle ne m'appréciait guère, s'adressa à Kate.

– Que vous faut-il ?

– La liste des passagers arrivés ici jeudi, vendredi, samedi, dimanche et aujourd'hui. J'aurais également besoin des noms des passagers au départ ces jours-là et demain.

– Très bien.

– Quelqu'un d'autre que nous vous a-t-il déjà demandé ces noms, ici même ou par téléphone ?

– Non.

– Si une personne s'était présentée ici ou avait téléphoné en votre absence, vous en aurait-on informée ?

– Bien sûr. Jake, Harriet ou Randy m'auraient mise au courant.

– Parfait. Pourriez-vous imprimer ces listes ?

Betty pivota et poussa son fauteuil à roulettes jusqu'au clavier. L'imprimante commença à cracher son papier.

– Il n'y a pas grand monde sur ces vols, remarquai-je.

– Ce sont des navettes. Dix-huit passagers au maximum.

Excellente nouvelle...

– Et ce sont les seuls passagers à l'arrivée et au départ pour les jours en question ?

– Exact. Je ne peux pas vous dire qui partira effectivement sur le vol de 15 heures pour Albany, ni sur ceux de demain, mais je vais vous communiquer la liste des réservations.

– Très bien. Avez-vous un registre des atterrissages et des décollages des avions privés ?

– Non. Nous sommes une compagnie aérienne. Les mouvements des appareils privés sont consignés par le bureau de maintenance de la piste.

– Bien sûr. Où avais-je la tête ? Où se trouve ce bureau ?

– À l'autre bout du terminal.

Sans me laisser le temps de lui faire remarquer que cet endroit était trop petit pour avoir un autre bout, elle ajouta :

– Son responsable ne note les départs et les arrivées que si les appareils passent la nuit sur place ou font le plein.

Voilà ce que j'aime dans mon métier : on y apprend tous les jours quelque chose de nouveau dont on ne se servira jamais.

Kate intervint :

– Pouvez-vous nous communiquer ces registres ?

– Je vais envoyer Randy vous en chercher une copie.

Betty décrocha le téléphone et dit à son assistant :

– Rends-moi un service, mon ange. Va jusqu'au bureau de maintenance de la piste.

Elle lui expliqua ce dont il s'agissait, raccrocha et déclara :

– Puis-je vous savoir pourquoi vous tenez à vous procurer ces listes ?

– Nous ne sommes pas autorisés à vous le dire, répondit Kate. Et je dois vous demander de n'en parler à personne.

– Pas même à Jake, Harriet ou Randy, précisai-je.

Betty acquiesça d'un air absent, tout en dressant mentalement la liste de tous les gens à qui elle allait raconter par le menu son entretien avec des agents du FBI.

Quelques minutes plus tard, Randy fit son apparition et lui tendit quelques feuilles, qu'elle remit à Kate. Nous consultâmes tous deux le registre. On avait enregistré une vingtaine d'avions privés au cours des journées en question, mais on ne donnait, en guise d'informations, que le constructeur, le modèle et le numéro inscrit sur la queue de chaque appareil.

Je levai les yeux vers Betty.

– A-t-on des renseignements sur les propriétaires de ces avions ?

– Non, mais vous pouvez les obtenir d'après leur immatriculation.

– Très juste. Peut-on savoir qui se trouvait à bord ?

– Non. Dans l'aviation privée, on ne communique pas ces données. C'est d'ailleurs pourquoi on l'appelle « privée ».

– Remarque judicieuse. Dieu bénisse l'Amérique.

Résultat : Oussama Ben Laden pouvait voyager tranquillement à bord d'un jet privé sans que personne le sache. Et, un an après le 11 septembre, la sécurité, à bord des avions privés, était totalement inexistante, alors que sur les lignes commerciales, même les plus petites, on fouillait tous les passagers, y compris les nourrissons, les membres d'équipage et les vieilles dames. Allez comprendre.

Kate rassembla les relevés et les fourra dans son attaché-case. Je posai alors à Betty la question de base.

– Avez-vous remarqué quelque chose d'inhabituel, ce week-end ?

– Quel genre ?

Pourquoi répondent-ils toujours ça ?

– Inhabituel. Disons : peu ordinaire...

– Non, rien ne m'a frappée.

– Plus de passagers à l'arrivée qu'en temps normal ?

– Vous savez, il en passe, du monde, lors des longs week-ends. Et pour les vacances d'été ou d'hiver, ça défile. En automne, il y a les randonneurs, qui viennent admirer les couleurs de la forêt. Ensuite, c'est la saison de la chasse. Puis le week-end du Thanksgiving. Enfin, il y a Noël, le ski...

Je l'arrêtai avant qu'elle en arrive à la journée de la marmotte.

– Certains passagers vous ont-ils paru bizarres, ou... ?

– Non. Mais vous savez quoi ?

– Quoi ?

– Un gros ponte de Washington a débarqué ici.

– Il s'était perdu ?

Betty jeta un regard désespéré à Kate, qui saisit la balle au bond.

– Qui était-ce ?

– J'ai oublié. Secrétaire de quelque chose. Son nom doit se trouver sur le listing.

– Comment est-il arrivé ?

– Commutair, depuis Boston. Je crois que c'était samedi. Oui, samedi. Par le vol de 11 heures. Un de nos agents de sécurité l'a reconnu.

– A-t-il loué un véhicule ?

– Non. Il a été accueilli par un employé du Custer Hill Club... Un club privé, à une quarantaine de kilomètres d'ici. Il y avait trois autres types sur ce vol, et ils donnaient l'impression d'être ensemble...

170

– Comment savez-vous, l'interrompis-je, que l'homme qui l'a accueilli travaillait pour ce club ?

– Il portait un uniforme bien reconnaissable. Les gens du Custer Hill Club viennent de temps à autre chercher des passagers. Après la livraison de leurs bagages, les quatre gus sont montés à bord d'une estafette du club, qui les attendait.

Dans ces trous perdus, rien n'échappe à un œil avisé, pensai-je.

– Cette estafette est-elle revenue chercher des passagers arrivant par d'autres vols ?

– Je n'en sais rien. Je n'étais peut-être plus de service.

– Cette estafette a-t-elle déposé des passagers au départ ?

– Aucune idée. Je ne peux pas espionner tout le monde. J'ai autre chose à faire.

– Mille excuses.

Ne voulant pas manifester un intérêt trop appuyé pour le Custer Hill Club, je déviai la conversation vers un sujet plus consensuel.

– Avez-vous, vous ou quelqu'un d'autre, remarqué un individu ressemblant... comment pourrais-je m'exprimer sans risquer une mise en examen pour injure raciale... bref, quelqu'un dont le pays d'origine compterait de nombreux chameaux ?

Elle opina, me signifiant par là qu'elle avait compris.

– Non. Je crois que ce genre de personne se détacherait du lot...

– Pourriez-vous nous rendre un service et vous renseigner plus tard autour de vous ?

Elle accepta avec enthousiasme.

– Sûr, que je peux ! Vous voulez que je vous appelle ?

– Je vous contacterai, ou je reviendrai.

– D'accord. Je vais me renseigner.

Elle se leva, nous jeta un regard fébrile.

– Que se passe-t-il ? Vous redoutez quelque chose ?

Je m'approchai d'elle et murmurai :

– Cela concerne les jeux Olympiques d'hiver de Lake Placid. Gardez-le pour vous.

– Ah... Mais les jeux Olympiques ont eu lieu en 1980.

– Je m'en doutais ! m'écriai-je à l'intention de Kate. Nous sommes arrivés trop tard !

Elle me jeta un œil noir, puis sourit à Betty.

171

– L'inspecteur Corey cherche à vous faire comprendre que tout ceci est hautement confidentiel. Mais votre aide nous sera peut-être précieuse. Donnez-moi votre carte de visite. Nous vous rappellerons. Merci de votre coopération.

– Demandez-moi ce que vous voudrez ! Si ces gens tentent quelque chose par ici, nous saurons les recevoir.

Betty baissa la voix et ajouta :

– Tant que vous êtes là, vous devriez faire un détour du côté de Custer Hill Club.

– Pourquoi ?

– Il se passe des choses bizarres, là-bas...

– Merci du renseignement, répondis-je sur le même ton. La nourriture est convenable, au restaurant ?

– Excellente, mais un peu chère. Essayez le double cheese-burger au bacon.

À en juger par sa silhouette, elle avait dû y goûter plusieurs fois. Elle nous raccompagna jusqu'à la sortie.

– Madame, quoi qu'il arrive, dis-je sombrement à Kate une fois dehors, ne vous risquez surtout pas au Custer Hill Club.

Elle sourit et répliqua :

– Et vous, ne commandez jamais le double cheese-burger.

En fait, c'était le premier geste dangereux que je m'apprêtais à faire avant de frapper à la porte du Custer Hill Club.

Chapitre 20

Les deux agences de location de voitures, Enterprise et Hertz, occupaient un petit bâtiment proche du terminal. L'employé d'Enterprise bouquinait sous son enseigne. Derrière le comptoir de Hertz, une jeune demoiselle jouait avec son ordinateur. Fixé à son opulente poitrine, son badge s'ornait du mot « Max ». Son prénom, sans doute. Pas ses mensurations.

– Bonjour, Max, j'ai une réservation au nom de Corey.

– Certainement, monsieur.

Elle remplit les formulaires, cela ne prit que quelques minutes. Elle me tendit les clés d'une Ford Taurus, m'indiqua l'emplacement du parking de l'agence.

– Voulez-vous une carte de la région ?

– Volontiers. Je cherche un endroit où passer la nuit.

– Vous avez un tas de prospectus à votre droite : hôtels, restaurants, curiosités touristiques...

– Merveilleux. Quel est le meilleur établissement du pays ?

– Le Point de Vue. Excellent, mais un peu cher.

– Quel genre ? Une centaine de dollars ?

– Plutôt mille.

– Pour l'année ?

– Pour la nuit.

– Vous blaguez ?

– Non. C'est un endroit très chic.

– Je n'en doute pas.

Cela ne plairait sans doute guère aux ronds-de-cuir de l'ATTF responsables des notes de frais, mais je me sentais d'humeur insouciante.

– Va pour le Point de Vue. Comment s'y rend-on ?

– Vous allez vraiment coucher là-bas ?

– Pourquoi pas ? J'ai un oncle milliardaire.

Elle gloussa, étala une carte sur le comptoir. De petites routes sillonnaient des espaces presque déserts, traversant de rares bourgades. J'eus une pensée pour Harry, qui aimait tant les Adirondack. Je demandai à Dieu de mieux veiller sur lui la prochaine fois. Max traça un « x » sur la carte.

– Le Point de Vue se trouve là, au nord de Saranac Lake. Vous devriez téléphoner pour réserver. C'est presque toujours complet.

– À mille dollars la nuit ?

– Incroyable, non ?

Elle plongea les mains sous le comptoir, en extirpa un annuaire, trouva le numéro du Point de Vue et l'inscrivit sur la carte, que je repliai et glissai dans ma poche.

– Alors, comme ça, minauda-t-elle, vous venez de New York ?

– Tout juste.

– J'adore New York. Et qu'est-ce qui vous amène par ici ?

– Un hélicoptère.

Elle sourit poliment. Soudain, une étincelle s'alluma dans son cerveau.

– Oh, vous êtes le type qui est descendu d'un hélico du FBI...

Je m'apprêtais à faire un jeu de mots consternant lorsque Kate apparut, avec deux gobelets de café.

– J'ai trouvé un endroit où loger, lui dis-je. Le Point de Vue. Un excellent hôtel.

– Une résidence, corrigea Max.

– Exact. Et j'étais sur le point de révéler ma profession à cette jolie personne.

Kate me devança en exhibant sa carte du FBI.

– Mademoiselle, il me faut la photocopie de tous les contrats de location depuis jeudi jusqu'à maintenant, y compris ceux des véhicules qui ont été rendus. Essayez de faire ça d'ici dix minutes. Nous serons au restaurant.

Kate marcha jusqu'au comptoir d'Enterprise, s'adressa au jeune homme qu'elle tira de sa lecture.

– C'est ma femme, chuchotai-je à Max.

– Ça alors ! Je ne l'aurais jamais cru.

Je saisis mon gobelet et gagnai le « restaurant », simple snack entièrement peint d'un bleu ciel hideux agrémenté de nuages blancs. Des modèles réduits de biplans en plastique pendaient du plafond. Pour ne pas déparer, les murs s'ornaient de photographies d'avions. Les quatre tabourets du comptoir étaient inoccupés, tout comme la dizaine de tables, ce qui me laissait l'embarras du choix.

Je m'installai près d'une grande fenêtre, avec vue sur la piste. Une serveuse appétissante m'apporta le menu. Je lui en demandai un autre pour Kate. Au moment où elle tournait les talons, mon mobile sonna. Le mot « Privé » s'afficha sur l'écran. Cela signifiait que l'appel venait du bureau. Je laissai ma boîte vocale enregistrer le message.

Kate pénétra dans le café.

– Mon téléphone vient juste de sonner, me dit-elle.

– Ton amoureux te cherche.

Elle s'assit, écouta sa boîte vocale.

– Tom Walsh... Il veut que je le rappelle.

– Attends un peu.

– D'accord.

Elle sortit les registres de sa serviette, les empila sur la table. J'en pris la moitié et commençai à les parcourir, tout en composant un numéro sur mon portable.

– Qui appelles-tu ?

– Le Point de Vue.

Le larbin qui décrocha s'appelait Charles. Je lui dis :

– J'aimerais faire une réservation pour ce soir.

– Bien sûr, monsieur. Il nous reste deux chambres disponibles : la Mohawak, la Weatherwatch...

J'optai pour la moins chère : la Mohawak, à mille deux cents dollars.

– Combien de nuits comptez-vous rester, monsieur ?

– Commençons par deux.

– Très bien. Si vous vous trouvez encore parmi nous mercredi, nous vous demanderons de descendre dîner en smoking ou en costume. William Avery Rockefeller, qui possédait jadis cette propriété, dînait toujours en tenue de soirée avec ses invités. Nous recréons cette ambiance les mercredis et samedis soir.

– Ce sera sans moi, hélas. Pourrai-je me faire servir en caleçon dans ma chambre ?

– À votre aise, monsieur.

Je lui donnai mon nom et le numéro de ma carte de crédit professionnelle avant de raccrocher. Kate me regarda avec stupeur.

– Ai-je bien entendu ?

– Oui. Nous serons dans la Mohawak. La Weatherwatch, à deux mille dollars la nuit, m'a semblé un peu trop luxueuse.

– Tu es fou !

– Tu en doutais ? De toute façon, après deux nuits dans le B&B que tu nous as déniché le week-end dernier, nous méritons un bel endroit.

– On nous alloue une indemnité journalière de cent dollars, John. Allons-nous en être de notre poche pour le reste ?

– Nous verrons bien.

Son bipeur sonna.

– Tom, dit-elle.

– Attends encore un peu.

– On a peut-être retrouvé Harry...

– Ça nous ferait faire des économies.

Je me replongeai dans les registres. Kate m'imita. Tout à coup, elle leva les yeux.

– J'ai le vol de 11 heures de Commutair en provenance de Boston samedi... Oh, là, là !

– Oh là, là, quoi ?

– Edward Wolffer. Tu connais ?

– Oui, c'était le pilier de l'équipe de...

– C'est le secrétaire d'État adjoint à la Défense. Faucon notoire, partisan farouche de la guerre contre l'Irak. Très proche du Président. On le voit beaucoup à la télé.

– Il s'agit probablement du type que quelqu'un, ici, a reconnu.

– Oui. Il y en a un autre du même acabit sur le même vol : Paul Dunn. Conseiller du Président...

– ... pour les questions de sécurité. Également membre du Conseil national de sécurité.

– Comment le sais-tu ?

– Question à ne jamais poser. Donc, si l'on en croit Betty, Wolffer et Dunn sont arrivés samedi en compagnie de deux copains et se sont engouffrés dans l'estafette du Custer Hill Club.

Kate consulta de nouveau le registre et précisa :

– Il y avait neuf autres passagers sur ce vol, mais leurs noms ne m'évoquent rien. Nous ne savons donc pas quels sont les deux autres qui ont pris place à bord de l'estafette.

À mon tour, je parcourus la liste.

– Wolffer et Dunn sont repartis sur le premier vol d'hier pour Boston, avec une correspondance pour Washington.

– Cela signifie-t-il quelque chose ?

– *A priori*, non. Rien d'étonnant à ce que des richards au bras long passent trois jours de congé dans un chalet appartenant à un milliardaire du pétrole. Un peu comme des satrapes... ou les dirigeants de Carlyle, qui, selon certains médias, se réunissent discrètement pour manipuler les cours du brut, passer en secret des accords politiques et financiers, ou comploter pour prendre le contrôle de la planète. En fait, il s'agit souvent de joyeux drilles à moitié gâteux, ravis de se retrouver pour picoler, jouer aux poker, parler de femmes et raconter des histoires cochonnes.

– Peut-être. Mais quelqu'un, au ministère de la Justice, a ordonné la mise sous surveillance de cette réunion. Ce n'est pas tous les jours que ce ministère espionne les agissements du secrétaire d'État à la Défense, d'un conseiller du Président et d'autres personnalités affiliées à ce club.

– Ça devient intéressant. Il nous faut éplucher la liste de tous les passagers arrivés à bord d'avions de ligne au cours des derniers jours, détecter, s'il y en a, les liens qui existent entre certains d'entre eux, essayer ensuite de découvrir ce que Harry devait révéler à ses supérieurs à l'issue de sa planque : l'identité des participants à la réunion du Custer Hill Club.

– Je ne crois pas que ce soit notre travail. Tom n'en a pas parlé.

– Il est bon de faire preuve d'initiative. Tom apprécie ce genre de comportement. Et puis, qu'il aille se faire voir !

La serveuse revint. L'un de nous deux commanda un double cheese-burger, l'autre une salade Cobb, recette mystérieuse inconnue ailleurs.

Mon bipeur sonna. Je regardai le numéro. C'était Tom Walsh.

– Je l'appelle, dis-je.

– Non, moi.

– Laisse-moi régler ça. Il m'apprécie et me respecte.

Je composai le numéro de portable de Tom. Il répondit ausitôt.

– Vous m'avez appelé ? dis-je.

– Oui, je vous ai appelé. Et j'ai appelé Kate. Vous deviez me contacter dès votre atterrissage.

– Nous arrivons à peine. Des turbulences.

– Selon le pilote, vous êtes là depuis presque une heure.

– Il y avait la queue chez Hertz. Vous avez des nouvelles de Harry ?

– Rien pour l'instant. Je veux que vous vous rendiez au quartier général de la police d'État, à Ray Brook. C'est à quelques kilomètres de Saranac Lake. Prenez contact avec Hank Schaeffer, commandant des troupes B des State Troopers, la milice de l'État de New York, et coordonnez avec lui les opérations de recherche auxquelles vous participerez.

– C'est tout ?

– Pour l'instant, oui. Nous tentons d'obtenir le renfort de quelques centaines d'hommes de Camp Drum. Cela accélérera les choses. Dites-le à Hank Schaeffer.

– À vos ordres.

– Rappelez-moi quand vous aurez pris contact avec lui.

– À vos ordres.

– Parfait. Kate est là ?

– Elle est allée se laver les mains.

– Demandez-lui de m'appeler.

– À vos ordres.

– Qu'est-ce que vous faites, en ce moment ?

– J'attends un double cheese-burger.

– Parfait. Ne traînez pas trop à l'aéroport et ne posez de questions à personne.

– C'est-à-dire ?

– Contentez-vous de gagner au plus vite le quartier général de la police. Et n'envisagez même pas d'aller au Custer...

– Compris.

– Très bien. Terminé.

Je raccrochai.

– Qu'est-ce qu'il a dit ? demanda Kate.

Je bus une gorgée de café, parcourus de nouveau le registre puis répondis :

– Nous devons aller au Custer Hill Club, nous entretenir avec Bain Madox et découvrir qui se trouve encore là-bas.

– Tom a dit ça ?

– En gros, oui.

– Veut-il que je l'appelle ?

– À ta convenance.

Elle commençait à s'impatienter.

– John, qu'a-t-il vraiment... ?

– Rien de neuf sur Harry. Walsh veut que nous contactions la police de l'État, que nous l'aidions dans ses recherches. Et, surtout, que nous ne fouinions pas trop à l'aéroport. Pour ça, il est trop tard.

– Aucune instruction, donc, à propos du Custer Hill Club...

– Pourquoi n'irais-tu pas voir la police de l'État ? Moi, j'irai au Custer Hill Club.

Elle ne répondit pas.

– Écoute, repris-je, on nous a confié une mission précise : découvrir ce qu'est devenu Harry, puis en rendre compte. Ce sont les instructions habituelles dans ce genre de circonstances. Le reste dépend de nous. À toi de voir si tu tiens à jouer ou non un rôle dans cette affaire.

– Tu as une façon de présenter les choses... Laisse-moi réfléchir.

– Prends ton temps.

La nourriture arriva. La taille du double cheese-burger ne laissait aucun doute sur le sort de quiconque y toucherait : infarctus immédiat. Un petit drapeau américain trônait au milieu des frites, dites *Freedom Fries* depuis que l'appellation « à la française » n'était plus en odeur de sainteté.

– Tu veux un peu de ma salade ? proposa Kate.

– La dernière fois que j'ai mangé de la laitue, j'ai croqué une limace noyée dans la vinaigrette.

– Merci.

J'avais à peine ingurgité ma ration quotidienne de matière grasse lorsque l'employé d'Enterprise pénétra dans le café et tendit à Kate les photostats de ses contrats de location.

– Je termine à 16 heures, dit-il. Je vous ferais volontiers

visiter les environs. Ensuite, nous pourrions dîner ensemble. Mon numéro de portable figure sur ma carte de visite.

– Merci, Larry, je vous appelle dans l'après-midi.

Il s'en alla. Je grommelai :

– Tu l'as poussé à ça ?

– À quoi fais-tu allusion ?

Je demandai l'addition, pour que nous puissions lever le camp tout de suite après l'arrivée de Max. J'avalai un autre morceau de cheese-burger. Max nous rejoignit au moment du café et déclara fièrement :

– Voilà tous les contrats, de jeudi jusqu'à aujourd'hui, y compris les retours. Il y en a vingt-six. Le week-end a été chargé.

– Merci. Surtout, ne mentionnez cela devant personne.

– Parole d'honneur.

Elle me dévisagea et ajouta à mon intention :

– Vous avez de la chance d'avoir une femme comme elle.

Je grognai, la bouche pleine. Max s'en alla.

Je fourrai quelques *Freedom Fries* dans ma bouche et me levai.

– Allons-y.

Kate rangea les papiers dans sa serviette. Je posai vingt dollars sur la table et nous sortîmes du café.

– Si tu ne viens pas avec moi, loue une autre voiture chez Hertz, déclarai-je une fois dehors. Le quartier général de la police de l'État se trouve à Ray Brook, non loin d'ici. Demande le commandant Hank Schaeffer. Je te rejoindrai plus tard.

Elle resta immobile, hésitant entre son sens de la discipline, qui lui enjoignait d'obéir aux ordres de Walsh, et le discours qu'elle lui avait récemment tenu sur les changements du monde. Enfin, elle se décida.

– Je t'accompagne au Custer Hill Club. Ensuite, nous nous rendrons au quartier général de la police.

La Ford Taurus nous attendait sur le parking des locations. Je roulai jusqu'au bout du terminal, où se trouvait le bureau de maintenance de la piste.

– Je veux savoir si Goco utilise cet aérodrome, annonçai-je en me garant.

Je tendis la carte routière à Kate.

– Appelle la police du comté et vois si tu peux obtenir des indications pour aller au Custer Hill Club.

J'entrai dans le bâtiment. Comme de juste, l'employé de service pianotait sur son ordinateur.

– Puis-je acheter ici un billet pour Paris ? lançai-je.

L'homme leva les yeux de son clavier.

– Vous pouvez aller où vous voulez si vous êtes propriétaire ou locataire d'un avion assez puissant pour vous y emmener. Et vous n'avez même pas besoin de billet.

– Je crois que je suis tombé sur le bon endroit, dis-je en lui montrant ma carte. John Corey, de la Force d'action antiterroriste. J'aimerais vous poser quelques questions.

Il se leva, examina ma carte.

– C'est à quel sujet ?

– À qui ai-je l'honneur ?

– Chad Rickman, responsable de la maintenance de la piste.

– Chad, j'ai besoin de savoir si un jet de la Global Oil Corporation, ou Goco, utilise cet aéroport.

– Oui. Deux Cessna dernier modèle. Un problème ?

– Y en a-t-il un ici aujourd'hui ?

– Non... En fait, ils ont atterri tous les deux hier matin, à environ une heure d'intervalle. Ils ont fait le plein et sont repartis quelques heures plus tard.

– Combien de passagers à l'atterrissage ?

– Aucun, il me semble. Nous envoyons toujours une voiture jusqu'à l'appareil et je suis presque sûr qu'elle n'a ramené, les deux fois, que l'équipage.

– Des passagers sont-ils montés à bord des deux avions après le plein ?

– Je ne crois pas.

– Bon. Où allaient-ils ?

– Les pilotes n'ont pas à me le dire. Ils avertissent simplement la Direction de l'aviation civile, la FAA.

– Par radio ?

– Non, par téléphone. Ils le font d'ici. J'ai entendu les deux pilotes communiquer un plan de vol pour Kansas City, à une demi-heure d'intervalle.

– Pourquoi aller jusqu'à Kansas City sans passager ?

– Ils transportaient peut-être du fret. Deux Jeep les ont

rejoints ici et les chauffeurs ont chargé une cargaison à bord des deux avions.

– Quelle sorte de cargaison ?

– Je n'ai rien vu.

– Ce sont des avions de passagers, pas de fret ? Exact ?

– Oui. Mais ils ont une petite soute en cabine.

– Je ne comprends toujours pas pourquoi deux jets sont arrivés vides pour repartir avec uniquement de la marchandise, et tous les deux pour la même ville.

– Et alors ? Bain Madox, leur propriétaire, possède des puits de pétrole à la pelle. Il peut brûler tout le carburant qu'il veut.

– Très juste. Kansas City était-elle leur destination finale ?

– Je l'ignore. Je les ai entendus donner ce plan de vol au téléphone. Cela correspond sans doute à leur autonomie de croisière. Ils ont peut-être redécollé de là-bas. Ou alors, ils font de nouveau route vers ici.

– Je vois. Je peux donc appeler la FAA pour obtenir leur plan de vol ?

– Oui, si vous y êtes autorisé, et si vous avez leur immatriculation.

– Je dispose de toutes les autorisations, Chad.

Je sortis de ma poche la feuille de papier que Randy était allé chercher à ce même bureau, la posai sur le comptoir.

– Quels sont les avions Goco ?

Chad désigna deux numéros : N2730G et N2731G. Puis il me jeta un regard intrigué.

– Que cherchez-vous, exactement ?

– Des sacs de billets. Vous savez comment sont les riches. Ils ont horreur de payer des impôts. Gardez tout ça pour vous. Et tâchez de glaner quelques renseignements supplémentaires. Je vous en serai reconnaissant. Vous avez un numéro de mobile ?

– Bien sûr.

Il l'inscrivit sur sa carte professionnelle, qu'il me donna.

– Merci, Chad. Et souvenez-vous. Bouche cousue.

– Juré. Sur la tête de ma mère.

Je retournai à la voiture. Tout en roulant vers la sortie de l'aéroport, je mis Kate au courant de l'atterrissage et du décollage des deux avions de la Goco, et de mon intention de demander leur plan de vol à la FAA, à Washington.

– Pour quoi faire ?

– Je n'en ai encore aucune idée. Ce Madox m'intéresse, et on ne sait jamais si un détail est important avant de le confronter à un autre élément. Dans le métier de policier, le trop-plein d'informations n'existe pas.

– Dois-je prendre des notes ?

– Non. Je te passerai un des cours que je donne au John Jay College.

– Trop aimable.

– Tu as l'itinéraire ?

– À peu près. Le sergent de garde m'a conseillé de prendre d'abord la route 3 en direction de l'ouest, puis la 56, vers le nord.

– Les vrais hommes ne demandent jamais leur chemin. Comment rejoint-on la route 3 ?

– Puisque tu me poses la question, tourne à gauche.

Il ne nous fallut que quelques minutes pour nous retrouver sur la 3, une voie rapide qui filait vers l'ouest et s'enfonçait dans les grands espaces.

– Garde un œil sur les ours, dis-je à Kate. À propos, tu crois qu'ils trembleront devant un Glock 9 mm ?

– À mon avis, non, mais je prie le ciel pour que tu t'en rendes compte par toi-même.

– Voilà un propos peu affectueux.

Elle se renversa dans son siège, ferma les yeux.

– Chaque minute qui passe sans que nous ayons des nouvelles de Harry, murmura-t-elle, me fait craindre pour sa vie.

Je ne répondis pas. Elle ajouta, après un silence :

– Ç'aurait pu être toi.

Bien sûr... Mais si je m'étais retrouvé en pleine forêt, aux abords du Custer Hill Club, les choses se seraient peut-être passées autrement.

Peut-être pas, après tout...

Chapitre 21

Nous continuâmes sur la route 3, qui semblait n'exister que pour permettre à un automobiliste bucolique de contempler les arbres, en roulant de nulle part vers nulle part. Kate épluchait les quelques brochures touristiques qu'elle avait dénichées à l'aéroport. Elle agissait ainsi partout où elle allait, histoire de mettre en valeur ses connaissances, qu'elle me récitait ensuite avec l'aplomb d'un guide professionnel.

Elle m'apprit que la ville de Saranac Lake, l'aéroport et la route elle-même faisaient partie du parc régional des Adirondack.

– Vraiment ?

Elle m'informa également qu'on appelait cette contrée le pays du Nord, nom qu'elle trouvait romantique. Elle ajouta :

– De grands parties du parc, qui est aussi vaste que l'État du New Hampshire, resteront à jamais vierges.

– Triste perspective.

Je concevais à présent qu'un quidam pût s'y perdre pendant des jours, des semaines ou jusqu'à la fin de sa vie. D'un autre côté, un homme ayant l'expérience de la forêt avait toutes les chances d'y survivre.

Même si nous traversions de temps en temps une modeste bourgade, ces grandes étendues accentuaient mon agoraphobie et ma zoophobie. Je comprenais pourquoi Bain Madox, s'il manigançait quelque chose de peu recommandable, avait choisi d'y bâtir un chalet.

Des panneaux jaunes ornés de cerfs noirs bordaient parfois la route. Juste avant un tournant, un autre panneau, beaucoup plus grand, représentait un ours, avec la mention : « Danger ». J'accélérai, à tout hasard.

– Explique-moi pourquoi nous allons au Custer Hill Club, me dit Kate.

– Procédure policière habituelle. On se rend d'abord sur les lieux où la personne disparue a été aperçue pour la dernière fois.

– Il s'agit d'un cas beaucoup plus complexe.

– Pas vraiment, objectai-je. Le problème, c'est que le FBI et le CIA compliquent toujours tout.

– Laisse-moi te rappeler que Madox ne doit en aucun cas savoir qu'un agent fédéral a pénétré dans sa propriété.

– Nous en avons déjà discuté. Si tu te trouvais dans l'enceinte du Custer Hill Club avec une jambe cassée, un téléphone mobile sans batterie et un ours te mordillant les orteils, voudrais-tu que j'obéisse aux ordres et que j'attende d'avoir un mandat pour me lancer à ta recherche ?

– Je sais qu'un flic risquerait sa vie et sa carrière pour secourir un de ses collègues et que tu ferais la même chose pour moi, même si ma double casquette d'épouse et d'agent du FBI risque de provoquer en toi un conflit cornélien.

– Point de vue intéressant.

– Mais je crois que tu as une autre idée en tête, reprit-elle. Tu tiens à savoir ce qui se cache derrière le Custer Hill Club.

– Quel a été ton premier indice ?

– D'abord, la liste des passagers et les contrats de location de voiture, à présent dans mon attaché-case. Ensuite, tes investigations sur les jets de la Global Oil Corporation.

– Je n'arriverai jamais à te blouser.

– John, je suis d'accord, en ce qui concerne Harry, pour pousser les recherches aussi loin que possible. Mais tu mets le doigt sur quelque chose de beaucoup plus important que tu ne le crois. Le ministère de la Justice s'intéresse de près à Madox, à son club et à ses hôtes. Ne sabote pas son enquête.

– Qui s'exprime par ta bouche ? Ma collègue, mon épouse ou mon avocate ?

– Les trois ensemble. D'accord... J'ai débité mon boniment parce que je le devais et parce que tu m'inquiètes souvent. Avec toi, on peut craindre le pire.

– Merci du compliment.

185

– Tu es aussi très intelligent, extrêmement compétent, et je me fie entièrement à ton jugement et à ton instinct.

– Vraiment ?

– Vraiment. Donc, bien que je sois officiellement ton supérieur, je marche avec toi.

– Je ne te laisserai pas tomber, assurai-je.

– Tu as intérêt. Et je tiens aussi à te rappeler que rien ne pèse plus que la réussite. Si tu... si nous outrepassons les ordres, mieux vaut que notre moisson soit bonne.

– Kate, si je ne subodorais pas autre chose qu'une manipulation des prix du pétrole, nous serions en train de boire un café au siège de la police de l'État.

Elle me prit la main et nous poursuivîmes notre route.

Trois quarts d'heure après notre départ de l'aéroport, je pris l'embranchement menant à la route 56, aussi droite, aussi déserte que la 3 et au paysage encore plus sauvage.

– On se croirait dans une réserve indienne, dis-je à Kate. Que raconte ta brochure à propos des Peaux-Rouges ? Amicaux ?

– Elle dit que le traité de paix signé avec eux expire le lendemain du Colombus Day 2002.

– Très drôle.

Une vingtaine de kilomètres plus loin, un panneau nous informa que nous quittions le parc régional des Adirondack.

– Selon le sergent qui m'a renseignée, annonça Kate, le Custer Hill Club est situé sur un terrain privé, à l'intérieur du parc. Nous l'avons donc dépassé. Nous ne sommes pas loin de la localité de South Colon, ajouta-t-elle en regardant la carte. Arrêtons-nous là pour demander notre chemin.

Quelques instant plus tard, apparurent deux ou trois bicoques et une station-service.

Je me garai devant une pompe.

Assis à une table branlante, un vieillard ratatiné, en jeans et chemise à carreaux, suçait un mégot en regardant la retransmission d'un concours de pêche à la mouche sur un vieux poste de télévision posé sur le comptoir. La réception laissant à désirer, je remuai légèrement les deux bras de l'antenne intérieure.

– Parfait, dit-il. C'est impeccable.

Dès que je lâchai l'antenne, l'écran se brouilla. Quand j'étais petit, je servais d'antenne à la télévision familiale. Mais j'avais passé l'âge.

– Nous voudrions un renseignement, hasardai-je.

– Ce qu'il me faudrait, c'est une parabole.

– Bonne idée. Nous cherchons...

– D'où venez-vous ?

– Saranac Lake.

– Ah, ouais ?

Il leva les yeux vers nous pour la première fois, remarqua la Ford Taurus dehors.

– Et vous êtes d'où ?

– De la planète Terre. Écoutez, nous sommes en retard et...

– Il vous faut de l'essence ?

– Bien sûr. Mais d'abord...

– La dame souhaite se rafraîchir ?

– Merci, répondit Kate. Nous cherchons le Custer Hill Club.

Il resta muet quelques instant. Puis :

– Ah, ouais ?

– Vous savez où il se trouve ?

– Sûr, que je le sais. Ils viennent faire le plein ici. Mais ils font pas réparer leurs caisses chez moi. Ils les emmènent chez le concessionnaire, à Potsdam. Des nuls. Mais quand ils se retrouvent embourbés dans la neige ou la gadoue, ils appellent qui, à votre avis ? Le concessionnaire ? Des clous. Ils appellent Rudy. C'est mon nom. Tenez, en janvier dernier, ou alors c'était en février... Ouais, quand il y a eu cette grosse tempête de neige. Vous vous rappelez ?

– Je devais être à la Barbade. Écoutez, Rudy...

– J'ai un distributeur de sandwiches et de Coca. Il vous faut de la monnaie ?

Je capitulai.

– Oui, s'il vous plaît.

Nous eûmes donc de la monnaie, achetâmes des sandwiches congelés et deux Coca, utilisâmes les toilettes et fîmes le plein. Je payai l'essence avec ma Master Card officielle. Les agents en ont deux : une pour la nourriture, le logement et les menus frais, l'autre spécialement réservée à l'essence. La mienne était au nom de R & G Associés.

– C'est quoi, ça ? grommela Rudy.

– Réfrigérateurs et Glacières.

– Ah, ouais ?

Je changeai de sujet.

– Vous avez une carte du coin ?

– Non. Mais je peux vous en dessiner une.

– Gratis ?

Il rit, farfouilla dans une pile de vieux prospectus, en repéra un, moins chiffonné que les autres, le retourna, prit un crayon au bout rongé et gribouilla quelque chose.

– Donc, faut que vous trouviez d'abord Stark Road. Là, vous tournez à gauche, mais y a pas de panneau. Ensuite, vous prenez Joe Indian Road...

– Pardon ?

– Joe Indian. Vous tombez sur une route forestière. Vous la suivez sur quinze kilomètres. Ensuite, vous prenez McCuen Pond Road sur votre gauche, et elle vous mène tout droit au Custer Hill Club. Vous pouvez pas la rater, parce que là, on vous arrête.

– Qui ?

– Les vigiles. Ils ont un poste de garde et un portail. Toute la propriété est clôturée.

– Merci, Rudy.

– Pourquoi vous allez là-bas ?

– On nous a appelés pour un réfrigérateur. Le compartiment à glace ne marche plus.

– Ah, ouais ? Ils vous attendent ?

– Deux fois plutôt qu'une. Ils ne peuvent pas servir de cocktails sans glaçons.

– Et ils ne vous ont pas donné d'itinéraire ?

– Si, mais mon chien a mangé le papier. Eh bien...

– Vous voulez un conseil ?

– Volontiers.

– Faites-vous payer d'avance. Cracher leur oseille, ça les rend constipés. Les riches sont comme ça. Ils aiment pas payer les ouvriers.

– Merci de nous avoir prévenus.

Une fois dehors, je dis à Kate :

– Je crois que nous sommes passés à la *Caméra cachée*.

Nous fîmes demi-tour, empruntâmes la 56 en sens inverse et pénétrâmes de nouveau dans le parc, cherchant la Stark Road, que je ne tardai pas à trouver. C'était une route étroite, ombragée par une voûte d'arbres.

– Tu veux un sandwich au steak haché ? demandai-je à Kate.

– Non, merci. Ne fais pas de miettes.

J'avais tellement faim que j'aurais dévoré un ours. Je dus me contenter de la bidoche froide. Dégueulasse. Par souci écologique, je jetai le Cellophane sur le siège arrière.

Nous approchions du Custer Hill Club. À en croire Walsh, les recherches aériennes et terrestres avaient déjà commencé. Pourtant, je n'entendis ni avion ni hélicoptère, et je n'aperçus aucun véhicule de police dans les environs. Mauvais présage. Ou très bon signe.

– J'ai un message sur mon mobile, m'annonça Kate.

– Silence radio, répliquai-je. Pas de message, pas d'appel.

– Et s'ils ont retrouvé Harry ?

– Je ne veux pas le savoir. Nous allons voir Bain Madox.

Elle remit son téléphone dans sa poche. Son bipeur et le mien se mirent à sonner. Nous n'en tînmes pas compte.

Suivant les indications de Rudy, nous prîmes la McCuen Pond Road, encore plus étroite mais bien goudronnée. Nous tombâmes enfin sur un grand panneau fixé au sommet de deux poteaux de trois mètres de haut, garnis de projecteurs : « Propriété privée. Entrée interdite. Arrêtez-vous devant le portail ou faites demi-tour. »

Je passai sous le panneau. Un peu plus loin, une rustique maison de gardien se dressait derrière un portail de sécurité en acier.

Comme s'ils s'attendaient à notre arrivée, deux hommes en treillis de camouflage sortirent de la baraque bien avant que nous ayons atteint les grilles.

– Détecteurs de mouvements ou de sons, dis-je à Kate. Plus, sans doute, des caméras de surveillance.

– Sans compter que ces types ont des holsters et que l'un d'eux nous observe à la jumelle.

– Je déteste les vigiles privés. Donne-leur un flingue, un peu de pouvoir et...

– Le panneau nous enjoint de rouler à dix kilomètres à l'heure.

Je ralentis et m'approchai du portail. À dix pas des grilles, devant un ralentisseur, un autre panneau intimait : « Arrêtez-vous là. »

Le portail, qui était électrique, s'entrouvrit. Un des gardes s'avança vers notre voiture. Je baissai la vitre. Il s'approcha de la portière et se pencha.

— En quoi puis-je vous aider ?

Âgé d'une trentaine d'années, militaire de la tête aux pieds, avec casquette, brodequins et pétoire à la ceinture, il arborait une expression volontairement impassible, suggérant qu'il pouvait devenir dangereux si on le provoquait. Il ne manquait plus à sa panoplie que des lunettes noires et une croix gammée sur la manche. Je lui dis :

— Agent John Corey. Et voici l'agent fédéral Kate Mayfield. Nous souhaitons être reçus par M. Bain Madox.

Son visage de pierre sembla se fissurer.

— Il vous attend ?

— Si c'était le cas, j'imagine que vous le sauriez.

— Je... Puis-je voir vos pièces d'identité ?

J'aurais voulu lui montrer d'abord mon Glock, pour lui prouver qu'il n'était pas le seul à trimbaler un flingue, mais je décidai d'être aimable. Je lui tendis donc ma carte. Kate lui donna la sienne.

Il les scruta avec soin, d'un œil d'expert ou faussement averti. J'écourtai son inspection.

— Rendez-les-moi.

Il hésita, puis s'exécuta. Je répétai :

— Nous désirons nous entretenir avec M. Madox. Nous sommes en mission officielle.

— Quelle est la nature de cette mission ?

— Êtes-vous M. Madox ?

— Non, mais...

— Écoute, coco. Tu as dix secondes pour te comporter de façon intelligente. Préviens ton chef et ouvre-moi ce putain de portail.

Il parut légèrement vexé, mais garda son calme.

— Un instant, dit-il.

Il regagna les grilles, se glissa par l'ouverture, échangea quelques mots avec l'autre vigile. Tous deux disparurent dans la bâtisse de rondins.

– Pourquoi te montres-tu toujours aussi agressif ? me demanda Kate.

– Je ne suis agressif que lorsque je sors mon Glock. Et persuasif quand j'appuie sur la détente.

– On apprend aux agents fédéraux à s'exprimer poliment.

– J'ai raté ce cours-là.

– Et s'ils ne nous laissent pas entrer ? Ils ont le droit de nous refuser l'accès du domaine si nous n'avons pas de mandat de perquisition.

– Où est-ce écrit ?

– Dans la Constitution.

– Dix dollars qu'il nous laissent passer.

– Pari tenu.

Le néonazi revint avec nos cartes et déclara :

– Je vous demanderai de franchir la grille et de vous garer sur la droite. Une Jeep vous conduira jusqu'au chalet.

– Pourquoi ne pouvons-nous utiliser notre propre voiture ?

– Pour votre sécurité, monsieur. Et à cause de notre police d'assurance.

– Parfait. Je m'en voudrais d'avoir des ennuis avec votre assureur. Avez-vous des ours, sur vos terres ?

– Oui, monsieur. Veuillez franchir le portail et rester à bord de votre véhicule jusqu'à l'arrivée de la Jeep.

Il fit signe à son collègue du poste de garde. Le portail s'ouvrit en grand. Je pénétrai dans la propriété et tournai sur une allée de graviers. Les grilles se refermèrent sans bruit derrière nous.

– Bienvenue au Custer Hill Club, dis-je à Kate. Tu me dois dix dollars.

– Vingt contre un que nous n'en sortirons pas vivants.

Une Jeep noire aux vitres teintées freina près de la Ford. Deux cerbères en jaillirent, eux aussi armés et en tenue de camouflage.

– J'adore les paris, murmurai-je.

Un des kapos se planta devant ma portière et ordonna :

– Sortez, verrouillez votre véhicule et suivez-nous.

Je n'avais aucune intention d'abandonner la Ford. Ces gens-là auraient très bien pu y placer un détecteur ou un micro. Je répondis :

191

– J'ai une meilleure idée. Vous passez devant et je vous suis.

Il hésita, puis acquiesça.

– Collez à mon pare-chocs et restez sur la route.

– Si vous y restez vous-même, je ne m'en écarterai pas.

Il remonta dans la Jeep, fit demi-tour. Je le suivis jusqu'à une colline à ciel ouvert, où affleuraient quelques amas rocheux. Des projecteurs bordaient la route. De part et d'autre des arbres, dont la ligne grimpait vers le sommet du monticule, des poteaux supportaient chacun cinq câbles électriques qui passaient au-dessus de nos têtes et dont trois, plus épais que les autres, transportaient sans doute du courant à haute tension.

À mi-pente s'élevait un énorme chalet, de la taille d'un hôtel. Devant le perron, un drapeau américain flottait en haut d'un mât. J'aperçus, sous le drapeau, un fanion jaune.

Au-delà du chalet se dressait une tour semblable à un relais de téléphonie cellulaire, ce qui expliquait la qualité de la réception dans ce coin perdu. Si Harry était toujours vivant et en bon état, nous aurions donc la possibilité de le joindre. Je me demandai si cette tour appartenait à une compagnie de téléphone ou à Bain Madox.

Devant le chalet s'étendait un parking de graviers, où stationnaient une Jeep noire et une Ford Taurus bleue identique à la mienne mais dotée, sur le pare-chocs arrière, d'un autocollant marqué de la lettre E. Il s'agissait donc d'une voiture de location de l'agence Enterprise. Cela signifiait que certains des invités du week-end étaient encore là. Je remarquai aussi la présence d'une estafette bleu sombre : probablement celle dont avait parlé Betty.

Je me garai, à la suite de la Jeep, sous le grand portique à colonnes. Les deux gardes sortirent de leur véhicule. Kate et moi en fîmes autant. Kate tenait toujours à la main son attaché-case contenant la liste des passagers et les contrats de location. Tout en verrouillant les portières de la Ford, je pris mentalement note de la plaque d'immatriculation de la voiture d'Enterprise.

Tout autour du chalet s'étendait, sur plus de cinq cents mètres, un terrain entièrement découvert offrant une vue panoramique et d'excellentes conditions de sécurité. Même en se dissimulant derrière les amas rocheux, Harry aurait eu le plus grand mal à s'approcher assez du parking pour photographier les plaques d'immatriculation et le visage des invités.

J'avais déjà compté quatre vigiles. Mon intuition me disait qu'il devait y en avoir d'autres. L'endroit était bien gardé. J'étais certain, à présent, que Harry était tombé en de mauvaises mains.

– Veuillez me suivre, nous dit le chauffeur de la Jeep.

Je répliquai sèchement :

– Personne ne doit toucher ma voiture. Si je découvre qu'un de vos sbires y a placé un objet indésirable, il ira droit en taule. Pigé ?

L'homme ne répondit pas. Mais il comprit le message.

Nous escaladâmes quelque marches, jusqu'à une véranda couverte où une rangée de rocking-chairs faisait face au paysage. En dehors des cerbères à la mine patibulaire, cet endroit était plutôt agréable. Je notai, tout en me faisant cette réflexion, que le fanion jaune s'ornait du chiffre 7.

– Attendez ici, me dit le vigile avant de disparaître à l'intérieur du chalet.

Je restai sur le porche en compagnie de Kate.

– Je devrais consulter mes messages, souffla-t-elle.

– Pas question.

– John, et si... ?

– Non. Nous n'avons besoin d'aucune information supplémentaire. Nous allons voir Bain Madox. Un point, c'est tout.

Elle me regarda, puis hocha la tête.

La porte s'ouvrit.

– Entrez, déclara le garde.

Nous pénétrâmes dans le Custer Hill Club.

Chapitre 22

Nous avançâmes dans un hall surmonté d'un balcon et d'un lustre massif confectionné avec des bois de cerfs. Des tapisseries et des gravures de chasse ou de pêche décoraient les murs. Quelques meubles rustiques accueillaient le visiteur. Mme Madox, si elle existait, n'avait joué aucun rôle dans la décoration.

– Charmant, murmurai-je à Kate.

– Je suis sûre qu'il y a une tête d'élan quelque part...

Des pas résonnèrent, venant d'un couloir sur la gauche. Un autre garde, plus âgé que les autres et vêtu d'un uniforme bleu, marcha vers nous et se présenta sous le nom de Carl.

– Puis-je prendre vos vestes ?

Non, merci, nous les conserverions sur nous. Il s'adressa alors à Kate.

– Souhaitez-vous laisser votre serviette au vestiaire ?

– Je la garde aussi, merci.

– Pour des raisons de sécurité, je me vois obligé d'en vérifier le contenu.

– Laisse tomber, Carl.

Décontenancé, il demanda d'une voix moins assurée :

– Quelle est la nature de votre requête auprès de M. Madox ?

– Écoute, lui dis-je, nous sommes des agents fédéraux. Nous ne nous soumettons à aucune fouille, nous ne laissons rien au vestiaire, surtout pas nos flingues, et nous ne répondons pas aux questions, parce que c'est nous qui les posons. Soit tu nous introduis tout de suite auprès de M. Madox, soit je reviendrai avec un mandat de perquisition, dix agents supplémentaires et la police de l'État. À toi de choisir.

De plus en plus déconcerté, Carl bredouilla :

– Je reviens.

Je sortis mon mobile de ma poche, décrochai mon bipeur de ma ceinture et les éteignis tous les deux.

– Lors des interrogatoires, dis-je à Kate, ces engins effraient parfois les suspects au moment critique. Dans ces circonstances, le règlement nous autorise à les débrancher.

– Je n'en suis pas si sûre, mais...

À contrecœur, elle éteignit à son tour son mobile et son bipeur.

Je levai les yeux vers un grand tableau qui, accroché au mur du fond, représentait une scène de la bataille de Little Big Horn. Des Indiens peinturlurés, à cru sur leurs mustangs, encerclaient au grand galop le général George Amstrong Custer et ses hommes. L'issue de l'affrontement ne faisait aucun doute.

La voix de Carl m'arracha à ma contemplation.

– Si vous voulez bien me suivre...

Il nous entraîna, par un couloir, jusqu'à une bibliothèque qui donnait, après trois marches, sur une grande salle voûtée. Tout au fond, un feu nourri brûlait dans une immense cheminée de pierre. Au-dessus, trônait une tête d'élan.

– La voilà, chuchotai-je à Kate.

Assis dans un fauteuil, face à l'âtre, se tenait un homme. Il se leva, traversa la moitié de la salle à notre rencontre. Il portait un blazer bleu, un pantalon beige et une chemise à carreaux verte. Il tendit la main à Kate, qui la prit.

– Très heureux : Bain Madox, président et propriétaire de ce club. Vous devez être Mme Mayfield. Soyez la bienvenue.

– Merci, répondit Kate.

Il se tourna vers moi.

– Et vous devez être M. Corey.

Nous nous serrâmes la main. Il ajouta :

– En quoi puis-je vous être utile ?

Me souvenant de mes cours de bonnes manières, je déclarai :

– J'aimerais d'abord vous remercier de nous recevoir sans rendez-vous.

Il eut un sourire pincé.

– Avais-je le choix ?

– Pas vraiment.

Âgé d'une soixantaine d'années, il était grand, mince et assez bel homme. Les cheveux gris et longs, rabattus en arrière, le front lisse, le nez busqué, des yeux gris acier qui ne clignaient que rarement. Une tête de faucon ou d'aigle, qui, d'ailleurs, se redressait parfois brusquement, comme celle d'un oiseau.

Il s'exprimait avec un accent distingué, ainsi qu'il fallait s'y attendre. Il avait également, du moins fut-ce l'impression qu'il me donna, une haute estime de lui-même, du sang-froid et une grande maîtrise de soi.

– Monsieur Madox, nous ne volerons que dix minutes de votre temps.

Un peu plus, peut-être, mais commençons par dix... D'un mouvement du menton, je désignai les fauteuils disposés face à la cheminée, devant une table basse. Il hésita un instant avant de réagir.

– Vous avez dû faire un long trajet, dit-il enfin. Venez vous asseoir.

Nous le suivîmes à travers la pièce, Carl sur nos talons.

J'admirai au passage les têtes d'animaux accrochées aux murs et les oiseaux empaillés éparpillés sur les meubles. Ce n'était guère politiquement correct, mais Madox, j'en étais sûr, s'en battait l'œil. Je m'attendais presque à découvrir dans un coin le corps embaumé d'un démocrate. Pour compléter le tableau, une dizaine de carabines et de fusils de chasse s'alignaient sur un râtelier protégé par une vitrine.

Nous nous installâmes devant le feu. Madox se crut obligé de se comporter en maître de maison attentionné.

– Puis-je demander à Carl de vous apporter quelque chose ? Café ? Thé ? Ou, ajouta-t-il en montrant son propre verre de whisky sur la table basse, quelque chose de plus fort ?

Fidèle à la méthode utilisée pour faire durer un entretien, Kate répondit :

– Café, je vous prie.

Moi, je rêvais d'un scotch. L'arôme de celui que dégustait Madox me montait aux narines.

– Monsieur Corey ?

– Je dois avouer qu'un *latte* me comblerait. Ou un cappuccino. Mais un Americano ferait très bien l'affaire. Ou encore un *mocha freezie*.

Je ne bois jamais ces saloperies, mais il nous fallait passer un certain temps avec M. Madox.

– Euh... bien sûr. Carl, demandez à la cuisine s'il est possible de préparer un *latte*.

Je décidai alors de m'intéresser au molosse couché devant le feu, endormi ou mort.

– C'est Guillaume II, précisa Madox.

– On dirait un chien.

Il sourit.

– C'est un doberman. Très intelligent, loyal, puissant, rapide.

– Il est superbe, commenta Kate.

– Bien. Que puis-je pour vous ?

En temps normal, Kate et moi nous serions déjà réparti les rôles et aurions déjà prévu la tournure de l'interrogatoire, à savoir : qui mènerait l'entretien et dans quelle direction. Mais là, l'objet de notre recherche, Harry Muller, risquait de faire comprendre à Madox qu'il était surveillé, ce qui limitait notre conversation à des considérations sur le temps ou les dernières nouvelles du monde. D'un autre côté, Madox se savait peut-être déjà sous surveillance.

– Monsieur Corey ? Madame Mayfield ?

Je résolus de suivre l'exemple du général Custer et de charger bille en tête avec, je l'espérais, de meilleurs résultats.

– Monsieur Madox, on nous a signalé la disparition d'un agent fédéral nommé Harry Muller non loin de ce club. Il pourrait s'être égaré dans l'enceinte de votre domaine ou avoir été blessé.

Je guettai sa réaction. J'eus droit à une expression pleine de sollicitude.

– Ici ? Sur cette propriété ?

– C'est une possibilité.

Il parut sincèrement surpris. Ou alors il avait un vrai talent d'acteur.

– Pourtant... Vous avez pu vous rendre compte qu'il est très difficile de pénétrer sur mes terres.

– Harry était à pied.

– Vraiment ? Mais ma propriété est bien gardée et entourée d'une clôture de sécurité.

À mon tour de feindre la surprise.

– Une clôture, vraiment ? Il l'a peut-être franchie ?
– Pourquoi l'aurait-il fait ?
Bonne question. Je rétorquai :
– Il était passionné par l'observation des oiseaux.
– Je vois... Vous pensez donc qu'il a peut-être franchi ma clôture et s'est retrouvé chez moi ?
– C'est fort possible.
Madox ne laissait paraître aucune nervosité. Il restait attentif et perplexe.
– Mais qu'est-ce qui vous fait croire une chose pareille ? Mon domaine est perdu au milieu de milliers d'hectares de forêt. Je n'en possède que huit mille.
– Pas plus ? Écoutez, monsieur Madox, nous devons vérifier les informations qu'on nous a communiquées. J'irai donc droit au but : avez-vous, vous ou un membre de votre personnel, aperçu ou croisé quelqu'un sur votre propriété ?
– Pas à ma connaissance. On m'aurait averti. Depuis quand cet homme est-il porté disparu ?
– Depuis samedi. Mais on vient de nous en faire part.
Il hocha pensivement la tête, but une gorgée de whisky.
– J'ai eu seize invités ce week-end. Nombre d'entre eux sont partis en randonnée ou à la chasse. Il y avait aussi sur place mon personnel de sécurité. Il est donc peu probable que votre collègue se soit égaré dans l'enceinte du domaine sans que personne soit tombé sur lui.
Kate prit la parole pour la première fois.
– Seize personnes pour huit mille hectares, cela en fait une pour cinq cents. Sur vos terres, une armée passerait inaperçue.
– S'il était blessé et incapable de se mouvoir, il a très bien pu ne pas être découvert.
– Très juste, dit Kate.
Madox alluma une cigarette, souffla de parfaits ronds de fumée.
– Que souhaiteriez-vous que je fasse ? Comment pourrais-je vous aider ?
Je l'observai avec soin, fumant, buvant, bien calé dans son fauteuil de cuir. Il ne ressemblait en rien au suspect habituel. En fait, il avait l'air innocent. Toutefois, j'avais le sentiment que s'il était impliqué dans la disparition de Harry, il n'en conserverait pas moins son calme. Il aurait très bien pu dire à

ses sbires de nous répondre qu'il était absent ou occupé. Pourtant, il avait choisi de nous recevoir et de nous affronter.

Mon expérience sur le terrain m'avait beaucoup appris sur les psychopathes : leur narcissisme, leur égotisme, leur arrogance, leur sentiment d'impunité. Il était fort possible que Madox ait quelque chose à cacher et qu'aveuglé par son mépris il s'imagine pouvoir me le brandir sous le nez sans que je m'en aperçoive. Il se trompait.

Il répéta :

– En quoi pourrais-je vous aider ?

– En nous autorisant, répondis-je, à effectuer une battue sur votre propriété.

Visiblement, il s'était préparé à cette éventualité. Il déclara d'une voix égale :

– Je peux mener mes propres recherches. Je dispose d'une quinzaine d'hommes, de véhicules tout terrain et de six Jeep.

– Il vous faudrait un mois pour passer votre domaine au peigne fin. Je parle de la police d'État et de la police locale, d'agents fédéraux et, peut-être, de renforts venus de Camp Drum.

Cette idée ne sembla pas lui plaire. Mais il était coincé. Il tenta une dernière parade.

– Dites-moi encore ce qui vous fait croire que cet homme se trouve sur ma propriété et non à l'extérieur.

Objection imparable, à laquelle je ne pus opposer qu'une réponse légale.

– Nous agissons d'après des informations précises et de fortes présomptions. C'est tout ce que je peux dire. Les renseignements que nous possédons nous permettraient d'obtenir un mandat de perquisition. Mais cela prendrait du temps. Nous préférerions nous appuyer sur votre coopération. Cela vous pose-t-il un problème ?

– Pas le moins du monde. Toutefois, je vous suggère de commencer par des recherches aériennes, qui pourraient donner des résultats plus rapides et aussi efficaces.

– Merci, dit Kate. Nous savons tout cela. D'ailleurs, les recherches aériennes ont déjà commencé. Nous sommes chargés de vous demander l'autorisation de pénétrer dans votre propriété avec des effectifs au sol.

– Loin de moi l'idée de m'opposer à une opération de

secours. J'aurais pourtant besoin d'un document officiel me déchargeant de toute responsabilité.

Kate, qui commençait à perdre patience, lâcha sèchement :

– Nous vous en ferons faxer un le plus rapidement possible.

– Merci. Je ne voudrais pas avoir l'air d'un mauvais citoyen, mais nous vivons, hélas, en des temps procéduriers.

Je ne pouvais que l'approuver.

– Ce pays devient fou, lançai-je. Trop d'avocats.

Il acquiesça de bonne grâce :

– Les juristes de tout poil mènent notre nation à la ruine. Ils sapent les fondements de notre économie en attaquant nos entreprises et terrorisent les gens honnêtes.

– Mme Mayfield est juriste, précisai-je avec un sourire.

– Oh... Je serais navré d'avoir...

– Je ne pratique pas, dit Kate.

– Tant mieux. Vous êtes trop jolie pour être un rapace.

Elle le fixa droit dans les yeux. Il reprit, souhaitant conclure :

– Je présume que vous commencerez la battue demain matin. Il fait trop sombre pour envoyer des gens dans les bois.

D'abord cette histoire de décharge de responsabilité, maintenant l'approche de la nuit... Il cherchait encore à gagner du temps.

– Il nous reste encore trois heures de jour, objectai-je.

– Mes hommes vont donc commencer les recherches sur-le-champ. Ils connaissent le terrain dans ses moindres recoins.

Ses yeux gris, qui ne cillaient jamais, ne trahissaient aucune émotion. Sans les détourner des miens, il martela :

– Monsieur Corey, dites-moi, je vous prie, pourquoi un agent fédéral se trouvait sur ma propriété.

J'avais déjà une réponse toute prête.

– Le fait que M. Muller soit un agent fédéral n'entre pas en ligne de compte.

– Qu'est-ce à dire ?

– Il n'était pas en service. Il faisait du camping. N'ai-je pas été assez clair sur ce point ?

– Je vous ai peut-être mal compris.

– Peut-être... Mais puisqu'il s'agit d'un agent fédéral, le gouvernement fédéral participe aux recherches.

– Je vois. Que Mme Mayfield et vous travailliez pour la

Force d'action antiterroriste ne devrait donc m'inquiéter en rien...

– En effet, cela n'a aucun rapport. Cela étant, j'aurais dû mentionner que M. Muller est un de nos collègues. En dehors de nos motivations professionnelles, nous nous sentons personnellement concernés.

Madox resta un instant songeur.

– J'ai fait la guerre, murmura-t-il enfin. Je connais ce genre de camaraderie...

Il alluma une autre cigarette, souffla cinq ronds de fumée impeccables.

– C'est un art qui se perd. Puis-je vous offrir une cigarette ? Nous refusâmes tous les deux.

Je jetai un regard autour de moi. Depuis le fond de la pièce, deux yeux de verre me fixaient : dissimulé dans un coin sombre, un gros ours brun dressé sur ses pattes arrière me montrait ses griffes et ses crocs d'un air menaçant. Même si je le savais mort et empaillé, je ne pus m'empêcher de sursauter.

– Vous l'avez tué vous-même ? demandai-je à Madox.

– Oui.

– Où ?

– Ici, dans ma propriété. Parfois, ils forcent la clôture.

– Et vous les dégommez ?

– Seulement pendant la saison de la chasse. Le reste du temps, nous les anesthésions et les ramenons à l'extérieur.

– Avez-vous des pièges à ours ?

– Sûrement pas. Je ne voudrais pas que mes invités y laissent une jambe. Ni ceux qui pénètrent illégalement chez moi...

Il consulta sa montre.

– Bien. Si...

– Une dernière question...

– Je vous écoute.

– Vous êtes donc chasseur...

– On ne peut rien vous cacher.

– Et tous ces animaux empaillés sont vos trophées.

– Je ne les achète pas, contrairement à certains.

– Vous êtes donc bon tireur.

– J'étais tireur d'élite dans l'armée. Je descends un cerf à trois cents mètres.

– Belle performance. À quelle distance se trouvait cet ours ?

– Tout près. Je laisse toujours les prédateurs s'approcher.

Il me scruta sans la moindre équivoque.

– C'est ce qui rend la confrontation excitante, monsieur Corey, ajouta-t-il. Mais quel rapport avec la disparition de votre ami ?

– Aucun. Simple curiosité. Donc le Custer Hill est un club privé ?

– Très privé.

– Pourrais-je en devenir membre ? Je suis blanc, de sang irlandais et britannique ; catholique, comme Christophe Colomb, mais je pourrais m'arranger : je me suis marié dans une église méthodiste.

– Nous ne pratiquons aucune discrimination de ce genre. Mais, comme on dit dans l'hôtellerie, nous sommes complets pour le moment.

– Acceptez-vous les femmes ? s'enquit Kate.

– Personnellement, oui, répondit-il en souriant. Mais notre club est réservé aux hommes.

– Pourquoi ?

– Parce que je l'ai voulu ainsi.

Carl apparut, portant un plateau qu'il posa sur la table basse.

– Café au lait, me dit-il. Cela convient-il ?

– Merveilleux.

Il désigna une petite cafetière d'argent à l'intention de Kate.

– Ça ira ?

Nous hochâmes la tête et Carl disparut. Madox se leva et se dirigea vers le bar pour se verser un autre whisky.

– J'en prendrais bien une larme, dis-je.

Il répondit par-dessus son épaule :

– Vous devrez le boire sec. J'ai des problèmes avec mon frigo.

Il sourit de nouveau.

Rudy, mon salaud, je te ferai avaler ton antenne...

Madox savait donc que nous avions demandé notre chemin pour nous rendre chez lui. Pourtant, il nous avait reçus, même après avoir appris par l'un de ses cerbères que nous étions des agents fédéraux. Il avait décidé de nous jauger, nous laissant faire de même avec lui. Il me tendit un verre de cristal.

– Bon Colombus Day.

Nous trinquâmes. Il se rassit, croisa les jambes, dégusta une gorgée et contempla le feu.

Guillaume II s'éveilla, bâilla, gémit pour se faire gratter les oreilles. Kate sirota son café, puis brisa le silence.

– Vous nous avez dit avoir reçu seize invités ce week-end...

– C'est exact.

Il regarda sa montre.

– Ils doivent être repartis.

– Nous pourrions avoir besoin de les interroger. Il me faudrait donc leurs noms et leurs coordonnées.

Madox n'avait pas vu le coup venir. Il resta quelques instants sans voix, ce qui ne devait pas lui arriver souvent. Il finit par murmurer :

– Pourquoi ?

– Au cas où ils auraient vu ou entendu quelque chose ayant un rapport avec la disparition de M. Muller. Simple routine...

Cette routine parut le contrarier.

– Cela me semble totalement inutile. Personne n'a rien vu, ni rien entendu. En outre, les membres de notre club souhaitent conserver leur anonymat.

– Je leur garantis la plus entière discrétion, riposta Kate. Quant à savoir si quelqu'un a vu ou entendu quelque chose, cela reste de notre ressort.

Madox avala une grande gorgée de whisky.

– Madame Mayfield, contrairement à vous, je ne suis pas juriste. Toutefois, je connais assez la loi pour savoir qu'à moins qu'il s'agisse d'une affaire criminelle, ce qui n'est pas le cas, ou d'une affaire officielle, ce qui n'est pas le cas non plus, je n'ai pas à vous donner le nom de mes hôtes, pas plus que vous n'êtes obligée de me dire qui vous avez reçu chez vous ces derniers jours.

Incapable de résister, je m'écriai :

– J'ai eu mon oncle et ma tante Joe et Agnès O'Leary à déjeuner. Et vous ?

Il tourna la tête vers moi. Toujours ce regard impavide. Je fus incapable de deviner si ma blague l'avait amusé ou non. Curieusement, ce type me plaisait. En d'autres circonstances, nous aurions pu sympathiser. Si toute cette histoire n'était qu'un malentendu, si on découvrait Harry dans un motel ou ailleurs, peut-être m'inviterait-il à passer un week-end avec ses potes. Peut-être pas...

– Il est exact, lui répondit Kate, que vous n'êtes pas obligé de nous révéler l'identité de vos invités, du moins pour l'instant, mais nous vous saurions gré de coopérer avec nous dès maintenant, dans la mesure où la vie d'un homme est en danger.

– Je dois en aviser mon avocat.

– Vous n'aimez pas les avocats, monsieur Madox.

Il capitula avec un sourire crispé.

– Je vais entrer en contact avec mes hôtes pour m'assurer qu'ils acceptent que leur nom soit divulgué.

– Faites-le le plus rapidement possible. Et pendant que nous y sommes, il me faudrait également l'identité et les coordonnées de vos employés. Appelez-moi ce soir. M. Corey et moi séjournons au Point de Vue.

– Au Point de Vue ? Avez-vous l'intention de vider les caisses de l'ATTF ?

Bien envoyé. Ce type me bottait de plus en plus.

– Pour faire des économies, précisai-je, nous partageons la même chambre.

– Je n'ai rien entendu, dit-il en consultant sa montre. Bien, si je dois donner quelques coups de fils...

– À ce propos, j'ai constaté, ici, une très bonne réception des téléphones cellulaires. J'ai également remarqué la tour plantée sur la colline. S'agit-il d'un relais ?

– En effet.

– Vous devez avoir le bras long.

– C'est-à-dire ?

– La population de cette région est moins dense que celle de Central Park un dimanche, et je ne crois pas que nombre de ces gens possèdent un mobile. Pourtant, vous disposez d'un relais en plein milieu de votre propriété.

– Vous seriez surpris du nombre de campagnards possédant un téléphone cellulaire. En fait, j'ai moi-même fait construire cette tour.

– Pour vous ?

– Pour quiconque se sert d'un mobile. Mes voisins l'apprécient beaucoup.

– Je n'ai pas vu de voisins.

– Où voulez-vous en venir ?

– À ceci : l'agent Muller avait un mobile. Il a passé et reçu plusieurs appels dans cette zone. Or il n'appelle plus et ne reçoit plus rien. C'est pourquoi nous craignons qu'il n'ait été blessé. Ou pis encore.

– Parfois, monsieur Corey, l'appareil se trouve trop loin du relais et le contact s'interrompt. Parfois, les gens perdent ou endommagent leur téléphone. Ou bien leur batterie est à plat. Un mobile qui ne réagit plus ne m'inquiète jamais outre mesure. Sinon, je croirais que mes enfants ont été kidnappés par des Martiens.

Je souris.

– Vous avez raison. Cela n'implique pas forcément des catastrophes.

Il décroisa les jambes, se pencha en avant.

– Bien. Rien d'autre ?

– Si. Quelle est la marque de ce whisky ?

– Cuvée réservée, single malt. Puis-je vous en offrir une bouteille ?

– C'est très généreux de votre part, mais je ne puis accepter aucun présent. En revanche, je peux en vider une sur place sans enfreindre mon code de déontologie.

– Un dernier, alors ? Le coup de l'étrier ?

– Ce ne serait pas prudent. J'aurais le plus grand mal à trouver le Point de Vue, même en plein jour. Mais nous pourrions passer la nuit ici. Est-ce possible ?

– Non. Les statuts du club ne le permettent pas. De plus, mon personnel va prendre un repos mérité après ce week-end de trois jours.

– Je n'ai pas besoin de soubrette, et il ne nous faudra qu'une chambre.

Il me surprit en répliquant :

– Vous êtes drôle. Navré, je ne peux vous inviter à passer la nuit ici. Mais si vous désirez descendre dans un motel local, un de mes employés vous guidera jusqu'à South Colton.

Le whisky l'avait sans doute un peu déridé, ce qui expliquait pourquoi il me trouvait drôle. J'en profitai pour tenter de prolonger l'entretien.

– Je ne voudrais pas vous empêcher de passer vos coups de fil, mais si vous avez encore une minute, je serais curieux d'en savoir un peu plus sur votre club.

Silence. Je rectifiai le tir.

– Ma curiosité n'a rien à voir avec la disparition de mon collègue. Simplement, je trouve cet endroit fabuleux. Comment est-il né ? Que faites-vous ici ? Vous chassez ? Vous pêchez ?

Bain Madox alluma une nouvelle cigarette, se renversa dans son fauteuil.

– Eh bien, le nom, tout d'abord... En 1968, je fus nommé sous-lieutenant dans l'armée des États-Unis et muté à Fort Benning, en Géorgie, prélude à mon départ pour le Vietnam. Quelques jeunes officiers, dont je faisais partie, se réunissaient plusieurs soirs par semaine dans un chalet perdu dans les bois, en un endroit nommé Custer Hill. Nous y buvions de la bière et nous gavions de pizzas tout en discutant de la vie, de la guerre, de femmes et, parfois, de politique.

Il parut soudain avoir quitté la pièce pour s'envoler très loin de là, en un autre temps. Le silence s'installa, troublé seulement par les craquements du feu, qui se mourait. Madox sortit de sa rêverie et poursuivit :

– Ce fut une époque très difficile pour le pays et pour l'armée. La discipline n'existait quasiment plus, la Nation était gravement divisée. Il y avait des émeutes dans les villes, des assassinats. Les nouvelles du front étaient mauvaises et des camarades, des gens que nous connaissions, mouraient au Vietnam ou en revenaient affreusement blessés, physiquement, mentalement et spirituellement. Voilà de quoi nous parlions... Nous nous sentions trahis. Nous avions l'impression que nos sacrifices, notre patriotisme, notre vocation, nos convictions ne correspondaient plus à rien et révulsaient la plupart de nos compatriotes. Cela s'est déjà produit dans l'histoire du monde, mais, pour l'Amérique, c'était une nouveauté. Nous sommes devenus amers, puis, ainsi que vous le diriez sans doute, radicaux. Et nous avons fait le vœu, si nous survivions, de consacrer le reste de notre existence à défendre nos valeurs.

À mon avis, ce vœu était d'une tout autre nature. Le mot « vengeance » me vint à l'esprit.

– Donc, reprit Madox, la plupart d'entre nous sont partis pour le Vietnam. Quelques-uns en sont revenus et nous ne nous sommes pas perdus de vue. Certains, dont moi, sont restés dans l'armée. Mais la plupart l'ont quittée une fois leur engagement terminé. Nombre d'entre nous ont réussi dans la vie. Et nous aidons ceux qui, n'ayant pas eu cette chance, ont besoin d'un coup de pouce dans leur carrière ou d'une recommandation. Bref, un réseau de vétérans classique. Mais le nôtre avait vu le jour en des temps troublés, une époque de sang et de guerre où l'Amérique paraissait en pleine décadence. Et puis, à mesure que nous prenions de l'âge, que nous réussissions professionnellement et que notre influence grandissait, l'Amérique s'est redressée, a retrouvé sa force. Et nous avons pris conscience de ce que nous représentions...

Il se tut une fois encore et laissa son regard errer dans la pièce, comme s'il revivait toutes les étapes qui l'avaient conduit jusqu'ici, dans cette grande demeure, si loin du petit club d'officiers perdu dans les bois de Géorgie.

– J'ai construit ce chalet, pour en faire un lieu de réunion, il y a une vingtaine d'années.

– Donc, lui dis-je, vous et vos amis ne vous contentez pas de pêcher et de chasser. Les affaires jouent leur rôle dans votre association. La politique aussi, peut-être...

Il asséna calmement, pesant ses mots :

– Nous étions engagés dans la guerre contre le communisme. Je peux affirmer sans exagérer, et non sans fierté, que de nombreux membres de ce club ont contribué à la victoire finale contre cette idéologie perverse et à la fin de la guerre froide... À présent, nous avons un nouvel ennemi. Il y aura toujours un nouvel ennemi.

– Vous le combattez ?

Il haussa les épaules

– Pas avec la même fougue qu'au temps de la guerre froide. Nous avons vieilli. Nous avons mené le bon combat et nous méritons une retraite paisible. Ce nouvel adversaire, il appartient aux gens de votre âge de l'affronter.

– Donc les membres de votre club sont tous des anciens du Custer Hill Club d'origine ?

– Pas vraiment. Certains d'entre nous sont morts, d'autres ont disparu ou ont renoncé. Au fil des années, nous avons accueilli de nouveaux membres, des hommes qui partagent nos idées et ont vécu cette période. Nous les avons nommés membres honoraires de l'ancien Custer Hill Club de Géorgie, fondé en 1968.

207

Je songeai à ces hommes puissants et riches se retrouvant pour de longs week-ends dans un chalet isolé. Peut-être, au fond, n'y avait-il rien de suspect dans ces rencontres. Peut-être avions-nous affaire à une nouvelle crise de paranoïa du ministère de la Justice. D'un autre côté...

– En bien, monsieur Madox, merci d'avoir partagé ces souvenirs avec nous. Vous devriez écrire vos mémoires.

Il sourit.

– Ils nous mèneraient tout droit en prison.

– Pardon ?

– Pour quelques-unes de nos activités pendant la guerre froide. Nous avons poussé le bouchon un peu loin.

– Vraiment ?

– Mais tout est bien qui finit bien. Ne pensez-vous pas qu'il faut parfois, pour combattre des monstres, devenir un monstre soi-même ?

– Non, je ne le pense pas.

Kate enfonça le clou.

– Nous devons mener le bon combat de façon honorable. C'est ce qui nous différencie d'eux.

– Tout dépend de ce qu'on entend par honorable, madame Mayfield.

Il avait déjà tranché la question des années plus tôt, devant une bière et une pizza.

– Donc, lui dis-je, vous avez, vous aussi, des camarades qui se lanceraient à votre recherche si vous disparaissiez.

– J'en avais, oui. Lorsque j'étais jeune et que je portais l'uniforme... Ils sont tous morts, à présent. Sauf Carl... Il a servi sous mes ordres au Vietnam. Carl et Guillaume II sont loyaux. Mais trêve de regrets...

Je me levai.

– Merci de votre accueil.

Kate se leva elle aussi et ramassa son attaché-case.

Madox parut presque surpris, déçu, même, d'être débarrassé de nous. Il se leva à son tour et dit :

– Mon personnel va commencer les recherches. Demain, je mettrai mes hommes à la disposition de vos équipes, ainsi que des cartes et des véhicules.

– Votre personnel sera en congé, lui rappelai-je.

– Les employés de maison, oui. Mais les membres du service de sécurité restent sur place.

– Puis-je vous demander pourquoi vous vous entourez d'autant de gardes ? questionna Kate.

– Ils ne sont pas si nombreux, si l'on considère qu'ils travaillent par roulement pour assurer la sécurité de cette propriété sept jours sur sept, vingt-quatre heures sur vingt-quatre et tous les jours de l'année.

– Mais pourquoi avez-vous besoin d'une telle équipe de sécurité ?

– Une demeure comme celle-ci attire bien des convoitises. Les effectifs de la police locale sont limités et la police de cet État est loin. Je me protège moi-même.

Kate n'insista pas. Madox nous raccompagna jusqu'au vestibule.

– Serez-vous là demain ? lui dis-je.

– Peut-être. À moins de projets de dernière minute.

– Où habitez-vous, en temps normal ?

– New York, Captiva, San Diego, Londres et la Toscane.

– Comment faites-vous pour ne pas perdre toutes vos clés ?

Il sourit.

– Comment partez-vous d'ici ? lui demandai-je. En voiture ? En avion ?

– D'ordinaire, quelqu'un me conduit jusqu'à l'aéroport régional de Saranac Lake. Pourquoi cette question ?

– Je voulais simplement être sûr de pouvoir vous joindre demain. Avez-vous un mobile ?

– Je ne donne ce numéro à personne. Mais vous pouvez appeler celui du service de sécurité. Il y a toujours un homme de garde. Il me localisera. Si nous découvrons quoi que ce soit, nous vous appellerons au Point de Vue. Mais je vous verrai probablement dans la matinée.

– Certainement. Possédez-vous un avion privé ?

– Oui.

– Peut-on vous joindre à bord de cet avion ?

– En temps normal, oui. Pourquoi ?

– Projetez-vous un vol à l'intérieur ou à l'extérieur du pays ?

– Je vais là où mes affaires m'appellent, quand ma présence s'impose. Je ne vois pas très bien en quoi cela peut vous intéresser.

– Je veux être en mesure de vous joindre en cas de malentendu ou de problème avec vos vigiles, qui me paraissent très pointilleux et d'un abord un peu rude.

– C'est pour cela que je les paie. Mais je veillerai à ce que vous et Mme Mayfield puissiez me joindre à tout moment, et à ce que les équipes de recherche, demain matin, traversent librement ma propriété.

– Parfait. Nous n'en demandons pas davantage.

Je ne pus m'empêcher d'admirer encore une fois la décoration du vestibule.

– Cet endroit vous ressemble, monsieur Madox.

– Je l'ai fait construire en 1982. La guerre froide était alors à son apogée. Vous vous souvenez peut-être que les femmelettes hystériques des médias accusaient le Président Reagan de nous entraîner vers un holocauste nucléaire. Des poules mouillées... Toutefois, ce risque de guerre totale, même si je n'y croyais pas beaucoup, était présent à mon esprit lorsque j'ai fait bâtir ce chalet. Et il obsédait ma femme.

– Vous êtes marié ?

– Plus maintenant.

– Elle était démocrate ?

– Non... Amoureuse de mes cartes de crédit.

– Vous avez donc un abri antiatomique ?

– Oui. Un investissement totalement inutile, mais c'était ce qu'elle voulait. Moi, je souhaitais simplement, en bâtissant cette demeure, honorer la mémoire de mes camarades morts, dont vous pouvez lire les noms sur les plaques de bronze qui se trouvent à votre droite. La plupart ont péri au Vietnam, certains dans les guerres qui ont suivi, d'autres, plus heureux, dans leur lit. J'ai tenu aussi à conserver le souvenir de l'ancien Custer Hill Club et du héros qui lui a donné son nom. Voyez-vous, j'ai servi dans le 7e régiment de cavalerie. Celui du général Custer...

– Je ne vous croyais pas si âgé.

– Au Vietnam, monsieur Corey... Ce régiment existe toujours... Bien. Je ne vous retiens plus. Ne vous tourmentez pas. Avec un peu de chance, mes hommes trouveront votre ami dès ce soir.

Il ouvrit la grande porte, nous entraîna sur la véranda. Je

jetai un coup d'œil dehors. La Ford Taurus d'Enterprise avait disparu.

– Monsieur Madox, nous reviendrons demain matin à la première heure. Vous rencontrer a été un honneur. Je tiens à vous exprimer ma reconnaissance pour les services que vous avez rendus à notre pays.

Il se contenta, modestement, de hocher la tête.

– Oui, dit Kate. Nous vous remercions.

– Quant à vous, monsieur Corey et madame Mayfield, vous servez de façon différente, dans une autre guerre. Merci pour cela. Ce combat risque d'être le plus rude que nous ayons à livrer. Faisons face. Nous vaincrons.

– Nous vaincrons, dit Kate.

– Nous vaincrons, dis-je.

– Je n'en doute pas, conclut Madox. Et j'espère vivre assez longtemps pour voir nos concitoyens vivre enfin en paix.

Sur ces paroles sublimes, nous prîmes congé.

Chapitre 23

Nous remontâmes dans la Taurus et, à la suite de la Jeep noire, redescendîmes la colline jusqu'au portail.

Nous n'échangeâmes pas un mot avant d'avoir quitté la propriété, peut-être truffée d'instruments d'écoute directionnels. Mais nous allumâmes nos téléphones et nos bipeurs. Kate avait deux messages. Et moi, un.

L'horloge du tableau de bord indiquait 16 h 58. Vaillant défenseur de la civilisation occidentale, Tom Walsh serait donc dans son bureau pendant encore deux minutes.

Arrivée devant le poste de garde, la Jeep se rangea sur le côté et le portail s'ouvrit. Au moment où nous sortions du domaine, j'aperçus deux vigiles devant l'une des fenêtres du pavillon. L'un d'eux nous filmait avec une caméra vidéo. Je me penchai vers la vitre de Kate et les saluai en levant le majeur.

L'ombre descendait sur McCuen Pond Road. J'allumai mes phares, pour ne pas me laisser surprendre par un ours.

— Eh bien, dis-je à Kate, qu'en penses-tu ?

— Dans le genre dinosaure, il est charmant. J'ai l'impression que tu lui as plu. D'ailleurs, dans le style macho sûr de lui, il te ressemble un peu.

— Tu me flattes. Crois-tu qu'il en sache plus sur Harry qu'il n'a bien voulu le dire ?

— Je ne sais pas... Il avait un comportement presque nonchalant.

— Attitude typique du sociopathe narcissique, commentai-je.

— Ou de quelqu'un qui n'a rien à se reprocher.

– Il a forcément quelque chose à cacher, ne serait-ce qu'une manipulation du prix du brut. C'est pour cette raison que le ministère de la Justice s'intéresse à lui. Pourtant, il nous a reçus sans s'embarrasser de la présence de son avocat.

– Ce qui signifie... ?

– Il voulait, d'après nos questions, deviner ce que nous savions.

– C'est une façon de voir les choses.

– Il y a aussi l'histoire du Custer Hill Club... ajoutai-je.

– Quel roman ! Ces jeunes officiers qui restent en contact toute leur vie, dont certains deviennent riches et puissants... Et Bain Madox qui bâtit ce chalet...

– Plus stupéfiant encore, il nous a avoué que ses amis et lui formaient une sorte de société secrète qui a joué un rôle sur la scène internationale pendant la guerre froide. Y compris par des actions illégales.

– Il veut se donner de l'importance, affirma Kate. C'est normal. Tous les hommes le font. Mais si ce qu'il a laissé entendre est vrai, cela jette un tout autre jour sur son club. Il a suscité des soupçons, alors qu'il n'y était pas obligé.

– Il pensait peut-être que nous connaissions déjà l'histoire du Custer Hill Club. De toute façon, même s'il s'est appesanti sur la passé et la guerre du Vietnam et nous a affirmé qu'il était peu impliqué dans la lutte contre le terrorisme, je suis sûr que lui et ses amis ne se contentent pas de ressasser leur nostalgie. Ils s'intéressent de près à ce qui se passe aujourd'hui. Madox est un magnat du pétrole. Or, pétrole et politique font bon ménage.

– Ce n'est pas nouveau, répliqua-t-elle.

– Crois-tu qu'il ait quelque chose à voir avec la disparition de Harry ?

– Ce qui m'a mis la puce à l'oreille, c'est sa façon de chercher à gagner du temps. Comme s'il s'attendait à voir Harry apparaître à l'improviste...

– J'ai un mauvais pressentiment. Ça ne va pas tarder à arriver.

– Espérons que nous le reverrons sain et sauf... Il faut que je vérifie mes messages.

Elle écouta sa boîte vocale.

– Tom, deux fois. Je dois le rappeler le plus vite possible. Elle consulta son bipeur.

– Toujours Tom. Deux fois...

– Il s'incruste, on dirait...

– Ralentis, pour que nous ne perdions pas le contact. J'obéis.

– Mets l'amplificateur, dis-je.

Elle rappela l'ATTF. La voix de Tom Walsh retentit dans la voiture.

– Nom de Dieu, où étiez-vous ?

Kate ne chercha pas à mentir.

– Nous venons d'avoir un entretien avec Bain Madox, au Custer Hill Club.

– Quoi ! Je vous avais interdit... C'était une idée de votre connard de mari ?

– Salut, Tom. Le connard est là.

– Corey, cette fois, vous avez dépassé les bornes !

– Vous me l'avez déjà dit la dernière fois.

– Vous n'avez tenu aucun compte de mes ordres ! Je vais vous foutre dehors !

Légèrement froissée, Kate l'interrompit :

– Tom, Madox nous a autorisés à effectuer, dès l'aube, une battue sur ses terres. En attendant, il nous a promis d'envoyer son service de sécurité commencer immédiatement les recherches.

Long silence.

– Tom ? Vous m'entendez ?

Sa voix nous parvint de nouveau, beaucoup moins assurée.

– Je crains que la poursuite des recherches ne soit plus nécessaire.

Silence encore, cette fois de notre côté. Mon estomac se noua. Je savais déjà ce que Tom allait dire. Mais je refusais de l'entendre.

– La police de l'État a découvert le corps d'un homme qu'elle a identifié, grâce au contenu de son portefeuille et à la photo sur sa carte des Feds, comme étant celui de Harry Muller.

Troisième silence, de plomb. Enfin, Tom bredouilla :

– Navré d'annoncer une mauvaise nouvelle.

Je me garai sur le bas-côté, pris une profonde inspiration, puis murmurai :

– Vous avez des détails ?

– Vers 15 h 15, le bureau de Ray Brook, de la police d'État, où vous êtes censés vous trouver, a reçu un appel anonyme d'un randonneur qui venait de tomber, en pleine forêt, sur un corps gisant au milieu d'un sentier. Il s'en est approché, a constaté que l'homme avait été tué par balle. Il a regagné son véhicule, roulé jusqu'à l'un des téléphones d'urgences du parc pour appeler la police. Il a refusé de donner son nom.

Pour moi, ce nom ne faisait aucun doute. *J'étais tireur d'élite dans l'armée.*

– Ce correspondant anonyme, poursuivit Walsh, a fourni une description précise des lieux. En moins d'une demi-heure, la police d'État et la police locale, aidées de chiens, ont retrouvé le cadavre. Une recherche plus poussée a permis de découvrir le camping-car de Harry quelques kilomètres plus au sud. Cela laisse supposer que Harry se dirigeait vers le Custer Hill Club, à environ quatre kilomètres du sentier.

Je répondis aussitôt :

– Cela ne cadre pas avec son coup de téléphone à sa compagne.

– J'ai réécouté son message. Il a dit, je cite : « Je suis en service commandé, tout près du pavillon de chasse des barjos d'extrême droite. » Cela signifie qu'il était en vue du chalet. Mais pas forcément à deux pas de l'enceinte.

Walsh n'avait rien d'un détective. Je le lui fis comprendre.

– Tom, il est impossible qu'il ait garé son camping-car à des kilomètres du Custer Hill Club, et appelé sa compagne à 7 h 48 avant de se mettre à crapahuter dans les bois. Il lui aurait fallu plus de deux heures pour arriver jusqu'à la clôture, c'est-à-dire à 10 heures, alors qu'il devait se trouver là-bas aux premières lueurs du jour. Vous me suivez, Tom ?

– Oui, mais...

– Parfait. Pendant que vous y êtes, tâchez de circonscrire la zone d'où Harry a appelé son amie. Vous saurez ainsi où il se trouvait à ce moment-là.

– Merci. Je ne suis pas né de la dernière pluie. La compagnie du téléphone travaille déjà là-dessus. Mais, hormis la tour du Custer Hill Club, il n'existe peut-être pas de relais assez proche pour déterminer cette position.

– Comment savez-vous que le Custer Hill Club possède une tour relais ?

Quatrième silence. Puis :

– Je le tiens de la compagnie de téléphone. Nous devrions en savoir un peu plus d'ici une heure ou deux. Mais s'il s'avère que Harry était parvenu aux abords de la propriété, cela ne signifie pas qu'il y a pénétré. Quelque chose a pu l'effrayer. Peut-être avait-il rebroussé chemin vers son camping-car au moment où il a été tué. Il y a toujours plusieurs manières d'interpréter un fait.

– Vraiment ? Pourtant, un peu de bon sens n'a jamais nui à personne.

– Les procureurs fédéraux se foutent du bon sens. Ils exigent des indices qui parlent d'eux-mêmes, des preuves tangibles. Là, nous n'en possédons pas.

– Alors, il faut en découvrir. Parlez-moi de la blessure.

– La balle a pénétré dans la partie supérieure du dos. Elle a sans doute brisé la colonne vertébrale avant de traverser le cœur. La mort a probablement été instantanée. Selon le commandant Schaeffer, rien n'indique que Harry se soit traîné après avoir été blessé. Il est mort là où il est tombé... On a trouvé de l'argent liquide dans son portefeuille, sa montre, son arme, ses pièces d'identité, sa caméra vidéo, son appareil numérique. Selon la police de l'État, il s'agit d'un accident de chasse.

Je descends un cerf à trois cents mètres...

– C'est ce qu'on a voulu laisser croire, rétorquai-je. Il faut absolument visionner le contenu de la caméra et de l'appareil photo.

– C'est déjà fait. Rien sur la cassette, ni sur la carte numérique.

– Envoyez-les à votre labo pour vérifier que rien n'a été effacé.

– Déjà fait aussi.

– Quand aurons-nous le rapport d'autopsie ? interrogea Kate.

– Le corps est en route pour la morgue de Potsdam, en vue d'une identification d'après les photographies et les empreintes digitales du dossier du FBI. J'ai donné des instructions pour qu'on ne pratique pas l'autopsie sur place. L'affaire est trop importante pour qu'on se fie à un légiste local. Le corps sera rapatrié à Bellevue ce soir ou demain.

– Excellent. Faxez-moi une copie du rapport d'autopsie et des analyses toxicologiques.

– L'analyse toxicologique prend quatre à six jours.

– Deux ou trois si on va à l'essentiel, répondit Kate. Demandez aussi à Bellevue de se concentrer sur d'éventuelles traces de violence : drogue, hématomes, marques de corde ou de menottes, traumatismes autres que la blessure par balle. Il est également impératif de déterminer l'heure de la mort.

– Au cas où vous ne le sauriez pas, le médecin légiste de New York, la police de l'État et le FBI sont des spécialistes de ces questions.

J'ajoutai, ignorant cette remarque :

– Veillez aussi à ce qu'un enquêteur de la police de l'État se rende d'urgence à la morgue pour assister à l'enlèvement des vêtements et des effets personnels. Il, ou elle, devra chercher à savoir si ces vêtements ou ces effets ont été touchés par quelqu'un.

– Un responsable de la police d'État est déjà en route pour la morgue, tout comme deux de nos agents d'Albany. Dans la mesure où l'un des nôtres a été tué, nous prenons la direction des opérations.

– Parfait. Assurez-vous aussi que la police d'État et le FBI fassent un relevé complet des lieux du drame et recherchent d'éventuels témoins. Il faut que vous envisagiez l'hypothèse du meurtre.

– Bien sûr. Mais il pourrait s'agir de ce que suggèrent les indices : un accident. Dans la région, c'est très fréquent. Cela étant, si vous vous trouviez là où vous étiez censé être, vous pourriez collaborer de façon utile aux investigations au lieu de nous donner des leçons sur la manière de procéder à une autopsie et de mener une enquête.

– Je vous emmerde, Tom.

– Je tiens compte de votre chagrin. Je passe donc pour cette fois.

– Je réitère. Je vous emmerde.

– Je vous entends mal. Où êtes-vous ?

À Kate de répondre :

Nelson DeMille

— Nous venons de quitter le Custer Hill Club.

— Non seulement vous y avez perdu votre temps, mais vous avez révélé à Bain Madox qu'il était surveillé.

Kate prit vertement ma défense.

— John a mené l'entretien de façon parfaite. Si Madox ignorait qu'on le surveillait, il l'ignore toujours. S'il le savait déjà, cela ne change rien.

— Vous ne deviez le rencontrer sous aucun prétexte. Qu'est-ce qui vous a pris d'aller là-bas ? John ?

— J'étais en mission de secours d'urgence, Tom. J'ai obtenu ce que je voulais : l'autorisation de mener des recherches. D'accord, elles ne sont plus nécessaires. Mais je suis prêt à faire mine de les poursuivre, uniquement pour avoir de nouveau affaire à M. Madox.

— Cela n'arrivera pas. Maintenant que vous lui avez rendu visite, la loi nous oblige à lui signaler que le disparu a été retrouvé en dehors de sa propriété.

— Ne vous hâtez pas de le lui dire.

— John, ce type n'est pas n'importe quel péquenot. La police de l'État le mettra au courant dans moins d'une heure.

— Laissez-moi d'abord en discuter avec le commandant Schaeffer.

— Pourquoi ? demanda Walsh.

— J'ai passé trois quarts d'heure avec Madox. J'ai reçu d'étranges vibrations de sa part. Je pense que ce fumier a fait Harry prisonnier, l'a cuisiné, puis l'a liquidé.

— C'est une accusation grave. Vous devriez réfléchir avant de parler.

— Vous, songez-y.

— Kate ? s'enquit Walsh.

Elle prit une grande inspiration et répondit :

— C'est possible. C'est tout à fait possible.

— Quel serait le mobile de Madox ?

— Je n'en sais rien, avouai-je. Mais je le découvrirai.

Dernier silence.

— Entendu, admit-il enfin. Nous procéderons donc comme s'il s'agissait d'un homicide. Entre-temps, il faudra que je prévienne la compagne de Harry, et Washington...

— Ne téléphonez pas. Prenez la peine d'envoyer à Lori un policier de l'ATTF accompagné d'un aumônier. Harry avait

218

également des enfants et une ex-épouse. Envoyez quelqu'un qui connaît la famille : son ancien chef de patrouille ou un de ses vieux camarades. Parlez-en à Vincente Paresi. Il saura vous conseiller.

– Je comprends. Quant à vous, filez à l'aéroport. Un hélicoptère passera vous prendre. Un State Trooper vous y attendra, avec la caméra et l'appareil numérique de Harry, que vous rapporterez au 26, Fed...

– Minute. Nous ne quitterons pas la région tant que l'enquête n'aura pas abouti.

– Vous rentrez à Manhattan ce soir. Je serai là.

– Tom, vous avez besoin de gens à vous sur place...

– Merci de la suggestion. Deux envoyés du FBI seront à bord de l'hélicoptère. Quant à vous, inspecteur Corey, vous êtes déchargé de l'affaire, tout comme Kate. Rentrez immédiatement. Les grands chefs attendent mon rapport. Ils n'ont ni le temps ni la patience de...

– Moi non plus. Laissez-moi vous parler sans détour, Tom. Un : Harry Muller était mon ami. Deux : vous m'aviez d'abord désigné pour cette mission et c'est moi qui pourrais, ce soir, être couché à la morgue. Trois : je pense qu'on l'a assassiné. Quatre : si vous me mettez hors du coup, je planterai un foutoir qui remontera jusqu'au ministère de la Justice.

– Vous me menacez ?

– Oui. Cinq : vous avez envoyé Harry à l'assaut d'une forteresse sans le prévenir de ce qui l'attendait. Je quitte à peine cet endroit : un commando des forces spéciales n'y pénétrerait pas. Soit vous le saviez, soit vous auriez dû le savoir. Six : vous avez expédié mon pote au casse-pipe sous sa véritable identité, sans couverture crédible. Depuis quand êtes-vous dans le métier ?

Il beugla :

– Espèce de...

– Non, c'est moi qui parle, Einstein. Vous avez complètement foiré. Pourtant, le moment venu, je prendrai votre défense. Par sympathie ? Certainement pas. Mais parce que vous allez tout de suite m'ordonner de rester sur place et de continuer à m'occuper de l'affaire. Si vous ne le faites pas, mon prochain arrêt, après le 26, Federal Plaza, sera Washington. Vous saisissez ?

Nelson DeMille

Il ne lui fallut que quatre secondes pour piger.
- Vous avez des arguments imparables. Mais je vous revaudrai ça.
- Quand vous voudrez. Je laisse à Kate le soin de conclure.
Elle paraissait secouée. Elle respira plusieurs fois avant de marteler :
- Je dois admettre avec John que la mission a été mal conçue et mal préparée. Elle aurait pu coûter la vie à mon mari.
Cela ne sembla pas émouvoir Walsh outre mesure.
- Je dois faire mon rapport à la direction générale. Rien d'autre ?
- Non, rien.
- Rendez-vous immédiatement au quartier général de la police de l'État, à Ray Brook, et rappelez-moi de là-bas.
Elle raccrocha.
Nous demeurâmes un long moment sans parler, au bord de la route. Venus de la forêt, des chants d'oiseaux se mêlaient au ronronnement du moteur. Enfin, Kate chuchota :
- Cette nouvelle, je la redoutais.
Je ne répondis pas. Je pensais à Harry, qui avait passé trois ans assis en face de moi : deux anciens flics travaillant comme des étrangers dans un royaume étrange nommé 26, Federal Plaza. *Le corps sera rapatrié à New York pour y être autopsié. Hommages funèbres jeudi et vendredi, messe et funérailles samedi.*
Kate me prit la main.
- Je n'arrive pas à y croire...
Tout au long des mois qui avaient suivi le 11 septembre, j'avais assisté à des veillées, des obsèques, des messes, des hommages, nuit et jour, jusqu'à trois fois dans la journée. Tous les gens que je connaissais participaient à cette ronde lugubre et folle. Au fil des semaines, j'avais croisé les mêmes têtes dans des funérariums, des églises, des temples, des synagogues, des cimetières. Nous échangions des regards hébétés. Le choc et le traumatisme restaient vivaces, mais les cérémonies, dans ma tête, commençaient à se confondre. Seule différence : les familles accablées de chagrin changeaient à chaque fois. Et les veuves, les orphelins réapparaissaient à d'autres obsèques, parmi la foule des amis pour, à leur tour, présenter leurs condo-

220

léances. Ce fut un temps irréel, des mois sombres, avec de sombres cercueils qui ne contenaient, bien souvent, que des corps incomplets, le son lugubre des cornemuses avant le dernier salut, des crêpes noirs sur des insignes étincelants, et de noirs matins après des nuits de beuverie.

– John, laisse-moi conduire.

Harry et moi avions assisté ensemble à certaines de ces cérémonies, notamment la messe en l'honneur de Dom Fanelli. Tous les deux, nous avions constaté avec tristesse que la mère de Dom, très digne et perdue dans la foule, était passée inaperçue, alors que tous se pressaient autour de son épouse et de ses enfants.

– Allons lui parler, m'avait dit Harry. Elle est toute seule.

Lui aussi avait une mère, qui vivait toujours. Je me promis de la faire ajouter à la liste de ceux qu'il faudrait officiellement prévenir en présence d'un aumônier.

Kate était sortie de la voiture et avait ouvert ma portière. Elle me prit le bras.

– Je conduis, dit-elle.

Je sortis à mon tour, changeai de place. Kate s'installa au volant et nous poursuivîmes notre route en silence.

Le ciel était encore clair. Pourtant, l'obscurité recouvrait la route et la forêt sombrait peu à peu dans la nuit. Des yeux luisaient dans les fourrés, de petits animaux traversaient furtivement la chaussée. Dans un tournant, un cerf se prit dans le faisceau de nos phares et resta là, pétrifié mais tremblant de tous ses membres, avant de bondir et de s'enfuir.

– Nous serons au quartier général de la police de l'État d'ici une heure, annonça Kate.

Au bout de dix minutes, je murmurai :

– La mission de Harry était absurde.

– N'y pense pas.

– Il aurait pu guetter et photographier les voitures depuis cette route. À l'aller et au retour. Il n'avait nul besoin de pénétrer dans la propriété.

– N'y pense plus, je t'en prie. Tu n'y peux rien. Pour l'instant...

– C'est justement pourquoi j'y pense... Merci d'avoir pris le volant.

– Instinct de survie, plaisanta-t-elle.

Elle me regarda à la dérobée.

– Tu crois vraiment que Madox est coupable ?

– Tous les indices et mon instinct me répondent par l'affir-mative. Mais il m'en faudra davantage avant de le tuer.

Chapitre 24

Nous nous engageâmes sur la route 56.

D'un côté, elle filait vers Saranac Lake et le quartier général de la police de Ray Brook. De l'autre, vers le nord, elle menait à Potsdam et à la morgue, où Harry devait maintenant être arrivé.

Kate s'apprêta à prendre la direction de Ray Brook.

– Tourne à droite, lui dis-je. Allons voir Harry.

– Tom nous a enjoint de...

– Impossible de commettre une erreur en faisant le contraire de ce qu'ordonne Walsh.

Elle hésita quelques secondes, puis bifurqua en direction de Potsdam.

Dix minutes plus tard, nous dépassâmes le panneau annonçant que nous quittions le parc des Adirondack. Quelques kilomètres à peine nous séparaient de South Colton. À l'entrée du bourg, devant sa station-service, Rudy bavardait avec un homme qui se servait lui-même en essence.

– Arrête-toi là, dis-je à Kate.

Elle freina devant la pompe. Je me penchai par la portière et criai :

– Eh, Rudy !

Il s'approcha de la Ford et s'exclama :

– Alors, comment ça s'est passé ?

– Le frigo est réparé. J'ai répété à M. Madox ce que tu m'avais dit sur la nécessité de se faire régler d'avance, et il m'a payé en liquide.

– Euh... Vous étiez vraiment pas obligé de...

– Il est furieux contre toi, Rudy.

– Ah, nom de Dieu ! vous étiez vraiment pas...

– Il veut te voir. Ce soir...

– Oh, Seigneur...

– Il faut que j'aille à l'hôpital de Potsdam.

– Euh, ouais... Suivez la 56, puis...

Il m'expliqua comment m'y rendre. J'ajoutai :

– Quand tu verras Madox, dis-lui que je vais reconnaître le corps de mon copain Harry à la morgue.

– Euh... Quoi ?

– Et dis-lui que John Corey est, lui aussi, un excellent tireur.

– Entendu.

Kate regagna la route et nous continuâmes vers Potsdam.

– Cela ressemble à une menace, commenta-t-elle.

– Pour un coupable, oui. Pour un innocent, ce n'est qu'une déclaration saugrenue.

Le paysage s'éclaircissait, parsemé de maisons et de petites fermes. Le soleil couchant projetait de longues ombres sur les collines. Ni Kate ni moi ne parlâmes beaucoup. La perspective de voir le cadavre d'un ami tue toute conversation.

Je pensais à Harry. Je n'arrivais pas à croire à sa mort. Me remémorant les derniers mots que nous avions échangés, je me demandai s'il avait eu un mauvais pressentiment à propos de sa mission. Comment savoir ?

Il nous fallut vingt minutes pour atteindre la jolie ville universitaire de Potsdam, puis son hôpital de brique rouge, à la sortie nord. Kate se gara devant la porte principale, par laquelle nous pénétrâmes dans l'établissement.

Je me présentai, dans le vestibule, à la femme chargée de l'accueil et lui demandai l'emplacement de la morgue. Elle m'orienta vers le bloc opératoire qui, précisa-t-elle, la jouxtait. Cette proximité ne plaidait guère en faveur de l'équipe de chirurgiens. En d'autres circonstances, j'aurais balancé une vanne à ce sujet.

Nous empruntâmes plusieurs couloirs avant d'arriver au bureau des infirmières. Deux State Troopers en uniforme bavardaient avec elles. Kate et moi exhibâmes nos cartes.

– Nous sommes venus identifier Harry Muller, dis-je. Vous êtes de garde auprès du corps ?

– Oui, monsieur. Nous avons escorté l'ambulance.

– Quelqu'un d'autre, là-dedans ?

– Non, monsieur. Vous êtes le premier.

– Qui d'autre attendez-vous ?

– Des gars du FBI d'Albany et de la police criminelle de l'État.

Nous disposerions de peu de temps avant leur arrivée...

– Le médecin légiste est là ?

– Oui, monsieur. Elle a procédé à un examen préliminaire du corps et a classé les effets personnels. Elle attend la Criminelle et le FBI.

– Très bien. Nous voudrions voir le corps.

– Vous devez d'abord signer tous les deux.

N'ayant aucune envie de signer quoi que ce soit, je répliquai :

– Notre présence n'est pas officielle. Le défunt était un collègue et un ami. Nous souhaitons lui rendre hommage.

– Oh... Pardon... Bien sûr.

Il nous accompagna jusqu'à une porte d'acier ornée d'une plaque : « Institut médico-légal ».

La dépouille de la victime d'un homicide est toujours considérée comme un élément indispensable à l'enquête, qu'on doit mettre sous bonne garde pour préserver les indices qu'elle est susceptible de livrer. D'où la présence des deux gardes et du registre de signatures. J'en conclus que Kate et moi n'étions pas les seuls à récuser la thèse de l'accident de chasse.

Le garde ouvrit la porte et dit :

– Après vous.

– Nous aimerions être seuls pour nous incliner devant notre ami.

Il hésita, puis déclara :

– Je suis désolé. Je ne puis l'autoriser. Je dois être...

– Je comprends. Pourriez-vous me rendre un service et aller demander au médecin légiste de nous rejoindre ? Nous l'attendrons ici.

– Bien sûr.

Il tourna les talons et disparut au fond du couloir. J'ouvris la porte et nous entrâmes dans la morgue.

La grande salle d'autopsie était violemment éclairée. Couvert d'un linceul bleu, le cadavre reposait au centre de la pièce, sur une table d'acier flanquée, de chaque côté, de deux plateaux.

Sur le premier s'empilaient, comme sur le point d'être portés, les vêtements de Harry : chaussures, chaussettes, sous-vêtement thermique, pantalon, chemise, veste, casquette de laine. On avait posé sur le second sa caméra et son appareil numérique, ses lunettes, des cartes, son téléphone cellulaire, son portefeuille, sa montre, une paire de pinces. Son trousseau regroupait les clés de contact de sa Pontiac Grand Am de service et de son véhicule privé, une Toyota. Mais pas celle du camping-car. Sans doute avait-elle été récupérée par les équipes qui avaient retrouvé Harry et déplacé la camionnette. Quant à son arme et à ses pièces d'identité, elles devaient se trouver entre les mains des deux policiers en faction devant le bureau des infirmières.

La salle sentait le désinfectant, le formol et autres produits peu ragoûtants.

Je me dirigeai vers un placard, y dénichai un tube de Vicks, gelée mentholée qu'on trouve partout où l'on charcute les cadavres. J'en déposai un peu sur le doigt de Kate.

– Mets-toi ça sous le nez.

Elle s'en enduisit la lèvre supérieure et prit une grande inspiration. D'ordinaire, je n'utilise jamais ce genre de produit, mais il y avait longtemps que je ne m'étais pas trouvé devant un cadavre presque raide. J'en étalai donc aussi sous mes narines.

Je dénichai une boîte de gants en latex et nous en enfilâmes chacun une paire.

– On jette un œil, dis-je à Kate. D'accord ?

Elle acquiesça. Je marchai jusqu'à la table et abaissai le linceul bleu, dévoilant le visage. Harry Muller.

Désolé, mon pote, prononçai-je intérieurement.

Son visage était sale, signe qu'il était tombé face contre terre, et ses lèvres entrouvertes, mais sans grimace ou crispation témoignant d'une agonie pénible. Il avait donc eu une fin rapide. Nous devrions tous bénéficier de cette chance.

Ses yeux étaient grands ouverts. Je les fermai.

Je rabattis le drap jusqu'à sa taille. Un gros tampon de gaze recouvrait la place du cœur. Il y avait peu de sang sur le cadavre. La balle avait donc arrêté le cœur presque instantanément.

Je remarquai la lividité de la peau, l'afflux du sang sur le devant du corps, confirmant qu'il était tombé face contre terre et était mort dans cette position.

Je soulevai son bras gauche. La rigidité cadavérique s'installe généralement au bout de huit à douze heures. Il n'y avait presque plus de souplesse dans ses muscles, mais le bras n'était pas totalement raide. Me fiant également à l'aspect de la peau et à l'état général de la dépouille, j'aurais pu affirmer que le décès s'était produit entre douze et vingt heures plus tôt. S'il s'agissait d'un meurtre prémédité, son auteur avait probablement agi de nuit, pour réduire le risque d'être surpris lors de la perpétration du crime. Par conséquent, l'assassinat avait sans doute eu lieu au cours de la nuit précédente.

Si Madox était le coupable, il attendait probablement que quelqu'un découvre la victime et prévienne la police. Constatant, l'après-midi, que cela ne s'était pas produit, il avait appelé ou avait fait appeler un complice depuis un téléphone du parc, pour éviter la fouille de sa propriété.

Pendant que Kate et moi conversions avec lui, il se demandait sans doute pourquoi son coup de fil n'avait pas encore abouti à la découverte du corps, ce qui le rendait nerveux.

J'étudiai le poignet et le pouce de Harry. Aucune trace d'entraves. Mais il arrive qu'elles n'en laissent pas.

Je pris sa main dans la mienne. J'examinai la paume, les ongles, les phalanges. Les mains révèlent parfois des éléments que le médecin légiste, plus intéressé par les organes et les traumatismes, ne remarque pas. Toutefois, je ne décelai rien d'inhabituel : uniquement de la crasse.

Kate semblait tenir le coup. Je contournai la table, saisis la main droite de Harry, l'inspectai à son tour. Soudain, une voix féminine me fit sursauter :

– Vous voulez que je vous prête mon scalpel ?

Nous nous retournâmes. Vêtue d'une blouse de chirurgien, une femme d'une trentaine d'années, aux cheveux roux coupés court, s'adossait à la porte. Elle s'approcha. Je notai qu'elle avait des taches de rousseur, des yeux très bleus. Malgré la blouse qui boursouflait sa silhouette, elle était plutôt jolie.

– Patty Gleason, déclara-t-elle. Médecin légiste du comté. Vous êtes sans doute les agents du FBI.

J'ôtai mon gant droit, lui tendis la main.

– Inspecteur John Corey, de la Force d'action antiterroriste. Voici l'agent spécial Kate Mayfield, mon épouse.

– Et son supérieur direct, précisa Kate.

– Vous pourriez donc lui interdire, suggéra le Dr Gleason, de manipuler un cadavre sans la présence d'un médecin légiste. Ou lui ordonner de ne pas le manipuler du tout.

Je m'excusai, mais ajoutai aussitôt :

– J'ai fait ça pendant vingt ans à New York.

– Vous n'êtes pas à New York.

La rencontre commençait mal. Kate s'empressa de rectifier le tir.

– Le défunt était un de nos amis.

Le Dr Gleason s'adoucit.

– Je suis navrée, dit-elle à Kate. Mais qu'est-ce que ceci a à voir avec le terrorisme ?

– Rien. Harry était également un de nos collègues de l'ATTF. Il faisait de la randonnée dans la région. Nous sommes venus l'identifier.

– Je vois. Et vous l'avez reconnu ?

– Oui.

– Bien. Selon l'aspect des blessures externes, je peux affirmer qu'une balle a traversé la colonne vertébrale, puis le cœur. Le décès a été presque instantané. Votre ami ne s'est probablement rendu compte de rien ou, s'il a senti quelque chose, cela n'a pas duré plus d'une seconde ou deux. Il est mort avant d'avoir touché le sol.

Je hochai la tête.

– Dans toute ma carrière de policier, je n'ai jamais vu un tir parfait à travers la colonne et le cœur qui soit un accident.

– Ayant eu affaire, en tant que chirurgien et médecin légiste, à une centaine d'accidents de chasse, moi non plus, répondit le Dr Gleason. Mais cela peut se produire. Vous croyez à un homicide ?

– En tout cas, nous ne l'excluons pas.

– C'est ce que je crois comprendre.

Certains médecins légistes aiment jouer les détectives, comme à la télé. Cependant, la plupart s'en tiennent strictement aux faits. Ne connaissant pas le Dr Gleason, je lui demandai :

– Avez-vous repéré quoi que ce soit qui pourrait accréditer la thèse du meurtre ?

– Je vais vous montrer ce qui m'a intriguée et vous vous ferez votre propre opinion.

Elle alla jusqu'au placard, enfila une paire de gants, m'en tendit un propre.

– Je vois que vous avez déjà trouvé le Vicks.

Elle se dirigea vers les deux plateaux et ajouta :

– J'ai tout catalogué pour permettre au FBI de regrouper l'ensemble des indices dans des sacs. Souhaitez-vous prendre connaissance de l'inventaire, pour signer ?

– D'autres agents, qui sont en route, le feront, répondit Kate. Il devront d'abord inscrire la liste de tous les effets sur ce que nous appelons la feuille verte.

– Voyons le corps, dis-je au Dr Gleason.

Elle se plaça sur le côté gauche et retira le tampon de gaze de la poitrine de Harry, arrachant quelques poils et dévoilant un grand trou béant.

– Voilà l'orifice de sortie de la balle. J'ai décelé, à l'aide d'une loupe éclairante, des morceaux d'os, de tissus et du sang, le tout en quantité infime, ce qui correspond au passage d'une balle de gros ou de moyen calibre à travers la colonne vertébrale, le cœur et le sternum.

Elle poursuivit quelque temps sur le même ton, décrivant de façon clinique la fin d'une vie humaine.

– Comme vous le savez, conclut-elle, je ne pratiquerai pas l'autopsie. Mais, sur la cause du décès, je doute qu'une autopsie vous en apprenne davantage.

– Nous nous intéressons surtout, lui dis-je, aux événements qui ont précédé l'instant de la mort. Avez-vous remarqué quelque chose d'inhabituel ?

– En fait, oui.

Elle posa un doigt sur la poitrine de Harry, à trois centimètres de la plaie.

– Là... Vous voyez ?

– Non.

– Une blessure minuscule, provoquée par une piqûre ; faite, de toute évidence, avant le décès. Je l'ai sondée : elle s'enfonce profondément dans le tissu musculaire. J'ai également examiné la chemise et le haut du sous-vêtement thermique de la victime. Il semble y avoir des trous correspondants et ce qui apparaît comme une petite tache de sang, ce qui implique que cet objet, peut-être une aiguille hypodermique, a été violemment enfoncée dans ses vêtements puis dans son muscle pectoral. Je ne peux dire si on a injecté un produit, mais nous le saurons après les analyses toxicologiques... On remarque, là, sur son avant-bras droit, deux autres piqûres. Cette fois, pas de sang ni de trous correspondants sur ses vêtements. Je n'ai pas trouvé de seringue hypodermique en sa possession. Et je l'imagine mal se soignant lui-même à travers sa chemise.

– Qu'en concluez-vous ?
– C'est vous le policier.
– Très juste.

À mon avis, la première blessure provoquée par une aiguille était celle de la poitrine, faite à travers ses vêtements. Il s'agissait probablement d'un sédatif, administré alors que Harry se débattait, avec un fusil hypodermique pour animaux. *Nous les abattons seulement pendant la saison de chasse. Le reste du temps, nous les anesthésions et nous les ramenons à l'extérieur.* Les deux autres, sur sa peau nue, avaient été causées par des seringues, pour le maintenir sous sédatif. Je pensai aussi à du Penthotal, le sérum de vérité, mais je gardai cette idée pour moi.

– J'y réfléchirai, dis-je.

Le Dr Gleason continua son exposé.

– J'aimerais vous montrer deux autres éléments qui m'amènent à déduire que d'autres événements ou incidents inhabituels ont précédé la mort.

Après avoir contourné la table en direction de la tête de Harry, la petite Patty Gleason plaqua ses mains sous les épaules de mon pote et poussa son grand torse en avant, le plaçant en position assise, ce qui déclencha un échappement de gaz. Kate en eut le souffle coupé. Les médecins légistes ne se montrent jamais doux avec les défunts. Même s'ils n'ont aucune raison de l'être, cette brutalité m'a toujours surpris.

Je distinguai à présent l'entrée de la balle, trou mortel menant, à travers la moelle épinière, droit au cœur. J'essayai d'imaginer la scène. Harry debout, immobile, drogué et soutenu au milieu du sentier par un ou plusieurs individus tandis que le tireur se plaçait assez près de lui effectuer un tir sans bavure, mais assez loin pour que la détonation ne laisse ni traces de brûlure, ni fragments de poudre. Ou alors, Harry étendu ailleurs, abattu puis déplacé jusqu'au sentier. Du travail d'amateur ; peu crédible.

En tout cas, il avait été tué par-derrière. Tout ce que je pouvais espérer, c'est qu'il n'avait rien vu venir.

Le Dr Gleason attira notre attention sur autre chose.

– Là. Regardez ça.

Elle mit son doigt sur l'omoplate droite de Harry.

– Il y a une décoloration de la peau, difficile à identifier. Il ne s'agit ni d'une contusion, ni d'une brûlure chimique, encore moins d'une brûlure de chaleur. Ce pourrait être électrique.

Kate et moi nous penchâmes sur cette tache légèrement décolorée, de la taille et de la forme d'une pièce de monnaie. Elle n'était pas la conséquence d'un coup de matraque ou de bâton. Je pensai à un aiguillon électrique.

Le Dr Gleason me regarda étudier la tache.

– Je ne vois pas ce que ça peut être, lui dis-je.

Elle se déplaça encore et, sans autre forme de cérémonie, tira le drap bleu jusqu'au bas de la table, découvrant le corps nu de Harry.

Elle s'apprêtait à parler. Je l'interrompis tout de suite.

– Verriez-vous un inconvénient à le recoucher ?

– Oh ! pardon...

Elle repoussa le torse raide, tandis que je tenais les jambes. Je suis habitué aux cadavres. Mais ils doivent être étendus. Pas assis. Kate était au bord de la nausée.

Patty Gleason longeait à présent la table.

– Bien nourri, énuméra-t-elle. Musclé. Blanc d'âge mûr, peau normale, hormis les détails que nous avons soulignés. Il ne s'était pas lavé ou douché depuis plusieurs jours, ce qui correspond à un séjour à l'extérieur et à la saleté de ses vêtements. Rien de remarquable, sauf sur les pieds et les chevilles.

Nous la suivîmes jusqu'au bas de la table.

– Les plantes de pied sont souillées, comme s'il avait marché pieds nus. Pourtant, pas de trace de terre ou de végétation. J'ai découvert quelques fibres, ressemblant à des fils de tapis. Vous noterez également une fine couche de poussière ou de saleté, semblable à celle qui recouvre les planchers... J'ai appris qu'il avait un camping-car. Vous devriez vérifier s'il y avait un tapis de sol à la place du conducteur, et recueillir des échantillons de fibres et de saletés.

231

J'acquiesçai. Je connaissais un autre endroit où j'aurais pu prélever de tels échantillons. Mais les chances d'obtenir un mandat de perquisition pour le Custer Hill Club devenaient infimes.

Je me rapprochai un peu plus de Harry et observai :

– Il y a des contusions sur les deux chevilles.

– Exact. Plus des écorchures. Elle sont bien visibles. Je ne vois qu'une explication : il avait les chevilles entravées. Il ne s'agissait ni d'une corde ni d'un ruban adhésif, mais de chaînes. Il a tenté de s'en débarrasser, ou de s'enfuir en les ayant aux pieds. Voilà pourquoi les contusions sont si prononcées et si profondes. La peau est déchirée en deux endroits... Je pense qu'on lui a remis ses chaussettes et ses chaussures après avoir libéré ses chevilles... Je pense aussi qu'il était pieds nus quand on l'a entravé. Regardez l'emplacement des écorchures et des contusions.

Quoi que Harry ait subi au cours des heures précédant sa mort, cela n'avait rien eu d'agréable. Le connaissant comme je le connaissais, j'étais sûr qu'il ne s'était pas comporté en prisonnier modèle. D'où l'aiguillon, les injections et les fers aux chevilles. *Mon pote, tu as été à la hauteur.*

– Après avoir découvert ces fibres sur les pieds, poursuivit le Dr Gleason, j'ai inspecté l'ensemble du corps. J'ai trouvé quelques fibres dans ses cheveux et sur son visage. Elles pourraient provenir de sa casquette de laine, mais elle est bleu sombre, alors qu'elles étaient de plusieurs couleurs.

Je ne fis aucun commentaire. Apparemment, Harry avait été allongé sur un tapis ou une couverture. Le Dr Gleason ajouta :

– Il y a d'autres fibres sur son pantalon et sa chemise, ainsi que sur son sous-vêtement thermique. Elles aussi paraissaient étrangères à ce qu'il portait quand on l'a amené ici. J'ai aussi repéré quatre poils noirs, d'environ six centimètres de long. Un sur sa chemise, un sur son pantalon et deux sur son sous-vêtement. Je les ai collés là où je les ai trouvés.

Je restai silencieux. Moins j'en disais, plus le médecin se sentait obligé de développer ses explications.

– Ces poils n'appartenaient pas au défunt. En fait, après examen à la loupe, ils ne semblaient pas humains.

– Des poils de chien ? hasarda Kate.

– Peut-être.

Guillaume II ?

– Voilà tout ce que j'ai pu trouver d'inhabituel sur le corps, conclut Patty Gleason.

– Pouvez-vous estimer l'heure de la mort ?

– D'après ce que je vois, ce que je ressens et ce que je sens, madame Mayfield, elle s'est produite il y a environ vingt-quatre heures. Peut-être moins. L'autopsie permettra peut-être d'affiner cette estimation.

À mon tour de la questionner :

– Lui avez-vous ôté ses vêtements et ses effets personnels ?

– Oui, avec l'aide d'un assistant.

– En dehors de ces poils d'animal et de ces fibres inconnues, avez-vous remarqué autre chose ?

– Non. Mais si vous reniflez ses vêtements, spécialement sa chemise, vous détecterez peut-être une faible odeur de fumée.

– Quel genre de fumée ?

– De cigarette. Or je n'ai trouvé aucun ustensile de fumeur dans ses effets personnels.

C'est un art qui se perd.

– Rien d'autre ?

– Non. Mais je n'ai procédé qu'à un examen superficiel des vêtements et des effets personnels. Je l'ai fait en présence d'un assistant et j'ai enregistré mes conclusions au fur et à mesure. Je vous remettrai volontiers cet enregistrement lorsqu'il sera dactylographié.

– Merci.

Apparemment, elle se rendait compte qu'il s'agissait d'une affaire brûlante.

– De quoi s'agit-il, exactement ? questionna-t-elle.

– Vous tenez vraiment à le savoir ?

– Non.

– Bonne réponse. Eh bien, vous nous avez été très utile et je vous remercie de nous avoir consacré un peu de votre temps, docteur Gleason.

– Allez-vous rester près du corps ?

– Oui.

– S'il vous plaît, ne le touchez pas.

Elle regarda Harry.

– Il a été assassiné, dit-elle. J'espère que vous arrêterez le coupable.

– Il ne nous échappera pas.

Elle nous salua et s'en alla.

– Pourquoi une jeune femme comme elle a-t-elle choisi de travailler dans une morgue ? murmura Kate.

– Elle cherche peut-être l'homme idéal. Mettons-nous au travail.

Portant toujours nos gants de latex, nous commençâmes par examiner les objets personnels de Harry : portefeuille, montre, agenda, jumelles, caméra vidéo, appareil numérique, boussole, pinces coupantes, un guide d'observation des oiseaux, la carte où la propriété du Custer Hill était entourée de rouge et où Harry avait ajouté l'emplacement du chalet et des autres bâtiments. En dépit de nos gants, nous manipulions ces objets avec d'infinies précautions, pour ne déflorer aucune empreinte.

J'explorai le contenu du portefeuille. Il y avait des doubles de clés dans la poche réservée à la menue monnaie : celles de son appartement, de sa Toyota et de sa voiture de fonction. Mais pas du camping-car. Quelqu'un l'avait prise. Ce n'était pas la police de l'État, qui avait utilisé celle du trousseau. Quelqu'un avait donc extrait ce double du portefeuille, pour conduire le camping-car loin de la propriété.

– Rien ne me paraît suspect, dit Kate. Rien n'a été déplacé ou falsifié. Mais je parie qu'on a effacé les prises de vue de la caméra et de l'appareil photo.

– On a enlevé la cassette et la carte numérique, pour les remplacer par la cassette et la carte de rechange que Harry avait sûrement emportées avec lui.

– Donc le labo ne pourra pas récupérer les images effacées.

– Je ne crois pas.

Je m'emparai du téléphone cellulaire de Harry, l'allumai et fis défiler les derniers appels.

Sa compagne, Lori Bahnik, avait appelé le samedi matin à 9 h 16, en réponse à l'appel effectué par Harry à 7 h 48. Suivaient dix autres appels de Lori, commençant le samedi après-midi après réception du SMS de 16 h 02, puis se poursuivant toute la journée de dimanche, et même aujourd'hui lundi.

L'agent de garde à l'ATTF avait cherché à joindre Harry le dimanche soir à 22 h 17, après le coup de fil de Lori au bureau.

L'appel suivant avait été passé dimanche à 22 h 28, depuis le New Jersey.

– N'est-ce pas le numéro privé de Walsh ? demandai-je à Kate.

– En effet.

– Mais il nous a affirmé ne pas avoir essayé de contacter Harry avant son arrivée au bureau, ce matin.

– Apparemment, il nous a menti. Son inquiétude semble avoir été plus vive que ce qu'il nous a laissé entendre.

– C'est un euphémisme. Je déteste que les gens de mon bord me racontent des bobards. Mais derrière le mensonge, la vérité pointe toujours le bout de son nez. Il ne s'agissait pas d'une mission de routine.

– Nous le savions déjà.

Je consultai de nouveau le mobile de Harry. Je tombai sur mon appel du dimanche après-midi, où je lui proposais un ragoût de cerf, puis sur mon dernier appel de ce matin, à 9 h 45. Ensuite, se succédaient d'autres coups de fil de Lori.

Kate contempla le téléphone et murmura :

– C'est si triste...

Je hochai la tête. Je ne possédais pas le mot de passe de Harry. Impossible, donc, d'écouter ses messages. Mais les spécialistes du service technique n'auraient aucun mal à s'en charger.

Le dernier appel de Harry remontait au samedi matin, à 7 h 48. Il y avait ensuite le texto du samedi après-midi, à 16 h 02. Puis plus rien.

Je m'apprêtais à éteindre le téléphone lorsqu'il se mit à sonner, nous faisant sursauter tous les deux.

Je regardai l'identificateur d'appel. C'était Lori. Kate avait l'air bouleversée. Je fus tenté de répondre. Mais je ne me sentais pas de taille à annoncer la nouvelle au téléphone, devant le cadavre de Harry. Je fermai l'appareil et le remis sur le plateau.

Je consultai ma montre. La police de l'État et les agents du FBI d'Albany n'allaient pas tarder. Quant aux deux collègues de l'ATTF, ils devaient avoir atterri à l'aéroport de Saranac Lake. Je me demandai qui Walsh avait envoyé pour nous remplacer. Sans doute des gens qui obéissaient aux ordres.

– Examinons ses vêtements avant l'arrivée des trouble-fête, dis-je à Kate.

Elle alla jusqu'au lavabo et débarrassa ses lèvres de la gelée mentholée. J'en profitai pour glisser la carte dans ma poche. Subtiliser un indice d'un crime est un délit, mais cette carte me serait utile d'une façon ou d'une autre.

Kate se trouvait à présent devant le second plateau. Elle respira la chemise de Harry et dit :

– Ce pourrait être du tabac.

Incapable de sentir quoi que ce soit, hormis le Vicks étalé sous mon nez, je répondis quand même :

– Qui fume, parmi nos connaissances ?

Elle hocha la tête.

Nous examinâmes les vêtements pièce par pièce, remarquant le papier adhésif avec lequel le Dr Gleason avait collé les six poils d'animal. Nous ne faisions rien d'illégal. Toutefois, nous n'étions pas censés nous trouver là, mais au quartier général de la police de l'État, à Ray Brook. De plus, quiconque découvre des indices doit les noter par écrit, ce que nous n'avions pas fait. Et puis il y avait les enquêteurs du FBI et de la Criminelle qui n'auraient guère apprécié de tomber sur nous en arrivant. En d'autres termes, nous étions dans une sorte de zone grise, où je passais d'ailleurs la majeure partie de mon temps.

– On s'en va, dis-je à Kate.

– Regarde.

Je me rapprochai d'elle. Elle tenait à la main le pantalon de camouflage de Harry, dont elle venait de retrousser la poche droite.

– Tu vois ça ?

Sur l'envers blanc de la poche ressortaient des traces d'encre bleue.

– Ça pourrait être des lettres.

Oui. Comme si Harry avait oublié de visser le capuchon de son stylo ou bien écrit quelque chose sur le tissu, la main dans la poche, ce qui semblait plus probable.

– On distingue trois groupes de signes, détailla Kate. Le plus lisible dit : M... A... P... Le suivant ressemble à un N... Puis, peut-être, un U, ou un V... Ensuite, une apostrophe... Non, un C... Enfin, le dernier groupe ressemble à... E...L...F... Elf ?

Je me penchai sur les traces d'encre.

– M...A...P pourrait être M...A...D. Il a griffonné à l'aveuglette, la main dans la poche. D'accord ?

– Sans doute.

– Ensuite, NUC. Il y a une autre lettre, presque cachée dans le pli. L... NUCL...

– Nucléaire ?

– J'espère que non. Le dernier groupe est très clair. Elf.

– Qu'essayait-il de nous dire ? *Mad*, comme fou ? Ou comme Madox ? Nucléaire ? Et Elf ? C'est quoi, cette histoire d'elfe ?

– Non. C'est clair. E... L... F.

Je regardai de nouveau ma montre, puis la porte.

– Il faut y aller.

Je fourrai la poche dans le pantalon.

– Laissons-les se débrouiller avec ça.

Nous enlevâmes nos gants de latex, les jetâmes dans une petite poubelle à couvercle. Je revins vers le corps de Harry, le contemplai. Kate me rejoignit et me prit le bras. Mon pote, je le reverrais au funérarium, vêtu de son vieil uniforme...

– Merci pour les indices, coco. On s'en servira.

Je rabattis le linceul bleu.

Nous quittâmes la morgue, passâmes devant le bureau des infirmières.

– Avez-vous l'arme et la carte professionnelle du défunt ? demandai-je aux miliciens en faction.

– Oui, monsieur.

– Il me faut son insigne du NYPD, pour le rendre à sa famille.

Un des gardes hésita.

– Je ne sais pas si j'ai le droit de... Vous savez, c'est...

– Il n'a pas encore été répertorié. Qui le saura ?

– D'accord, dit le second à son collègue.

Le premier ouvrit le sac contenant les indices posé sur le comptoir, sortit l'insigne et le fit glisser vers moi. Je le remerciai et glissai l'insigne dans ma poche.

– Vous croyez que c'est un meurtre ? me demanda le second.

– Et vous ?

– J'ai vu le corps sur le sentier avant qu'on le mette dans l'ambulance. La seule possibilité pour que votre ami se soit fait flinguer dans cette épaisse forêt, c'est que le tireur se soit tenu juste derrière lui sur le sentier. Alors, c'était pas un accident, à moins que ça se soit passé de nuit et que le tireur ait cru voir un cerf sur le chemin... Je dois dire que votre collègue aurait dû porter quelque chose de fluorescent, jaune ou orange.

– Ce n'est pas la saison de la chasse.

– Peut-être, mais... les gens du coin braconnent. Ils n'attendent pas toujours l'ouverture. En tout cas, je suis désolé.

– Merci.

Son collègue nous présenta lui aussi ses condoléances, ainsi que les deux infirmières. Tous déploraient cet accident ou, pis encore, l'assassinat d'un touriste dans leur joli coin de paradis.

Kate et moi traversions le vestibule lorsque deux types en veste de cuir passèrent la grande porte. Ils se dirigèrent vers la réception et montrèrent leurs cartes.

L'employée de la réception nous désigna tout en leur parlant. Mais nous atteignîmes la porte avant que les présentations aient pu se faire.

Nous courûmes vers la voiture. Je m'installai au volant et démarrai sur les chapeaux de roue.

Chapitre 25

Nous reprîmes le chemin du centre-ville et suivîmes les panneaux jusqu'à la route 56.

– Chaque fois que je collabore avec toi sur une affaire, me dit Kate, j'ai l'impression de me retrouver hors la loi.

Je répondis avec philosophie :

– Parfois, la loi se met en travers de la vérité et de la justice.

– C'est ce que tu enseignes au John Jay College ?

– Pour ta gouverne, depuis le 11 septembre, de nombreux serviteurs de la loi ont adopté la méthode Corey, qui tient en une maxime : la fin justifie les moyens.

– Après le 11 septembre, nous l'avons souvent appliquée. Mais cette affaire n'a rien à voir avec le terrorisme islamiste.

– Comment peux-tu en être certaine ?

– John... Je ne vois aucun rapport.

– Refléchis. Madox a mené sa propre guerre froide. C'est un patriote. Un allumé, mais un patriote, qui considère le combat contre les ennemis de l'Amérique comme une affaire privée. Exact ?

– Oui, mais...

– Le communisme n'existe plus. L'Islam a pris sa place. Madox nous a affirmé ne pas être totalement impliqué dans la lutte contre les fous de Dieu, ce qui prouve qu'il l'est. Correct ?

– Euh... Oui.

– Et, bien sûr, il y a le pétrole, qui domine tout.

– Je ne saisis toujours pas le rapport. Et toi ?

– Pas encore.

Pourtant, un schéma commençait à se dessiner dans mon esprit, mêlant Madox, armes nucléaires et terrorisme : combinaison peu rassurante. Toutefois, Kate n'était pas encore prête à faire le lien entre les trois. Je lui dis donc :

– Harry pensait que quelqu'un comprendrait. Ça ne peut être que nous.

Elle acquiesça, puis changea de sujet.

– Ce dont je suis sûre, à présent, c'est que Madox l'a assassiné... ou fait assassiner.

– Il l'a tué lui-même. Peut-être avec Carl.

– Ce ne sera peut-être pas facile à prouver devant un tribunal.

Les tueurs de flics ne sont pas toujours jugés. Je m'abstins de le préciser. Mais elle lut dans mes pensées.

– Je t'en prie, ne fais pas de bêtise. La fin ne justifie jamais les moyens.

Je gardai le silence.

Il était 18 h 01. La nuit tombait. Les fenêtres des maisons éparpillées dans la campagne étaient éclairées. Les cheminées fumaient. Le week-end du Colombus Day touchait à sa fin et le dîner était sur le feu. Demain, la vie reprendrait son cours ordinaire : travail, école. Les gens normaux se groupaient devant la télévision ou devant la cheminée. Kate rêvait...

– Nous pourrions acheter une maison de campagne, pour nos week-ends, puis pour notre retraite...

– Les gens normaux ne finissent pas leurs jours dans la neige et la glace.

– Tu pourrais apprendre à skier, à patiner... à chasser l'ours.

Je souris et nous nous prîmes la main.

Son mobile sonna.

– « Privé ». C'est Walsh.

– Vas-y.

Elle décrocha, écouta et répondit :

– OK, Tom. Nous sommes en route.

Elle écouta encore...

– Nous nous sommes rendus à l'hôpital et avons identifié Harry.

Ce que répliqua Walsh ne devait pas être très galant. En un geste théâtral, elle écarta le récepteur de son oreille. J'entendais Walsh fulminer.

Je n'aime pas qu'on crie aux oreilles de ma femme. J'empoignai donc le téléphone, juste au moment où Tom beuglait :

– Vous êtes son supérieur ! Vous êtes donc responsable de son comportement et vous devez l'obliger à respecter mes ordres ! Lorsque je vous ai, à mon corps défendant, maintenus sur l'affaire, je vous ai sommés de gagner directement le quartier général de la police de l'État. C'était impératif. Êtes-vous un agent du FBI ou une gentille petite femme soumise ?

Je rétorquai :

– Salut, Tom. Ici le méchant mari.

– Oh... Vous prenez aussi les appels de votre épouse ? C'est à Kate que je m'adresse.

– Non, c'est à moi. Et si vous vous avisez encore de lui parler comme un charretier, je vous ferai avaler votre dentier.

– Vous vous enfoncez, mon vieux.

– Alors, vous vous enfoncerez avec moi.

– Je ne crois pas.

– Moi, si. À propos, j'ai jeté un œil au téléphone de Harry. Vous avez oublié de nous dire que vous l'aviez appelé dimanche soir et que l'agent de garde avait tenté de le joindre toute la nuit.

– Et alors ?

La détérioration de nos relations professionnelles atteignait un point de non-retour. Je sentais qu'il cherchait à me pousser à la faute. Bref, il me haïssait et rêvait de me virer.

– En dépit de tous vos efforts, lui dis-je, j'irai jusqu'au bout. Et je résoudrai cette affaire.

Il me surprit en répondant :

– Si vous y arrivez, faites-moi savoir ce que vous aurez trouvé.

J'en conclus que Washington ne jouait pas totalement franc jeu avec lui. Je me trompais peut-être. En tout cas, il exécutait les ordres, et moi non, ce qui lui posait un problème.

– En fin de compte, ajoutai-je, vous me remercierez de mon entêtement.

– Votre entêtement n'est que de l'insubordination. Vous perdez votre temps et vous gaspillez votre énergie en vous obstinant à enquêter au lieu de faire votre travail.

– Quel est mon travail ?

– Vous deviez retrouver Harry. C'est fait. Vous pouvez rentrer.

– Non. Maintenant, je dois démasquer son assassin.

– Vous ? Pourquoi toujours vous ?

– Parce que je n'ai aucune confiance en votre petite personne. Ni en ceux pour qui vous travaillez.

– Eh bien, démissionnez.

– Impossible pour le moment.

– Bientôt, alors ?

– Si j'échoue, vous aurez ma démission sur votre bureau.

– Quand ?

– Dans une semaine.

– Marché conclu. Cela m'épargnera la peine de rédiger votre lettre de licenciement.

– Et je ne veux plus entendre vos éructations à la con menaçant de nous retirer l'affaire.

– Une semaine.

Je rendis le téléphone à Kate, qui reprit la communication.

– Tom, veuillez appeler le commandant Schaeffer pour lui annoncer que nous sommes les agents chargés de l'enquête et lui demander de nous apporter sa pleine coopération avec, selon la formule consacrée, toute la courtoisie requise... Non, nous n'avons aucune information, aucune piste. Mais si nous en obtenons, nous les partagerons avec vous.

Elle oublia de mentionner les lettres dans la poche de Harry, ainsi que notre entretien avec le médecin légiste. La mémoire sélective fait partie de la méthode mise au point par John Corey pour endormir les supérieurs.

– Je comprends... opinait Kate.

Elle s'apprêtait à ajouter quelque chose, mais Walsh avait coupé. Elle ferma le téléphone.

– Qu'est-ce que tu as compris, Kate ?

– Nous avons dix jours pour accomplir un miracle. Sinon, c'est la guillotine.

– Pas de problème.

– Il vaut mieux que ce soit un gros miracle. Pas quelque chose de minable, comme les aveux d'un connard de chasseur avouant avoir tué Harry par erreur.

– Certes.

– Et si nous échouons à convaincre Madox de meurtre,

242

Walsh fera en sorte que nous finissions vigiles dans un hyper-marché.

– Ça me botte. Ensuite ?

– Notre enquête doit se limiter au simple homicide. Rien d'autre en ce qui concerne Madox. C'est le domaine réservé du ministère de la Justice.

– Bien sûr.

Elle me jeta un regard en coin pour s'assurer que je ne plaisantais pas. Elle aurait pu s'abstenir.

– Tu as été un peu dur avec lui. Encore une fois...

– Il m'a cherché.

– N'en fais pas une affaire personnelle et laisse-moi mener mes propres combats, où et quand je l'aurai décidé.

– Oui, Votre Majesté.

Elle me reprit la main et murmura :

– Merci quand même...

Silence.

– John, je crois qu'il a peur.

– Tu as raison... Et tu as négligé de lui révéler ce que nous avons découvert à la morgue.

– J'allais le faire lorsqu'il m'a raccroché au nez. Qu'il aille se faire voir.

Nous poursuivîmes notre route. Je ne cessai de penser à Harry mort, allongé nu à la morgue. Cette image me soulevait le cœur. Une belle vie soufflée en un clin d'œil, froidement, parce qu'il avait vu ou entendu quelque chose qu'il n'aurait jamais dû apprendre...

J'étais au-delà de la colère. Je me sentais submergé par une rage meurtrière contre celui qui lui avait fait ça. Mais il fallait que je garde mon calme et que je travaille sur l'affaire jusqu'à ce que je sois sûr de l'identité du tueur. Ensuite, je le lui ferais payer.

Nous traversâmes Colton, puis South Colton. La station-service de Rudy était fermée. J'espérais qu'il était en route pour la demeure de son maître, pissant dans son froc en serrant son volant.

Nous dépassâmes le panneau annonçant l'entrée dans le parc des Adirondack. Très vite, les arbres devinrent plus hauts, plus épais, et la route de plus en plus sombre.

Au bout de quelques minutes, je dis à Kate :

– Pour moi, le meurtre ne fait aucun doute. Mais il se passe autre chose, que je ne pige pas encore.

– Quoi ?

– Tout ce que Madox a gagné en mettant en scène un faux accident de chasse loin de sa propriété, c'est du temps.

– Pour dissimuler les preuves.

– Non. Tout converge vers lui. Ce qu'il voulait, c'était simplement gagner du temps. Rien de plus.

– Pourquoi ?

– Bain Madox ne se lance jamais dans des actions stupides ou irréfléchies. S'il a tué un agent fédéral que le FBI savait à proximité de son domaine, c'est que l'accusation de meurtre et l'enquête qui s'ensuivrait ne l'atteindraient pas. Et cela n'a de sens que si un événement se produit très bientôt, quelque chose de bien plus important pour lui que d'être soupçonné d'assassinat. Quoi, à ton avis ?

– Ça y est. J'y suis.

– Je sais bien. Dis-le.

– Une attaque nucléaire.

– Oui. Nucléaire. C'est ce que Harry a cherché à nous dire. Et c'est ce que je crois.

– Mais une attaque sur quel objectif ?

– Va savoir. Bagdad. Damas. Téhéran. Quelle différence ? La bombe est le gorille de dix mégatonnes qui surgit dans le salon et met fin à toute conversation.

Kate ferma les yeux et chuchota, comme pour elle-même :

– Oh, mon Dieu...

Chapitre 26

Il faisait nuit lorsque nous atteignîmes le bourg de Ray Brook, proche de l'aéroport où nous avions atterri le matin même.

En une journée, j'avais perdu un ami, je m'étais brouillé avec mon chef et embarqué dans une affaire qui réservait peut-être une surprise nucléaire. Le prochain Colombus Day, s'il y en avait un, j'irais assister à un match des Yankee.

Nous trouvâmes le quartier général régional de la police de l'État et le casernement des State Troopers à la sortie de la ville.

– Sommes-nous des officiels, des visiteurs ou des handicapés ? dis-je à Kate en pénétrant dans le parking.

– Cherche les indésirables.

Cette catégorie n'ayant aucun emplacement réservé, je me garai chez les officiels. Au-dessus de l'entrée du grand bâtiment de brique et de bois, une enseigne proclamait : « Troupes B / New York State Troopers ».

Dans le vestibule, nous nous identifiâmes auprès du sergent de garde, qui semblait nous guetter. En fait, il avait dû nous attendre toute la journée.

Il appela le commandant Schaeffer sur l'interphone et nous demanda de patienter.

Quelques soldats allaient et venaient dans leur uniforme gris, la poitrine serrée dans leur veste de coupe militaire barrée d'un baudrier, le holster à la ceinture et leur grand chapeau clair sur la tête. Tous, même les femmes, étaient grands.

– Tu crois qu'on les élève spécialement ? soufflai-je à Kate.

245

L'endroit avait la netteté des organisations paramilitaires. Tout était briqué, astiqué. Seul point commun avec les commissariats pisseux du NYPD : le panneau « Interdit de fumer ».

Kate repéra les brochures empilées sur une petite table. Incapable de résister, elle en saisit une et me la lut à haute voix.

– « Les troupes B quadrillent le nord de l'État de New York. Leur secteur est le plus vaste de tous ceux couverts par les State Troopers : 15 000 km², regroupant les comtés les moins peuplés, caractérisés par de longues distances et de très longs hivers. »

– Ils se vantent ou ils râlent ?

– « Patrouiller dans les comtés du Nord, poursuivit-elle, requiert une grande autonomie. Les troupes B sont réputées pour leur capacité à affronter n'importe quelle situation avec une assistance minimum. »

– On dit « minimale » : une « assistance minimale ». Ça signifie que nous ne sommes pas les bienvenus ?

– Sans doute, si tu t'amuses à corriger leurs fautes de grammaire... Je continue : « Outre les enquêtes classiques sur les accidents et les crimes, les opérations inter-États et les patrouilles le long de la frontière canadienne, elles se consacrent à la recherche des randonneurs égarés, à l'évacuation des campeurs blessés, au sauvetage des voyageurs pris dans des tempêtes, au respect des règlements sur la pêche et la chasse, et au maintien de l'ordre dans les localités isolées. »

– Est-ce qu'elles font aussi des battues dans le Bronx ?

Avant que Kate ait pu trouver une réplique appropriée, un grand type à l'air bourru, en costume civil gris, pénétra dans le vestibule et se présenta :

– Hank Schaeffer.

Nous nous serrâmes la main.

– Désolé pour l'inspecteur Muller, dit-il. J'ai cru comprendre que vous étiez amis.

– C'est vrai.

– Eh bien... Navré, vraiment...

Il ne semblait pas avoir grand-chose à ajouter, et ne nous recevait pas dans son bureau. Toujours ce problème de territoire, de juridiction, de préséance. Kate tenta d'arrondir les angles.

– Nous avons pour instructions de vous aider dans toute la mesure du possible. En quoi pouvons-nous vous être utiles ?

– Votre patron à New York, Walsh, m'a laissé entendre que vous étiez déchargés de l'affaire.

Salopard. Je rétorquai aussitôt :

– Notre supérieur, l'agent spécial Walsh, du FBI, a reconsidéré sa position. Il aurait dû vous prévenir. Vous pouvez le rappeler, ou me croire sur parole.

– Réglez ça entre vous. Si vous le désirez, un de mes hommes vous conduira à la morgue.

Il ne savait donc pas que nous en venions.

– Écoutez, Commandant, tout ceci est de votre ressort et je comprends qu'avoir sur les bras la mort d'un agent fédéral ne vous enchante guère. Vous avez dû être harcelé de coups de fil depuis New York, Albany et même Washington. Nous n'avons pas l'intention de vous compliquer la vie. Nous sommes ici pour vous aider. Et échanger des informations... Un de mes amis est à la morgue.

Schaeffer garda le silence un instant. Puis :

– Vous ne refuserez pas un café. Suivez-moi.

Il nous entraîna dans un long couloir qui débouchait sur une vaste cafétéria remplie d'hommes et de femmes, en civil ou en uniforme. Il trouva une table dans un coin.

– Ici, dit-il en s'asseyant en face de nous, on parle librement. Courtoisie, condoléances, et pas de papiers sur la table.

– D'accord.

Schaeffer me paraissait réglo. Échange de bons procédés, à condition d'obtenir quelque chose en retour. J'allai droit au fait.

– Ça a l'air d'un accident, mais ça ressemble à un homicide.

Il acquiesça, sans conviction.

– Qui aurait voulu tuer cet homme ?

– J'opterais pour Bain Madox. Vous le connaissez ?

Il parut passablement offusqué.

– Oui... Mais pourquoi ?

– Vous savez que Harry Muller était en mission de surveillance devant le Custer Hill Club.

– Je l'ai appris après sa disparition, lorsque les Fédéraux ont sollicité mon aide. J'aurais aimé être prévenu. Courtoisie professionnelle, si vous voyez ce que je veux dire. Après tout, c'est ma juridiction.

– Je vous l'accorde.

– Écoutez, vous n'êtes pas exactement les personnes idéales auprès de qui me plaindre...

Il jeta un regard à Kate.

– Mais chaque fois que j'ai affaire au FBI, j'ai l'impression de me faire rouler dans la farine.

– Moi aussi, dis-je. Même si je travaille à l'ATTF, au fond de moi, je reste flic.

– Ouais. Mais les types du NYPD que je me suis coltinés n'étaient pas un cadeau non plus.

Ma loyale épouse eut un petit rire.

– John et moi sommes mariés. Je ne peux qu'être d'accord avec vous.

Schaeffer esquissa un sourire.

– Bien. Dites-moi donc ce que Harry Muller était censé fabriquer au Custer Hill Club.

– Une planque, répondis-je. Il y avait une réunion au chalet ce week-end. Il devait photographier les participants et leur plaque minéralogique lors de leur arrivée.

– Pourquoi ?

– Aucune idée. Mais je peux vous révéler que le ministère de la Justice s'intéresse de près à M. Madox et ses amis. Personne ne vous en a parlé ?

– On ne m'a pas dit grand-chose. Juste les balivernes d'usage sur la sécurité nationale.

Balivernes ? Voulait-il dire « conneries » ? Ce type ne jurait peut-être jamais. Je me promis de surveiller mon langage en sa présence.

– Les Fédéraux racontent beaucoup de balivernes et sont très forts pour mener en bateau ceux à qui ils s'adressent. Mais, entre nous, cette affaire pourrait relever de la sécurité nationale.

– Ah oui ? Et en quoi ?

– Je n'en sais rien. Pour être honnête, il s'agit de ce que nous appelons un dossier sensible. Je ne peux vous en révéler davantage.

Ignorant s'il appréciait mon honnêteté à sa juste valeur, je lui jouai un peu de violon.

– Je sais que vos State Troopers doivent patrouiller dans une

zone immense de 15 000 km^2, que vous êtes tout à fait auto-
nomes et que vous n'avez besoin que d'une assistance extérieure, euh... minimum.

Kate me donna un coup de pied sous la table tandis que je
concluais :

– Nous sommes ici pour vous épauler si vous en ressentez
la nécessité, ce dont je doute. Mais, nous, nous avons besoin
de votre soutien, de votre compétence, de vos moyens...

J'aurais pu en rajouter une couche. Schaeffer ne fut pas dupe.

– Ça va, coupa-t-il. Café ?

– Volontiers.

Il nous fit signe de rester assis, se leva et partit vers le
comptoir.

– Tu es un enfoiré, murmura Kate. Tu lui as récité le dépliant
publicitaire que je t'ai lu et qui t'a fait ricaner.

– Ah bon ?

– Il n'a pas l'air de savoir grand-chose. Et ce qu'il sait, il
le garde pour lui.

– Il est simplement agacé parce que le FBI lui raconte des
craques. À propos, il ne dit pas de gros mots. Alors, surveille
ton langage.

– Le mien ?

– Il est possible qu'il s'abstienne de jurer en présence des
femmes. Si tu dégageais, il se lâcherait peut-être.

– Et si toi, tu allais te promener ?

– Allons...

Schaeffer revint avec une cafetière et trois chopes sur un
plateau. Kate se leva à contrecœur.

– J'ai quelques coups de téléphone à donner. Je reviens dans
dix minutes.

Elle s'en alla.

Schaeffer versa deux cafés.

– Bien. Expliquez-moi pourquoi, selon vous, Bain Madox,
honorable citoyen, milliardaire et sans doute inscrit au Parti
républicain, aurait tué un agent fédéral.

– Simple intuition.

– Vous n'avez rien de plus tangible ?

Pas vraiment, mais j'affirmai quand même :

– Je m'appuie sur un fait : je crois que Madox a été la dernière personne à avoir vu Harry vivant.

– J'ai été la dernière personne à voir ma belle-mère en vie avant qu'elle glisse sur la glace et se fracture le crâne.

J'aurais bien aimé en savoir plus sur cette histoire, mais je coupai court.

– J'ai travaillé pour la Criminelle. On développe une sorte de sixième sens sur ce genre d'affaire. Kate et moi, ajoutai-je, sommes allés au Custer Hill Club. Nous avons parlé à ce Madox.

– Et alors ?

– Il est rusé. Vous l'avez déjà rencontré ?

– À l'occasion. J'ai chassé une fois avec lui.

– Sans blague ?

– Il tient à conserver d'excellentes relations avec la police de l'État et la police locale. Comme nombre de richards du coin. Ça leur facilite la vie.

– Mais il a sa propre milice.

– Exact. En plus, il n'emploie, officiellement ou au noir, aucun flic à la retraite, comme la plupart des gros bonnets par ici. Ses hommes ne sont pas originaires de la région et sont tout sauf des représentants de la loi, ce qui semble un peu étrange pour quelqu'un qui cherche à rester en bons termes avec la police.

– L'endroit lui-même est assez bizarre...

– Je vous l'accorde. Mais les vigiles ne causent aucun problème et règlent leurs affaires eux-mêmes. La police locale reçoit quelques appels par an pour embarquer un intrus ou un braconnier qui a forcé la clôture et s'est fait choper. Madox n'a jamais porté plainte.

– C'est gentil de sa part. Mais il tue peut-être les gens qui ont vu quelque chose qu'ils n'auraient pas dû voir. Pas de disparus ? D'accidents suspects ?

– Vous parlez sérieusement ?

– Oui.

– Eh bien, il y a toujours des disparitions insolites, des accidents de chasse curieux. Mais rien qu'on puisse relier à Madox ou à son club. Je demanderai quand même à quelqu'un de vérifier.

– Parfait. Avez-vous obtenu un mandat de perquisition pour le domaine de Custer Hill ?

– Affirmatif.

– Mettons-le à exécution.

– Impossible. Il concerne une personne disparue qu'on a finalement retrouvée à l'extérieur de la propriété.

– Madox l'a su ?

– Comment aurait-il même pu savoir que nous avions un mandat ? Ou que quelqu'un s'était peut-être volatilisé dans l'enceinte de son domaine ? J'étais sur le point de l'appeler pour lui demander de coopérer de plein gré avec nous, lorsque le coup de téléphone anonyme nous a conduits jusqu'au corps. Avez-vous évoqué cette disparition devant lui ?

– Oui. Alors, exécutons le mandat.

– Le disparu a été retrouvé, me répéta Schaeffer.

Espérant le convertir à ma philosophie, je répondis :

– La loi fait parfois obstruction à la vérité et à la justice.

– Pas sous mon commandement, mon vieux... Puisque vous l'avez mis au courant, je vais envoyer quelqu'un lui annoncer qu'on a retrouvé le disparu.

J'aurais parié un an de salaire que Schaeffer avait été scout dans sa jeunesse. Mieux valait ne pas titiller son sens de la légalité.

– Eh bien, enchaînai-je, il ne nous reste plus qu'à réfléchir à un motif qui convaincrait un juge de délivrer un mandat.

– Il nous faut trouver un lien entre la découverte d'un cadavre dans le parc régional et le Custer Hill Club. Sans ce lien, je ne peux demander au procureur de solliciter un juge pour obtenir un mandat. Avez-vous la moindre preuve que l'inspecteur Muller se soit effectivement trouvé à l'intérieur de la propriété ?

– Euh... Rien de bien solide.

– Alors, il n'y a pas de lien.

Je sirotai mon café, tout en cherchant un moyen d'accélérer les choses. À New York, on se sert du renvoi d'ascenseur, on dégote un procureur adjoint qui couche avec une juge ou toute autre combine. J'ignorais comment cela se passait ici. Je risquai quand même :

– Y a-t-il un juge local qui ait une casserole à la traîne ? Qui vous soit redevable ?

Schaeffer réfléchit un instant.

– Il y a bien Anthony Falanger, juge à la Cour suprême de

l'État. Je l'ai tiré un jour d'un mauvais pas : un incident consécutif à une querelle domestique.

– Voilà notre homme. Envoyez le procureur chez lui ce soir, avec un mandat de perquisition, un traité d'harmonie conjugale et un stylo.

Schaeffer sourit.

– Écoutez, même si nous avons un juge coopératif, il faudra bien que je dise quelque chose au procureur. Qu'est-ce que vous avez d'autre ?

– Nous avons le coup de téléphone anonyme à propos du corps. L'anonymat est toujours suspect. Il existe également une forte présomption pour que Harry ait pénétré dans l'enceinte du domaine.

– Laquelle ?

– C'était sa mission.

Je le mis au courant de l'appel de Harry le samedi à 7 h 48 à proximité du Custer Hill Club, de la découverte de son camping-car loin de la propriété, ce qui ne concordait pas, et d'autres éléments que j'enjolivai un peu.

Il m'écouta, puis haussa les épaules.

– Cela ne suffit pas à rendre Madox suspect. Et ça ne justifie pas une demande de mandat.

– Pensez-y.

Je savais que le FBI finirait par s'en faire délivrer un par un juge fédéral, mais il serait sans doute trop tard. Il ne me resterait plus qu'à m'octroyer moi-même un mandat de perquisition nocturne, ce qui impliquait une violation de domicile. Je n'avais pas fait cela depuis longtemps. Cela aurait pu être amusant, si on oubliait la milice privée de Madox, la sécurité électronique et les chiens de garde.

– Que pensez-vous trouver dans ce chalet ? s'enquit Schaeffer.

– Aucune idée.

– Les juges n'aiment pas les recherches à l'aveuglette. Avez-vous vu, au Custer Hill Club, quelque chose qui pourrait intéresser le procureur ?

– J'y ai croisé plus d'agents de sécurité que le Président n'en a dans son ranch.

– Ça n'a rien d'illégal.

– Bon. Il va falloir prendre le taureau par les cornes. Pourquoi ne placez-vous pas le club sous surveillance ?

– Que suis-je censé espionner ?

– Les allées et venues, y compris celles de Madox. Vous n'avez pas besoin d'autorisation pour effectuer une surveillance. De simples soupçons suffisent.

– Merci du tuyau. Mais je n'ai, en guise de soupçons, que ceux dont vous m'avez fait part. Vous voulez paniquer ce type ? Je veux dire : vous désirez une surveillance visible ou clandestine ?

– Clandestine. Des employés du parc élaguant des arbres dans le périmètre et surveillant la route, quelque chose de ce genre...

– D'accord. Mais il me faudra prévenir la police du comté et agir en coordination avec elle. Je dois vous avouer que je soupçonne Madox d'avoir des amis au bureau du shérif.

Rien d'étonnant. Madox, seigneur du manoir, avait dû placer ses mouchards partout, comme en témoignait l'attitude de Rudy.

– Croyez-vous qu'il ait également des amis ici ? lançai-je.

– Pas tant que je commanderai.

Qu'en savait-il ?

Madox devait aussi avoir des indicateurs au palais de justice du comté, qui l'avertiraient de la délivrance d'un mandat. Peut-être avait-il aussi quelques juges dans sa poche, qui avaient chassé ou pêché avec lui, ou à qui il avait rendu service...

– Si vous pensez que quelqu'un, dans l'entourage du shérif, est trop proche de Madox, vous pourriez en toute conscience organiser la surveillance sans le prévenir.

– Des clous. Je ne tiens pas à ajouter un motif de friction supplémentaire entre lui et moi.

– Sage principe.

Nous n'étions pas sur la même planète. Le commandant Schaeffer agissait dans les règles, sans s'en écarter d'un pouce. C'était tout à son honneur, mais, en l'occurrence, totalement inefficace.

– Cette surveillance nous est vraiment indispensable, insistai-je.

– Je vais voir ce que je peux faire.

– Super.

Je lui annonçai alors, avec un peu de retard :

– Avant de venir ici, Kate et moi sommes allés à la morgue.

Il eut l'air étonné, mais se reprit vite.

– Avez-vous trouvé du nouveau ?

– J'ai parlé au légiste, le Dr Gleason. Vous devriez avoir un entretien avec elle.

– C'est ce que je compte faire. Qu'est-ce qu'elle vous a dit ?

– Harry Muller aurait subi des sévices physiques avant sa mort.

– Quel genre de sévices ?

– Je ne suis pas médecin... Je n'étais là que pour reconnaître mon ami et lui dire adieu, précisai-je, ne mentant qu'à moitié.

– Je la verrai ce soir.

– Elle a trouvé ce qui pourrait être des fibres de tapis et des poils de chien.

Je lui détaillai les découvertes du docteur Gleason.

– Si ces fibres ne correspondent pas au tapis de sol de son camping-car, ils correspondront peut-être à l'un des tapis du chalet... Et Harry n'avait pas de chien.

– Très bien, dit le commandant. Si nous obtenons un mandat, nous vérifierons.

Il échafaudait des plans à long terme pour une enquête qui, en ce qui le concernait, serait plus que courte. Je ne le lui cachai pas.

– Cette affaire va vous être retirée, ainsi qu'à la Criminelle locale. D'ici un jour ou eux, le FBI prendra tout en main.

– Pourquoi me balancez-vous ça ?

– Parce qu'on me l'a dit. De plus, le Dr Gleason ne pratiquera pas l'autopsie. Le corps sera rapatrié à New York. Dernière chose : les gens du FBI vont débouler dès demain matin. Et ils ne sont guère tendres avec les concurrents. Donc, votre enquête connaîtra une suspension brutale dans moins de quarante-huit heures.

– Cela n'arrivera pas ! s'écria-t-il avec emphase.

– Faites-moi au moins confiance là-dessus, commandant. Je travaille pour ces gens. Préparez-vous à être critiqué sur tout, depuis votre recherche de Harry et de son véhicule jusqu'à vos investigations sur les lieux du crime et, tant qu'ils y seront, sur la couleur de votre cravate.

Silence.

– Par conséquent, poursuivis-je, vous devriez en faire le plus possible et garder vos résultats pour vous, ne rien leur donner sans obtenir quelque chose en retour et protéger vos arrières. Ils ont pour habitude de minimiser le travail de la police locale afin de se couvrir s'ils ne progressent pas et, en même temps, de s'attribuer les succès des autres.

Nouveau silence. Puis :

– Merci du conseil. Et vous, quel est vôtre rôle, là-dedans ?

– J'ai sept jours pour boucler l'affaire.

– Comment avez-vous obtenu une semaine entière ?

– J'ai fait un pari avec Tom Walsh.

– Quel est l'enjeu ?

– Mon emploi.

– Et votre femme ?

– Non, je ne l'ai pas pariée.

– Je veux dire : a-t-elle, elle aussi, mis son poste en jeu ?

– Non. Elle a fait toute sa carrière au FBI. Il faudrait qu'elle tue son patron pour risquer de perdre sa place.

Il se força à sourire.

– Je ne crois pas que vous résoudrez cette affaire en une semaine, à moins que quelqu'un ne lâche le morceau.

– Vous avez sans doute raison. Vous embauchez ?

Il sourit encore.

– Vous avez passé l'âge pour intégrer la police de l'État. Mais la police locale est toujours à la recherche de flics expérimentés, surtout de New York. Vous adorerez le pays.

– Je n'en doute pas... Où avez-vous chassé avec Madox ?

– Sur ses terres.

– Vous avez vu quelque chose ?

– Oui. Des arbres. Nous nous sommes retrouvés chez lui. Ensuite, nous sommes partis traquer le cerf. Six hommes : moi, lui, un de mes sergents et trois de ses amis. Nous avons déjeuné dans les bois et bu un verre au retour, au chalet.

– Avez-vous remarqué quelque chose de particulier ?

– Non. Et vous ?

– Rien, sauf toute cette sécurité. Avez-vous inspecté la clôture ?

– Je n'ai fait qu'y jeter un coup d'œil. Elle est entourée de projecteurs, comme la cour d'une prison. Mais ceux-là réagissent à des détecteurs de mouvements. Madox a aussi son propre relais cellulaire.

– Pourquoi ?

Nelson DeMille

– Il est riche.
– Bien sûr... Quand a eu lieu cette partie de chasse ?
– Il y a deux saisons.
– J'ai eu entre les mains une carte du domaine de Custer Hill. J'y ai repéré des bâtiments à une certaine distance du chalet...
– Oui. L'un d'eux sert de logement aux vigiles. Il y a aussi une grande grange pour les véhicules. Et un local pour les générateurs.
– Électriques ?
– Oui. Trois Diesel.
– Pour quoi faire ?
– Les tempêtes de neige peuvent provoquer des pannes de courant. La plupart des gens, ici, ont des appareils de secours.
– Vous les avez vus ?
– Non. Ils sont dans un bâtiment de pierre. Le technicien de Potsdam qui entretient nos générateurs d'appoint s'occupe également de ceux du Custer Hill Club.
Je me souvins des trois gros câbles électriques soutenus par des pylônes, dans la propriété.
– Pourquoi le chalet aurait-il besoin de tout ce courant ?
– J'ignore la puissance de chaque générateur, mais je suppose qu'un ou deux d'entre eux sont là pour pallier une éventuelle défaillance du premier. Toutefois, vous soulevez un point intéressant. Je vais me renseigner sur leur puissance.
– Bonne idée.
– Qu'avez-vous en tête ?
– Franchement, pas grand-chose.
Mais ces générateurs m'intriguaient et me poussèrent à ajouter :
– Que dit-on, dans la région, sur le Custer Hill Club ?
Il me regarda avec insistance.
– Enquêtez-vous vraiment sur un homicide, ou êtes-vous chargé de reprendre la mission de votre ami là où il l'a laissée ?
– Je suis flic, spécialiste des morts violentes. Mais je suis aussi fouineur. J'aime les ragots.
– Nous avons affaire aux commérages habituels ; depuis les orgies pantagruéliques jusqu'au milliardaire repu regardant pousser ses ongles de pied.
– Madox va parfois en ville ?

– Presque jamais. On l'aperçoit de temps à autre à Saranac Lake ou à Lake Placid.

– Est-ce que quelqu'un a déjà entrevu l'ex-Mme Madox ?

– Je n'en sais rien. Elle a disparu du paysage depuis long-temps.

– Des maîtresses ?

– Pas que je sache.

– Des gitons ?

– Son côté raffiné m'a toujours intrigué. Mais il a un côté macho. Qu'en pensez-vous ?

– La même chose que vous. Il est de notre bord... Séjourne-t-il souvent au chalet ?

– Aucune idée. D'ordinaire, quand ils s'en vont, les résidents de marque préviennent la police locale, pour qu'elle garde un œil sur leur demeure, mais Madox a sept vigiles à plein temps, en faction vingt-quatre heures sur vingt-quatre. À ma connaissance, la propriété n'est jamais inoccupée.

– Vous a-t-on laissé entendre que le Custer Hill Club était autre chose qu'un club privé de pêche et de chasse ?

Il sirota pensivement son café avant de répondre :

– Lors de l'aménagement de son domaine, il y a vingt ans, soit dix ans avant mon arrivée, Madox, que personne ne connaissait, n'a fait appel à aucune entreprise locale. Ça a fait jaser. On a prétendu qu'il construisait un abri antiatomique, édifiait vingt kilomètres de clôture, installait des antennes radio et des mécanismes de sécurité, ce qui était vrai. Les générateurs Diesel ont dû être mis en place à ce moment-là. Toujours selon la rumeur, des gens bizarres entraient et sortaient, des camions de livraison arrivaient au beau milieu de la nuit, et j'en passe... Vous savez, les campagnards ont du temps à perdre et beau-coup d'imagination. Mais une partie de leurs racontars était fondée.

– Qu'en concluaient-ils ?

– Je n'ai que des échos de seconde main... Nous étions en pleine guerre froide. Les gens se sont imaginé qu'il s'agissait d'une base secrète, d'un refuge pour le gouvernement en cas de conflit. Étant donné l'ampleur des aménagements et le contexte de l'époque, c'était logique.

– Personne ne s'est renseigné ?

– Les gens d'ici sont plutôt patriotes. Cette explication leur convenait et ils ne se sont plus posé de questions...

Il eut un geste d'impatience.

– Écoutez, si Madox est soupçonné d'une activité criminelle quelconque, vous feriez mieux de ne plus tourner autour du pot et de me mettre au parfum tout de suite.

– Tout ce qu'on m'a dit, c'est que cela avait un rapport avec une manipulation des prix du pétrole.

Il secoua la tête, aussi incrédule que je l'avais été lorsque Madox m'avait débité cette salade.

– Vous voulez me faire avaler que Madox, milliardaire de l'or noir, a liquidé un agent fédéral qui effectuait une planque de routine pour photographier des membres de son club susceptibles de trafiquer les cours du pétrole ? Qu'est-ce que le FBI a à voir là-dedans ? Où est la menace envers la sécurité nationale ?

La brutalité de sa question me mettait en mauvaise posture. Ce type était gourmand et il fallait que je lui donne un os à ronger. Mais je n'allais pas lui révéler mes véritables soupçons.

– Écoutez, commandant, Madox ne vend pas des chaussures de sport. Quand le pétrole est en jeu, tout est possible, même le meurtre.

Il me scruta d'un air de plus en plus dubitatif.

– Bon, lui dis-je. Concentrons-nous sur l'enquête pour homicide. Si nous réussissons à mettre Madox en cause, cela nous conduira vers son mobile.

– D'accord. Rien d'autre ?

Je consultai ma montre.

– Si. J'aimerais me rendre maintenant sur les lieux du crime.

– Il fait trop sombre. Je vous y emmènerai demain matin. Appelez-moi à 7 heures. En attendant, offrez un bon dîner à votre femme. Vous avez un endroit où passer la nuit ?

– Oui. Le Point de Vue.

– Le FBI a autant d'argent à jeter par les fenêtres ? Je n'ai jamais rien pu obtenir d'autre de Washington qu'une radio neuve et un chien renifleur, allergique à l'odeur des bombes.

À mon tour de sourire.

– Je ne crois pas que le terrorisme vous pose de gros problèmes, dans la région...

– Peut-être pas le terrorisme islamique, mais nous avons quand même quelques cinglés bien de chez nous.

Silence. Et, tout d'un coup :

– C'est ce que votre ami faisait ici ? Il espionnait des allumés d'extrême droite ?

– Allez savoir.

Schaeffer prit cette boutade pour un aveu.

– Il y a une dizaine d'années, me dit-il, lorsque j'ai été muté ici, des gens du FBI sont venus me poser des questions sur Madox.

Voilà qui était intéressant.

– Ah, oui ? Que voulaient-ils savoir ?

– Ils m'ont affirmé qu'il s'agissait d'une enquête de pure forme, car M. Madox risquait d'être nommé à un poste officiel.

Bobard classique quand on a quelqu'un dans le collimateur. Mais cela pouvait être vrai. Madox pouvait autant avoir été pressenti pour une haute fonction que suspecté d'activités criminelles. À l'époque, ce n'était pas incompatible.

– Il a obtenu le poste ?

– Pas que je sache. En fait, je crois qu'ils avaient autre chose en tête. Tout comme vous... Bien. Allons retrouver votre femme.

Il se leva. Je l'imitai et nous quittâmes la cafétéria. Assise dans le vestibule, Kate conversait au téléphone.

– À propos des vieilles rumeurs sur le Custer Hill Club, dis-je à Schaeffer, que racontaient exactement les gens ?

– Décidément, vous faites une fixation là-dessus... Ça vous aidera dans votre enquête ?

– On ne sait jamais.

– Si vous y tenez... C'était n'importe quoi. Ils parlaient de camp d'entraînement de survie, d'un silo de missiles, d'une station d'écoute... À cause des antennes et de toutes les installations électroniques...

– Avez-vous de nombreuses interférences électroniques, par ici ?

– Aucune. Leur matériel doit être hors d'usage. Ou alors ils ne l'utilisent jamais. Ou sur une fréquence que nous ne pouvons pas capter...

Il haussa les épaules.

– Un détail me revient. Un vétéran de la Marine, qui vivait

dans le coin, racontait à tout le monde qu'il savait ce qui se tramait dans la propriété, mais qu'il n'avait pas le droit de le révéler. Il s'appelait Fred. J'ai oublié son nom de famille. Je pourrais le retrouver si ça vous intéresse. Selon lui, ce qui se passait là-bas avait à voir avec des sous-marins.

– Des sous-marins ? De quelle profondeur sont les lacs de la région ?

– Je vous rapporte ce dont je me souviens. À mon avis, il débloquait complètement, comme les autres.

Kate nous aperçut. Elle ferma son téléphone, marcha à notre rencontre.

– Désolée. J'attendais cet appel.

Il y avait du monde dans le vestibule, y compris le sergent de l'accueil. Schaeffer déclara en haussant le ton, pour la galerie :

– Encore navré pour l'inspecteur Muller. Soyez sûrs que nous ferons tout notre possible pour élucider cette tragédie.

– Nous vous en sommes très reconnaissants. Merci pour le café.

– Voulez-vous que je vous explique comment vous rendre au Point de Vue ?

– Volontiers.

Il nous donna les indications et ajouta :

– Combien de temps comptez-vous y séjourner ?

– Jusqu'à ce que nous soyons virés.

– À mille dollars la nuit, ça ne saurait tarder. Si vous avez besoin du moindre renseignement sur la région, n'hésitez pas. Les monts Adirondack comptent la population d'ours bruns la plus importante de l'est des États-Unis. Vous trouverez à ce sujet des brochures sur la table.

Kate en prit une, tendit sa carte au commandant.

– Voici mon numéro de mobile.

Nous nous serrâmes la main.

Une fois dans la voiture, je me tournai vers ma douce et tendre.

– Lis-moi cette brochure.

– Qu'on ne me parle plus des ours ! Tu la liras toi-même.

Elle la fourra dans sa poche et me demanda :

– Schaeffer t'a appris quelque chose d'intéressant ?

– Oui. Le Custer Hill Club est une base secrète de sous-marins.

– De sous-marins ? Schaeffer a dit ça ?

– Non, pas lui. Fred.

– Qui est Fred ?

– Aucune idée. Mais il en sait plus que nous.

Chapitre 27

Alors que je traversais Ray Brook, Kate se tourna vers moi.

– Raconte-moi ton entretien avec le commandant.

– Tout à l'heure. Je réfléchis.

– À quoi ?

– À un détail qu'a mentionné Schaeffer.

– Quoi ?

– C'est ce dont j'essaie de me souvenir... Ça m'a fait penser à autre chose.

– À quoi ?

– J'ai oublié.

– Si tu me racontes tout, ça te reviendra.

– D'accord.

Je m'engageai sur la route 86, sombre et déserte, puis relatai à Kate ma conversation avec Schaeffer. Lorsque j'eus terminé, elle me demanda :

– Ça t'est revenu ?

– Non. Changeons de sujet.

– Entendu. Ça t'aidera peut-être. Penses-tu que le Custer Hill Club dépend ou a dépendu de hautes sphères gouvernementales ?

– Non. C'est juste ce que Madox s'efforce de faire croire depuis toujours.

– Tu crois néanmoins que nous avons affaire à autre chose qu'un club de pêche et de chasse, ou même qu'un lieu de réunion pour conspirateurs ?

– Oui. Cette débauche de technologie ne cadre pas avec son statut officiel. À moins, comme nous l'a dit Madox, que sa femme n'ait eu l'intention de s'y réfugier en cas de guerre nucléaire.

– À mon avis, ce n'est qu'un rideau de fumée, une explication plausible qu'il nous a donnée en sachant que nous aurions vent des racontars propagés il y a vingt ans. Il a oublié d'être bête.

– Et toi, tu me sembles, ce soir, particulièrement vive.

– Merci, John. Quant à toi, tu me parais complètement éteint.

– L'air des montagnes embrume mon cerveau.

– C'est ce que je constate. Tu aurais dû pousser le commandant dans ses retranchements.

Je répliquai, un peu vexé :

– J'ai fait de mon mieux pour l'amener à collaborer de son plein gré. Il n'est jamais facile de cuisiner un autre flic.

– Peut-être aurais-tu dû lui révéler ce que nous avons trouvé dans la poche de Harry.

– Pourquoi ?

– D'abord, par correction. De plus, il sait peut-être à quoi se réfère cet « elfe ».

– J'en doute.

– Quand allons-nous partager ces informations ?

– Inutile. Tes collègues du FBI sont si brillants qu'ils trouveront bien tout seuls. Ou alors, ce sera la police de l'État. Et si personne n'y arrive, nous irons demander à Bain Madox.

– Ce serait une bonne idée. Lui, il sait.

Nous poursuivîmes notre route en silence, plongés dans nos pensées. Des nuages s'effilochaient devant une demi-lune d'un orange éclatant, des feuilles tourbillonnaient devant les phares. Même si nous n'avions pas encore quitté les limites du parc régional, quelques maisons bordaient la route. J'aperçus, sur les façades, des décorations de Halloween : sorcières, squelettes, vampires... L'automne était somptueux, délicieusement sinistre.

Kate alluma la radio, branchée sur une station locale qui diffusait de la musique country. Une fille à la voix nasillarde chantait : « Comment pourrais-tu me manquer si tu ne t'en vas pas ? »

– Ça t'ennuie que j'éteigne ? grommelai-je. J'essaie de réfléchir.

Elle ne réagit pas.

– Kate ? Chérie ? Hou, hou !

– John... Les communications radio.

– Qu'est-ce que tu dis ?

– Il y a UHF, *ultra high frequency*, ou très haute fréquence, VLF, *very low frequency*, ou très basse fréquence, etc. N'existe-t-il pas une fréquence extrêmement basse ? *Extremely low frequency* ? ELF ?

– Nom de Dieu ! C'est ça ! C'est ce dont j'essayais de me souvenir ! Les antennes radio du Custer Hill Club.

– Tu crois que Madox communique avec quelqu'un sur ELF ?

– Oui. Voilà ce que Harry a essayé de nous dire !

– Mais pourquoi ELF ? Qui utilise cette fréquence ? L'armée ? L'aviation ?

– Je n'en sais rien. Mais on doit pouvoir l'intercepter.

– Je suis sûre que Madox ne communique pas en clair. Il envoie des messages brouillés ou codés.

– Sans doute. Mais la NSA, qui espionne le monde entier, est capable de décrypter n'importe quoi.

– Avec qui communiquerait-il, et pourquoi ?

– Je l'ignore. En attendant, nous devons nous renseigner sur les ondes radio ELF. C'est peut-être pour ça que les gens d'ici paraissent tellement bizarres. Les ondes ELF. J'entends des voix dans ma tête. Elles me conjurent d'aller tuer Madox.

– Ce n'est pas drôle, John.

Silence. Enfin, je murmurai :

– Bain Madox, nucléaire, fréquences extrêmement basses. Tout ce que nous devons découvrir tient en ces trois termes.

– Espérons. Nous n'avons pas grand-chose de plus.

– Pourquoi ne pas aller au Custer Hill Club et torturer Madox jusqu'à ce qu'il crache le morceau ?

– Je ne suis pas certaine que le directeur du FBI nous donnerait sa bénédiction.

– Je suis sérieux. Et si ce salopard projetait un attentat nucléaire ? Cela ne justifierait-il pas un « traitement spécial » ?

– C'est ce « si » qui me gêne. Et même si nous en étions persuadés à 99 %... Nous n'agissons pas de la sorte. Nous ne le ferons jamais.

– Si, nous le ferons. La prochaine fois qu'on nous attaquera,

surtout s'il s'agit d'une agression nucléaire, nous commence-
rons pour de bon à torturer les suspects.

– Mon Dieu, j'espère que non.

Elle se tut quelques instant, puis déclara fermement :

– Nous devons rendre compte de tout ce que nous avons
entendu, appris et déduit. Laissons le Bureau prendre les choses
en main.

– D'accord... Mais il nous faut encore un peu de temps pour
compléter le dossier.

– Entendu... Disons que demain soir, à cette heure-ci, nous
contacterons Tom, quels que soient les renseignements que
nous aurons recueillis. Ça marche ?

Je ne faisais plus confiance à Walsh. Il était donc possible
que je décide de court-circuiter la hiérarchie et de m'adresser
directement à mon patron, le chef des agents du NYPD délégués à l'ATTF, le capitaine Paresi.

– John ?

– Nous avons une semaine, lui rappelai-je.

– John, la planète, elle, dispose-t-elle d'une semaine ?

Remarque intéressante.

– Attendons de voir ce qui se passera demain, dis-je.

Chapitre 28

À peine trente kilomètres nous séparaient du Point de Vue. Mais l'hôtel était si retiré que, en dépit des indications de Schaeffer et du plan de Max, Kate dut appeler la réception et se faire guider jusqu'à une petite route qui ne figurait pas sur la carte.

– Ravissant, s'extasia-t-elle.

Je n'aperçus, pour ma part, qu'un tunnel d'arbres dans la lueur des phares. Pour être au diapason, je clamai :

– Je me sens proche de la nature.

À vingt centimètres, pour être plus précis, de part et d'autre de la voiture...

Je roulai lentement jusqu'à un portail rustique, surmonté d'une arche faite de branches tordues formant les lettres : « Le Point de Vue. »

Le portail était fermé. Je baissai ma vitre, pressai le bouton de l'interphone. Une voix crachota dans le récepteur :

– Que puis-je pour vous ?

– M. et Mme Corey. Nous avons réservé.

– Oui, monsieur. Bienvenue au Point de Vue.

Le portail électrique commença à s'ouvrir. La voix ajouta :

– Veuillez vous diriger vers le premier bâtiment à votre gauche.

Je franchis le portail.

– L'accueil est plus amical qu'au Custer Hill Club, observa Kate.

– À mille deux cents dollars la nuit, c'est la moindre des choses.

– L'idée ne vient pas de moi.

– Très juste.

Je me garai sur l'aire de stationnement, devant une grande bâtisse de bois. Alors que nous remontions l'allée, un jeune homme, éclairé à contre-jour devant la porte, nous salua d'un geste de la main.

– Avez-vous fait bon voyage ?

– Oui, merci, répondit Kate.

Nous grimpâmes les marches du perron.

– Je m'appelle Jim, dit le jeune homme, vêtu de façon tout à fait banale. Entrez.

Nous pénétrâmes dans le vestibule. Près du bureau d'accueil, une boutique affichait des produits de l'artisanat des monts Adirondack et des vêtements haut de gamme qui attirèrent l'attention de Kate.

Nous prîmes place dans le bureau, autour d'une table entourée de confortables fauteuils. Jim ouvrit notre dossier et nous tendit une carte.

– Un message pour vous deux. De M. Walsh. À 19 h 17.

Puisque ni Kate ni moi n'avions dit à Walsh où nous passerions la nuit, j'en déduisis que Schaeffer venait de le lui apprendre. Rien de bien méchant. Mais il faudrait que je me souvienne que les deux hommes étaient en contact.

Je donnai la carte à Kate, jetai un coup d'œil à mon mobile. Pas de réseau.

– Êtes-vous dans une zone sans relais cellulaire ? demandai-je à Jim.

– Ça va, ça vient. L'endroit où l'on capte le mieux se trouve au milieu du terrain de croquet. En fait, nous déconseillons l'usage des mobiles sur la propriété.

– Pourquoi, Jimmy ?

– Cela déparerait l'ambiance de notre établissement.

– Normal. Y a-t-il le téléphone dans les chambres ?

– Oui, mais uniquement pour les communications internes.

– Nous sommes donc coupés du monde ?

– Non, monsieur. Il y a un téléphone extérieur dans le bureau et un autre dans la cuisine du chalet central. Vous pourrez les utiliser. Et si quelqu'un vous appelle, comme l'a fait M. Walsh, nous vous transmettrons le message.

– Comment ? Avec des signaux de fumée ?

– Par écrit ou en vous joignant dans votre chambre.

– Parfait.

Cette situation présentait un avantage inattendu, mais aussi un inconvénient majeur, étant donné le nombre de coups de fil que nous aurions à passer le lendemain et peut-être le surlendemain.

Jim continua à examiner le dossier.

– Deux nuits. Exact ?

– Exact. Où est le bar ?

– J'y viendrai dans un moment.

Il poussa vers nous le règlement de la résidence, une brochure vantant les mérites du Point de Vue et un plan de la propriété.

– Comment comptez-vous régler votre facture ?

– Carte de crédit.

Je lui donnai ma Master Card officielle, au nom de R & G Associés, dont il nota le numéro.

– En suivant cette allée, reprit-il en traçant l'itinéraire sur notre plan avec un surligneur, vous tomberez, au-delà au terrain de croquet, sur le chalet central. Charles vous y attendra.

– Où est le bar ?

– Au Nid d'aigle, juste en face du chalet central. Ici, précisa-t-il en dessinant un grand X à la gauche du plan. Passez un agréable séjour chez nous.

Nous quittâmes le bureau, puis le bâtiment. Une fois dans la Ford, alors que je démarrais, je demandai à Kate :

– Veux-tu que j'appelle Walsh maintenant ?

– Non. Charles nous attend.

Le chalet central, une bâtisse en rondins, se dressait au bout de l'allée. Sous le porche, un autre jeune homme, cette fois en costume, nous fit lui aussi un signe de la main, descendit prestement les marches et s'avança vers nous tandis que nous sortions de la voiture.

– Je crois que nous nous sommes déjà parlé, me dit Charles avec un grand sourire.

Il me jaugea de la tête aux pieds. Puis, toujours aimable :

– Le dîner est servi. Si vous désirez passer à table... Après vous être changés, bien évidemment.

– Je n'ai rien à me mettre, Charles.

– Oh, mon Dieu... Nous pouvons vous prêter une veste et une cravate, si vous le souhaitez...

– Ce ne sera pas nécessaire. Où est le bar ?

Il désigna une construction rustique, à une centaine de mètres.

– Le pub se trouve là-bas, monsieur. Nous avons aussi des bars self-service sur l'ensemble de la propriété. Et tous les membres du personnel sont à votre disposition. Si vous n'en trouvez aucun, n'hésitez pas à vous servir vous-même.

– Je crois que je vais aimer cet endroit.

– À présent, si vous voulez bien me suivre...

Il nous précéda sur les marches du perron, puis à l'intérieur d'une salle en forme de rotonde, dans ce style des Adirondack qui commençait à me taper sur le système.

– Voici l'entrée du chalet central, où vivait William Avery Rockefeller, expliqua-t-il avec enthousiasme. Tout est d'époque.

Il nous entraîna vers une table ovale où trônaient un bouquet de fleurs, une bouteille de champagne dans un seau à glace en argent et trois flûtes. Il fit sauter le bouchon, remplit les flûtes, nous en offrit une à chacun et leva la sienne.

– Bienvenue au Point de Vue.

Je ne bois jamais ce genre de sirop. Toutefois, pour être poli et parce que j'avais besoin d'alcool, je trinquai avec Charles et nous bûmes tous les trois.

Il me montra une petite pièce au fond de la rotonde.

– Ce bar self-service est ouvert jour et nuit, à votre convenance.

Cela m'aurait convenu tout de suite, mais il poursuivit, désignant un passage voûté, non loin de la table :

– Et voici l'accès à la salle à manger.

J'y jetai un coup d'œil. La pièce, immense, me rappela celle où Bain Madox nous avait reçus. Dans celle-ci, deux colossales tables rondes se faisaient face devant la cheminée, où brûlait un feu d'enfer. À chaque table, une dizaine de messieurs et de dames en tenue de soirée mangeaient et buvaient en papotant. Charles reprit :

– Vous pouvez gagner la Mohawk, votre chambre où, je tiens à vous en informer, dormait jadis William Avery Rockefeller, en traversant la salle à manger. Mais, puisque le dîner est servi, vous préférerez peut-être y accéder par son entrée extérieure, que je vous montrerai dans un moment.

– Pour l'heure, je crois que nous ne refuserions pas un verre.

– Bien entendu. Si vous me laissez vos clés, je m'occuperai de votre voiture et monterai vos bagages.

– Nous n'en avons pas, répliqua Kate.

Soucieuse, apparemment, de ne pas laisser Charles s'imaginer que nous venions de nous rencontrer dans un routier, elle tint à préciser :

– Notre voyage s'est décidé à la dernière minute et nos affaires nous suivront demain. En attendant, pourriez-vous nous procurer quelques ustensiles de toilette ? Brosse à dents, rasoir, etc.

– Bien sûr. Je les ferai porter dans votre chambre.

Les femmes ont un sens pratique très développé, sans parler de leur souci de l'opinion de parfaits inconnus. Agissant en mari loyal, je stipulai à Charles :

– Nous fêtons notre anniversaire de mariage. Nous étions si émus que nous avons chargé notre Bentley, et pris la Ford par erreur.

Il eut un sourire complice et nous offrit une autre flûte, que je déclinai en mon nom et en celui de Kate.

– Nous serons au pub, lui dis-je. Pourrions-nous y avoir une collation ?

– Certainement. S'il vous faut quoi que ce soit d'autre, adressez-vous à n'importe quel membre du personnel.

– Et la clé de notre chambre ?

– Elles n'ont pas de clés.

– Comment y pénètre-t-on ?

– Elles n'ont pas de serrure.

– Comment empêche-t-on les ours d'entrer ?

– Les portes ont un verrou intérieur.

– Est-ce qu'un ours... ?

– John, coupa Kate, allons boire un verre.

– Très bien. Charles, ma voiture, elle, a une clé. La voici. Je dois impérativement être réveillé à 6 heures.

– Oui, monsieur. Désirez-vous prendre votre petit déjeuner dans l'intimité ou à la salle à manger ?

– Dans la chambre, répondit Kate. Merci de votre accueil, Charles.

– Faites-vous des saucisses en robe des champs ? demandai-je.

– Pardon ?

– Vous me les apporteriez au bar...

– Euh... Je vais demander au chef.

– Avec de la moutarde. Je les aime croustillantes.

– Oui... Je vais le lui faire savoir.

– Ciao.

Kate se mordit la lèvre. Une fois dehors, elle alla prendre son attaché-case dans la voiture et nous marchâmes vers le Nid d'aigle.

Lui aussi de style montagnard, le pub était un lieu douillet, chauffé par un feu discret. L'aire de jeu, qui occupait la moitié de la pièce, était dotée d'une table de bridge, d'un billard, d'une bibliothèque et d'une chaîne stéréo. Je notai l'absence de télévision. Un long bar occupait l'autre moitié. Derrière le comptoir, s'alignaient de merveilleuses bouteilles de différentes couleurs. Pas de barman. Tous les pensionnaires étant en train de dîner, l'endroit était désert. Un vrai paradis.

Je me glissai derrière le comptoir et lançai à Kate :

– Bonsoir, madame. Puis-je vous offrir un cocktail ?

Elle répondit sur le même ton :

– Je prendrais volontiers un petit xérès. Non... plutôt un double Stoli, avec une rondelle de citron et deux glaçons.

– Tout de suite, madame...

Je posai deux verres sur le comptoir, trouvai la glace, le citron, le Dewar's et le Stoli puis, une bouteille dans chaque main, remplis les verres à ras bord. Kate choqua le sien contre le mien.

– À Harry.

– Repose en paix, camarade.

Suivit un long silence, chacun décompressant d'une longue journée riche en événements et infiniment triste.

– On appelle Tom ? suggéra enfin Kate.

Je regardai mon téléphone : le réseau fonctionnait. Tant pis.

– L'usage du mobile est déconseillé au Point de Vue, madame.

– Et si c'est important ?

– Il rappellera.

Je savourai une gorgée de whisky.

271

– Si l'alcool est gratuit, comment comptent-ils rentrer dans leurs frais avec nous, à seulement mille deux cents dollars la nuit ?

Elle sourit.

– Peut-être espèrent-ils que tu iras te coucher tôt. À propos, tu n'aurais pas dû utiliser ta carte de crédit professionnelle.

– Si la fin du monde est proche, quelle différence ? Et si nous sauvons la planète, crois-tu que le gouvernement osera nous demandera de le rembourser ?

– Oui.

– Vraiment ?

– Affirmatif.

– Alors, quelle sera ma récompense ?

– Ton maintien à ton poste cette semaine.

Elle entama son Stoli, contempla le feu.

– En tout cas, c'est un endroit agréable pour assister au Jugement dernier.

– Tu joues au billard ?

– Je l'ai pratiqué autrefois. Mais je ne suis pas douée.

Bien sûr, elle mentait. Elle jouait comme une reine. Quant à moi, en dépit de l'atmosphère feutrée et des craquements du feu qui adoucissaient mon humeur, je ne fus guère brillant. Mes mains tremblaient. Le whisky, que j'avais avalé cul sec avant d'enlever ma veste, y était sans doute pour quelque chose. Ou alors il m'en fallait un autre. En chemisier, manches retroussées, belle à croquer quand elle se penchait sur le tapis vert, Kate me battit à plate couture.

– Où as-tu appris ?

Elle eut un sourire machiavélique.

– Ça ne te regarde pas.

Une jeune femme entra, portant un plateau de hors-d'œuvre que je l'aidai à installer sur le comptoir.

– Je m'appelle Amy, dit-elle. Bienvenue au Point de Vue. Puis-je vous préparer quelque chose à boire ?

– Non, mais prenez un verre.

Elle déclina l'invitation et ajouta :

– Voici le menu du petit déjeuner. Cochez ce que vous désirez et l'heure à laquelle vous souhaitez être servis. J'en aviserai les cuisines.

Je regardai les hors-d'œuvre.

– Où sont mes saucisses en robe des champs ?

Amy rougit jusqu'aux oreilles.

– Le chef... Il est, euh... français... dit qu'il n'a jamais entendu parler de ce plat.

Elle bredouilla :

– Je ne crois pas que nous ayons des hot-dogs.

– Ma jolie, nous sommes en Amérique. Dites à Pierre...

Kate m'interrompit.

– Amy, demandez-lui d'utiliser les saucisses du petit déjeuner.

Elle précisa :

– Saucisses en croûte. Avec de la moutarde, d'accord ?

Amy répéta le terme français avec un accent new-yorkais, promit de revenir et s'en alla.

– Ce pays va droit dans le mur, dis-je à Kate.

– John, laisse souffler un peu. Essaye ça.

Elle me proposa une tranche de saumon fumé, que je refusai.

– Après tout, nous sommes en pleine forêt... Je m'attendais, ici, à de la vraie nourriture. Du steak de bison, du ragoût de cerf...

Cela me rappela mon coup de téléphone à Harry et je me versai un deuxième scotch.

– Je sais que tu as vécu une dure journée, John. Alors, si cela peut te réconforter, bois tout ton saoul, fais ce que tu veux...

J'acquiesçai. Nos verres à la main, nous regagnâmes la salle de jeu et nous assîmes à la table de bridge. J'ouvris un paquet de cartes neuves.

– Tu joues au poker ?

– J'y ai joué autrefois. Mais je ne suis pas douée.

À mon tour de sourire.

– Les jetons rouges valent un dollar ; les bleus, cinq.

Je me révélai moins piètre joueur qu'au billard. Mes réflexes étaient peut-être émoussés, mais je suis capable de jouer au poker en dormant. Après avoir perdu vingt-deux dollars, Kate jeta un coup d'œil à son mobile.

– Nous devrions appeler Tom. Vraiment.

– Celui qui perd la manche lui téléphone.

Elle perdit une seconde fois.

Elle appela Walsh, qui décrocha. Elle actionna l'amplificateur, posa l'appareil sur la table et ramassa les cartes tandis que retentissait la voix de notre chef.

– Où êtes-vous ?

– Au Point de Vue. Et vous ?

– Au bureau.

Précision intéressante. À cette heure-ci, c'était inhabituel.

– Pouvez-vous parler ? s'enquit Walsh.

Kate gloussa.

– Pas très bien. J'en suis à mon quatrième Stoli.

Elle poussa la boîte de jetons vers le téléphone.

– J'ai des parasites, dit Walsh.

– C'est parce que je bats les cartes.

Il parut perdre patience.

– Où est John ?

– En face de moi.

– Première mise ! clamai-je.

– Quoi ? cria Walsh.

Kate jeta un jeton d'un dollar au centre de la table et ordonna :

– Coupe.

– Qu'est-ce que vous faites ? beugla Walsh.

– Je joue au poker, répliqua-t-elle en distribuant les cartes.

– Toute seule ?

– Non, à deux.

– Je veux dire : y a-t-il quelqu'un avec vous en dehors de John ?

– Non. Tu ouvres ?

Je jetai un jeton bleu.

– Ouvert à cinq.

Elle en balança deux autres.

– Je double ta mise.

– Êtes-vous sur amplificateur ? demanda Walsh.

– Oui. Combien de cartes ?

– Deux.

Elle me les distribua.

– Tu ferais mieux d'avoir autre chose qu'un brelan, mon agneau.

– Tu bluffes.

– Excusez-moi, implora Walsh, accepteriez-vous d'interrompre votre partie une minute ? John pourrait me dire comment s'est passé son entretien avec le commandant Schaeffer...

J'avalai une gorgée de whisky, posai mon jeu.

– Puisque vous savez que nous sommes descendus au Point de Vue, lâchai-je avec un claquement de langue, vous pourriez me faire part de ce qu'il vous a dit, lui...

– Selon lui, Kate n'assistait pas à l'entretien.

– Exact, confirmai-je. Nous avons eu un tête-à-tête, de flic à flic.

– C'est ce que je redoutais. Et... ?

– Que vous a-t-il appris d'autre ?

– Que vous l'aviez mis au courant à propos de notre pari. Vous me semblez d'humeur joueuse, aujourd'hui.

Walsh ne s'était jamais montré aussi spirituel. Pour l'encourager dans cette voie, je me forçai à rire, ce qui le sidéra.

– Vous avez bu, John ?

– Non... Nous sommes en train de boire.

– Je vois... Bien...

– Ne deviez-vous pas appeler Schaeffer avant que nous le rencontrions, pour lui annoncer que Kate et moi étions chargés de l'enquête ?

– Même saoul, vous n'oubliez rien.

– Même mort, je me souviendrai de vos saloperies.

– Surveillez votre langage. Avez-vous appris quelque chose de Schaeffer ?

– Tom, quoi qu'il m'ait dit, il vous le répétera. Il vénère le FBI.

– Je suggère que nous reprenions cette conversation lorsque vous irez mieux.

– Je vais parfaitement bien.

– Parfait. Pour votre information, le corps de Harry est en route pour New York, à bord d'un hélicoptère, afin d'y être autopsié. J'ai cru comprendre qu'il portait des traces de sévices physiques. Il est évident qu'il ne s'agit pas d'un accident de chasse. Le Bureau traite l'affaire comme un homicide.

– Ce n'est pas ce que vous insinuiez au départ. Faxez-moi l'intégralité du rapport du légiste, aux bons soins de Schaeffer.

Il ignora cette dernière phrase et reprit :

– Une équipe d'agents vient d'arriver sur place, depuis New

York et Washington. Ils aimeraient vous parler à tous les deux demain.

– S'ils ne sont pas là pour nous coffrer, nous leur parlerons.

– Ne soyez pas paranoïaque. Ils souhaitent simplement un briefing complet de votre part.

– Très bien, dit Kate. En attendant, faites-vous délivrer dès que possible par un juge fédéral un mandat de perquisition pour la propriété et le chalet du Custer Hill Club.

– C'est en discussion.

Kate l'interrompit :

– Tom, John et moi pensons que Bain Madox se trouve au centre d'une conspiration qui va bien au-delà de la manipulation des prix du pétrole.

Silence. Puis :

– Quel genre ?

– Nous l'ignorons.

Elle me regarda et mima avec ses lèvres les mots : « Fou, nucléaire, ELF ».

Je secouai la tête.

– Comme quoi ? insista Walsh.

– Je ne sais pas.

– Alors, pourquoi pensez-vous ça ?

– On en reparlera quand vous serez à jeun, Tom, dis-je.

– Rappelez-moi demain matin. Je sais que la résidence n'a pas de lignes extérieures dans les chambres et que la réception cellulaire n'est pas bonne. Mais n'essayez pas de me court-circuiter. Et n'envisagez même pas de note de frais pour ce palace.

Il raccrocha.

– À toi, dis-je à Kate.

Elle jeta trois jetons bleus dans le pot et répondit, imitant le ton de Walsh :

– N'envisage même pas de relancer.

– Trente de mieux.

– Je vois.

Elle abattit une quinte flush. Je posai mes cartes sans les retourner. Elle rassembla le pot à deux mains, le fit glisser vers elle.

– Qu'est-ce que tu avais ?

– Ça ne te regarde pas.

– Tu es mauvais perdant.

– Les bons perdants sont des losers.

– Macho...

– Tu adore ça. Allons faire une partie de fléchettes. Un dollar le point.

Elle éclata de rire.

– Tu n'es même plus capable de soulever ton verre. Je ne resterai pas dans la même pièce que toi si tu tiens une fléchette à la main.

Je me levai, titubai légèrement.

– Allons-y...

Quelques minutes plus tard, Amy revint avec un plateau recouvert d'un torchon immaculé, le posa sur le bar. Elle nous considéra un instant. J'avais envoyé une seule fléchette dans la cible. Les autres avaient cloué contre le mur le rideau d'une fenêtre. Elle ne fit aucun commentaire et se contenta de déclarer, en posant le plateau sur le comptoir :

– Voilà : saucisses de dinde fumées à la pomme. Avez-vous fait votre choix pour le petit déjeuner ?

Nous cochâmes le menu et commandâmes un petit déjeuner que même un chef français ne pouvait pas rater.

J'avais envie de regarder les nouvelles du soir. Je me tournai vers Amy.

– Où est la télévision ?

– Il n'y a pas de télévision au Point de Vue.

– Et si la fin du monde arrive ? Nous ne pourrons même pas voir les images ?

Elle eut ce sourire indulgent qu'arborent la plupart des gens en présence de quelqu'un d'éméché. Elle s'adressa à Kate, qu'elle croyait sobre.

– Oui, nous avons eu ce problème le 11 septembre. Exceptionnellement, nous avons branché un poste dans le pub. Ainsi, tout le monde a pu regarder. C'était vraiment horrible.

Ni Kate ni moi ne fîmes la moindre remarque. Amy nous souhaita bonne nuit, jeta un ultime coup d'œil aux fléchettes fichées dans le rideau et s'en alla.

Je découvris le plateau, lorgnai les saucisses de dinde.

– C'est quoi, cette merde ?

– Nous partirons d'ici demain, dit Kate.

– Pourquoi ? Cette taule me plaît.

– Alors, cesse de te plaindre et mange ces foutues saucisses.

– Où est la moutarde ? Ils n'ont même pas mis de moutarde !

– Il est temps d'aller se coucher, John.

Elle posa ma veste de cuir sur mes épaules, enfila la sienne, prit son sac, son attaché-case et m'entraîna vers la porte.

L'air était froid, de la buée sortait de ma bouche. Des milliers d'étoiles brillaient au-dessus de nos têtes. Je respirai le parfum des pins, l'odeur de la fumée qui sortait de la cheminée du chalet central. Tout était calme.

J'aime le chahut de la ville, le béton sous mes pieds ; le spectacle des étoiles ne me manque pas, car les lumières de Manhattan créent leur propre univers et que huit millions d'êtres humains me semblent plus intéressants que huit millions d'arbres. Pourtant, cette nuit-là était indéniablement belle. En d'autres circonstances, j'aurais pu, ici, en pleine nature, me sentir en paix avec moi-même, tout en dégustant des plats français en compagnie de vingt inconnus qui avaient sans doute fait fortune en escroquant leurs semblables.

Nous contournâmes le chalet central jusqu'à une terrasse de pierre. Je m'approchai d'une des grandes fenêtres de la salle à manger. En observant les convives, toujours à table, je ne pus m'empêcher d'imaginer Bain Madox assis devant sa cheminée, son chien à ses pieds, au milieu de ses trophées de chasse, servi par un domestique, entouré peut-être d'une ou deux petites amies ; 90 % des humains n'en auraient pas demandé davantage. Mais M. Bain Madox, même satisfait de son train de vie et de sa fortune, se sentait poussé par une voix intérieure vers de sombres desseins.

Je l'avais vu dans ses yeux, dans son comportement : il se croyait investi d'une mission. Il était l'homme du destin, bien au-dessus du commun des mortels.

Mais je me foutais de ses raisons, de son démon intérieur, des voix divines qu'il était persuadé d'entendre ou de son évidente mégalomanie. Une seule chose m'importait : il avait sans doute tué l'un de mes amis.

– À quoi penses-tu ? chuchota Kate.

– À Madox. À Harry. À la bombe atomique. Aux ondes radio...

– Nous éclaircirons tout cela.

– Ce qui est bien avec ce mystère, c'est que, même si nous ne le résolvons pas, nous saurons bien assez tôt ce que nous n'aurons pas découvert.

– Nous ferions mieux de le résoudre avant qu'il n'éclate au grand jour.

Nous atteignîmes l'arrière du chalet central sans tomber nez à nez avec un animal sauvage. J'aperçus une porte flanquée d'une pancarte de bois indiquant : « Mohawk ». Je l'ouvris puis, une fois à l'intérieur, bloquai le verrou. Kate, qui m'avait précédé, ne cacha pas sa surprise.

– C'est superbe !

Voûtée, immense, la chambre était lambrissée de pin. Sur le lit gigantesque, un panier d'osier rempli d'ustensibles de toilettes semblait là pour nous accueillir. Kate admira les meubles, les oreillers moelleux, l'épaisseur et la douceur des couvertures. J'allai me rafraîchir le visage dans la salle de bains. Lorsque je revins, Kate, accroupie devant la cheminée surmontée de bois de cerf, tendait une allumette vers les bûches et le petit bois empilés dans l'âtre. Le feu prit d'un coup. Elle se redressa, contempla son œuvre.

– C'est tellement romantique...

Je m'approchai du lecteur de CD, mis un disque d'Etta James. Etta commença à chanter : *At Last*.

Kate avait trouvé sur une table une bouteille de vin rouge. Elle la déboucha, remplit deux verres, m'en tendit un.

– À nous.

Nos verres s'entrechoquèrent. Elle posa un baiser sur mes lèvres puis fit le tour de la chambre, éteignant les lampes. Elle ôta ses chaussures et s'assit dans l'un des vastes fauteuils qui entouraient le feu.

– Tu as eu une bonne idée, dit-elle. Sauf que c'est un peu cher.

– Demain, j'appelle mon bookmaker pour parier sur la date de l'offensive contre l'Irak. Je suis sûr de gagner le gros lot. À propos, tu crois que ce conflit a quelque chose à voir avec les projets de Madox ?

– C'est possible.

– Il a peut-être l'intention de vitrifier Bagdad pour nous éviter de partir en guerre. C'est peut-être ça, le jeu...

– Je ne sais pas. Pourquoi spéculer là-dessus ?

– C'est ce qu'on appelle une analyse. Nous sommes payés pour ça.

– J'ai tiré le rideau.

– Est-ce que la destruction de Bagdad aurait une influence sur les prix du pétrole ? Et comment pourrais-je parier sur la date de l'offensive si une attaque nucléaire la rend inutile ? À ton avis ?

– Je crois que tu devrais arrêter de penser ce soir.

La pièce n'était plus éclairée que par les flammes, dont le reflet luisait contre les tableaux accrochés aux murs. Le vent s'était levé et hurlait dans la cheminée. Des feuilles mortes passaient devant les fenêtres.

– Effectivement, c'est romantique, dis-je.

Etta James chantait toujours. Le vin était bon. Kate se leva, marcha vers le lit, prit un oreiller et l'édredon, les installa devant l'âtre. Puis elle se déshabilla. Nue, elle s'allongea sur l'édredon et me regarda.

Je me déshabillai à mon tour, lentement (en cinq secondes environ), et m'étendis près d'elle.

Nous nous retrouvâmes dans les bras l'un de l'autre.

Nous avions eu une sale journée. Celle de demain, s'il y en avait une, risquait de ne pas être meilleure. Mais la nuit qui s'annonçait valait la peine d'être vécue.

Chapitre 29

Le téléphone sonna à 6 heures tapantes. Je bondis hors du lit, me demandant ce qui m'avait pris de me faire réveiller à une heure pareille. De lourdes cloches sonnaient dans mon crâne.

Kate roula sur elle-même, grommela quelque chose et enfouit sa tête sous l'oreiller.

Je trouvai la salle de bains dans le noir, utilisai le rasoir et la brosse à dents généreusement fournis par l'hôtel, puis plongeai sous la douche. Je regagnai ensuite la chambre et m'habillai, toujours dans le noir, laissant à son sommeil la Belle au bois dormant.

Après la tension de la journée, la nuit avait été courte. Pour la première fois depuis longtemps, j'avais rêvé que je me trouvais sous les tours en flammes tandis que des gens sautaient par les fenêtres. J'avais aussi rêvé que Harry et moi assistions à des obsèques.

Je poussai l'autre porte de notre chambre. Elle donnait sur un couloir, qui menait à la salle à manger.

On dressait les deux grandes tables pour le petit déjeuner. Un feu flambait à chaque extrémité de la pièce. Du côté de la cuisine me parvenaient des bruits de pas affairés, des tintements de couverts et de porcelaine. Je crus entendre une voix à l'accent français crier les mots : « Saucisses en robe des champs », suivis par un éclat de rire. Peut-être une hallucination liée à la gueule de bois...

On avait disposé sur une petite table le café et les muffins. Je me versai une tasse, ouvris une porte-fenêtre et gagnai la terrasse, où je respirai longuement l'air des montagnes. Le ciel commençait à s'éclaircir, annonçant une belle journée dans le pays de Dieu.

Il existe chez les policiers une croyance, confortée par les statistiques et les résultats sur le terrain, selon laquelle les premières quarante-huit heures d'une enquête criminelle sont cruciales. Les agents de renseignement et ceux qui luttent contre le terrorisme se donnent, eux, davantage de temps. Ils ont de bonnes raisons pour cela. Mais, en accord avec mon instinct, mon expérience de policier m'a appris que presque tout ce qu'on a besoin de savoir se joue en deux jours. Trois au maximum.

C'est le délai dont on dispose avant qu'intervienne un essaim de supérieurs qui se mêlent de tout, de procureurs à demi comateux, d'avocats retors et de juges bornés. Si on laisse à ces gens le temps de penser, ils s'empressent de tout faire capoter.

J'en étais là de mes réflexions matinales lorsque Kate me rejoignit sur la terrasse, en peignoir et pantoufles de la résidence, une tasse de café à la main. Elle bâilla, sourit et dit :

– Bonjour.

D'ordinaire, après une nuit d'amour, l'homme, mari ou non, répond par un baiser, un compliment et une allusion à ce qui s'est passé, explicite mais assez subtile pour ne pas ressembler à une muflerie.

Je vins à bout de cette épreuve et nous restâmes côte à côte sur la terrasse, bras dessus, bras dessous, dégustant notre café en contemplant les pins et les feuilles mortes.

Le soleil se levait. La brume qui flottait au ras du sol s'étirait jusqu'aux eaux calmes du lac Saranac. L'air sentait la terre humide, la fumée. Je compris pourquoi Harry aimait cette région. Je l'imaginai s'éveillant le samedi, à l'aube, dans son camping-car, au milieu d'un paysage semblable à celui-ci, avant de prendre le chemin du Custer Hill Club.

Tout à coup, Kate eut froid. Nous retournâmes dans la salle à manger. Nous nous chauffâmes un instant devant le feu, assis sur un canapé où traînait un exemplaire du *New York Times*, dont la une disait : « Les divergences sur l'Irak s'accentuent entre la France et les États-Unis. » Un autre titre proclamait : « Bush accuse al-Qaida d'avoir perpétré l'attentat contre le night-club de Bali. » L'article précisait : « Des militants islamistes affirment que les États-Unis ont organisé l'attentat de samedi, pour manipuler le gouvernement indonésien et l'enrôler dans une guerre contre l'islam. »

Ces mêmes militants avaient prétendu la même chose à propos des attaques du 11 septembre. C'était une théorie intéressante, assez plausible pour troubler certains esprits. Sans être un obsédé du complot, je concevais tout à fait que des Américains, notamment des membres du gouvernement, cherchent un prétexte pour étendre la guerre contre le terrorisme à des pays musulmans hostiles. Tel l'Irak. Je me souvins des propos que nous avait tenus un jour le plus tordu des agents de la CIA délégués à l'ATTF :

– Ce qu'il nous faudrait, c'est un autre bon attentat.

Je m'en serais volontiers passé, merci, mais je voyais ce qu'il voulait dire...

Kate se leva.

– Je retourne dans la chambre. Je vais me doucher. Et toi ? Qu'est-ce que tu vas faire ?

Je vérifiai mon mobile. Pas de réseau.

– Il faut que je prenne rendez-vous avec Schaeffer. Il doit m'emmener sur les lieux du crime. Je vais donc utiliser le téléphone de la cuisine. À tout à l'heure.

– Sois gentil avec le chef.

– *Oui, oui...* répondis-je en français.

Elle s'en alla. Je me rendis à la cuisine, où tout le monde s'agitait. Personne ne me prêta la moindre attention. Je trouvai le téléphone contre le mur, au-dessus d'un comptoir, composai le numéro du quartier général des State Troopers. Le sergent de garde me demanda de patienter. La cuisine sentait le porc frit, ce qui fit gronder mon estomac.

J'ouvris le *New York Times* à la rubrique nécrologique. Rien sur Harry Muller. Il était peut-être trop tôt ; à moins qu'on ait décidé de ne pas publier son avis de décès dans le *Times*. Je ne vis rien non plus sur sa mort dans les pages intérieures.

Un accident de chasse au fin fond de l'État de New York ne constituait pas un événement en soi. Mais l'assassinat d'un agent fédéral, si. Par conséquent, le FBI et la police locale publieraient un communiqué commun annonçant que le décès était à première vue accidentel, mais que l'enquête se poursuivait. Tout organe de presse sollicitant de plus amples informations recevrait pour consigne de maintenir cette version des faits, pour éviter d'accabler la famille et de mettre un éventuel suspect sur ses gardes. Ce genre de langue de bois permet de gagner plusieurs jours.

Une serveuse passa devant moi. Je l'arrêtai.

– Rendez-moi un service. Je m'appelle Corey. J'occupe la Mohawk et j'ai commandé un petit déjeuner. Mais je prendrais bien, en sus, un sandwich au bacon et au pain de seigle.

– Maintenant ?

– S'il vous plaît. Avec un café.

Elle tourna les talons en hâte.

– Bonjour, dit Schaeffer.

L'entendant à peine dans le téléphone, j'élevai la voix pour couvrir le tintamarre de la cuisine.

– Bonjour ! Quelle serait l'heure idéale pour se rendre sur les lieux du crime ?

– Soyez ici à 8 heures. Je vous attendrai dans le vestibule.

– Merci. Quoi de neuf ?

– J'ai parlé au Dr Gleason hier soir.

– Charmante personne.

– Elle m'a appris que vous étiez allés un peu plus loin qu'une simple reconnaissance du corps et un dernier hommage.

– Je vous l'ai dit : elle nous a montré les traces de sévices.

– Ah, oui ? Avez-vous manipulé les effets personnels de la victime ?

– Aucun.

Tous...

– Vous avez découvert quelque chose ?

– Non.

Juste les lettres dans la poche de Harry et ses appels sur son portable...

– Pris quoi que ce soit ?

– Rien.

À part le plan du domaine de Custer Hill...

– Selon mes hommes, vous n'avez rien signé, ni en entrant à la morgue ni en partant.

– Si nous y faisions un tour vous et moi, Commandant, après la visite des lieux du crime ?

– Trop tard. Les Fédéraux ont évacué le corps la nuit dernière.

– Je vous l'avais bien dit. Vous devez agir vite.

– Merci.

La serveuse posa un plateau sur le comptoir.

– Votre petit déjeuner vous sera servi à 7 heures.

– Merci. Ajoutez-y quelques uns de ces petits pains qui viennent de sortir du four.

– Comment est le Point de Vue ? s'enquit Schaeffer.

– Superbe. Boissons gratuites à volonté. Où en êtes-vous, avec le mandat de perquisition et la surveillance ?

Je mordis dans le sandwich. Sublime.

– Oubliez le mandat pour l'instant. Mais j'ai commencé la surveillance hier soir.

– Des résultats ?

– Oui. À 20 h 30, deux véhicules ont quitté la propriété : une camionnette Ford du Custer Hill Club, et une Ford Taurus de l'agence de location Enterprise.

Je fis passer ma bouchée avec une gorgée de café.

– Où allaient-ils ?

– À l'aéroport des Adirondack. À cette heure-ci, les agences commerciales sont fermées. La Taurus a été laissée sur le parking d'Enterprise et les clés glissées dans une boîte aux lettres. Ensuite, les chauffeurs, deux hommes, sont remontés dans l'estafette et ont regagné le Custer Hill Club.

– Qu'en concluez-vous ?

– Je les soupçonne fortement d'avoir restitué une voiture de location.

Le commandant avait un sens aigu de l'humour.

– Voyez s'il n'y a pas de cadavre dans le coffre, lui dis-je. Quel est le numéro d'immatriculation de la Taurus ?

– Je ne l'ai pas sous la main.

Façon polie de répondre : « Qu'avez-vous fait pour moi récemment ? »

– J'ai vu une Ford bleue d'Enterprise au Custer Hill Club, précisai-je.

Je lui donnai l'immatriculation de mémoire.

– C'est ça ?

– On dirait. J'appelle l'agence pour avoir le nom du client.

Je pourrais sans doute obtenir l'information auprès de Larry, le copain de Kate à Enterprise. Je répondis néanmoins :

– Parfait. La surveillance n'a rien donné d'autre ?

– Non. Qu'est-ce que nous cherchons ?

– On l'ignore toujours avant de mettre la main dessus. J'aimerais quand même savoir si Madox se trouve encore dans la propriété.

– D'accord.

– Faites-moi prévenir dès que vous aurez décelé une activité quelconque.

Au moment où je raccrochais, un bel homme en tenue ajustée de chef cuistot se dirigea vers moi et me tendit la main.

– Bonjour, dit-il avec un accent français. Je parie que vous êtes M. Corey.

– *Oui.*

– Ah, vous parlez français.

– *Oui.*

– *Excellent.* Je suis Henri, le chef. Je tiens à vous présenter mes plus plates excuses pour les saucisses en robe des champs.

– Ne vous tracassez pas, Henri.

– Bien sûr que si. J'ai donc commandé les ingrédients spécialement pour vous. Ce soir, je servirai ces saucisses à l'apéritif.

– Superbe. Je les aime croustillantes.

Il se pencha vers moi et murmura :

– Moi aussi, je raffole de ces petites choses.

J'étais sûr, à présent, qu'il se payait ma tête.

– Je ne dirai rien à personne. N'oubliez pas la moutarde. À plus tard.

– Serez-vous, votre femme et vous, avec nous pour le déjeuner ?

– Hélas, non.

– Alors, je dois vous préparer un pique-nique. Quand partez-vous ?

– Dans vingt minutes. Ne prenez pas la peine de...

– J'insiste. Vous trouverez un panier dans votre voiture. Pour le dîner de ce soir, j'ai prévu de la bécasse aux petits légumes cuits à l'étouffée, avec une sauce au porto. Vous aimez ?

– J'en raffole.

Il me serra de nouveau la main.

– Nous avons peut-être nos différends, mais nous pouvons rester *amis. Pas vrai* ?

– Bien sûr. Ensemble, nous pourrions botter quelques culs irakiens, non ?

Henri n'en paraissait pas très sûr.

– Peut-être, murmura-t-il.

En quittant la cuisine, je l'entendis ordonner à un marmiton de préparer un repas froid.

Je retournai dans la chambre. Kate se maquillait devant la coiffeuse.

– Dépêchons. Nous avons rendez-vous à 8 heures au quartier général de la police de l'État.

– Le petit déjeuner est sur la table. Qu'a dit le commandant ?

– Je te raconterai en route. Où est ton attaché-case ?

– Sous le lit.

Je m'accroupis, attrapai la serviette, marchai jusqu'à la table du petit déjeuner et, debout, farfouillai dans la pile de contrats de location d'Enterprise.

– Qu'est-ce que tu cherches ?

– Le beurre.

– John...

– Ah, voilà...

– Quoi ?

– Le contrat correspondant à l'immatriculation de la voiture que j'ai vue au Custer Hill Club.

J'étalai le document sur la table et beurrai un petit pain.

– Qui l'a louée ?

– Ce pourrait être intéressant, remarquai-je.

– Quoi ?

– L'identité du type. Il a un nom russe. Mikhaïl Putyov.

– Ça ne ressemble pas à celui d'un membre du club.

– Pas vraiment. Madox invite peut-être d'anciens ennemis de la guerre froide pour évoquer le bon vieux temps...

Toujours debout, je plongeai ma fourchette dans l'omelette.

– Tu veux déjeuner, ou continuer à te peinturlurer ? lançai-je à Kate.

Pas de réponse.

– Il faut y aller, insistai-je.

Toujours pas de réponse.

– Chérie, puis-je t'apporter ton jus d'orange, ton café et un toast ?

– Tu serais gentil.

Je m'exécutai, en m'efforçant de garder mon équilibre.

– Tu as de la réception sur ton mobile ?

– Non.

– Il faut que je passe un autre coup de fil depuis la cuisine.

– À qui ?

– À quelqu'un qui pourrait me renseigner sur ce Russe.

– Appelle le bureau.

– J'aimerais mieux pas.

– Nous sommes déjà dans le collimateur, John. Tu t'en rends compte ?

– C'est ainsi que fonctionne le monde. L'information procure le pouvoir. Si tu gardes pour toi ce que tu sais, tu détiens le pouvoir de négocier la fin de tes ennuis.

– Dans mon univers à moi, on pense différemment. On dit : « Évite les ennuis. »

– Pour ça, mon ange, il est déjà trop tard.

Chapitre 30

De retour dans la cuisine, je composai un numéro qui figurait dans le répertoire de mon mobile. Une voix familière répondit aussitôt :

– Agence d'investigation Kearns, à votre service...

– Je soupçonne mon chien d'être un espion irakien. Pourriez-vous effectuer une enquête de voisinage à son sujet ?

– C'est... Corey ?

– Salut, Dick. J'ai un problème : mon caniche français se tourne tous les vendredis soir vers La Mecque en hurlant à la mort.

Il éclata de rire.

– Descends-le. Comment va ?

– À merveille. Et toi ?

– On ne peut mieux. D'où appelles-tu ? C'est quoi, le Point de Vue ?

– La taule où je crèche. Saranac Lake.

– En congé ?

– Boulot. Comment va Mo ?

– Toujours aussi cinglée. Et Kate ?

– En pleine forme. Nous travaillons ensemble.

Cet échange de politesses se prolongea pendant une minute. Ancien du NYPD, Dick Kearns faisait partie de mon réseau personnel, qui diminuait chaque année, à mesure que ses membres partaient à la retraite, étaient mutés ailleurs ou mouraient de mort naturelle, à l'exception de Dom Fanelli, qui, avec six autres de mes connaissances, avait péri le 11 septembre en service commandé.

Dick avait été brièvement affecté à l'ATTF, avec accès aux documents ultrasecrets. Ayant appris les méthodes de travail des Fédéraux, il vivait confortablement, depuis sa retraite, en enquêtant à titre privé pour le compte du FBI. Depuis le 11 septembre, ses affaires avaient prospéré et lui rapportaient plus d'argent qu'il n'en avait jamais gagné en tant que flic, avec deux fois moins de stress.

– Dick, lui dis-je, j'aurais besoin d'informations sur quelqu'un.

– D'accord, mais j'ai du travail par-dessus la tête. Je vais faire ce que je peux. Il te faut ça pour quand ?

– Midi.

Il s'esclaffa.

– J'ai dix enquêtes sur les bras et elles sont toutes en retard.

– Écoute, je ne te demande pas grand-chose : quelques renseignements qui sont dans le domaine public et peut-être deux ou trois coups de téléphone.

– Midi ?

Des marmitons curieux commençaient à s'intéresser à la conversation. Je baissai le ton et ajoutai :

– Cela pourrait concerner la sécurité nationale.

– Et c'est moi que tu appelles ? Pourquoi ne t'adresses-tu pas à ton bureau ?

– Je l'ai fait et ils m'ont renvoyé vers toi. Tu es le meilleur.

– John, tu as encore fourré ton nez dans un foutoir qui ne te regarde pas ?

Apparemment, il se souvenait qu'il m'avait aidé, de façon non officielle, dans l'affaire du vol 800 de la TWA, et pensait que j'étais reparti dans une histoire à dormir debout, ce qui était le cas. Mais pourquoi le perturber ?

– Je te revaudrai ça.

– C'est ce que tu m'as dit la dernière fois. À propos, qu'a donné ce bazar de la TWA ?

– Rien. Tu es prêt à noter ?

– John, je travaille pour gagner ma vie. Si je t'aide, je pourrais me retrouver au chômage ou en cabane.

– Prénom, Mikhaïl.

J'épelai. Il soupira, répéta le prénom.

– Popov ?

– Probablement. Patronyme, Putyov.

– J'espère que tu as autre chose.

– Je vais te faciliter la tâche. J'ai un contrat de location de voiture. À moins que le gus ait utilisé une fausse identité, ça devrait te suffire.

– Parfait. Envoie.

Je lui lus les informations figurant dans le contrat, dont l'adresse de Putyov, à Cambridge, dans le Massachusetts.

– Bien, dit-il, ça devrait être facile. Qu'est-ce qu'il a de spécial, ce gars ? Tu cherches quoi ?

– Aucune idée. Mais j'aimerais savoir ce qu'il fait dans la vie.

– Pas de problème. J'envoie la note à qui ?

– À mon ex-femme.

Dick n'agissait que pour le plaisir de venir en aide à un ancien collègue. Toutefois, pour le motiver un peu plus, je lui dis :

– Tu te souviens de Harry Muller, un de mes collaborateurs au 26, Federal Plaza ?

– Oui. Tu m'en as parlé.

– Il est mort. Il a été tué ici, aux environs de Saranac Lake. Tu vas peut-être tomber sur une nécro ou un entrefilet dans la presse. L'article évoquera sans doute un accident de chasse. Mais c'est du bidon. On l'a buté.

– Nom de Dieu ! Harry Muller ? Qu'est-ce qui est arrivé ?

– C'est ce que j'essaie de découvrir.

– Et le Ruskof est impliqué ?

– Il est en relation avec celui que je soupçonne d'avoir commis le meurtre.

– D'accord. Donc, midi. Je te contacte comment ?

– Ici, la réception est mauvaise. Je te rappellerai. Reste joignable.

– Entendu.

– Merci. Bises à Mo.

– Embrasse Kate pour moi.

Je raccrochai, quittai la cuisine, traversai la salle à manger et sortis du chalet. Kate était au volant de la voiture.

Je sautai sur le siège du passager.

– Bonne nouvelle. Nous aurons des renseignements sur Mikhaïl Putyov en milieu de journée.

291

Elle démarra et nous franchîmes le portail. Je regardai l'horloge du tableau de bord.

– Pourrons-nous être là-bas dans une demi-heure ?

– Voilà pourquoi je conduis, John.

– Dois-je te rappeler que tu paniques complètement dans les embouteillages de Manhattan ?

– Je ne panique pas. Je dégage.

– Les conducteurs qui t'entourent aussi.

– Très drôle. C'est quoi, ce machin sur la banquette arrière ? Je jetai un coup d'œil par-dessus mon épaule.

– Oh, j'ai pris mes précautions et demandé que le chef nous prépare un pique-nique.

– Excellente idée. Tu l'as vu ?

– Oui. Il s'appelle Henri.

– Tu as été odieux ?

– Bien sûr que non. Il servira des saucisses en robe des champs à l'apéritif. Spécialement pour moi.

Elle n'en crut pas un mot.

Une fois sur la grand-route, elle appuya sur le champignon, au risque d'avoir affaire à la police de l'État bien avant notre arrivée au quartier général.

– Du nouveau du côté de Schaeffer ? s'enquit-elle.

– Oui. Il a suivi mes conseils et commencé la surveillance du domaine de Custer Hill.

– Et ?

– La voiture d'Enterprise que nous avons vue là-bas et qui était louée par Putyov a été restituée hier soir.

– Putyov est donc parti ?

– Peut-être, mais pas hier soir, et pas depuis l'aéroport. Il... à moins que quelqu'un d'autre n'ait conduit la voiture... a regagné le Custer Hill Club dans une estafette. Selon le contrat, il a pris possession du véhicule dimanche matin. Cela signifie qu'il est arrivé ce jour-là par le vol de Boston ou d'Albany.

– Boston. J'ai vérifié sur le listing. Mikhaïl Putyov a atterri dimanche à 9 h 25.

– Très juste : il vit à Cambridge. Il a loué la Ford pour deux jours. Il était donc censé la rendre aujourd'hui. Or, elle a été déposée sur le parking hier soir. As-tu parcouru les réservations de vol que nous a données Betty ?

– Oui. Putyov doit s'envoler aujourd'hui à 12 h 45 pour Boston.

– Bien. Nous vérifierons... Je me demande pourquoi il est arrivé à cette réunion plus tard que les autres et se trouve sans doute toujours là après leur départ.

– Tout dépend des raisons de sa présence. Il est peut-être en cheville avec Madox pour des affaires de pétrole.

– M. Madox a été très occupé... Il organise un week-end avec de vieux et puissants amis, assassine un agent fédéral, puis prolonge son week-end en compagnie d'un Russe domicilié à Cambridge. Je me demande comment il a fait pour nous consacrer un peu de temps.

– Je ne crois pas que Harry ait été inclus dans ses plans.

Peut-être bien que si...

Nous roulions vers l'est, sur la route 86. Kate semblait éprouver un malin plaisir à se déporter sur la gauche chaque fois qu'un gros camion déboulait vers nous.

– Ralentis, lui dis-je.

– Impossible. L'accélérateur est coincé et les freins ont lâché. Alors, ferme les yeux et dors.

Élevée chez les bouseux, Kate raffole de ces plaisanteries de chauffard, que j'apprécie modérément.

Je gardai les yeux ouverts et braqués sur le pare-brise.

– Il faut que j'appelle John Nasseff, me dit-elle. Tu le connais ?

– Non, mais il a un joli prénom.

– Il est du NCID. Détaché à l'ATTF.

– Du quoi ?

– NCID : Naval Counter Intelligence Department. Contre-espionnage de la Marine. Il est spécialiste du matériel. J'ai repensé à Fred, le vétéran de la flotte. Si son témoignage a la moindre valeur, nous devrions interroger un expert naval à propos d'ELF et voir si nous tombons sur quelque chose.

Je n'étais pas sûr de très bien suivre son raisonnement, mais elle était peut-être sur une piste. D'un autre côté, je refusais d'appeler le 26, Federal Plaza pour des questions de ce genre.

– Je préférerais ne pas téléphoner au bureau, dis-je.

– Pourquoi ? C'est là que nous travaillons.

– Oui, mais tu sais que, là-bas, les gens jasent.

– Ils ne jasent pas. Ils échangent des informations. L'information procure le pouvoir. D'accord ?

– Seulement quand on les garde pour soi... Bon, appelle-le si tu veux. Mais en noyant le poisson, du genre : « Eh, John, nous avons fait un pari à propos des ondes radio de fréquence extrêmement basse. Ma sœur prétend qu'elles peuvent cuire un œuf. Qu'est-ce que tu en penses ? »

– Tu tiens à ce qu'il nous prenne pour des débiles ?

– Tout juste.

– Je ne suis pas aussi forte que toi à ce jeu-là.

– Alors, je lui parlerai.

– Nous lui parlerons tous les deux.

Nous arrivions à Ray Brook. Kate leva le pied. Deux clignements de paupières plus tard, elle freina pile sur le parking du quartier général de la police de l'État. Il était 8 h 05.

Elle prit son attaché-case et nous sortîmes de la Ford. Alors que nous nous approchions du bâtiment, une voiture s'arrêta devant nous. La vitre du conducteur s'abaissa, laissant apparaître la tête de Hank Schaeffer.

– Montez.

Nous prîmes place dans son véhicule, une Crown Victoria sans signe distinctif, moi à l'avant, Kate à l'arrière.

Je me demandai pourquoi le commandant ne nous avait pas attendus dans le vestibule, comme prévu. Il éclaira ma lanterne avant que j'aie pu l'interroger.

– J'ai eu de la visite, ce matin.

Inutile d'en rajouter... Il s'engagea sur la route puis précisa :

– Ils sont six. Trois du département des opérations extérieures de New York, deux de Washington et un de votre boutique.

– Ils savent se tenir ?

– Ils sourient et serrent les mains.

– Ils sont envoyés par le gouvernement et sont là pour vous aider.

– Tu parles...

– Excusez-moi, lâcha Kate. Je suis du FBI.

– Nous ne critiquons pas le FBI, chérie.

Pas de réaction. Je m'adressai de nouveau au commandant.

– Qui l'ATTF a-t-elle envoyé ?

– Un certain Liam Griffith. Vous connaissez ?

– Et comment ! Il travaille au bureau des responsabilités professionnelles.

– Qu'est-ce que c'est que ça ?

– Le nom que les Fédéraux, dans leur jargon, donnent aux Affaires internes.

– Vraiment ? En tout cas, il vous cherche.

Je me tournai vers Kate, qui ne semblait guère ravie.

L'« agent en noir » : ainsi les jeunes recrues de l'ATTF, influencées par le cinéma, avaient-elles surnommé Liam Griffith. Ce sobriquet lui allait bien. Je lui préférais néanmoins celui que je lui avait donné : l'Enflure.

Il aurait dû, le 11 septembre, assister à la réunion prévue au Windows on the World. Mais il était en retard ou, finalement, on ne l'avait pas invité. Quoi qu'il en soit, il avait échappé au destin de tous les participants.

J'avais eu également quelques prises de bec avec lui lors de l'affaire du vol 800 de la TWA. Je me souvins des dernières paroles que je lui avais jetées au visage, au bar de chez Ecco : « Disparaissez de ma vue. »

Il l'avait mal pris, mais ne s'était pas fait prier. À présent, il était de retour.

– Que lui avez-vous dit ? lança Kate à Schaeffer.

– Que vous passeriez sans doute aujourd'hui. Il voulait vous voir tous les deux dès votre arrivée. J'ai pensé que vous préféreriez remettre cette rencontre à plus tard.

– Merci, lui soufflai-je.

Nous poursuivîmes notre route en silence.

– Tom a renié notre accord, murmurai-je enfin à Kate.

– Nous n'en savons rien. Griffith tient peut-être tout simplement à nous préciser les termes de notre mission...

– À mon avis, ce n'est pas pour ça que Walsh l'a appelé et qu'il a pris l'avion jusqu'ici.

Elle se tut. Mais Schaeffer déclara :

– D'après ce que j'ai entendu, vous avez une semaine pour résoudre l'affaire. Et, jusqu'à nouvel ordre, c'est vous qui menez l'enquête.

– Bien parlé.

Il me faudrait quand même, dans la mesure du possible, garder mes distances avec Liam Griffith.

Chapitre 31

Moins d'une heure après notre départ de Ray Brook, nous quittâmes la route 56 et nous engageâmes sur la Stark Road.

Nos mobiles et nos bipeurs restaient étrangement muets, ce que j'aurais trouvé délectable si ce silence ne m'avait paru lourd de menaces.

En fait, notre interlocuteur habituel, Tom Walsh, se faisait discret depuis que le justicier Liam Griffith rôdait dans les parages. Tous deux avaient dû évoquer plusieurs fois au téléphone les agissements du couple infernal que formaient le détective Corey et l'agent spécial Mayfield.

J'étais certain que Griffith avait promis à Walsh que ces scélérats seraient bientôt neutralisés, interceptés à peine entrés dans le vestibule du quartier général des State Troopers et expédiés manu militari à l'aéroport où les attendrait un hélicoptère du FBI chargé de les ramener à Manhattan.

Des clous. Je fermai mobile et bipeur, intimai à Kate de m'imiter.

Schaeffer suivit la direction que nous avait indiquée Rudy. Un quart d'heure plus tard, nous atteignîmes le croisement d'où la route forestière McCuen Pond serpentait vers le nord jusqu'aux grilles du Custer Hill Club.

J'aperçus, garé sur le bas-côté, un pick-up orange arborant sur ses portières le sigle de l'État de New York. Deux hommes en bleu de travail débroussaillaient les abords.

Schaeffer ralentit.

– Police de l'État, nous dit-il.

Il s'arrêta. Les deux hommes reconnurent leur chef et s'approchèrent. Ils commencèrent à le saluer puis, se souvenant de leur déguisement, se ravisèrent et se contentèrent d'un hochement de tête.

– Bonjour, Commandant.

– Du mouvement ?

– Non, monsieur, répondit l'un des hommes. Ni entrée ni sortie. Tout est calme.

– Ne travaillez pas trop dur, plaisanta-t-il. Sinon, nous devrons changer de couverture.

Ils s'esclaffèrent à cette bonne blague et nous poursuivîmes notre chemin.

– S'ils repèrent un véhicule venant de Custer Hill et bifurquant vers le route 56, nous expliqua-t-il, ils préviendront par radio une voiture banalisée qui le prendra en filature, comme nous l'avons fait hier soir avec l'estafette du club et la Ford d'Enterprise. Si le véhicule tourne dans notre direction, le pick-up que nous venons de dépasser le suivra... Hier soir, nous avons utilisé une camionnette de la compagnie d'électricité. Dans un jour ou deux, nous aurons épuisé tous les prétextes pour effectuer une planque à ce croisement.

– D'après vous, les gens du Custer Hill Club ont-ils remarqué les véhicules en faction ?

– Plutôt deux fois qu'une. Selon mes hommes, des vigiles à bord d'une Jeep empruntent cette route forestière au moins deux fois par jour, observent ce qui s'y passe puis font demi-tour. Une sorte de reconnaissance du terrain...

– Madox était officier.

– Il connaît son métier.

En plus, il était parano. Psychose utile quand on vous file le train.

– John, dit Kate tandis que nous nous enfoncions entre les arbres, je comprends ce que tu voulais dire à propos de la mission de Harry. Il aurait pu se mettre en planque à l'endroit où Schaeffer a disposé son équipe.

– Exact. De là, il aurait répertorié sans difficulté les entrées et les sorties.

Et, en ce qui concernait les invités débarquant à l'aéroport et empruntant la camionnette du Custer Hill Club, une surveil-

Nelson DeMille

lance sur place pour déterminer qui venait d'Albany ou de Boston aurait amplement suffi.

Or Walsh avait envoyé Harry, tout seul, sur la propriété. Il s'agissait d'une opération mal conçue pour cause de budget en peau de chagrin, ou d'autre chose. Comme si quelqu'un avait programmé la capture de Harry. Pas dc Harry en personne, mais de n'importe quel flic de l'ATTF qu'on aurait mis sur le coup. Moi, par exemple...

La voix de Schaeffer me tira brusquement de ces élucubrations.

– Loin de moi l'idée de critiquer les méthodes de vos collègues, mais votre ami n'avait pas la moindre chance de remplir sa mission. Si on m'avait contacté, j'aurais fourni à vos services ma connaissance du terrain, des effectifs et de bons conseils.

– Les Fédéraux se montrent parfois cachottiers, répondis-je.

– Oui, parfois.

Pour l'inciter à nous épauler, je changeai de sujet.

– Avez-vous localisé Fred ?

– Qui ? Ah, le vétéran de la Marine ? Pas encore. Mais je vais me renseigner.

Visiblement, il s'en foutait. Tout comme moi, jusqu'à ce que Kate propose de se renseigner sur ELF auprès de son copain l'expert naval.

La Ford s'engagea dans un chemin à peine assez large pour laisser passer une voiture.

– C'est le sentier où nous avons découvert le corps, dit Schaeffer, à environ deux kilomètres, puis le camping-car, cinq kilomètres plus loin. De là, il y a huit kilomètres jusqu'à l'enceinte du Custer Hill Club. Une heure et demie de marche..

Ni Kate ni moi ne répondîmes.

– Vous pensez donc, poursuivit Schaeffer, que Harry Muller a garé son camping-car bien plus près, qu'il a pénétré dans la propriété samedi à 8 heures du matin, a été capturé par les agents de sécurité et plus tard interrogé de façon brutale, puis peut-être drogué, que lui et son véhicule ont ensuite été déplacés à l'endroit où on l'a assassiné, et qu'enfin son camping-car a été garé quelques kilomètres plus loin. C'est ça ?

– À peu près, dis-je.

– Oui, ça a pu se passer de cette manière. Mais pourquoi ont-ils assassiné un agent fédéral ?

– C'est ce que je m'efforce de comprendre.

– Est-ce que quelqu'un, demanda Kate, a été victime d'un accident de chasse sur ce sentier ou près du Custer Hill Club ?

– Je me suis posé la question depuis que l'inspecteur Corey m'a interrogé hier à ce sujet. Je me suis donc renseigné et la réponse est oui... Il y a une vingtaine d'années, au moment de l'aménagement du domaine de Custer Hill. À six ou sept kilomètres au nord de la propriété. Un de mes vieux collaborateurs s'en souvient très bien.

– Quelles ont été les conclusions ?

– Accident de chasse, tireur inconnu.

– Et le cadavre ?

– Non identifié... Sexe masculin, la quarantaine, rasé de près, bien nourri.. Une balle dans la tête. On était en été. Il portait un short, un tee-shirt et des chaussures de marche. Pas de papiers. Son décès remontait au moins à deux semaines quand on l'a découvert. Des animaux avaient commencé à le dévorer. Pour des raisons évidentes, les photos du visage n'ont pas été diffusées. On a relevé des empreintes inutilisables, impossibles à rattacher aux banques de données existant à l'époque.

– N'est-ce pas légèrement suspect ? Une seule balle en pleine tête, pas de pièces d'identité, aucune disparition signalée et, je suppose, pas de véhicule découvert dans les parages...

– Je vous l'accorde. C'est suspect. Mais, si j'en crois ceux qui s'en souviennent, aucun indice ne laissait supposer un homicide. Le shérif et le médecin légiste ont donc conclu à un accident, jusqu'à preuve du contraire... Nous attendons toujours. De toute façon, je ne vois pas en quoi nous pourrions relier ce décès au Custer Hill Club qui, à l'époque, n'était même pas occupé.

Comment savoir ? La victime, si elle avait été assassinée, pouvait très bien être un randonneur ayant vu ce qu'il n'aurait pas dû voir sur le chantier de construction ou un ouvrier qui en savait trop : sur ELF, par exemple. Ou sur autre chose...

Je n'allais pas commencer à rendre Bain Madox responsable de tous les maux de la planète, des inondations, des famines, des guerres, de la peste, des tremblements de terre, de mes dix kilos en trop et de mon divorce. Mais quand un canard a un bec de canard, marche comme un canard et cancane comme un canard, c'est un canard.

Et ce canard, je le tue.

Chapitre 32

Le commandant Schaeffer se gara sur une aire qu'on avait, nous expliqua-t-il, récemment dégagée pour pouvoir faire demi-tour sur le chemin.

Nous descendîmes de voiture et le suivîmes sur une cinquantaine de mètres, jusqu'à un périmètre entouré d'un ruban jaune. Sur le sol, on avait tracé à la peinture orange, à l'aide d'un pulvérisateur, les contours du corps de Harry. Au centre de la silhouette, un geai bleu picorait la terre.

À présent, le soleil était haut. Sa lumière éclairait la forêt. Des oiseaux chantaient, des écureuils sautaient d'arbre en arbre. Une brise légère faisait frissonner les feuilles colorées par l'automne.

Il n'y a pas de bon endroit pour mourir. Mais pour qui n'était pas destiné à périr dans son lit, celui-là en valait bien un autre.

Schaeffer me désigna, au-delà du périmètre délimité par le ruban, un SUV des State Troopers.

– Ils viennent de la direction opposée. Ils recherchent toujours une douille. Mais les tireurs n'ont rien laissé derrière eux. Nous n'avons pas non plus retrouvé la balle qui a traversé le corps de la victime.

Je hochai la tête. À supposer que l'arme du crime ait été un fusil à très longue portée, les chances de découvrir le projectile étaient plus que minces. Les bois regorgeaient de balles, vestiges de chasses légales ou clandestines. Il serait impossible d'identifier, parmi elles, celle qui avait tué Harry. De toute façon, même si l'une d'elles avait correspondu à une arme appartenant à Madox, cela aurait simplement prouvé que lui ou l'un de ses invités avait chassé dans les parages. La forêt était vraiment le lieu idéal pour commettre un meurtre.

– Jusqu'à présent, nous avons maintenu sur quinze mètres l'étendue du périmètre. Mais je vais le réduire dès aujourd'hui. Et demain, nous n'aurons plus aucune raison de le conserver intact. D'ailleurs, la météo prévoit de la pluie. Je crois que nous avons fait, ainsi que les équipes techniques, tout ce qui était en notre pouvoir. Il n'y rien, ici.

De nouveau, je hochai la tête, fixant toujours la silhouette orange. Le geai bleu avait été rejoint par sa femelle.

– Vous constaterez, poursuivit Schaeffer, que le sentier est en ligne droite. Il est donc difficile d'imaginer un chasseur y confondant un homme avec un cerf. De plus, si ce chasseur se trouvait dans les bois, il aurait fallu un miracle pour que la balle traverse la ligne des arbres sans en toucher un seul.

– Le meurtre ne fait donc aucun doute.

– Malheureusement, en dehors de la quasi-impossibilité de la thèse de l'accident, nous n'avons aucun indice sérieux susceptible de confirmer celle de l'assassinat. Il n'y a pas eu de vol, et la victime n'avait aucune attache locale qui aurait pu nous faire envisager une vengeance personnelle, ce qui arrive parfois par ici.

Je gardai le silence. De toute évidence, le commandant soupçonnait que la mort de Harry avait un lien avec sa mission, et que Bain Madox était l'assassin. Mais il ne franchirait jamais le pas sans preuve irréfutable.

– Vous voulez voir les photos ?

Même si je n'en avais aucune envie, je répondis :

– S'il vous plaît.

Il sortit une pile de photographies en couleur de la poche de sa gabardine, me les tendit. Kate se rapprocha de moi et les regarda tandis que je les feuilletais.

Harry était tombé face contre terre, ce que je savais déjà. Ainsi que le montrait la silhouette dessinée sur le sol, l'impact de la balle avait projeté ses bras de part et d'autre de ses flancs.

Sur le cliché d'ensemble, sa blessure était à peine visible. Pourtant, un gros plan révélait une tache de sang au milieu de sa veste de camouflage. Un autre montrait le côté gauche de son visage et ses yeux grands ouverts. Toujours accrochées à son cou par une lanière de cuir, ses jumelles gisaient près de son épaule gauche.

– Les jumelles étaient-elles dans cette position lorsque vous avez trouvé le corps ? demandai-je à Schaeffer.

– Oui. Voici les photos prises avant que nous manipulions ou déplacions quoi que ce soit. Votre ami tenait peut-être ses jumelles à la main. Ou alors il les avait devant les yeux quand on l'a abattu, ce qui expliquerait, à mon sens, pourquoi elles se trouvaient à côté de lui et non sous sa poitrine. Il est également possible que l'impact de la balle les ait fait se balancer au bout de la lanière et les ait écartées du corps avant sa chute.

C'était peu probable. D'abord, Harry ne regardait sûrement pas dans ses jumelles juste avant que ceux qui l'avaient transporté ne le tuent. Ensuite, les lois de la physique les auraient ramenées à leur position initiale, contre sa poitrine, avant que son corps touche le sol. Mais ce n'était pas une certitude.

Schaeffer reprit :

– Vous avez examiné ses effets personnels à la morgue. On a découvert sa caméra vidéo dans la poche ventrale droite de sa veste, son appareil numérique dans la gauche. La grande poche droite de son pantalon contenait le guide des oiseaux, et la gauche, les pinces coupantes.

Il ouvrit son carnet de notes, me récita la liste de tous les objets répertoriés : trousseau de clés, portefeuille, Glock, pièces d'identité, plus leur emplacement sur le corps.

Tout en l'écoutant, je tentai de reconstituer la façon dont avait procédé Madox. Il lui avait fallu au moins un complice : sans doute Carl ; et peut-être quelqu'un d'autre. Toutefois, je doutais qu'il ait pris le risque d'agir devant deux témoins.

Harry avait été drogué. On lui avait noué les mains derrière le dos, entravé les chevilles. On l'avait allongé sur la couchette du camping-car et conduit jusqu'ici. Il y avait peut-être un second véhicule, dont le chauffeur faisait le guet.

Dès lors, partant du principe qu'il ne voulait pas avoir plus d'un complice et que Harry, drogué, était quasiment dans le coma, Madox avait dû résoudre le problème suivant : comment maintenir Harry debout, pour qu'on puisse lui tirer dans le dos comme s'il avait été en train de marcher ?

Il était impossible qu'un individu ait tenu debout un homme inconscient pendant que l'autre tirait. Restait une solution :

mettre Harry, probablement toujours attaché, sur les genoux. Carl, ou Madox, l'avait alors immobilisé dans cette position en levant ses jumelles toujours accrochées à son cou par la lanière, tandis que le tireur s'agenouillait à son tour et lui logeait une balle dans la colonne vertébrale.

Le complice avait lâché les jumelles au moment de la chute, et elles avaient atterri à l'endroit que montrait la photo. Ensuite, un des deux hommes avait libéré les chevilles et les poignets de Harry, puis déplacé ses bras et ses jambes pour simuler la position d'un corps atteint par une balle tirée par un fusil à très longue portée et s'écroulant vers l'avant. Ensuite, ils avaient brossé le sentier avec des branches de pin.

Ils n'avaient oublié qu'un détail : les jumelles auraient dû retrouver leur position initiale sous le corps et être endommagées par la balle ressortant par la poitrine. Cette petite erreur mise à part, ils avaient fait du bon boulot.

Schaeffer nous proposa d'aller voir le camping-car. Je lui rendis les photos et nous le suivîmes, contournant le périmètre délimité par le ruban, faisant un détour par les bois puis empruntant de nouveau le sentier jusqu'au SUV des State Troopers, garé lui aussi sur un emplacement aménagé pour l'occasion. Schaeffer ordonna à l'un de ses hommes de nous conduire à environ quatre kilomètres de là, jusqu'à une clairière.

Je voyais le camping-car pour la première fois. C'était un vieux modèle Chevrolet, garni d'une couchette à l'arrière. En dépit de sa vétusté, il avait l'air flambant neuf et méticuleusement entretenu.

– Nous avons saupoudré pour relever les empreintes, expliqua Schaeffer, puis recueilli des échantillons de saleté sur les pneus. Cet après-midi, nous le remorquerons jusqu'à la route, le hisserons sur une benne et l'emmènerons au garage d'expertise d'Albany pour un examen plus complet. Nous recherchons des indices de la présence d'autres individus dans le véhicule.

– Vous donnez l'impression de croire à un meurtre prémédité.

– Nous faisons comme si.

J'imaginai Harry à l'arrière, drogué, pieds et poings liés, et quelqu'un, peut-être Carl, au volant. Devant le camping-car, Madox conduisait un de ses véhicules : une Jeep ou un 4 × 4.

Je questionnai Schaeffer sur d'éventuelles traces de pneus.

– Ainsi que vous pouvez le constater, répondit-il, la terre est dure. De plus, il n'a pas plu depuis quinze jours. Sans compter toutes ces feuilles mortes et ces branches de pin projetées par le vent sur le sentier. Nous n'avons donc pas découvert de traces significatives.

– Le saupoudrage a-t-il montré qu'on avait nettoyé certaines surfaces ? s'enquit Kate.

– Non. Ceux qui agissent avec préméditation portent des gants. Nous découvrirons peut-être des fibres intéressantes, mais les criminels prévoyants brûlent tout ce qu'ils ont porté. Il y a une canette de Coca entamée dans la poche d'une des portières. Nous effectuerons une recherche d'ADN, mais je vois mal les assassins buvant du Coca. L'ADN sera sans doute celui de Harry.

Il contempla la clairière et ajouta :

– Bien. Voilà donc le camping-car. À mon avis, les coupables étaient au moins deux, et dans deux véhicules, bien que n'ayons pas relevé de traces de pneus. Ils se sont arrêté là-bas, ont abattu la victime, regagné les véhicules, dont le camping-car, et ont poursuivi leur chemin en mettant une certaine distance entre eux et le lieu du crime. S'ils étaient de la région, ils connaissaient cette clairière, où se garent de nombreux campeurs et randonneurs. Si on remonte encore le sentier sur deux kilomètres, on tombe sur une route goudronnée. Un des types a donc laissé le camping-car là où vous le voyez, puis il a pris place à bord de l'autre véhicule. En quelques minutes, ils ont rejoint la route et ont filé.

Le commandant avait bien travaillé, grâce aux équipes techniques et aussi grâce à sa connaissance du terrain.

– Selon vous, demandai-je, comment les meurtriers ont-ils déplacé le camping-car à plus de trois kilomètres de l'endroit où ont été découverts le corps et la clé de contact ?

– Ils ont pu le remorquer avec l'autre véhicule. À moins qu'ils aient fait une réplique de la clé avant le crime. Mais la réponse la plus plausible est que M. Muller avait un double sur lui, ou dans le camping-car.

Je lui parlai de celui qui manquait dans la pochette du portefeuille de Harry.

– L'avez-vous remarqué, commandant ?

– L'absence d'une clé sur un trousseau ne prouve pas qu'il y en avait une.

– Très juste. Je ne faisais qu'extrapoler.

– Quoi qu'il en soit, intervint Kate, tout a été mis en scène pour qu'on croie que Harry a laissé là le camping-car, puis marché en direction du nord, vers le Custer Hill Club, avant d'être victime d'un accident de chasse à quatre kilomètres de son véhicule, à peu près à équidistance de la propriété... Bien entendu, cela ne tient pas debout. Harry n'aurait jamais garé son camping-car aussi loin de l'endroit de sa planque. De plus, son coup de fil de 7 h 48 à sa compagne indique qu'il avait atteint les abords du domaine. Or, ce n'est pas là qu'on l'a trouvé. Ni le temps, ni les distances, ni la logique ne concordent. Ce que nous voyons ici n'est pas le résultat de ce que Harry faisait samedi matin, mais de ce qu'on lui a fait le lendemain.

Résumé impeccable. Ni le commandant ni moi n'avions rien à ajouter.

Nous avions fait ici tout notre possible, c'est-à-dire pas grand-chose.

Je me tournai vers Schaeffer.

– Est-ce que les agents du FBI que vous avez rencontrés ce matin vont venir jusqu'ici ?

– Je leur ai posé la question. Ils m'ont répondu qu'une autre équipe s'en chargerait. Le lieu du crime ne semble pas les intéresser outre mesure.

En fait, pensai-je, *ils s'intéressaient plus à Bain Madox qu'à Harry*. Quant à Liam Griffith, il ne s'intéressait qu'à John Corey et Kate Mayfield.

Pour moi, il était capital d'avoir vu l'endroit où Harry était mort et de me représenter ses derniers instants : un prisonnier drogué et sans défense, assassiné par un ou des individus aux yeux de qui sa vie ne valait rien face à leurs intérêts personnels.

Je me demandai si Madox, à supposer qu'il fût coupable, avait envisagé une autre solution, moins brutale que l'assassinat, pour neutraliser ce gêneur. Il n'en avait pas eu le temps. Dès lors, le meurtre s'imposait. Et l'essentiel, pour lui, c'était qu'on découvre le cadavre à l'extérieur de sa propriété avant que la police de l'État et le FBI, recherchant le disparu, ne viennent frapper à sa porte. Cela signifiait qu'il cachait, chez lui, quelque chose que personne ne devait voir.

Il se doutait que sa mise en scène ne résisterait pas à une enquête approfondie, qu'on finirait par le soupçonner. Il lui fallait simplement gagner du temps. Car il avait déjà allumé une mèche, qui se consumait à toute allure et ferait exploser sa bombe bien avant que lui-même soit confondu.

Chapitre 33

Nous regagnâmes, à bord du SUV, la voiture du commandant, qui fit demi-tour et s'engagea sur le chemin. Personne ne parla.

Schaeffer s'arrêta au croisement où les State Troopers en faction débroussaillaient toujours les alentours.

– Rien à signaler ?

Un des hommes se pencha à la portière.

– La Jeep noire a fait une reconnaissance il y a à peine dix minutes. Le conducteur nous a demandé ce que nous faisions là.

– Que lui avez-vous répondu ?

– Que nous enlevions les broussailles et les feuilles pour éviter les feux de forêt.

– Il vous a cru ?

– Il a paru sceptique. Selon lui, personne n'a jamais fait ça. Je lui ai répliqué que les risques d'incendie, cette année, étaient très élevés.

– Bien. On va changer de couverture. Appelez le capitaine Stoner. Dites-lui que je veux deux équipes de terrassiers sur place pour combler les nids de poule. De vrais ouvriers, encadrés par deux Troopers habillés comme eux et maniant la pelle avec la même ardeur.

– Entendu, fit l'autre en souriant.

– Dès leur arrivée, vous dégagez.

– À vos ordres.

Schaeffer démarra en direction de la route 56.

– J'ai bien l'impression que Madox sait maintenant qu'il est surveillé, murmura-t-il.

– Il le sait depuis que Harry Muller s'est fait prendre sur sa propriété, samedi matin.

– Nous ignorons si c'est ce qui s'est réellement passé.

Silence. Puis il ajouta :

– Pourquoi a-t-on envoyé votre ami recueillir des informations sur les invités de Madox ?

– Je n'en ai aucune idée, et lui n'en avait pas la moindre non plus... Je lui ai parlé juste avant son départ.

Schaeffer attendait sans doute que nous lui livrions des informations pour le remercier de nous avoir évité de rencontrer Griffith et de nous avoir emmené sur le lieu du crime. Pour lui donner un élément qu'il aurait obtenu de toute façon, je précisai :

– Harry devait également enquêter à l'aéroport, étudier les listes de passagers et les contrats de location de voiture. Les Fédéraux vont s'y employer dès aujourd'hui. Vous feriez mieux de les devancer avant que ces renseignements ne disparaissent.

Quand on redoute de se voir retirer une affaire parce qu'on marche sur des plates-bandes interdites, on a tout intérêt à confier les informations dont on dispose à quelqu'un qui pourra les utiliser le moment venu. Je fournis donc à Schaeffer un second tuyau.

– Je vous conseille de garder pour vous, pour l'instant, ce que vous a appris votre surveillance du Custer Hill Club.

Pas de réponse. Sans doute se serait-il montré plus loquace sans la présence, sur la banquette arrière, d'un agent du FBI. Mais je lui avais renvoyé l'ascenseur. Le reste, ce que Harry avait écrit dans sa poche, ne le regardait pas.

À mon tour, à présent...

– Commandant, connaissez-vous un certain Carl ? Le bras droit de Madox, ou son homme à tout faire...

Il secoua la tête.

– Je ne connais personne au chalet. Comme je vous l'ai dit, ses vigiles ne sont pas de la région. Pas plus, d'ailleurs, que ses domestiques. Nous sommes à moins de cent kilomètres de la frontière. De nombreux Canadiens viennent chez nous pour travailler dans l'industrie touristique. Si j'étais Madox et si je voulais m'entourer d'un personnel discret, j'irais carrément

309

l'embaucher hors des États-Unis, pour que ses bavardages ne reviennent pas jusqu'ici.

Je n'avais rencontré aucun des employés de maison du chalet. Je suis incapable, de toute façon, de différencier l'accent de l'État de New York de l'accent canadien. Quant aux vigiles, ils s'exprimaient tous de la même manière, dissimulant leurs intonations d'origine sous une sécheresse et une rapidité toutes militaires.

– J'ai vérifié l'immatriculation du véhicule d'Enterprise, nous annonça le commandant. Il a été loué à un dénommé Mikhaïl Putyov.

Je ne réagis pas.

– On dirait un nom russe, reprit-il. Il est peut-être toujours au chalet. Personne n'a quitté le Custer Hill Club depuis hier soir.

– Votre surveillance a donc porté ses fruits...

Cette flagornerie le laissa de marbre. Il poursuivit :

– Le responsable d'Enterprise que j'ai eu au téléphone m'a appris que deux agents du FBI, un homme et une femme, se sont présentés lundi à son guichet et se sont fait remettre des copies de tous les contrats de location. Vous êtes au courant ?

– Il a donné leur signalement ?

– Il m'a affirmé que l'homme avait fait du gringue à l'employée de Hertz, et que la femme était très jolie.

– Qui cela pouvait-il être ? m'interrogeai-je à haute voix, sachant que j'avais beaucoup plus à craindre de la personne assise à l'arrière que de Liam Griffith.

– C'était nous, lâcha Kate.

– Ne vous en ai-je pas parlé lors de notre premier entretien ? demandai-je à Schaeffer.

– Non.

– J'en avais pourtant l'intention... À propos, lançai-je en regardant l'horloge du tableau de bord, qui indiquait 10 h 15, ce Putyov a réservé une place sur le vol de 12 h 45 pour Boston. S'il doit être à l'aéroport une heure avant le décollage, comme l'exige le règlement, il devrait quitter le Custer Hill Club très bientôt, à supposer qu'il s'y trouve encore...

– Comment savez-vous que Putyov doit embarquer sur le vol de 12 h 45 ?

– Ne vous ai-je pas dit que Kate et moi avions fait ce que

Harry était censé faire à l'aéroport ? Étudier les listings et les contrats de location ?

– Non, vous ne me l'avez pas dit, répliqua Schaeffer d'un ton glacial en tendant la main vers sa radio.

– Le service de sécurité de Madox capte certainement les messages de la police. Utilisez votre mobile.

Nouveau regard en coin. Je ne sais s'il était impressionné par ma compétence, ou inquiet de ma paranoïa. Néanmoins, il appela son équipe de surveillance sur son mobile, actionna l'amplificateur.

– Rien de neuf ?

– Rien, Commandant.

– Parfait. Un véhicule risque de quitter la propriété en direction de l'aéroport. Prévenez notre voiture de surveillance postée sur la 56.

– À vos ordres.

Il raccrocha, consulta l'horloge du tableau de bord, puis fit ce que j'aurais fait en premier lieu : il appela Continental Airlines à l'aéroport. Il eut notre amie Betty en ligne.

– Betty, ici Hank Schaeffer...

– Comment allez-vous ?

– Très bien, et vous ?

Il coupa court aux politesses d'usage.

– Pourriez-vous me rendre un service et vérifier si vous avez un certain Putyov sur le vol de 12 h 45 pour Boston ?

– Je peux vous confirmer tout de suite qu'il y figurait, répondit Betty. Mais l'ordinateur de la compagnie m'a communiqué un nouveau message. Putyov a annulé sa réservation.

– En a-t-il fait une autre ?

– Non. Un problème ?

– Simple routine. Appelez-moi à mon bureau si ce Putyov fait une nouvelle réservation ou pointe le bout de son nez. Donnez-moi également des copies de tous vos listings et de toutes vos réservations des six derniers jours. Je passerai les prendre plus tard.

– Très bien. Eh, vous savez quoi ? Hier, un flic et une dame du FBI m'ont demandé exactement la même chose. Ils venaient de descendre d'un hélicoptère du Bureau fédéral et avaient des papiers en règle. Je leur ai donc donné ce qu'ils voulaient. Le type était rigolo. La dame, elle, était charmante, mais un peu

Nelson DeMille

agacée par son bagout... Eux d'abord, et maintenant vous...
Qu'est-ce qui se passe ?

– Je ne peux rien vous révéler pour l'instant. Je vous demanderai simplement de garder ça pour vous.

– C'est ce qu'ils m'ont conseillé eux aussi. J'aurais dû vous prévenir, mais je n'ai pas cru que c'était important. Maintenant que j'y pense...

– Ne vous faites aucun souci. Appelez-moi si Putyov se présente à l'aéroport ou fait une nouvelle réservation. Je vous verrai plus tard.

– Entendu. Bonne journée.

– À vous aussi.

Il raccrocha, se tourna vers moi :

– Vous avez entendu ?

– Oui. J'ai été gentil avec elle. Kate ? Est-ce que je n'ai pas été gentil avec Betty ?

Silence.

– Je parlais de l'annulation du vol de Putyov, rectifia Schaeffer.

– Ah, oui... Donc il est possible qu'il se trouve toujours au chalet.

– Oui, puisqu'il n'a pas fait de nouvelle réservation. Les appareils qui assurent les navettes depuis l'aéroport sont des avions de petite taille. Généralement, ils sont toujours pleins. On ne peut pas se pointer bille en tête à l'embarquement en comptant sur un siège vacant.

Le commandant avait maintenant de quoi se faire sa propre opinion sur la mort de Harry. Même s'il ignorait les tenants et aboutissants de l'enquête, il savait qu'il se passait, au Custer Hill Club, des événements qui intéressaient les Fédéraux mais n'étaient pas censés le concerner.

– Faites-nous une faveur, Commandant, lui dis-je. Conduisez-nous jusqu'à Potsdam.

– Pourquoi ?

– Nous essayons d'éviter Liam Griffith. Si cela vous oblige à un détour, déposez-nous au croisement. Nous ferons du stop.

– Vous pourriez tomber sur un ours avant de voir une voiture...

– Je suis armé.

– On ne tue pas les ours.

Nous étions arrivés au croisement. Schaeffer s'arrêta.

– Alors ? Où allons-nous ?

Je me tournai vers la banquette arrière.

– Kate ? Potsdam ou Liam ?

– Potsdam, marmonna-t-elle sans me regarder.

Schaeffer prit à droite.

Il est déjà assez difficile de mener une enquête sur un homicide en dehors de sa propre juridiction. Cela devient plus compliqué encore lorsque vous fuyez les gens pour qui vous travaillez, que la femme qui vous accompagne vous fait la gueule et que votre suspect numéro un tape sur le ventre de collaborateurs directs du Président des États-Unis.

Comme aurait dit Dom Fanelli : « *Mamma mia !* »

Chapitre 34

Tout en roulant, nous évoquâmes quelques points de détail. Alors que nous arrivions à South Colton, je demandai à Schaeffer :

– Connaissez-vous Rudy, qui tient cette station-service ?

– Oui, j'ai eu affaire à lui à l'époque où je patrouillais dans ce secteur. Pourquoi ?

– C'est un des mouchards de Madox.

Je lui racontai brièvement les rapports que j'avais eus avec le pompiste.

– Ce Madox est bien mieux implanté dans la région que je ne le croyais, commenta-t-il. Comme je vous l'ai dit, il ne nous a jamais causé le moindre ennui. Toutefois, à partir de maintenant, je vais garder un œil sur lui.

Tu n'en auras pas l'occasion très longtemps, pensai-je.

– D'autant que, si j'ai bien compris, ajouta-t-il, vous le soupçonnez de meurtre.

– J'ai informé Tom Walsh, à New York, de nos soupçons.

– Et qu'allez-vous faire à Potsdam ?

– Une pause.

– Ah, oui ? Pourquoi ne retournez-vous pas au Point de Vue ?

– Je ne tiens pas à trouver M. Griffith dans notre chambre, utilisant la trousse de maquillage de Kate en nous attendant.

– Vous êtes en cavale ? Vous fuyez les vôtres ?

– Je n'irai pas jusque-là. Je compte néanmoins sur votre discrétion.

– Vous voulez donc que je commette une faute professionnelle en cachant à Griffith que je vous ai emmenés sur les lieux du crime, puis à Potsdam ?

– Signons un pacte, Commandant. Demandez-lui, ainsi qu'aux autres agents du FBI, de quoi il retourne. S'ils vous donnent une réponse franche, alors envoyez-les à Potsdam pour nous récupérer. D'accord ?

– Je crois que vous y gagnerez. Mais c'est d'accord.

– Voilà les clés de la voiture que j'ai louée chez Hertz, au cas où vous souhaiteriez l'enlever de votre parking pour éviter que les gens du FBI ne la découvrent. Il y a un panier de pique-nique, préparé par le chef du Point de Vue sur la banquette arrière. Il est à vous.

– Le pacte commence à tourner à mon avantage. Quelles délices contient ce panier ?

– C'est une surprise. Autre chose : si vous souhaitez vous couvrir à notre sujet vis-à-vis du FBI, appelez le Point de Vue et demandez à nous parler.

– Vous faites un excellent fugitif, observa le commandant.

Alors que entrions dans les faubourgs de Potsdam, il tourna la tête vers moi.

– Où désirez-vous aller ?

– Déposez-nous à une station de métro.

Je ne sais s'il apprécia mon humour. En tout cas, il comprit.

– Il vous faut une voiture, dit-il.

– Bonne idée. Y a-t-il une agence de location, par ici ?

– Il y a un bureau d'Enterprise.

Nous traversâmes le centre-ville, continuâmes sur la route 56, dépassâmes l'hôpital où Kate et moi avions vu Harry. Quelques minutes plus tard, le commandant se garait devant l'enseigne d'Enterprise.

– J'ignore pourquoi vous cherchez à éviter Griffith, ni dans quels ennuis vous vous êtes fourrés... En tout cas, si vous ne veniez pas de perdre un ami et si vos collègues ne me sortaient pas par les yeux, je ne me décarcasserais pas autant pour vous.

– Nous apprécions hautement votre attitude.

– Ne me la faites pas regretter.

– Nous vous tiendrons informé.

– Une fois n'est pas coutume. Bon. Je dirai à Griffith que je suis tombé par hasard nez à nez avec vous sur les lieux du crime et que je vous ai transmis son message.

– Débarrassez-vous de notre voiture de location.

– Je m'en occupe.

– Soyez assuré, Commandant, ajouta Kate, que John et moi endosserons toute la responsabilité pour les problèmes que tout cela pourra vous causer.

– Mon seul problème, en ce moment, consiste à affronter six agents fédéraux qui s'apprêtent à me retirer l'affaire.

– Il y en a d'autres en route, lui dis-je. Alors, écoutez-moi.

Je lui fis part de mon opinion sur la façon dont s'était sans doute déroulé le meurtre.

– Recherchez des marques qui montreraient que Harry était assez conscient pour donner des coups de pied dans les flancs ou sur le toit du camping-car.

– Tout s'est peut-être passé ainsi que vous le dites. Mais ça ne m'aidera pas à identifier le ou les meurtriers.

Même s'il le niait encore, il soupçonnait de plus en plus Madox. J'enfonçai le clou.

– Si vous trouvez un suspect, vous pourrez toujours le déstabiliser en lui racontant le meurtre tel que je viens de vous le décrire. Ce sera également bon pour votre rapport.

Il acquiesça, me remercia. Il serra la main de Kate, puis la mienne. Nous descendîmes de voiture et marchâmes vers le bureau d'Enterprise.

– Je voudrais louer un véhicule, dis-je à la dame assise derrière le comptoir.

– Vous êtes au bon endroit.

– C'est ce que je pensais. Auriez-vous un 4 × 4 ?

– Non. Mais j'ai une Hyundai Accent disponible immédiatement.

– Je prends.

Mes employeurs ayant déjà payé une voiture de location, je me servis de ma carte de crédit personnelle. Puisque je les fuyais, il leur faudrait plus de temps pour retrouver sa trace que celle de la leur.

Un quart d'heure plus tard, j'étais au volant d'un petit bolide.

– J'ai besoin d'un café, dis-je en me garant, dans le centre-ville, près d'un coffee-shop.

– John, tu ne travailles plus en solo. Es-tu sûr de savoir ce que tu fais ?

– Oui. Je vais me chercher un café. Qu'est-ce que tu prendras ?

– Réponds à ma question.

– Je sais ce que je fais.

– Qu'est-ce que tu fais ?

– Je n'en sais rien.

– Combien de temps allons-nous agir ainsi ?

– Jusqu'à ce que nous résolvions l'affaire ou que nos collègues nous mettent le grappin dessus.

– Je peux déjà te dire ce qui arrivera en premier.

– Café ?

– Noir.

Je pénétrai dans le coffee-shop, commandai deux cafés à la serveuse qui se dandinait derrière le comptoir. Tandis qu'elle s'affairait, je remarquai, près de la porte, un tourniquet chargé de brochures touristiques. J'en pris une poignée, que je fourrai dans ma poche.

Toujours aussi gourde, la serveuse hésitait sur la taille des couvercles à fixer sur les gobelets.

– Il faut que je passe un appel local, lui dis-je. Pourrais-je utiliser votre téléphone mobile ?

– Euh...

Les cafés coûtaient un dollar et demi. Je lui en donnai cinq.

– Gardez la monnaie pour prix de la communication.

Elle me tendit son mobile. Je composai le numéro du Point de Vue. Jimmy répondit :

– Ici, le Point de Vue. Que puis-je pour votre service ?

– M. Corey, à l'appareil. Des messages pour moi ou ma femme ?

– Bonjour, monsieur Corey. J'ai deux messages pour vous. Tous les deux de M. Griffith. Il aimerait que vous le rappeliez.

Il me communiqua son numéro.

– Dînerez-vous avec nous ce soir, monsieur ?

– Croyez-vous que je manquerais la bécasse d'Henri ? Faites-moi plaisir : rappelez à Charles qu'il a proposé de me prêter une veste et une cravate.

– Vous voulez sans doute parler de M. Desmond.

– Oui. Faites déposer les vêtements dans ma chambre. Je vous verrai à l'heure de l'apéritif. Henri nous a préparé des saucisses en robe des champs.

– C'est ce que j'ai entendu dire.

Je raccrochai, rendis son téléphone à la serveuse, qui me jeta un regard hébété. Au moins, je n'avais aucun souci à me faire sur son sens de l'observation, sa mémoire et la précision du témoignage qu'elle pourrait fournir si les agents du FBI venaient à enquêter dans les parages.

Je quittai le coffee-shop. Une fois sur le trottoir, je me mis à réfléchir.

Deux solutions s'offraient à moi. J'aurais pu cesser de me montrer insouciant, penser à la carrière de Kate et aller voir Griffith pour tout lui déballer, y compris les lettres tracées par Harry : MAD, NUC et ELF, dans l'espoir que le FBI découvrirait ce que tramait Madox avant qu'il soit trop tard.

D'un autre côté, mon instinct me conjurait de n'en rien faire. Pour deux raisons : ce cas était des plus étranges, et je n'avais plus confiance en personne. Sauf, bien sûr, en Kate, qui était, dans le désordre, ma femme, ma partenaire, mon associée, mon supérieur immédiat et un agent du FBI.

Toutefois, même si je me fiais entièrement à elle, on ne pouvait savoir quelle part d'elle-même allait prendre le dessus.

Je décidai de parier sur l'épouse et l'associée.

Chapitre 35

De retour dans la voiture, je donnai à Kate son café et les brochures.

— Il nous faut un endroit où loger, et pas à Potsdam, dit-elle.

— Nous devrions peut-être gagner le Canada et demander l'asile politique.

— Je vois avec plaisir que tu n'as pas perdu ton humour.

— Je ne plaisantais pas.

Je sirotai mon café tout en me dirigeant vers les faubourgs. Kate parcourut les brochures. Je lui fis part de mon coup de téléphone au Point de Vue.

— Très bientôt, Griffith demandera à la police de l'État et à la police locale de se lancer à nos trousses, s'il ne l'a pas déjà fait. Mais je crois que nous pouvons le semer.

Elle parut ne pas avoir entendu. Elle étudiait toujours les dépliants touristiques.

— C'est une région idéale pour acheter une maison... Les prix sont très raisonnables.

— Chérie, nous cherchons un endroit pour passer la nuit.

— D'accord... Je vois un charmant B&B...

— Pas de B&B.

— Il a l'air très joli, et isolé, ce que nous recherchons. Il est perdu au milieu des dix hectares de ce qui fut jadis les écuries de l'université Saint Lawrence.

— Quels tarifs ?

— Soixante-cinq dollars la nuit. Mais on peut avoir un cottage pour soixante-quinze.

— C'est ce que nous payions au Point de Vue pour une heure.

319

– Et que nous payons toujours.

– Exact. Quelle direction ?

– La route 11.

Je commençais à connaître Potsdam. Je me dirigeai vers un croisement doté de multiples panneaux et me retrouvai presque aussitôt sur la 11, quittant la ville pour de bon.

– Des copains flics spécialisés dans la traque de fugitifs m'ont raconté que leur cavale leur procurait un plaisir intense. Une vraie fête... Faire fonctionner son intelligence, courir les routes...

– Je ne m'amuse pas. Et toi ?

– Assez, en fait. C'est un jeu rigolo.

Pas de commentaire. Elle précisa simplement :

– Le B&B se trouve à une quinzaine de kilomètres, à la sortie de Canton.

– Canton est dans l'Ohio.

– Soit on l'a déplacé, soit il y en a un dans l'État de New York.

– Nous verrons bien.

Je consultai l'horloge du tableau de bord. Il était 11 h 47. Il fallait que j'appelle Dick Kearns le plus tôt possible après midi.

La route traversait une campagne parsemée de fermes et de hameaux. Nous étions définitivement sortis des monts Adirondack et des plaines des Grands Lacs. Là-bas, où l'on comptait plus d'ours que d'êtres humains et où la circulation était plus que clairsemée, Kate et moi aurions attiré l'attention. On se serait souvenu de nous. Ici, nous allions nous fondre dans la population locale. Du moins, tant que je m'abstiendrais d'ouvrir ma grande gueule.

La petite Hyundai marchait du feu de Dieu. J'aurais pourtant préféré un 4 × 4, au cas où nous aurions eu à enfoncer la clôture du Custer Hill Club à un moment ou à un autre. Ce soir, par exemple...

– Kate, y a-t-il un magasin de sport à Canton ?

– Oui. Je viens de tomber sur une pub.

– Parfait.

– Tourne ici et prends la route 68, me dit-elle dix minutes plus tard. Cherche « Chez Wilma. B&B. »

J'aperçus la pancarte et m'engageai dans une allée de graviers menant à une maison vieillotte flanquée d'un porche couvert, devant lequel je me garai. Une fois sous le porche, je me retournai. La route était à peine visible.

– Ça te va, John ?

– C'est parfait. Tout à fait le genre de crèche où Bonny et Clyde auraient choisi de se planquer.

Kate sonna. Une minute plus tard, un homme d'âge mûr, très distingué, ouvrit la porte.

– Puis-je vous aider ?

– Nous cherchons une chambre pour la nuit.

– Vous êtes au bon endroit.

Ce devait être le slogan local. On débitait sans doute la même chose aux gens qui se présentaient à l'hôpital avec une péritonite aiguë.

Nous pénétrâmes dans un petit bureau aménagé à l'entrée. Ned, le propriétaire, déclara :

– Vous avez le choix : deux chambres à l'étage, ou deux cottages.

– Nous prendrons un cottage, répondis-je.

Il nous montra deux photos.

– Voilà la maison de l'étang, qui, comme son nom l'indique, donne sur un étang. Et voilà la maison des champs.

Cette baraque-là ressemblait fâcheusement à une caravane. Kate opta pour la première.

– John ?

– Merveilleux. Ned, avez-vous des lignes téléphoniques extérieures, dans vos cottages ?

Il eut un petit rire.

– Évidemment. Nous avons également l'électricité.

Je faillis lui dire que nous venions d'un établissement de luxe sans télévision ni téléphone, mais il ne l'aurait pas cru. Il ajouta :

– La maison de l'étang a la télévision par câble et une connexion Internet.

– Sans blague ? Auriez-vous un ordinateur portable à louer ?

– J'en possède un que vous pourrez utiliser gratuitement si vous me le rendez avant 18 h 30. C'est l'heure où ma femme se connecte à e-Bay pour vérifier l'état de ses enchères. Elle achète de la camelote sur le site, puis elle la revend. Elle prétend faire de bonnes affaires, mais j'en doute.

Je payai la note en liquide, ce qu'il parut apprécier. Il n'exigea ni pièces d'identité ni caution. Il me confia son ordinateur portable, qui devait valoir mille dollars, nous donna la clé du cottage.

Nous nous y rendîmes en voiture. L'extérieur de la bâtisse, posée en effet sur les berges d'un étang, évoquait une maison de poupée. L'intérieur comprenait un salon, une chambre, une salle de bains et une cuisine, le tout meublé, apparemment, grâce à e-Bay.

Laissant Kate inspecter les lieux, je m'approchai du téléphone posé sur le secrétaire du salon et appelai Dick Kearns en PCV.

Il accepta la communication, avant de lancer :

— Pourquoi est-ce moi qui paye ? Où es-tu ? C'est qui, cette Wilma qui apparaît sur mon identificateur d'appel ?

— La femme de Ned. Tu as les tuyaux ?

— Sur qui ? Ah, oui, Pouchkine... Écrivain russe. Décédé. Pas d'autres informations.

— Dick, arrête tes salades. C'est important.

— D'accord. Tu as de quoi noter ?

Kate sortit de la cuisine et tira une chaise jusqu'au secrétaire.

— Je mets l'amplificateur, Dick. Dis bonjour à Kate.

— Salut, Kate.

— Salut, Dick.

— Je suis heureux que tu sois là pour empêcher mon pote de faire des conneries.

— J'essaie.

— Est-ce que je t'ai raconté la fois où...

Je le coupai net.

— Abrège, Dick. Nous sommes pressés.

— Moi aussi. Prêts ?

Kate sortit son carnet de notes. Je le pris, saisis un des crayons du secrétaire.

— Accouche.

— Je commence... Putyov, Mikhaïl. Né à Koursk, URSS, le 18 mai 1941. Père capitaine dans l'Armée rouge, tué au combat en 1943. Mère décédée. Rien de plus sur elle. Le sujet a fait ses études primaires et secondaires à... Putain, j'arrive pas à prononcer ces noms russes...

– Épelle.

Je le laissai réciter la liste des établissements fréquentés par le jeune Putyov, les yeux dans le vague, jusqu'à ce qu'il m'annonce :

– Diplômé de l'Institut polytechnique de Leningrad. Physique nucléaire. Intègre ensuite l'institut Kurchatov de Moscou... Important centre nucléaire. Y fait de la recherche.

Silence. Kate et moi échangeâmes un coup d'œil.

– C'est ce que vous vouliez ? s'enquit Dick.

– Quoi d'autre ?

– Plus tard, travaille pour la force de frappe soviétique, quelque part en Sibérie.

Il épela le nom.

– Endroit top secret. De 1979 à la chute de l'URSS, en 1991, blanc total.

– Tes informations sont fiables ?

– J'en ai obtenu une partie auprès du FBI. Putyov figure sur leur liste des personnes à surveiller. J'ai dégoté le reste sur son CV, publié sur le site Internet de l'établissement où il travaille.

– C'est-à-dire ?

– MIT... Institut de technologie du Massachusetts. Il y est professeur à plein temps.

– Qu'est-ce qu'il enseigne ?

– Pas l'histoire russe... J'ai eu d'autres renseignements dans des publications scientifiques. Il est très estimé.

– Dans quel domaine ?

– Bazar atomique. J'y connais rien. Tu veux que je lise ces trucs ?

– Je les consulterai plus tard. Quoi d'autre ?

– L'antenne de Boston du FBI m'a appris que Putyov a été installé dans cette ville en 1995, dans le cadre du programme de récupération des savants soviétiques après la chute de l'URSS, pour éviter que ces grosses têtes n'aillent vendre leurs compétences au plus offrant. D'où son poste au MIT.

– Ils auraient dû le buter.

– Ça aurait coûté moins cher, gloussa Dick. On lui a acheté un appartement à Cambridge et il émarge toujours au budget de l'oncle Sam. J'ai fait une enquête sur ses comptes bancaires. Aucun problème d'argent ou de crédit, ce qui, nous le savons, élimine la moitié des mobiles pour la moitié des activités illégales à travers le monde.

C'était l'autre moitié qui m'inquiétait : les motifs qui poussaient un milliardaire du pétrole à transgresser la loi. Le pouvoir. La gloire. La vengeance.

– Pourquoi figure-t-il sur la liste des personnes à surveiller ? interrogea Kate.

– Les types du FBI m'ont affirmé qu'il s'agissait d'une procédure de routine pour des individus dans son genre. Ils n'ont rien de négatif sur lui. Il doit quand même les avertir chaque fois qu'il franchit les limites de l'État. Comme me l'a dit l'agent à qui j'ai parlé, il trimbale dans sa tronche des secrets qui intéresseraient au plus haut point des pays qui mettent sur pied des programmes nucléaires clandestins.

– A-t-il récemment prévenu le bureau de Boston d'un départ imminent ?

– Je n'en sais rien, et je ne l'ai pas demandé. J'ai déjà eu du pot de tomber sur quelqu'un qui a accepté de me tuyauter après s'être renseigné sur moi. Mes questions se sont limitées à des informations d'ordre général.

– Une femme ? Des enfants ? intervint Kate.

– Deux fils adultes, installés eux aussi aux États-Unis dans le cadre du programme de récupération. Rien sur eux. Sa femme, Svetlana, n'a pas fait beaucoup de progrès en anglais.

– Tu lui as parlé ? dit Kate.

– Oui. J'ai appelé chez eux. Mais j'ai d'abord téléphoné au bureau de Putyov, au MIT. Sa secrétaire, une certaine Mme Crabtree, m'a dit qu'il lui avait envoyé un mail samedi pour lui signaler qu'il ne rentrerait pas avant mardi, c'est-à-dire aujourd'hui. Mais il n'est toujours pas là et personne n'a eu de ses nouvelles. J'imagine qu'il se trouve dans votre secteur. Exact ?

– Nous l'ignorons.

Il était étrange, pensai-je, qu'il ait annulé la veille au soir sa réservation pour le vol de 12 h 45 mais n'ait pas recontacté son bureau, ni réservé auprès de la compagnie d'aviation pour le prochain vol à destination de Boston, prévu, je m'en souvenais, le lendemain à 9 h 55. En outre, il n'était pas en train de regagner Boston au volant de sa voiture de location, puisqu'elle avait été rendue.

Kate reprit la parole.

– Sa secrétaire paraissait-elle inquiète ?

– Impossible de le deviner. Elle s'exprimait sur un ton professionnel et je n'avais aucune raison de la pousser dans ses retranchements. J'ai donc appelé Svetlana. Elle m'a dit : « Il n'est pas à la maison. » Je lui ai demandé quand il rentrerait. Elle m'a répondu : « Jourd'hui. » Elle a ajouté : « Vous, rappeler », et a raccroché... J'ai donc rappelé il y a vingt minutes. J'ai dit : « Il faut absolument que je joigne Mikhaïl. Il vient de gagner un million de dollars au tirage au sort du *Readers' Digest* et il doit réclamer son pognon. » Elle a crié : « Quoi, pognon ? ». À mon avis, il n'était pas là. Sinon, elle se serait dépêchée d'aller le chercher... Qu'est-ce qui se passe, avec ce gus ? Il a disparu ?

– Peut-être. Rien d'autre, Dick ?

– Non, admit-il.

– Il a un numéro de mobile ?

– J'ai posé la question à Svetlana et à sa secrétaire. Elles ont refusé de me le communiquer, mais elles ont dû l'appeler plusieurs fois. Je vais tenter ma chance auprès de la compagnie du téléphone. Quant au FBI, pas question pour moi de revenir à la charge. J'ai été aussi loin que j'ai pu avec eux. Ils se sont d'abord montrés coopératifs, puis ils ont commencé à devenir curieux. Il vaut mieux laisser tomber. À moins que tu tiennes à te fourrer dans la mouise.

– D'accord. Laissons tomber.

– Kate, lança Dick, pourquoi est-ce que je fais ça ? À l'époque où je travaillais à l'ATTF, ils avaient tous leur propre ordinateur, leur téléphone et leurs dossiers personnels.

Elle me considéra, puis répondit :

– Ton copain cherche à vérifier sa théorie sur un cas assez particulier.

– D'accord. Tu as lui rappelé qu'il travaillait en équipe ?

– Plusieurs fois.

– Dis-lui que s'il se fait virer, il pourra toujours intégrer mon agence.

– Je crois qu'il figurera jusqu'à la fin des temps sur la liste du FBI des gens à n'embaucher sous aucun prétexte.

Je coupai court à leurs états d'âme.

– Revenons à nos moutons. Dick, vois-tu autre chose qui pourrait se révéler significatif ?

– Dans quel domaine ?

Bonne question. Avant que j'aie pu répliquer, il ajouta :

– Le nucléaire ?

– Je ne crois pas que ça ait le moindre rapport avec l'enquête sur le meurtre.

– Pourquoi un professeur du MIT serait-il mêlé à un assassinat ?

– J'ai pensé à la mafia russe, mais ça me paraît peu probant. Bien, je vais...

– Les Arabes ont approché ce type ?

– Je ne pense pas. Donne-moi ses numéros de téléphone personnel et professionnel.

Il s'exécuta. Puis :

– Très bien, les amis. La balle est dans votre camp. Bonne chance avec Putyov. Et, surtout, chopez le salaud qui a flingué Harry.

– Nous le trouverons, affirmai-je.

– Merci, Dick, conclut Kate.

– Soyez prudents.

Je raccrochai. Kate se tourna vers moi et murmura :

– Physicien nucléaire... Que faisait-il au Custer Hill Club ?

– Il réparait peut-être le four à micro-ondes.

– John, il faut que nous prenions aujourd'hui l'avion pour New York et que nous demandions à Walsh de réunir les personnes concernées.

– Minute. Tu anticipes. De quelle information capitale disposons-nous ? Nous savons simplement qu'un physicien nucléaire a été invité au Custer Hill Club...

– Nous avons aussi MAD, NUC, ELF et...

– J'ose espérer qu'ils ont déjà trouvé ça.

– Et si ce n'est pas le cas ?

– Alors, ce sont des cons.

– John...

– Nous ne pouvons pas reconnaître que nous détenions des informations que nous avons dissimulées... Ou, plutôt, que nous avons omis de les transmettre...

– Nous ?

Elle se leva d'un bond et s'écria :

– C'est toi qui ne les as pas transmises. Et c'est nous qui sommes coupables de trahison ! Je suis complice !

Je me levai à mon tour.

– Tu crois que je ne te couvrirai pas ?

– Je n'ai pas besoin que tu me couvres. Il faut que nous rendions compte de tout ce que nous savons, y compris sur Putyov. Maintenant !

– Ce que nous savons, les gens du FBI le savent déjà, et ils ne le partagent pas avec nous. Alors, pourquoi le partagerions-nous avec eux ?

– Parce que c'est notre travail !

– D'accord. Mais pas tout de suite. Considère que nous menons un complément d'enquête.

– Non. Il s'agit d'une enquête non autorisée.

– Faux. Walsh nous a autorisés à...

– Liam Griffith...

– Qu'il aille se faire foutre ! Il est juste venu nous apporter du linge propre pour la semaine.

– Tu sais très bien pourquoi il est là.

– Non, je ne le sais pas. Et toi non plus.

Elle se rapprocha de moi et murmura :

– John, qu'est-ce qui te pousse ?

– Comme toujours : la vérité et la justice. Le devoir, l'honneur, la patrie.

– Foutaises.

– La vraie réponse est que nous devons sauver notre peau. Nous sommes dans la panade. Il n'y a qu'une seule façon de s'en sortir : poursuivre l'enquête jusqu'à ce que...

– N'oublie pas ton ego. « John Corey, du NYPD, va vous prouver qu'il est mille fois plus intelligent que tous les agents du FBI réunis ! »

– Je n'ai aucun besoin de le prouver. C'est un fait avéré.

– Je rentre à New York. Tu viens avec moi ?

– Non. Pas avant d'avoir confondu l'assassin de Harry.

Elle s'assit sur le lit et fixa le plancher, effondrée.

– Kate...

Je posai ma main sur son épaule.

– Fais-moi confiance.

Elle garda le silence un instant, puis chuchota, comme pour elle-même :

– Pourquoi ne pas simplement rentrer à New York, révéler à Tom Walsh tout ce que nous savons ?... Et tenter de sauver notre carrière...

– Parce que nous avons dépassé le point de non-retour. Impossible de revenir en arrière. Désolé.

Elle resta immobile un moment. Enfin, elle se leva et soupira :

– Entendu... Quelle est la prochaine étape ?

– ELF.

Chapitre 36

Kate sembla se calmer un peu et se résigner au fait que l'imbécile qui l'avait fourrée dans ce pétrin était le seul à pouvoir l'en sortir.

Cela me mettait un peu sous pression, mais je savais que si je m'obstinais et si je résolvais l'affaire, c'est-à-dire non seulement le meurtre de Harry mais aussi le mystère de Madox, nos problèmes professionnels et personnels disparaîtraient. Et, tant que nous y étions, nous sauverions peut-être la planète. Pour reprendre l'expression de Kate : « Rien ne réussit mieux que le succès. »

Si j'échouais, ce qui nous attendait n'était guère réjouissant : disgrâce, démission, chômage, plus une surprise nucléaire. Mais pourquoi se montrer pessimiste ?

Pour la rasséréner, je lui dis :

– D'accord, je vais suivre ton conseil. Nous allons appeler John Nasseff.

Nous nous installâmes de nouveau devant le secrétaire, nos carnets de notes ouverts.

J'aurais préféré me servir de l'ordinateur portable de Ned, mais j'étais à peu près certain que John Nasseff, chargé uniquement de l'assistance technologique, n'était pas sur la boucle de l'ATTF.

Elle composa le numéro, utilisant sa carte de téléphone personnelle qui ne dévoilerait pas à son correspondant les coordonnées du B&B, s'identifia auprès du réceptionniste de l'ATTF et demanda le capitaine de frégate Nasseff. Elle actionna l'amplificateur. Tandis qu'on lui passait la communication, elle m'expliqua :

– John Nasseff est un officier en activité. Tu devrais donc commencer par t'adresser à lui par son grade : commandant. C'est aussi un homme bien élevé. Alors, surveille ton langage.

– Quant à toi, fais attention à la formulation de tes questions.

– Je crois savoir m'y prendre. Mais pourquoi ne mènes-tu pas l'entretien, comme d'habitude ?

– À vos ordres, madame.

La voix de Nasseff résonna soudain au bout du fil.

– Bonjour, Kate. Que puis-je pour vous ?

– Bonjour, John. Je souhaiterais, ainsi que mon mari, John, qui travaille avec... qui travaille pour moi, que vous éclairiez notre lanterne sur les ondes radio de fréquence extrêmement basse. Seriez-vous en mesure de nous aider ?

– Je crois, oui... Puis-je vous demander les raisons de votre requête ?

J'intervins aussitôt :

– Mes respects, Commandant. Ici l'inspecteur Corey, collaborateur de l'agent spécial Mayfield.

– Appelez-moi John.

– Vous de même. Pour répondre à votre question, il s'agit malheureusement d'un sujet sensible, et nous sommes simplement autorisés à vous dire que l'affaire est urgente.

– Je comprends... Que voulez-vous savoir ?

– Est-ce que ELF peut faire frire un œuf ?

Kate me jeta un regard furibond, mais Nasseff déclara :

– Je ne pense pas.

Son ton impassible, quoique légèrement compassé, correspondait à l'officier de marine empesé qu'il devait être. Je m'empressai donc d'ajouter :

– Je blaguais. Pourriez-vous nous expliquer le fonctionnement des ondes ELF ? Je vous en prie, ne soyez pas trop technique. J'ai déjà un mal fou à trouver les programmes de mon autoradio.

Ma boutade réussit à le faire rire.

– D'accord. Le sujet est en effet très technique, mais je vais essayer de m'exprimer de façon compréhensible. Je ne suis pas spécialiste des signaux ELF, mais je peux quand même vous fournir des éléments de base.

– Nous sommes tout ouïe.

– Bien. Pour commencer... Je vais m'appuyer sur ce qu'en dit mon ordinateur. Voilà... Les ondes ELF sont donc émises à une fréquence extrêmement basse. D'où leur nom, bien sûr, gloussa-t-il, sans doute pour se mettre à mon diapason. En tout cas, elles sont extrêmement longues, de 82 Hz, ou 0,000082 MHz, ce qui correspond à 3 658,535 mètres, soit 3 658,5 kilomètres...

Je posai mon stylo.

– Attendez, John. Nous ne voulons pas envoyer de message depuis un émetteur ELF. Qui utilise cette longueur d'onde ? Et dans quelles circonstances ?

– Elle n'est utilisée que par les militaires. Spécialement la Marine. On s'en sert pour contacter les sous-marins opérant à de grandes profondeurs.

Kate et moi nous dévisageâmes. J'eus envie de demander à Nasseff s'il connaissait Fred, mais je préférai m'abstenir.

– Peut-on intercepter ces ondes ?

– Bien sûr. Si vous possédez l'équipement adéquat. Mais vous risquez d'attendre longtemps avant de capter une émission ELF.

– Pourquoi ?

– On s'en sert dans ces cas très rares. Et tout ce que vous entendrez sera crypté.

– Bien. Développez-nous tout ça. Qui, quoi, quand, comment, et pourquoi ?

– Je ne pense pas que tout ce que je vous vais vous dire soit confidentiel, mais j'aimerais avoir la certitude que vous êtes sur une ligne sûre.

Militaire jusqu'au bout des ongles... Ned aurait pu nous écouter pour passer le temps, mais il n'avait pas une tête d'espion, et Wilma devait être plongée dans son site de vente. Je rassurai Nasseff.

– Nous sommes sur une ligne ordinaire, dans une résidence des monts Adirondack.

En fait, nous n'étions plus dans les monts Adirondack, mais il fallait le faire croire à Walsh et à Griffith, si on leur rapportait cette conversation.

– Une résidence nommée Point de Vue. Le chef est français, mais je suis sûr qu'il ne nous écoute pas.

– Très bien... De toute façon, comme je vous l'ai dit, la majorité de ces renseignements n'est pas confidentielle. Je vais donc vous dévoiler l'application pratique de ELF... Ainsi que vous le savez, nos sous-marins nucléaires opèrent à de très grandes profondeurs et passent de longues périodes, parfois des mois, dans leurs zones de patrouille, à proximité de... Euh, tout ceci, pour le coup, est un peu confidentiel... Disons, près de stations hydro-acoustiques sous-marines où ils peuvent rester en contact avec les centres d'opérations navales grâce à des communications radio normales. Mais certains d'entre eux se retrouvent parfois dans un no man's land, trop loin de ces stations. En cas de situation urgente, les centres d'opérations navales de Pearl Harbor, pour la flotte du Pacifique, et de Norfolk, pour la flotte de l'Atlantique, doivent pouvoir communiquer avec eux. Vous me suivez ?

Je me tournai vers Kate, qui acquiesça.

– Très bien, dis-je. Poursuivez.

– Or les ondes normalement utilisées, les VLF ou ondes de très basse fréquence, n'atteignent pas les grandes profondeurs, surtout si l'eau est très saline. Salée, si vous préférez... Mais les ondes ELF peuvent parcourir le monde sans se soucier des conditions atmosphériques et pénétrer n'importe quoi, y compris les montagnes, les océans et les calottes glaciaires. Elles sont donc capables d'atteindre un sous-marin en plongée, n'importe où et n'importe quand... Sans l'existence de ces ondes, nous serions dans l'impossibilité de communiquer avec certains de nos submersibles, ce qui poserait un problème majeur si le ballon éclatait.

– Quel ballon ?

– *Le* ballon. C'est ainsi, dans notre jargon, que nous désignons la guerre atomique.

– Joli mot.

Kate et moi nous regardâmes de nouveau. J'ignorais ce qu'elle éprouvait. Quant à moi, je pensais à Bain Madox, et je me sentais un peu inquiet.

John Nasseff ne put s'empêcher de faire de l'humour noir.

– Sans ELF, nous ne pourrions pas avoir une bonne guerre atomique totale.

– Dieu bénisse ELF !

Il gloussa.

– C'est une vieille plaisanterie, très prisée des marins.

– C'est à se taper sur les cuisses. Vous en avez d'autres ?

– En fait, la guerre froide est finie depuis longtemps et notre répertoire ne s'est guère renouvelé.

– Tant mieux. Donc on n'utilise ces ondes que pour parler aux sous-marins.

– Il ne s'agit pas vraiment d'une radio vocale, mais plutôt d'un émetteur de signaux, comme un télégraphe, envoyant des messages cryptés.

– Uniquement à un sous-marin ?

– Oui. Et à un bâtiment en eaux profondes. Les ondes ELF sont très longues. Par conséquent, les transmissions sont très lentes. Mais elles peuvent, je l'ai dit, pénétrer n'importe quoi. Voilà pourquoi on ne les emploie que pour contacter des sous-marins impossibles à joindre par les moyens normaux.

– Compris. Les ondes ELF peuvent-elles neutraliser mon téléphone portable ?

Nouveau gloussement.

– Non. Elle sont trop spécifiques. Elles n'interfèrent avec aucune autre onde radio, surtout celles que nous utilisons dans la vie courante.

– Donc, dit Kate, ces transmissions ELF sont codées.

– Exact.

– Et elles ne peuvent être captées que par des sous-marins ?

– En fait, elles peuvent l'être par quiconque dispose d'un récepteur ELF. Mais si vous ne connaissez pas le code, qui change souvent, ce que vous capterez n'aura aucun sens. Vous n'entendrez que des impulsions correspondant aux lettres de la forme cryptée. D'après ce que je sais, on se sert le plus souvent d'un code à trois lettres.

– Et cela suffit pour transmettre aux gens qui se trouvent à bord du sous-marin tout ce qu'ils doivent savoir ?

– D'ordinaire, le message leur enjoint simplement d'établir une communication radio normale. Il agit comme un son de cloche, alerte le commandant du bâtiment sur un changement de situation nécessitant une prise de contact. Toutefois, le message codé est parfois explicite. Par exemple, il peut signifier : « Surface », ou : « Rendez vous sur la zone A », dénomination correspondant à des coordonnées sur une grille préétablie. Vous me suivez ?

– À peu près, rétorqua Kate.

– On ne peut utiliser ELF pour de longs messages traduisibles en clair. Le signal met parfois une demi-heure pour atteindre le submersible. Je dois préciser que le bâtiment, lui, ne peut envoyer aucun signal ou message ELF. Il ne peut qu'en recevoir.

– Du genre : « Ne nous appelez pas, nous vous rappellerons », commentai-je.

– Exact.

– Pourquoi un sous-marin ne peut-il envoyer de message ELF ? questionna Kate.

– L'émetteur et l'antenne doivent se trouver à terre. Je vous expliquerai pourquoi plus tard... Pour l'instant, sachez que si le sous-marin doit répondre à ce message à sens unique, ou si son commandant a besoin d'éléments supplémentaires, il lui faut se rapprocher d'une station hydro-acoustique sous-marine, s'il en a le temps, ou alors remonter près de la surface et larguer une balise de communication pour répondre ou obtenir de plus amples informations par ondes de très basse fréquence ou, de nos jours, par satellite ou par tout autre moyen.

– Que voulez-vous dire par « s'il en a le temps » ? demandai-je.

– Par exemple, si le camp d'en face a déjà lancé des missiles balistiques intercontinentaux contre nous, il ne reste plus de temps pour établir une communication radio normale. Car, au moment ou le sous-marin recevra un signal ELF, ce qui, je l'ai dit, prend une demi-heure, toutes les formes de communication aux États-Unis auront été anéanties et la guerre atomique sera quasiment terminée... Si c'est ce qui s'est produit, ce signal ELF sera le dernier et le seul que les sous-marins recevront. Un ordre codé disant... eh bien... « Allez-y ».

Kate parut assez perturbée. Mais le capitaine de frégate Nasseff avait une bonne nouvelle pour nous :

– Les ondes ELF ne sont pas affectées par les explosions thermonucléaires.

– Dieu soit loué... Laissez-moi vous poser une question. Et si le type envoyant l'ordre de tir se trompe dans les lettres ?

Si, au lieu de taper XYZ, pour : « Pause déjeuner », il tape XYV, pour « Feu à volonté » ?

– Impossible, répliqua Nasseff d'une voix amusée. Il y a des sauvegardes. Et tous les ordres de tir doivent être vérifiés.

– Par qui ? Quand le sous-marin aura reçu l'ordre de tir, une demi-heure après son lancement, il n'y aura plus personne pour vérifier quoi que ce soit.

– C'est vrai. Mais soyez assuré que cela ne peut se produire.

– Pourquoi pas ? Vous parlez de trois misérables lettres.

– Pour votre information, un code à trois lettres donne 17 576 combinaisons possibles dans notre alphabet. Avec l'alphabet russe, qui a trente-trois lettres, on peut obtenir 35 937 codes différents. Trente-trois multipliés par trente-trois multipliés par trente-trois font 35 937. Donc, quelles sont les chances pour qu'un opérateur radio envoie par erreur à notre flotte sous-marine l'ordre de tirer ses missiles sur ses cibles prédésignées ?

À mon avis, il y en avait.

– Nous pourrions peut-être adopter l'alphabet russe, dis-je. Avec sept lettres de plus, nous aurions peut-être moins de risques de déclencher une guerre nucléaire...

Il rit de bon cœur.

– De toute façon, mais je ne devrais pas vous le révéler, quiconque transmet le message doit le répéter avec un code correcteur d'erreurs, suivi par un autre code de vérification à trois lettres.

Maintenant, la question essentielle :

– Et si quelqu'un, un fou, voulait déclencher une guerre atomique ?

– Je vous l'ai dit : les codes changent souvent.

– Mais s'il les avait ?

– Je ne conçois pas qu'une personne non autorisée puisse se procurer les chiffres, les codes de vérification et, en plus, les protocoles de cryptage. D'autant que les logiciels de cryptage par ordinateur sont d'une complexité que vous n'imaginez même pas. Vous n'avez aucun souci à vous faire à ce sujet.

Je songeai à Bain Madox et faillis dire à Nasseff : « Vous, vous devriez. »

Kate prit la parole.

– N'existe-t-il aucune autre application possible de ce moyen de communication ? Aucun usage de ELF autre que militaire ?

– C'était vrai autrefois. Mais j'ai entendu dire que, depuis la fin de la guerre froide, les Russes ont employé leur émetteur ELF à des recherches géologiques. L'épée transformée en soc de charrue... Les ondes ELF pénètrent profondément dans la croûte terrestre. On peut, par conséquent, les utiliser pour déceler, par exemple, les mouvements sismiques, prévoir les tremblements de terre, des choses de ce genre. Je ne suis pas très calé là-dessus.

– Donc, en théorie, des personnes autres que des militaires pourraient envoyer une transmission ELF. Comme des scientifiques...

– En théorie, oui. Mais il n'existe que trois émetteurs ELF dans le monde et ils sont entre les mains de militaires. Nous en avons deux, eux possèdent le troisième.

Kate réfléchit un instant. Puis :

– Je vois... Mais, toujours en théorie... tout cela est-il top secret ? La construction d'un tel émetteur est-elle illégale ?

– J'ignore si c'est illégal. Quant à la technologie et aux données scientifiques sur lesquelles repose ce système, elles n'ont rien de secret. Le problème, c'est que la construction d'une station de transmission ELF revient très cher et qu'elle n'a aucune application pratique possible, hormis les contacts avec les sous-marins et, depuis peu, des recherches géophysiques limitées.

Je voyais mal Bain Madox s'intéressant à la recherche géophysique. Mais c'était possible.

– Ces ondes ELF pourraient-elles déceler des gisements de pétrole ?

– Je pense que oui. Mais les stations ELF ne peuvent être érigées que dans quelques endroits du monde.

– Pourquoi ? dit Kate.

– Puisque nous parlons maintenant de l'émetteur lui-même, je vais vous l'expliquer. Vous m'avez demandé pourquoi un sous-marin ne pouvait envoyer de message ELF. Une des raisons est que l'émetteur ne peut être situé qu'à terre, et sur un sol de très faible conductivité. Or, sur l'ensemble de la planète, les zones où ces conditions géologiques existent sont très rares.

– Où se situent-elles ?

– L'une, où les Russes ont établi leur émetteur, qu'ils appellent Zevs, se trouve au nord-ouest de Mourmansk, près du cercle polaire arctique. Une autre existe ici, aux États-Unis. Nos deux émetteurs, le Wisconsin Transmitter Facility, ou WTF, et le Michigan Transmitter Facility, ou MTF, reposent tous les deux sur la même formation géologique, le bouclier laurentien.

– C'est tout ?

– Pour les émetteurs existants, oui. Les Anglais ont failli en construire un pour la Royal Navy pendant la guerre froide, à Glen Garry Forrest, une région d'Écosse qui réunissait les conditions requises. Mais des difficultés politiques et pratiques ont fait capoter le projet.

– Donc, insista Kate après un silence, il n'existe que trois émetteurs ELF dans le monde...

Toujours de belle humeur, Nasseff risqua une facétie.

– C'était le cas la dernière fois que je les ai comptés.

Eh bien, refais tes comptes, pensai-je.

De nouveau, j'échangeai un regard avec Kate. Aucun de nous ne se risqua à interroger Nasseff sur la possibilité d'un autre emplacement, peut-être proche. Il nous fallait agir en finesse, pour que le capitaine de frégate n'aille pas raconter à la cafétéria de l'ATTF que Corey et Mayfield lui demandaient des renseignements sur une éventuel émetteur ELF dans les monts Adirondack.

Il interpréta notre silence comme la volonté de ne plus abuser de son temps.

– Est-ce que tout cela vous a été utile ?

– Très utile, merci, répondit Kate. Une dernière question. Il y a quelque chose que je n'ai pas bien saisi. Selon vous, il est effectivement possible à un individu privé de construire un émetteur ELF ?

John Nasseff pensait sans doute à son déjeuner. Il consentit quand même à préciser :

– Bien sûr. N'importe qui peut en construire un dans son sous-sol ou son garage. Il s'agit d'une technologie assez rudimentaire ; et le matériel peut être fabriqué, ou acheté si on y met le prix. Mais la vraie difficulté reste l'emplacement de l'antenne, et sa taille.

– Quel est le problème ?

– Ce n'est pas une antenne verticale classique. Une antenne ELF est constitué d'un long fil, ou de plusieurs fils. Ceux-ci sont tendus entre des poteaux de type téléphonique, formant généralement un grand cercle, et courent sur des kilomètres.

Cela ressemblait à quelque chose que j'avais vu récemment.

– Pourquoi est-ce si difficile... et si cher ?

Nouvelle facétie de Nasseff, suivie d'un grand rire.

– C'est hors de prix si c'est financé par le gouvernement. Bref, comme je vous l'ai dit, tout est une question de géologie et de géographie. Il vous faut d'abord trouver un endroit où la formation rocheuse est adéquate, puis acquérir une grande parcelle de ce terrain.

– Ensuite ?

– Eh bien, vous installez vos fils, qui alimenteront votre antenne. Il est possible qu'ils doivent s'étirer sur des centaines de kilomètres, en cercle pour économiser de l'espace, mais si les conditions géologiques sont parfaites, vous pouvez vous limiter à cinquante, et même moins.

– Qu'entendez-vous par parfaites ?

– Laissez-moi voir... Ah, j'y suis... Quelques mètres de sable ou de gravier issu de moraines. En dessous, un socle rocheux de granite igné ou métamorphique... Qu'est-ce que c'est que ça ? J'épelle : G.N.E.I.S.S.

– J'espère qu'il ne s'agit pas du code de tir.

Dernier gloussement.

– Ce doit être un type de roche. Attendez... Très vieilles chaînes montagneuses du précambrien, tel le boucler laurentien, où sont installés nos émetteurs ELF... La presqu'île de Kola, en Russie, où ils ont le leur... Cette région d'Écosse où les Rosbifs ont décidé de ne pas en construire... Un coin perdu proche de la mer Baltique... Vous avez un tableau complet.

Je ne l'entendis pas prononcer le mot « Adirondack ». Pourtant, j'écoutais avec attention.

– Donc, reprit-il, si quelqu'un veut édifier un émetteur ELF, il se rend dans une de ces zones, achète assez de terrain. Il plante, disposés en cercle, des poteaux téléphoniques dans la roche, fait courir entre eux des fils électriques. Plus les conditions géologiques sont favorables, plus les fils seront courts pour la même puissance de courant. Les fils de l'antenne sont ensuite reliés à un épais câble de cuivre qui descend d'un ou de plusieurs poteaux et plonge profondément, par un trou de sonde, dans la roche de basse conductivité. Ensuite, un générateur de forte puissance – ça, c'est une grosse dépense – alimente les fils. Le courant les parcourt puis, à travers le câble de cuivre, s'enfonce dans la roche... Et alors, la terre elle-même devient la véritable antenne. Vous me suivez ?

– On ne peut mieux.

Il n'en crut pas un mot.

– Rassurez-vous. C'est également un peu technique pour moi. En résumé, si vous disposez d'un générateur capable de produire plusieurs milliers de kilowatts et la bonne antenne, l'émetteur radio sera facile à construire et vous pourrez alors envoyer autant de signaux ELF que vous voudrez. Malheureusement, personne ne vous écoutera.

– Si, les sous-marins.

– Seulement s'ils se trouvent sur la fréquence que vous transmettez. Les Russes émettent sur 82 Hz, nous sur 76. Et même si les sous-marins entendent quelque chose sur la bonne fréquence, leur récepteur ELF rejettera probablement le signal.

– Pourquoi ?

– Parce que, je le répète, les signaux militaires sont cryptés sur ordinateur : cryptés quand ils sont transmis et décryptés à la réception. Sinon, n'importe quel cinglé, ainsi que vous semblez le suggérer, pourrait, en théorie, désorganiser les flottes sous-marines américaines et russes. Et déclencher la Troisième Guerre mondiale.

Kate se leva.

– Est-ce que quelqu'un a déjà tenté quelque chose de cet ordre ?

Nasseff resta silencieux. Je répétai donc la question.

Il répliqua par une autre question :

– Sur quoi enquêtez-vous ?

Je l'attendais. Mais je ne tenais pas à ce qu'il envoie un message codé au Pentagone, disant : « Surveillez Corey et Mayfield. » Je répondis :

– Vous savez sans doute que nous travaillons à la section Moyen-Orient. Nous ne pouvons vous en dire plus.

– Bon... Ces gens peuvent posséder cette technologie, ou être capables de l'acquérir. Mais je ne crois pas qu'il existe, dans ces pays, de zone géologique appropriée...

– Voilà une bonne nouvelle... Est-ce que quelqu'un, dans le passé, a essayé d'expédier un message bidon à notre flotte sous-marine ?

– J'ai eu vent d'une telle rumeur.

– Quand ? Comment ? Que s'est-il passé ?

– Si cette rumeur est fondée, il y a une quinzaine d'années, notre flotte de sous-marins a reçu des messages ELF, mais les ordinateurs installés à bord des bâtiments n'ont pu vérifier leur authenticité. Ils ont donc été rejetés. Et lorsque les commandants des submersibles ont contacté les centres d'opérations de Pearl Harbor et de Norfolk par d'autres canaux, on leur a affirmé qu'aucun message n'avait été envoyé via les émetteurs du Wisconsin et du Michigan... Il semble qu'une... entité ait donné des ordres bidon, mais les sauvegardes ont fonctionné, et aucun bâtiment n'est entré en action après les avoir reçus.

– Quelle action ? Que disaient ces ordres ?

– « Feu ! »

– Pouvait-il s'agir des Russes ? hasarda Kate.

– Non. D'abord, ils n'ont pas disposé de leur émetteur ELF avant 1990. Ensuite, ils n'avaient aucune raison logique de provoquer de notre part un tir de missiles contre leur propre pays.

Cela allait de soi.

– Alors, qui ?

– Écoutez, il pourrait s'agir d'une de ces histoires que les sous-mariniers ou le personnel des communications racontaient au comptoir, du temps de la guerre froide, pour impressionner leurs copains ou leurs petites amies.

– Elle pourrait aussi être vraie.

– Peut-être... reconnut-il.

– Donc nos comptes sont faux. Nous n'avons pas trois émetteurs ELF, mais quatre.

– En fait, il y a quinze ans, il n'existait qu'une seule station ELF dans le monde : celle du Wisconsin. Celle du Michigan n'avait pas été construite, pas plus que Zevs. Voilà pourquoi cette histoire, à mon sens, n'a aucun fondement réel. Qui construirait un émetteur ELF et s'en servirait pour déclencher une guerre nucléaire ?

Mon ex-beau-père, peut-être... Mais il était trop avare pour allonger les dollars.

– Les Chinois ? suggérai-je. On peut les imaginer nous poussant à tirer sur les Russes, puis se mettant au balcon pour nous regarder nous entre-tuer.

– C'est plausible. Mais s'ils se font choper, ils doivent s'attendre à ce que les Russes et les Américains s'entendent pour leur tomber dessus. C'est un jeu très dangereux...

Peut-être pour des nations mettant leur existence dans la balance. Mais un simple individu, riche et détraqué, bien à l'abri dans ses montagnes, pouvait s'amuser à faire joujou avec un émetteur ELF.

– Vous nous avez affirmé, dis-je à Nasseff, qu'il était possible de capter les ondes ELF. On peut donc également localiser leur source...

– Bonne question. La réponse est non. Souvenez-vous : la terre elle-même devient l'antenne. Les ondes semblent donc émaner de partout autour de vous.

– Aucune chance, alors, de déterminer l'origine d'un signal ELF ?

– Pas dans le sens où vous l'entendez. Toutefois, ceux qui recevraient les messages pourraient avoir une idée approximative de leur source en comparant l'intensité des émissions captées sur leur site. Plus vous êtes loin de la source, plus le signal est faible... C'est ainsi que nous avons deviné l'existence de Zevs. Nous suspections les Russes de disposer d'un émetteur ELF pour contacter leurs sous-marins. Nous avons donc installé une station de réception au Groenland. Cette station a reçu des signaux de forte intensité. Aiguisant nos méthodes de détection, nous avons découvert, au bout d'un certain temps, qu'ils provenaient de la presqu'île de Kola, ce que confirmaient nos satellites espions. Mais nous avons pu parvenir à ce résultat uniquement parce que les Russes émettaient de façon continue tandis que nous restions à l'écoute.

– La Marine était donc en mesure de déterminer l'origine des messages bidon que vous avez mentionnés. L'a-t-elle fait ?

– Je n'en ai aucune idée. Mais je pencherais pour la négative. Sinon, tout le monde, chez nous, en aurait entendu parler, officiellement ou officieusement. Or on ne m'a jamais rien raconté de tel. Encore une fois, ces messages n'ont peut-être jamais existé.

J'étais sûr du contraire. Je soupçonnais Nasseff d'être du même avis. Et de connaître la source. Il conclut sur une note heureuse.

– Heureusement, la guerre froide est terminée.

– Répétez-le.

Il n'en fit rien et déclara :

– Rien d'autre ?

Pensant à Mikhaïl Putyov, j'ajoutai :

– Un physicien nucléaire pourrait-il être impliqué dans la technologie des fréquences extrêmement basses ?

– Pas le moins du monde. Il en saurait sans doute moins que vous sur le sujet.

– Eh, je suis un expert, maintenant.

– Justement... En quoi ELF concerne-t-il la section Moyen-Orient de l'ATTF ?

Kate traça rageusement deux mots sur son carnet : « Ferme-la ! »

Message reçu, merci...

– Eh bien, Commandant, compte tenu de ce que vous venez de nous expliquer, il est fort possible que nous soyons sur la mauvaise longueur d'onde...

Cette fois, il ne rit pas.

– En fait, nous travaillons sur une affaire concernant un groupe terroriste dénommé Front de libération de la planète. *Earth Liberation Front*. ELF. Le mauvais ELF. Désolé...

Tout officier et gentleman qu'il était, le capitaine de frégate Nasseff ne daigna même pas réagir à cette ânerie.

Experte dans l'art de poser des questions sans mettre la puce à l'oreille de son interlocuteur, Kate intervint le plus placidement du monde :

– John, je crois comprendre, en consultant mes notes prises lors de notre entretien, que la seule région des États-Unis propice à l'installation d'une antenne et d'un émetteur ELF est le bouclier laurentien, zone géologique englobant le Wisconsin et le Michigan. Je me trompe ?

Il aurait pu prendre la mouche et rétorquer d'un ton hautain que cela n'avait aucun rapport avec le Front de libération de la planète. Mais la voix charmeuse de Kate le radoucit.

– Je crois que c'est exact. Attendez... Voilà un autre endroit où l'on pourrait installer un émetteur ELF...

Kate et moi retenions notre souffle.

– Vous êtes en plein dessus, annonça-t-il enfin.

Chapitre 37

Nous allâmes nous asseoir sur la véranda, chauffée par le soleil qui frappait les grandes fenêtres. Dehors, des feuilles tombaient, des canards nageaient dans l'étang et de grasses oies du Canada trottinaient sans passeport sur la pelouse.

Nous étions perdus dans nos pensées, sans doute similaires. Enfin, Kate murmura :

– Madox a un gros générateur et une antenne ELF sur sa propriété. En outre, il cache probablement un émetteur quelque part dans son chalet. Peut-être dans son abri antiatomique.

J'essayai de détendre un peu l'atmosphère.

– Il cherche des gisements de pétrole ?

Elle ne semblait pas d'humeur à plaisanter.

– À ton avis, dit-elle, Madox est-il celui qui a envoyé ces messages ELF à la flotte sous-marine il y a quinze ans ?

– C'est mon avis, en effet.

– Mais pourquoi ?

– Laisse-moi réfléchir. Ça y est ! J'ai trouvé ! Il essayait de déclencher une guerre nucléaire.

– J'ai compris. Mais pourquoi ?

– Il a fait rouler les dés et a croisé les doigts en espérant une issue heureuse.

– C'est dément.

– Pas pour lui. Tu es peut-être trop jeune pour t'en souvenir, mais il y a eu à l'époque, dans ce pays, des gens dont Madox, j'en suis sûr, faisait partie, et qui rêvaient d'appuyer les premiers sur le bouton pour en finir une bonne fois pour toutes. Ils croyaient sincèrement que les Soviétiques seraient surpris dans leur sommeil, que leur technologie et leur armement étaient défectueux et que nous survivrions à leur riposte. Chacun sait qu'on surestime les retombées radioactives...

– Totalement délirant.

– Oui. Mais, heureusement, nous n'en saurons jamais rien... De toute évidence, Madox avait obtenu d'une source bien placée des informations sur les codes militaires ELF et avait décidé de s'en servir. Comme nous l'a dit Nasseff, les techniques de construction d'un émetteur et d'une antenne n'ont rien de secret. De plus, Madox savait déjà, il y a vingt ans, qu'il lui fallait acquérir une vaste étendue de terrain au bon endroit. En deux temps, trois mouvements, il achète une propriété dans les monts Adirondack. Le meilleur investissement qu'il ait jamais réalisé...

Kate hocha la tête.

– C'est sans doute ce qui s'est passé. Mais ça n'a pas marché.

– Grâce à Dieu... Sinon, nous ne serions pas là pour en parler.

– Pourquoi est-ce que ça n'a pas fonctionné ?

Je réfléchis un instant.

– À mon avis, il a sous-estimé la complexité des ordinateurs et du logiciel, partie intégrante des émissions codées ELF. Dès lors, son informateur l'a mis en garde. S'il continuait à essayer d'obtenir le bon code de l'ordre de tir, le gouvernement ferait tout son possible pour identifier la source de ces messages bidon et le FBI viendrait frapper à la porte du Custer Hill Club. Il a donc renoncé à son violon d'Ingres.

– Ou bien Dieu est intervenu.

– Bain Madox pensait certainement être de son côté. Et il croyait que Dieu l'approuvait.

– Il s'est trompé, constata Kate.

– Tant mieux. Cela étant, quel rapport entre ELF et Mikhaïl Putyov, ancien physicien nucléaire soviétique, actuellement professeur au MIT et hôte de Madox ?

– La réponse la plus logique serait qu'il tente à nouveau d'envoyer des signaux aux sous-marins américains pour raser la Russie.

– Cela expliquerait beaucoup de choses, y compris les huiles de haut rang à sa réunion. Mais cela n'explique pas Putyov. Et puis pourquoi Madox et ses amis essaieraient-ils de détruire la Russie aujourd'hui, alors que l'URSS a jeté l'éponge ?

– Ils s'accrochent peut-être à leur vieille idée. À moins que Madox ne veuille se débarrasser de pétroliers concurrents. Ultime manipulation du prix du brut : éliminer la moitié des réserves de la planète.

– Non. À mon sens, Madox considère à présent les Russes comme un peuple faible et corrompu. Il voit en eux d'éventuels alliés à acheter ; pas à détruire.

– Peut-être, cette fois, envisage-t-il de pousser les sous-marins à tirer sur des cibles désignées du Moyen-Orient, de Chine ou de Corée du Nord...

– Cela ressemble davantage au Madox que nous connaissons. Possibilité intéressante. Mais qui n'explique toujours pas Putyov.

– Nom de Dieu, qu'est-ce qu'il s'apprête à faire ?

– Je crois, répondis-je, qu'il est sur le point d'exécuter le plan B. J'ignore totalement de quoi il retourne, hormis le fait qu'il s'agit d'une nouvelle version du plan A, qui n'a pas fonctionné il y a quinze ans. Depuis la fin de la guerre froide, le monde a changé. Et les plans de Madox se sont modifiés eux aussi, même s'il reste l'intéressant psychopathe qu'il a toujours été.

Je consultai ma montre et me levai.

– Kate, voilà ce que je voudrais. Branche-toi sur Internet et essaie de trouver autre chose sur ELF. Fais aussi une recherche Google sur Mikhaïl Putyov et, tant que nous y sommes, sur Bain Madox.

– Entendu.

– Plus important encore, n'oublie pas de rendre l'ordinateur portable à Wilma avant 18 h 30.

Elle se força à sourire.

– Puis-je aller sur e-Bay ?

– Jamais de la vie. Appelle ensuite la FFA. et arrange-toi pour obtenir les plans de vols récents des deux jets de Madox. Leur immatriculation se trouve dans ta serviette. Connaissant l'administration fédérale, ça risque de prendre un peu de temps. Déploie tout ton charme.

– Pourquoi cela te paraît-il si important ?

– Je n'en ai encore aucune idée, avouai-je. Mais j'aimerais

savoir où Madox a envoyé ses deux avions au cas où, maintenant, ça deviendrait important. J'aimerais aussi que tu étudies de nouveau avec soin les listings de passagers, les réservations et les contrats de location de voitures. Vois ce que tu peux encore y trouver. Appelle également le domicile et le bureau de Putyov, au cas où on aurait de ses nouvelles.

– Très bien... Mais que vas-tu faire pendant tout ce temps ?

– C'est l'heure de ma sieste.

– Très drôle.

– Je vais faire un tour, nous acheter de quoi manger, quelques effets personnels qui ne semblent pas inclus dans les tarifs du B&B, et tout ce que tu voudras.

– Nous n'avons besoin de rien, John. Dès que nous – et je dis bien nous – aurons rassemblé tous ces renseignements, nous rentrerons à New York. Je vais réserver deux places à l'aéroport des Adirondack, ou ailleurs s'il y en a un dans les parages.

– Kate, je ne crois pas que nous détenions encore assez d'informations pour nous acheter un bon de sortie de prison.

– Moi, si.

– Non. Dans l'état actuel des choses, je pense que certaines personnes, à Washington, en savent au moins autant que nous.

– Alors, pourquoi ont-ils envoyé Harry surveiller le Custer Hill Club ?

Bonne question. Plusieurs réponses me vinrent à l'esprit.

– Cela concernait peut-être la réunion de ce week-end. Pour le reste, je l'ignore.

– John, je suis sûre que Harry a rempli sa mission. Ils voulaient qu'il se fasse prendre.

– Plausible.

– Mais pourquoi l'ont-ils envoyé au casse-pipe ?

– Toute la question est là. Il tentaient peut-être de faire savoir à Madox qu'il était dans le collimateur. Ils ne s'attendaient certainement pas à ce qu'il tue l'agent qu'il a capturé.

– Pourquoi le ministère de la Justice et le FBI tenaient-ils à ce que Madox sache qu'il était surveillé ?

– Parfois, dans la police, on met ostensiblement un suspect sous surveillance pour le déstabiliser. Avec les puissants, il s'agit de les protéger ou de les prévenir. Du genre : arrêtez tout avant de nous mettre dans une situation impossible.

Elle se leva à son tour et se rapprocha de moi.

– Ç'aurait pu être toi...

J'espère que j'aurais eu l'intelligence de laisser tomber la mission dès que j'aurais eu une vue plus précise de la situation. Mais Harry, lui, était une âme simple, qui faisait trop souvent confiance à ses supérieurs et obéissait aux ordres.

– Si tu as raison, poursuivit Kate, crois-tu que cette surveillance ait inquiété Madox au point de lui faire abandonner son projet ?

– Un homme comme lui ne s'effraie pas si facilement. Il s'estime investi d'une mission. Il a déjà commis au moins un meurtre pour pouvoir la mener à bien... Et je suis presque sûr que les événements de ce week-end ont eu l'effet inverse de ce qu'on espérait à Washington. Le temps que Madox s'était imparti s'est retrouvé réduit de vingt-quatre heures, à quelques heures près...

– Peut-être a-t-il compris que les jeux étaient faits et organise-t-il sa fuite hors du pays. C'est ce que feraient la plupart des gens.

– Madox n'est pas un être ordinaire... Vérifie quand même où se trouvent ses jets.

– D'accord. Mais si tu crois qu'il ira jusqu'au bout et si tu refuses de rentrer à New York, il nous faut obtenir du procureur fédéral le plus proche un mandat de perquisition pour le Custer Hill Club.

– Mon ange, le seul mandat que tu trouveras sur son bureau sera un mandat d'arrêt contre John Corey et Kate Mayfield.

– Alors, adressons-nous à Schaeffer et demandons-lui de faire signer ce mandat par le district alocal.

– Kate, personne ne délivrera de mandat au nom de Bain Madox à partir de ce que nous raconterons. Il nous faut plus de preuves.

– Telles que... ?

– Des cheveux, des poils et des fibres provenant du chalet et correspondant à ce qu'on a prélevé sur le corps et les vêtements de Harry.

– Parfait. Mais comment prélever des fibres au Custer Hill Club sans mandat de perquisition ?

– Exactement comme je le ferais pour Dupont, aperçu vivant pour la dernière fois dans l'appartement de Durand. Je compte rendre une petite visite à Bain Madox.

– Je viens avec toi.

– Non. J'ai besoin que tu restes ici et que tu recherches les détails qui nous seront nécessaires pour étoffer le dossier. Et pour obtenir un mandat de perquisition.

En fait, il était trop tard, mais l'argument se tenait.

Elle me dévisagea longuement et murmura :

– C'est dangereux.

Je regagnai le salon et saisis ma veste de cuir.

Kate me suivit, enfila la sienne.

Le moment était venu de faire preuve à la fois de fermeté et de tendresse. Je la pris dans mes bras et chuchotai à son oreille :

– J'ai besoin de toi ici. Nous sommes un peu à court d'effectifs, aujourd'hui. Et j'ai une meilleure chance d'être reçu par lui si j'y vais seul.

– Non.

– Je m'arrêterai au croisement et préviendrai l'équipe de surveillance de Schaeffer. Je dirai aux State Troopers de m'accorder une heure et, si je n'ai pas réapparu passé ce délai, d'envoyer la cavalerie. Ça te va ?

Cela parut la rassurer un peu. J'ajoutai :

– Reste en contact avec le commandant. Téléphone aussi au Point de Vue. Dis-leur que nous faisons des emplettes à Lake Placid et que si M. Griffith cherche à nous joindre, nous le retrouverons là-bas. Rappelle à Jim que Charles Desmond a promis de me prêter une cravate et une veste pour le dîner. Embobine-les. Comme si tu étais à ma place...

Elle ne put s'empêcher de sourire.

– Je veux que tu gardes ton mobile allumé.

– Kate, pas de mobile. Si tu allumes ce machin, Griffith sera ici en moins d'une heure.

– John, ce n'est pas ainsi que nous travaillons...

– De temps en temps, chérie, il faut bien tordre le cou au règlement. Dernière chose : vois si on peut nous livrer une pizza.

Elle m'accompagna jusqu'à la porte.

– Sois prudent.

– Pas d'anchois, dis-je.

Elle m'embrassa et je partis pour le château de Dracula.

Chapitre 38

Je trouvai une supérette à la sortie de Canton. J'y achetai tout ce qui était nécessaire à ma mission : une boîte de chocolats Drake's Ring Dings fourrés à la crème et un petit rouleau de pansement adhésif.

Le caissier m'indiqua le moyen de retourner à Colton, à une cinquantaine de kilomètres de là. Je lui demandai aussi où se trouvait le magasin d'articles de sport.

Il était un peu plus de 13 heures. J'arriverais donc au Custer Hill Club avant 14 heures. Je pensai un instant à m'arrêter en route pour me procurer une boîte de balles de 9 mm et quelques chargeurs supplémentaires, au cas où je finirais par brûler la cervelle de Madox et où j'aurais à m'enfuir du chalet en faisant feu de toutes parts.

Je vérifiai mes munitions. En réalité, j'en avais amplement assez avec les quinze balles du chargeur de mon Glock, plus celle engagée dans le canon. Et si les choses se gâtaient, je pourrais toujours me servir d'une des armes que Madox entreposait chez lui.

J'allumai la radio. Je tombai sur une émission politique diffusée par une station québécoise. Les invités s'interpellaient avec animation. Je saisis quelques noms, martelés de façon insistante : Irak, États-Unis, Bush, Saddam Hussein...

La musique mélodieuse de la langue française me donna très vite la migraine. Je finis par trouver une station country. Hank William beuglait : *Your Cheatin' Heart*. Mon mal de tête disparut aussitôt. Ma fascination pour cette musique restera à jamais pour moi un mystère.

Il faisait toujours beau, la circulation était fluide. J'ouvris la boîte de Ring Dings, avalai goulûment le premier chocolat, savourai paisiblement le second. Et je roulai, tranquille...

Arrivé à Colton, je pris la route 56, traversai le hameau endormi de South Colton. Devant sa station-service, Rudy la Fouine taillait une bavette avec le propriétaire d'un 4 × 4 en train de faire le plein. Incapable de résister, je m'arrêtai devant la pompe.

– Salut, Rudy !

Il me reconnut, se précipita vers ma voiture.

– Je me suis encore perdu ! lui lançai-je.

– Ah, ouais ? Comment va ? Vous avez une nouvelle caisse...

– Elle te plaît ? Tu as vu M. Madox, hier soir ?

– Oui. Je voulais justement vous en parler. Il a jamais demandé à me voir.

– Vraiment ? C'est pourtant ce qu'il m'a affirmé.

– Vous en êtes sûr ?

– Parole de scout. Désolé de lui avoir raconté que tu m'avais conseillé de me faire payer d'avance.

– Ouais... J'ai essayé de m'expliquer, mais il a eu l'air de trouver ça marrant. Il m'a dit que vous vous étiez foutu de ma gueule. Il m'a dit aussi que vous étiez un rigolo. Et un plante-merde.

– Moi ? C'est comme ça qu'il me remercie d'avoir réparé son frigo ?

– Selon lui, son frigo n'a jamais eu le moindre problème.

– Et tu crois qui ? Lui, ou moi ?

– Euh... Je m'en bats l'œil.

– Tu as raison... Il avait encore des invités ?

Rudy haussa les épaules.

– J'ai vu personne. Mais y avait une bagnole garée devant le chalet. J'ai cru que c'était la vôtre : une Ford Taurus bleue.

– Est-ce que quelqu'un de chez Madox s'est arrêté chez toi pour prendre de l'essence ?

– Zébi. Il vous en faut ?

– Non. Ma Hyundai carbure à l'alcool de riz, comme toutes les Coréennes. Est-ce que quelqu'un t'a demandé la direction du Custer Hill Club ?

– Tripette... Si, attendez... Un type de Potsdam s'est arrêté pour consulter ma carte murale. Il voulait vérifier l'itinéraire qu'on lui avait fourni pour se rendre au Custer Hill Club... Je lui ai dit qu'il trouverait rien sur cette carte et je lui ai donné les renseignements.

Il y a plusieurs manières de poser des questions indiscrètes. Je choisis la plus classique.

– Est-ce qu'il était grand, mince, avec une moustache en croc, et au volant d'une Corvette rouge ?

– Non. C'était un employé de Potsdam Diesel. Un nouveau, sans doute...

J'en restai bouche bée.

– Ah, oui... Charlie. Celui qui s'occupe des générateurs.

– Ouais... Mais je crois qu'il s'appelle Al. C'est la saison où il faut les vérifier, ces engins. En novembre dernier, ou en décembre, il y a eu cette tempête de neige... Par ici, toutes les lignes ont gelé et...

– Horrible... Al est toujours là-bas ?

– J'en sais rien. C'était il y a une heure. Je l'ai pas vu repasser. Pourquoi ? Vous cherchez ce gus ?

– Pas vraiment. Juste...

– Vous allez où ?

– Pardon ?

– Vous m'avez dit que vous étiez perdu...

– En fait, non... Tu as transmis mon message à M. Madox ? Celui où je disais que j'étais bon tireur ?

Il eut l'air un peu gêné.

– Sûr... Il l'a pas trouvé drôle.

– Ah, oui ? Qu'est-ce qu'il a répondu ?

– Rien. Il m'a juste demandé de répéter.

– Parfait. À plus tard.

Je regagnai la 56 et poursuivis mon chemin vers le Custer Hill Club.

Potsdam Diesel...

Les générateurs s'étaient donc mis en marche. L'émetteur fonctionnait, l'antenne envoyait des ondes ELF dans les entrailles de la terre. Et, quelque part sur cette foutue planète, un récepteur captait ces signaux.

Le plan B était en route.

J'appuyai sur le champignon.

Chapitre 39

Je conduisais à toute allure sur la route forestière, au point que la Hyundai décollait de temps à autre. Je freinai au croisement de la McCuen Pond Road. Personne. Pas l'ombre d'un terrassier penché sur sa pelle. J'étais seul.

Que faisait Schaeffer ? Peu importait. Je n'avais plus le temps de m'interroger. J'accélérai de nouveau et fonçai vers le portail du Custer Hill Club.

Je ralentis avant le panneau « Propriété privée », sortis mon Glock de ma boîte à gants, le fourrai dans la poche de ma veste.

Le portail s'entrouvrit lentement et un homme en treillis de camouflage marcha dans ma direction. En me rapprochant, je me rendis compte qu'il s'agissait du nazillon à qui j'avais eu affaire la première fois.

Je baissai ma vitre. D'abord décontenancé par ma nouvelle voiture, le vigile finit par me reconnaître. Il me débita les mêmes formules toutes faites que lors de ma visite précédente.

– Que puis-je pour vous ?

– Je viens voir M. Madox.

– Il vous attend ?

– Écoute, gamin. On ne va pas remettre ça. Tu sais qui je suis et tu sais qu'il ne m'attend pas. Ouvre ce putain de portail.

À ma grande surprise, il me fit signe d'avancer.

– Roulez jusqu'au poste.

Il ajouta :

– Il vous attend.

Il sourit. Ce n'était pas vraiment un sourire aimable. Le portail s'ouvrit pour de bon. Dans mon rétroviseur, je vis Rambo Junior parler dans son talkie-walkie.

Alors que je franchissais la grille, un autre type, en faction dans le pavillon de garde, leva la main. Je lui rendis sa politesse par un salut italien et m'engageai sur la route sinueuse qui menait au chalet.

Je remarquai de nouveau les poteaux téléphoniques et les trois gros fils courant entre eux. Ce qui m'avait intrigué la veille ressemblait fort à une antenne ELF.

Une Jeep noire roulait dans ma direction. Son conducteur me gratifia, lui aussi, d'un grand geste de la main. Je lui répondis par un coup de Klaxon et me rangeai sur le bas-côté pour le laisser passer.

Devant le chalet, la bannière étoilée flottait toujours au sommet du mât, au-dessus du fanion du 7ᵉ régiment de cavalerie. Cela signifiait, je le savais pour l'avoir lu quelque part, que le commandant se trouvait dans la place. *El Supremo* était là.

Je contournai le mât, me garai sous le porche, sortis de ma voiture, la fermai et gravis les marches du perron. La porte d'entrée n'était pas verrouillée. Je pénétrai dans le vestibule, levai les yeux vers le balcon.

Pas un chat. Je me souvins que le personnel domestique était en congé, après le long week-end du Colombus Day. Cela prouvait que M. Madox était un employeur généreux, ou un homme désireux de rester seul.

Sur le mur, le général Custer livrait toujours sa dernière bataille. Cette fois, je ne manquai pas, au-dessus du cadre, l'œil panoramique en fibre optique qui balayait l'ensemble de la pièce. Je m'approchai un peu plus du tableau, comme pour l'étudier avec attention, jusqu'à me retrouver trop près du mur pour que l'œil puisse me voir.

Après un autre regard en direction du balcon, je sortis mon petit rouleau de pansement adhésif de ma poche, le débarrassai de son emballage et l'étalai sur le tapis. Je le pressai avec mon pied, puis le décollai avant de le remettre dans ma poche. Si ce con de clébard avait été dans les parages, il aurait eu droit au même traitement.

Il ne restait guère de temps pour procéder à des analyses. Mais quelqu'un découvrirait peut-être ce pansement sur moi, si je finissais par avoir un accident de chasse.

Trois couloirs voûtés partaient du fond du vestibule, dont celui que Kate et moi avions emprunté la veille pour nous rendre dans l'immense salle où Madox nous avait reçus. Le grand escalier dissimulait une porte close, menant sans doute à la cave. Je marchai jusqu'à elle, tournai la poignée. La porte tourna sur ses gonds, révélant des marches qui plongeaient dans le noir.

Je m'esclaffe toujours quand, dans les films d'horreur, le gentil héros, au son d'une musique lugubre, progresse lentement vers les oubliettes où le monstre le guette.

Sans attendre la musique, je posai le pied sur la première marche.

Un craquement me fit sursauter : quelqu'un, au-dessus de moi, descendait le grand escalier. Je rebroussai chemin, refermai la porte et me retrouvai dans le vestibule au moment même où Carl y faisait son apparition.

Il me scruta avec insistance.

– Vous cherchez M. Madox ?

– Ce n'est pas toi que je viens voir, Carl.

– On aurait dû vous escorter jusqu'au chalet et dans le hall, dit-il sans relever ma remarque.

– Je sais. Exigence de la compagnie d'assurance. Tu veux que je recommence mon entrée ?

Il me toisa sans aménité. Visiblement, il ne m'aimait pas beaucoup. Peut-être était-il encore vexé d'avoir dû me servir un café au lait.

– Heureusement, M. Madox reçoit, articula-t-il avec un dédain de majordome.

– Que reçoit-il ?

Des signaux ?

– Des visiteurs.

À mon tour de le jauger. Comme je l'avais noté lors de ma première visite, Carl en imposait. Il n'était plus de la première jeunesse, mais paraissait en pleine forme. Je l'imaginais très bien tordant autour du cou de Harry la lanière de ses jumelles et le maintenant agenouillé pendant que Madox lui tirait une balle dans la colonne vertébrale.

355

J'ai connu un certain nombre de vieux vétérans, rescapés de toutes les guerres. Curieusement, même si leur violence restait tapie au fond d'eux-mêmes, ils dégageaient une sorte de douceur, comme pour dire : « J'ai tué, mais je ne tuerai plus. »

Carl, lui, avait ajouté un post-scriptum : « À moins d'en recevoir l'ordre. »

– M. Madox est dans son bureau. Veuillez me suivre.

Il me précéda dans le grand escalier, jusqu'à un vestibule qui surplombait celui de l'entrée, s'immobilisa devant une porte lambrissée.

– M. Madox dispose d'un quart d'heure.

– Un peu plus, à mon avis.

À moins que je ne le tue avant la fin de l'entretien...

Carl frappa, poussa la porte et annonça :

– Mon colonel, M. Corey...

Colonel ?

– Inspecteur Corey, corrigeai-je. Essaie encore, mon pote.

Il me jeta un regard noir, mais rectifia :

– L'inspecteur Corey demande à vous voir, monsieur.

– Merci, Carl, répondit Madox.

Je pénétrai dans le bureau et la porte se referma derrière moi. Je m'attendais à voir le colonel Madox en grand uniforme, avec toutes ses bananes sur la poitrine. En fait, il se tenait derrière sa table, vêtu d'un blue-jean, d'un polo blanc et d'un blazer bleu.

– Voilà un plaisir inattendu, inspecteur...

– J'ai eu le sentiment, au portail, de bénéficier d'une invitation permanente.

Il sourit.

– C'est exact. J'ai ordonné à mon service de sécurité de vous laisser entrer à votre convenance, dans le cadre de votre enquête sur la disparition de votre ami, devenue, hélas, sans objet.

Il me tendit la main.

– Soyez le bienvenu.

Il m'indiqua un siège, face à la table. Je m'y assis, en me demandant si Harry, à un moment ou à un autre, s'était trouvé dans cette pièce.

– Où est Mme Mayfield ? s'enquit Madox.

– À son cours de chant tyrolien.

Il sourit de nouveau.

– Vous appréciez donc les avantages du Point de Vue...

Je ne répondis pas. Il ajouta :

– J'y ai séjourné deux ou trois fois, pour me changer les idées. J'aime le lac qui, ici, manque cruellement. C'est un excellent établissement. Toutefois, je trouve la nourriture un peu... disons... européenne pour mon goût. Je préfère la rude et simple cuisine américaine.

Je ne répondis toujours pas. Il poursuivit :

– Ont-ils encore leur chef français ? Henri ?

– En effet.

– Une vraie prima donna, comme tous ses pairs. Mais si vous le lui demandez aimablement, il vous fera un bon steak bien épais, sans sauce aux ingrédients mystérieux, avec une pomme de terre au four.

Ce salopard essayait-il de me dire quelque chose ? Je m'étais bien gardé de mentionner que Kate et moi étions mariés, mais j'avais contrevenu à une autre règle d'or en lui révélant notre lieu de séjour, lui donnant une longueur d'avance sur moi.

Il semblait d'humeur loquace, comme le sont nombre de suspects en présence d'un flic.

– À propos des Français, lâcha-t-il, quel est leur problème ?

– Ils sont français.

Il rit de bon cœur.

– Très juste.

Il tapota l'exemplaire du *New York Times* posé sur son bureau.

– Avez-vous lu cet article en première page ? Nos loyaux alliés français nous suggèrent d'aller faire la guerre en Irak tout seuls.

– J'ai vu ça.

– J'ai une théorie à leur sujet. Ils ont perdu une grande part de leurs gènes pendant la Première Guerre mondiale. Plus d'un million des leurs, d'admirables soldats, sont morts dans les tranchées. Dès lors, qui restait-il pour procréer ? Les dégénérés, les malades mentaux, les trouillards et les femmelettes. Qu'en pensez-vous ?

Je pensais qu'il déconnait à pleins tuyaux. Je me contentai de répondre :

– La génétique n'est pas mon fort.

– Oh, ce n'est qu'une théorie. D'un autre côté, j'ai eu deux anciens soldats français dans mon bataillon : un légionnaire et un parachutiste. Ils s'étaient engagés dans l'armée américaine pour se battre. Et ils se sont battus. Ils adoraient tuer les Viets. Des couilles, ils en avaient.

– Et votre théorie s'écroule.

– Non. La France ne produit plus assez d'hommes de cette trempe. À moins que sa société efféminée ne les étouffe. Son peuple ne respecte plus les valeurs guerrières. Nous, si... Nous le prouverons bientôt. Cette guerre en Irak sera bouclée en moins d'un mois.

– Quand va-t-elle commencer ?

– Je l'ignore.

– Je croyais que vous aviez des amis haut placés...

– Euh... C'est vrai. Je parierais sur la mi-mars. Aux environs de la Saint-Patrick.

– Je dirais fin janvier.

– Miseriez-vous cent dollars là-dessus ?

– Topons-là.

Nous nous serrâmes de nouveau la main.

– Quand vous aurez perdu, dit-il, je viendrai vous chercher.

– Au 26, Federal Plaza. Si vous perdez, c'est moi qui viendrai vous cueillir.

– Appelez mon bureau de New York. Il n'est pas très éloigné du 26, Fed. Wayne Street. Goco... Je m'y trouvais quand les avions ont percuté les tours. Jamais je n'oublierai ce spectacle... Et vous ? Étiez-vous dans votre bureau ? Avez-vous tout vu ?

– J'étais sur le point de pénétrer dans la tour nord.

– Mon Dieu...

– Changeons de sujet.

– À votre aise... Mme Mayfield se joindra-t-elle à nous ?

Curieuse question, dans la mesure où je lui avais dit que Kate suivait son cours de chant tyrolien et où je n'avais droit qu'à un quart d'heure avec Sa Majesté. Peut-être trouvait-il Kate à son goût et espérait-il que nous avions rompu ?

– Aujourd'hui, répliquai-je, vous serez seul en face de moi.

– Très bien... Mais je parle, je parle, et je ne vous ai même pas demandé la raison de votre visite.

– Je voulais vous remercier d'avoir offert de nous aider à rechercher notre ami disparu.

– C'était la moindre des choses. Navré d'avoir appris la mauvaise nouvelle.

– Moi aussi.

Normalement, nous en aurions parlé un peu, je l'aurais félicité pour son comportement de citoyen exemplaire et je serais parti. Mais je laissai le sujet de côté, pour le moment. Je hochai la tête en direction de la fenêtre.

– Verriez-vous un inconvénient à ce que je jette un coup d'œil à votre vue ?

Il hésita, puis haussa les épaules.

– Si vous voulez...

Je me levai et gagnai la croisée. L'arrière du chalet donnait sur la colline, au sommet de laquelle se dressait la tour relais, d'où jaillissaient toutes sortes de bras électroniques. Dans le lointain, plusieurs poteaux téléphoniques se détachaient contre le ciel. Des oiseaux se posaient sur les trois gros câbles. Aucun ne fumait, ne s'embrasait ou ne s'envolait précipitamment. Je pris cela pour un signe positif.

Plus loin encore, dans un vaste hangar en préfabriqué, aux portes ouvertes, j'aperçus une Jeep noire, une camionnette bleue et une tondeuse autoportée. À l'extérieur étaient garés quelques véhicules tout terrain, sans doute destinés aux patrouilles dans l'enceinte de la propriété. Je m'attendais à constater que le colonel possédait aussi des chars de combat, mais je ne notai aucune trace de chenilles.

À ma droite, à quelques centaines de mètres du chalet, s'étiraient deux longues bâtisses. Me fiant à la carte de Harry, pliée dans la poche de ma veste, je conclus que la structure de bois blanc servait de casernement. Elle pouvait loger au moins une vingtaine d'hommes. L'autre, de la taille d'une maison, était en pierre, surmontée d'un toit de tôle et protégée par des volets d'acier hermétiquement clos. Trois cheminées crachaient une fumée noire. Près de la porte béante stationnait une estafette à la carrosserie barrée par deux mots peints en rouge : « Potsdam Diesel ».

Madox me rejoignit et déclara :

– Ce n'est pas une vue très spectaculaire. Celle qu'on a de l'autre côté est bien plus belle.

– Celle-là est intéressante. À quoi servent ces poteaux et ces câbles qui ceinturent votre propriété ?

Nos regards se rencontrèrent. Madox ne cilla pas.

– Ils relient les boîtiers téléphoniques dispersés sur l'ensemble du domaine. J'ai découvert en effet, pendant mes années de guerre, que les radios n'étaient pas fiables. Cela étant, depuis que nous avons des téléphones cellulaires et des talkies-walkies haut de gamme, nous ne les utilisons plus beaucoup. Les poteaux servent également de supports aux projecteurs de sécurité et à leur alimentation en courant électrique.

Ainsi, pensai-je, *qu'à celle des systèmes d'écoute et des caméras vidéo.*

– Et ce bâtiment blanc ?

– Le casernement.

– Ah, oui, pour votre armée... Tous ces véhicules, en plus... Vous avez une sacrée installation.

– Merci.

– Et cette bâtisse de pierre ?

– L'abri pour générateur.

– Je vois trois cheminées en activité.

– Trois générateurs.

– Vous vendez du courant à la ville de Potsdam ?

– Non. Mais je n'ai pas envie de me laisser surprendre.

À présent, il était supposé me demander pourquoi je lui posais toutes ces questions. Il n'en fit rien. Il prononça le plus calmement du monde :

– Eh bien, merci de votre visite. Et encore désolé pour... excusez-moi, comment s'appelait-il ?

– Harry Muller.

– Oui. Il faut être très prudent, dans les bois.

– J'ai pu m'en rendre compte.

– Autre chose ?

– Je dois abuser encore un peu de votre temps.

Il sourit poliment.

– C'est ce que vous avez dit la dernière fois.

Ignorant sa remarque, je m'écartai de la fenêtre et détaillai la vaste pièce lambrissée de pin, aux meubles de chêne et au plancher recouvert d'un tapis persan.

Au-dessus du bureau trônait, dans son cadre, la photographie d'un tanker, avec la légende : « Goco Bassora ». Un autre cliché représentait un champ pétrolifère en flammes.

– La guerre du Golfe, commenta Madox. Ou bien devrais-je dire la seconde guerre du Golfe ? Je déteste voir brûler du bon pétrole, surtout si personne ne me le rembourse.

D'ordinaire, cet échange de questions courtes et de réponses encore plus brèves déstabilise le suspect. Mais celui-là était plus froid qu'un cadavre sur la glace. Je décelai pourtant un certain trouble dans ses manières. Il alluma une cigarette, sans toutefois faire des ronds de fumée.

Nous gardâmes tous deux le silence. Je marchai vers un mur constellé de brevets, de diplômes, de citations et d'autres photographies, où Madox apparaissait dans divers uniformes et dont une dizaine avaient été prises au Vietnam.

L'une d'elles le montrait en gros plan, le visage noirci par une peinture de camouflage, sale, balafré au-dessus de l'œil droit par une plaie ouverte et luisant de sueur. L'éclat de son regard accentuait sa ressemblance avec un oiseau de proie.

– Ces photos me rappellent à quel point j'ai de la chance de me trouver ici aujourd'hui, me dit-il.

– Je vois trois Purple Hearts, décoration réservée aux blessés de guerre.

– Oui. Deux blessures légères. Quant à la troisième... J'ai failli recevoir la médaille à titre posthume... Une balle d'AK-47 en pleine poitrine...

Apparemment, elle n'avait touché aucun organe vital, mais avait provoqué une perte de sang au cerveau.

– J'en étais à mon troisième séjour, précisa-t-il. J'ai bravé ma baraka. Mais si c'était à refaire, je le referais.

Excellente définition du cinglé, qui ne cesse d'accomplir les mêmes gestes en espérant chaque fois un résultat différent.

Curieusement, ainsi que l'avait relevé Kate, Madox et moi avions quelque chose en commun. S'il n'avait pas tué un de mes amis et ne s'apprêtait pas à faire sauter la planète, je l'aurais probablement trouvé sympathique. Et lui semblait m'apprécier, en dépit de mes questions insidieuses. Je n'avais pas descendu un de ses potes et je ne l'avais pas encore empêché de mettre ses plans à exécution. Il n'avait donc aucune raison, du moins en apparence, de me haïr.

– Avez-vous déjà été blessé en service commandé ? s'enquit-il avec une sorte de sollicitude.

– Oui.

– En tant que soldat, ou policier ?

– Policier.

– Vous savez donc quel traumatisme cela provoque. C'est une expérience si éloignée de la vie ordinaire qu'on a du mal à l'admettre. Que l'on soit dans l'armée ou dans la police, on sait qu'on risque d'être blessé, ou tué ; et l'on s'y prépare. Mais lorsque cela se produit, on se dit : « Comment est-ce que cela a pu m'arriver à moi ? » Avez-vous ressenti la même chose ?

– Non. J'étais parfaitement conscient de ce qui s'était passé.

– Vraiment ? Il faut croire que chacun réagit de façon différente. Cela étant, on acquiert un autre état d'esprit. Pour paraphraser Winston Churchill, rien n'est plus satisfaisant que de se faire flinguer et de survivre... Celui qui a frôlé la mort ne sera plus jamais le même, dans le bon sens du terme. On se sent très... euphorique... puissant. Presque immortel. Et vous ?

Je me revis étendu dans le caniveau de West 102 Street. Deux bras cassés hispaniques venaient de tirer douze balles dans ma direction et avaient réussi, en dépit de leur nullité, à m'en loger trois dans le corps, à vingt pas. Je me souvins de mon sang jaillissant à dix centimètres de mon visage.

– Qu'avez-vous éprouvé ? insista Madox.

– Je me suis senti ridicule pendant quelques mois.

– Mais ensuite ? Cela a-t-il changé votre vie ?

– Ouais. Ça a mis un terme à ma carrière.

– C'est un changement important, en effet. Mais cela a-t-il bouleversé votre façon de considérer votre avenir ? Du genre : « Dieu a de grands projets pour moi » ?

– Comme quoi ? Me faire dégommer à nouveau ? Parce que c'est ce qui s'est produit.

– Vraiment ? Toujours en service commandé ?

– Je n'étais pas en vacances.

– Je croyais que votre carrière s'était achevée ?

– J'en ai eu une seconde, qui dure encore... C'était un Libyen. Je le traque toujours.

– Je vois... Apparemment, vous avez fait de ces agressions une affaire personnelle.

Il faut laisser parler le suspect, parce que cela peut mener à quelque chose. Même s'il ne dévoile rien sur son crime, il en révèle beaucoup sur lui-même. Je répondis :

– Quand on me tire dessus, j'en fais toujours une affaire personnelle, même si celui qui tente de me tuer ne me connaît pas.

Il hocha la tête.

– Intéressant. Au combat, au contraire, l'aspect personnel disparaît totalement. On ne cherche jamais à retrouver l'auteur du coup de feu. On n'y pense même pas.

– Vous n'en avez donc pas voulu au petit Viet qui vous a plombé ?

– Pas le moins du monde. Il ne faisait que justifier sa solde. Comme je justifiais la mienne.

– Voilà une parole très charitable. Pourtant, la charité ne me semble pas votre vertu première.

Il laissa glisser cette pique et poursuivit :

– À la guerre, on ne tue pas des individus, mais le camp d'en face. On ne tire pas sur des êtres humains, mais sur des uniformes.

– Je n'ai jamais vu le Libyen. Quant aux deux Hispaniques qui ont essayé d'avoir ma peau, ils portaient des pantalons noirs moulants, des tee-shirts violets et des souliers pointus.

Il eut un sourire indulgent.

– Vous ne pouvez pas descendre tous les individus habillés de la même façon. Par contre, je pourrais tuer tous les hommes revêtus de l'uniforme ennemi, ou quiconque ressemblant à l'ennemi.

– Ce doit être jouissif.

– L'éthique de la guerre exclut toute idée de vengeance. Pourtant, c'est elle qui nous motive. La vengeance est saine quand elle ne recèle aucune connotation personnelle. N'importe quel combattant ennemi fait l'affaire. La vengeance vous réconcilie avec vous-même et avec ceux que vous tuez.

Si je parvenais à faire accuser ce type du meurtre de Harry, son avocat plaiderait sûrement la démence ; et le juge l'approuverait. Néanmoins, Madox me jouait peut-être la comédie. Peut-être avait-il toute sa tête. Peut-être encore, en y réfléchissant, m'avouait-il quelque chose à propos de ses projets. Il ne cherchait pas à justifier ce qu'il allait accomplir, ni même ce dont il s'était déjà rendu coupable. Il m'expliquait simplement la nécessité absolue de l'acte qu'il allait commettre, en accord avec sa conscience, la volonté de Dieu et l'avenir du pays.

La chute de l'Union soviétique avait dû le laisser désemparé, sans but. Plus d'ennemis dignes de lui, plus de monstre à anéantir, plus de combat à mener pour sauver la Nation...

Et puis le 11 septembre était arrivé. J'étais certain, à présent, que tout tournait autour de cette date.

Il changea brutalement de sujet, me parla des ours. Les bruns, les noirs, les grizzlis...

– Ils sont intelligents et curieux. Ils s'approchent souvent des hommes, la plupart du temps sans intention agressive. Pourtant, en de rares occasions, sans qu'on sache pourquoi, ils cherchent à vous tuer. C'est là que cela devient intéressant. Votre cœur s'emballe, votre adrénaline vous cogne aux oreilles et vous restez figé, pris entre la terreur qui vous paralyse et l'instinct de survie qui vous pousse à détaler. Rien n'est plus excitant que l'imminence de la mort.

– Vous m'en direz tant...

– Encore une fois, merci de votre visite. Si on organise une collecte pour la famille de M. Miller, faites-le-moi savoir.

– Muller. Il s'appelait Muller.

Je pris une grande inspiration, cherchant à maîtriser la colère subite qui me submergeait. J'eus réellement envie de lui tirer une balle dans le ventre, de le voir agoniser sous mes yeux. Et ce geste n'aurait rien eu de professionnel. Il aurait été purement personnel.

Madox semblait attendre que je lui dise au revoir. Comme je ne bougeais pas, il déclara :

– À propos, un de nos amis communs, Rudy, s'est arrêté ici hier. Rudy, précisa-t-il. De la station-service de South Colton.

Je mis mes deux mains dans les poches de ma veste, sentis la crosse de mon Glock dans ma paume droite.

– Il avait l'air passablement embrouillé. Il avait l'impression que je vous avais demandé de lui faire savoir que je souhaitais le voir.

– Ce n'était pas le cas ?

– Non. Pourquoi lui avez-vous raconté ça ?

Si je le tuais tout de suite, lui saurait pourquoi. Et cela suffisait peut-être.

D'un autre côté, il fallait que j'en sache davantage. Sans

parler de la police et du FBI, qui voudraient certainement en apprendre un peu plus.

– Monsieur Corey ?

Surtout, pour être honnête avec moi-même, il m'était impossible de sortir mon feu et d'abattre un homme désarmé. Et, pour pousser l'honnêteté jusqu'au bout, Madox m'intriguait. Non... Il m'impressionnait.

– Monsieur Corey ? Vous m'entendez ?

De nouveau, nos regards se rencontrèrent. J'eus l'intuition qu'il avait deviné ce qui bouillonnait au fond de moi. Ses yeux se braquèrent d'ailleurs sur ma main droite, dissimulée au fond de ma poche et crispée sur mon arme.

Le silence se prolongea. Enfin, Madox murmura :

– Pourquoi lui avez-vous demandé de me dire que vous étiez bon tireur ?

– À qui ?

– À Rudy.

– Rudy ?

Je pris une autre inspiration, extirpai ma main de ma poche. Vide.

– Rudy, Rudy... Ah, oui, Rudy. Comment va-t-il ?

Il parut comprendre que le moment crucial était passé et laissa tomber le pompiste.

– Carl va vous reconduire.

Il marcha jusqu'à son bureau, saisit un talkie-walkie, s'apprêta à presser le bouton d'émission.

– Je suis ici pour enquêter sur un homicide, dis-je.

Il hésita, puis reposa l'appareil, me scruta avec insistance.

– Quel homicide ?

Je m'approchai du bureau et martelai :

– Le meurtre de Harry Muller.

Il sembla convenablement surpris, presque bouleversé.

– Oh... On m'a assuré qu'il s'agissait d'un accident. Je suis confus, j'aurais dû vous exprimer mes condoléances. C'était un de vos collègues.

– Un ami.

– Eh bien, je suis navré, mais... j'ai reçu un coup de fil du bureau du shérif. Quelqu'un m'a annoncé qu'on avait découvert le corps en pleine forêt et qu'on avait conclu à un accident de chasse.

– Il n'y encore eu aucune conclusion.

– Je vois. Donc... on pense à une possible mise en scène.

– C'est exact.

– Et...

– J'espérais que vous pourriez m'aider.

– Non... Je suis désolé. Que saurais-je sur... ?

Je repris place dans mon fauteuil, en face du bureau, lui fis signe de s'installer dans le sien.

Il hésita, conscient qu'il n'était pas obligé de s'exécuter et de parler de tout cela. Il aurait pu m'enjoindre de me lever, de quitter sa maison, de disparaître de sa vue, de sa vie. Mais il ne le ferait pas. Il s'assit.

Je le dévisageai en silence. Ce gars-là ne cillait jamais. Comment faisait-il ? Même ceux qui ont des yeux de verre clignent des paupières.

– Bien, soupira-t-il. En quoi puis-je vous aider, inspecteur ?

– Commençons par le commencement, monsieur Madox. Harry Muller, ainsi que vous le savez peut-être, n'était pas là pour observer les oiseaux.

– Vous me l'avez pourtant affirmé.

– C'était faux. Il était là pour vous observer, vous.

Il ne parut ni choqué ni étonné. Il réfléchit quelques instant, puis opina.

– Je conçois que le gouvernement s'intéresse à moi. Un homme dans ma position serait surpris du contraire.

– Ah, oui ? Pourquoi, selon vous, s'intéresse-t-on à vous en haut lieu ?

– Sans doute à cause de mes relations commerciales avec des puissances étrangères. Le cours du brut... Je suis un ami personnel du ministre irakien du Pétrole.

– Pas possible ? Comment prend-il les menaces de guerre ?

– Je ne lui ai pas parlé récemment. Mais j'imagine qu'il n'envisage pas de gaieté de cœur l'invasion imminente de son pays.

– Mettons-nous à sa place. Donc vous pensez que le gouvernement garde un œil sur vous à cause de... ?

– Parce que mes intérêts et ceux des États-Unis ne coïncident pas toujours.

– Je vois. Vos intérêts passent en premier.

Il eut un petit sourire.

– Mon pays prime toujours sur tout le reste, mais il n'est pas toujours bien représenté par mon gouvernement.

– Je vous l'accorde. Admettons que le gouvernement se soucie comme d'une guigne de vos relations avec des puissances étrangères. Quel serait, dans ce cas, la nature de l'intérêt qu'il vous porte ?

– Je n'en ai aucune idée, monsieur Corey. Et vous ?

– Pas la moindre.

– Mais pourquoi aurait-on chargé l'inspecteur Harry Muller, de l'ATTF, de m'espionner ? Le gouvernement me prend-il pour un terroriste ?

– Je l'ignore. Qui a dit que Muller appartenait à l'ATTF ?

Il hésita une seconde, puis rétorqua :

– C'était un de vos collègues. Or, vous travaillez pour l'ATTF.

– Excellente déduction. Vous auriez fait un bon enquêteur.

Il alluma une autre cigarette. Toujours pas de ronds de fumée...

– Donc vous me dites que ce Miller...

– Muller. Inspecteur Harry Muller.

– Oui... que ce Muller avait pour mission de m'espionner.

– Vous et vos invités. On appelle cela une surveillance. « Espionnage » est un mot négatif.

Il se pencha vers moi.

– Je me fous de ces subtilités de vocabulaire.

Il finit par perdre son sang-froid, frappa violemment sur son bureau.

– Si on a vraiment envoyé cet homme, ce Muller... pour nous « observer », moi et mes hôtes, cela me scandalise ! Le gouvernement n'a pas le droit de s'immiscer dans ma vie privée, ni dans celle de mes convives, réunis en toute légalité dans une propriété privée pour...

– D'accord, d'accord. Remettons cette question à plus tard. Ce qui nous préoccupe, pour l'heure, c'est un meurtre.

– C'est vous qui le dites. Selon le shérif, il s'agissait d'un accident. Et même si c'était un assassinat, qu'est-ce que cela à voir avec moi ?

Je rectifiai le tir.

– Je n'ai pas dit que cela vous concernait.

– Alors, pourquoi êtes-vous là ?

– Je crois, en fait, que cela pourrait avoir un rapport avec un membre de votre service de sécurité.

Gros mensonge, qu'il ne goba pas, mais qui nous permettait de continuer à jouer au chat et à la souris.

Il se renversa dans son fauteuil.

– C'est... incroyable. Avez-vous une preuve de ce que vous avancez ?

– Je ne peux en discuter.

– Très bien. Mais soupçonnez-vous quelqu'un en particulier ?

– Je ne peux rien révéler à ce stade. Si je désigne un suspect et que je me trompe, je risque de le payer cher.

– Bien sûr... Dès lors, je ne vois pas en quoi je pourrais vous aider.

– Eh bien, la procédure normale consiste, pour le FBI, à vous demander tous vos dossiers personnels, avant d'interroger tous vos vigiles et tous vos domestiques, pour déterminer où ils se trouvaient et ce qu'ils faisaient aux alentours de l'heure de la mort.

Il m'écouta patiemment. Puis :

– Je ne comprends toujours pas pourquoi vous pensez qu'un de mes employés pourrait avoir commis un meurtre. Pour quel mobile ?

– Peut-être par excès de zèle ?

Silence.

– Parlons plutôt de dérapage. Il y a peut-être eu une altercation. Ce qui s'est passé pourrait être considéré comme un homicide involontaire. Ou un cas de légitime défense.

– Je déteste l'idée qu'un de mes hommes ait pu perpétrer un tel acte. Ils sont bien entraînés et n'ont jamais provoqué le moindre incident.

Il parut subitement inquiet.

– À votre avis, en tant qu'employeur, pourrais-je être poursuivi ?

– Cela ne relève pas de ma compétence. Vous devriez consulter votre avocat.

– Je le ferai. Comme je vous l'ai dit hier, les poursuites judiciaires tous azimuts ruinent ce pays.

Il écrasa sa cigarette.

– Je fournirai tous mes dossiers personnels, à vous ou à quiconque en aura besoin. Quand vous les faut-il ?

– Probablement demain. Une équipe technique du FBI est en route.

– Très bien. Je ne suis pas certain de les avoir ici. Ils sont peut-être à mon bureau de New York.

– Faites-le-moi savoir.

– Comment pourrai-je vous joindre ?

– Au Point de Vue. Et moi ? Comment vous contacter ?

– Je vous l'ai déjà dit : par l'intermédiaire de mon service de sécurité ou de mon bureau de New York.

– Et votre téléphone mobile ?

– Le standard de mon bureau fonctionne vingt-quatre heures sur vingt-quatre. On m'appellera sur mon mobile.

– Entendu. Combien de temps comptez-vous rester ici ?

– Je ne l'ai pas encore décidé. Pourquoi ?

– Un jour, deux jours, un an ? Quand partez-vous ?

Visiblement, il n'avait pas l'habitude de se retrouver sur le gril. Il répliqua avec impatience :

– Dans deux ou trois jours. Et vous ? Jusqu'à quand séjournerez-vous dans la région ?

– Jusqu'à ce que l'affaire soit résolue. Où irez-vous, en partant d'ici ?

– Je... probablement à New York.

– Parfait. Je dois vous demander de prévenir le FBI de New York si vous envisagez de quitter le pays.

– Pourquoi ?

– Vous pourriez être appelé à témoigner au cours de l'enquête. Il me faudrait également la liste de vos invités du week-end.

– Pour quelle raison ?

– Eux aussi font figure de témoins potentiels. Ils ont peut-être entendu quelque chose par hasard, noté, chez un de vos vigiles ou un de vos domestiques, un comportement inhabituel. Ou encore une attitude étrange chez certains de vos invités. J'aurais également besoin de tous les enregistrements des caméras de surveillance installées sur votre propriété et à l'intérieur du chalet. Plus les registres de sécurité. En tant qu'ancien officier, je suis sûr que vous tenez à ce qu'ils soient scrupuleusement mis à jour. Quand chaque employé a pris et quitté son service, quelles rondes ont été faites, quels incidents ont été notés, etc. Je suis certain que ces documents existent.

Il n'infirma ni ne confirma leur existence. Je sortis mon carnet de notes et poursuivis :

– J'aimerais que vous me donniez, de mémoire, le nom de vos invités du week-end. Combien étaient-ils ?

À présent, Madox se sentait cerné, comme George Custer. Il trouva pourtant une porte de sortie.

– J'ai bien peur d'avoir à écourter cet entretien, monsieur Corey. Il se fait tard et je dois passer d'importants coups de téléphone au Moyen-Orient. J'ai également des affaires urgentes à régler. Je dirige une société et le mardi n'est pas un jour férié.

– Je sais bien. J'enquête sur un homicide.

– J'en suis conscient, mais... J'ai une idée. Pourquoi ne reviendriez-vous pas ce soir ? Nous pourrions mêler travail et agrément. Disons à 19 heures, pour l'apéritif. Et si vous souhaitez rester dîner, ce sera un plaisir.

– Pour le dîner, rien n'est moins sûr. Henri a préparé de la bécasse.

Il sourit.

– Je crois que je peux vous offrir mieux que cela. Et j'aurai établi la liste de mes invités.

– Superbe.

Il m'était impossible d'étaler en sa présence mon pansement adhésif sur le tapis. J'enlevai donc subrepticement mes chaussures et frottai mes chaussettes sur le dessus crêpelé du tapis persan.

J'avais réellement la sensation que Harry s'était trouvé dans cette pièce. D'ici deux jours, je le saurais. Je reviendrais alors au chalet avec un mandat d'arrêt pour meurtre contre Madox. Mieux encore, si cette charge n'était pas officiellement retenue, je pourrais, la conscience en paix, lui tirer une balle dans le ventre. À moins qu'il se soit enfui en Irak ou ailleurs, pour jouer au poker avec un ministre du pétrole.

– Qui fera la cuisine ? lui demandai-je.

– Je m'arrangerai. Je préparerai aussi les boissons. Whisky, je crois ?

– Exact. C'est très gentil à vous.

– Bien sûr, amenez Mme Mayfield.

– Si elle est rentrée de son cours de chant tyrolien.

– Parfait. Venez vêtu comme vous êtes. Pas de smoking, ajouta-t-il avec un sourire.

– Le smoking n'est prévu que demain.

– Très juste. Mercredi et samedi. Je vous en prie, dites à Mme Mayfield de ne pas se préoccuper de sa tenue. Vous savez comment sont les femmes...

– L'ai-je su un jour ?

Nous rîmes tous les deux, ce qui détendit l'atmosphère. En même temps, je me demandai si Kate et moi ressortirions vivants de ce dîner.

– Quelqu'un d'autre se joindra-t-il à nous ?

– Euh... Je n'en suis pas encore sûr. Mais vous et moi pourrons toujours nous retirer dans la bibliothèque pour régler nos affaires.

– Très bien. Je déteste parler d'assassinat pendant les repas. Avez-vous encore des invités au chalet ?

– Non. Ils sont tous partis.

Peut-être oubliait-il Mikhaïl Putyov...

Il se leva.

– Bien. Apéritif à 19 heures, puis une conversation sérieuse et ensuite le dîner, si vous renoncez sans trop de regrets à la bécasse.

– Merveilleux programme, dis-je en glissant mes pieds dans mes chaussures.

– Encore une fois, navré pour l'inspecteur Muller. Je prie le ciel pour qu'aucun membre de mon personnel ne soit impliqué dans son décès. Toutefois, si c'est le cas, soyez assuré de mon entière coopération.

– Merci. En attendant, je compte sur votre discrétion. Inutile d'effrayer qui que ce soit.

– Je comprends.

Nous nous serrâmes la main et je quittai son bureau. Je tombai sur Carl, à quelques pas de la porte.

– Je vais vous reconduire, me dit-il.

– Merci. On pourrait se perdre, dans cette maison.

– Voilà pourquoi je vous reconduis.

– Excellente initiative.

Enfoiré.

Alors que nous redescendions l'escalier, je lui lançai :

– Où puis-je me laver les mains ?

Il me montra une porte au fond du vestibule. Je pénétrai dans les toilettes, pris la petite serviette-éponge pliée sur un anneau proche du lavabo et l'appliquai un peu partout en frottant avec vigueur, recueillant des cheveux, des cellules d'épiderme et tout autre ADN propre à enchanter les gens du labo. J'aurais aimé récupérer une cigarette de Madox ; mais, à moins de lui demander de m'offrir un de ses mégots en souvenir, ce n'était pas possible.

Je fourrai la serviette dans le creux de mes reins et sortis.

Carl me désigna la porte d'entrée.

– À ce soir, 18 heures, lui dis-je.

– Dix-neuf.

Pas très malin. Mais loyal. Et dangereux.

Chapitre 40

Je quittai le Custer Hill Club sans me retourner, passai en trombe devant les deux vigiles.

Le croisement entre la McCuen Pond Road et la route forestière était toujours désert. Quelle mouche avait donc piqué Schaeffer ?

Je rejoignis la route 56 et filai vers le nord.

Je me remémorai en détail mon entretien avec Madox. À présent, notre partie d'échecs avait commencé. Son invitation à dîner faisait partie du jeu. Madox avait remarqué que je portais les mêmes vêtements que lors de ma première visite. Il en avait conclu qu'on nous avait envoyés ici pour une mission très courte. Voilà pourquoi il avait insisté pour que Kate ne se préoccupe pas de sa tenue. Si elle venait elle aussi habillée comme la veille, cela confirmerait ses déductions. Oui, il aurait fait un bon flic. Mais ce qu'il voulait, en l'occurrence, c'était tuer deux oiseaux d'un seul coup de fronde.

Cela impliquait qu'il savait par une source quelconque, Schaeffer, le shérif, ou même le FBI, que Kate et moi nous étions nous-mêmes mis hors la loi et qu'il n'existait aucune équipe de soutien prête à voler à notre secours. S'il avait obtenu cette information par un de ses indicateurs, nous étions dans de sales draps. Il était temps pour moi de suivre le conseil de Kate et de rentrer à New York au lieu d'aller dîner au Château Madox.

Vraiment ?

Kate devait s'inquiéter pour moi. On dispose de trois minutes, quand on se sert d'un mobile, avant d'être repéré. Je composai donc le numéro de la maison de l'étang. Kate répondit à la première sonnerie.

– C'est moi, lui dis-je.

– Grâce à Dieu ! Je commençais à me ronger les sangs.

– Je ne peux parler qu'une minute. J'ai encore deux ou trois courses à faire. Je serai de retour dans une heure.

– Ça c'est bien passé ?

– On ne peut mieux. Je te raconterai tout à mon retour. Et toi, tu as trouvé quelque chose ?

– Oui, je...

– Tu as appelé Schaeffer ?

– Impossible de le joindre.

– Tant pis. Tu as pu commander une pizza ?

– Non. Achète de quoi manger en route.

– Tu as faim ?

– Je dévorerais un bœuf.

– Ça tombe bien. J'ai accepté une invitation à dîner au Custer Hill Club.

– Quoi ?

– Je t'en dirai davantage quand je te verrai. Pas de frais de toilette.

– C'est une blague ?

– Non. Pas de robe du soir. Apéritif à 19 heures. Il faut que je raccroche. À tout à l'heure.

– John...

– Ciao. Je t'aime.

Je raccrochai et fermai mon téléphone. Venais-je de dire à Kate que nous allions dîner au Custer Hill Club ? Avais-je définitivement perdu la boule ?

J'arrivai à hauteur de la station-service de South Colton. Comme d'habitude, Rudy bavassait avec un client. Je m'arrêtai devant la pompe et le hélai. Il s'avança vers ma voiture.

– J'ai essayé d'arranger les choses pour toi avec M. Madox.

– Ah, oui ? Je vous l'ai dit : je lui ai parlé. Il n'y a pas de problème.

– Si, il était toujours furieux contre toi. J'ai deux nouvelles. Une bonne et une mauvaise. Je commence par laquelle ?

– Euh... la bonne.

– La bonne, c'est qu'il ne t'en veut plus. La mauvaise, c'est qu'il va ouvrir une station Goco de l'autre côté de la route.

– Quoi ? Nom de Dieu, il peut pas faire ça !

– Il peut le faire, et il le fera.

Rudy jeta un regard désespéré sur le champ d'en face. J'étais sûr qu'il voyait tout : huit pompes flambant neuves, des toilettes propres, de grandes cartes de la région sur le parking.

– La concurrence a du bon, lui dis-je. C'est ça, l'Amérique.

– Oh, merde !

– Eh, j'ai besoin d'un service. Rudy ?

– Euh... ?

– Il faut que je transporte une carcasse de cerf. Tu n'aurais pas une caisse plus grosse que ma Coréenne ? Juste pour ce soir. Je te donne cent dollars pour la peine. Et je fais le plein.

J'allai garer la Hyundai à l'arrière de la station, hors de vue. En moins de cinq minutes, je conclus un marché avec Rudy, qui se comportait toujours comme si une mule lui avait balancé un coup de sabot sur le crâne. Il ne remarqua même pas que je n'avais pas laissé les clés de la Hyundai sur le tableau de bord, contrairement à ce que je lui avais affirmé.

– Ne téléphone pas à Madox, lui intimai-je en partant. Cela ne ferait qu'envenimer les choses. Je lui parlerai.

– Il peut pas faire ça. J'irai devant les tribunaux !

Je démarrai au volant de son plus gros véhicule, un Dodge à l'intérieur ravagé mais qui marchait à merveille.

Je continuai jusqu'à Colton, dépassai l'embranchement pour Canton et pris la route la plus longue pour cette même ville, via Potsdam.

Quand on veut brouiller les pistes, on change souvent de cheval en prenant soin d'abattre celui dont on vient de descendre, et on n'emprunte jamais deux fois le même itinéraire.

Une fois à Canton, je trouvai le magasin de sport Scheinthal, où j'achetai une boîte de balles de calibre 40 pour Kate, une boîte de 9 mm pour moi et quatre chargeurs pour mon Glock. La propriétaire, Mme Leslie Scheinthal, me demanda une pièce d'identité. Plutôt que ma carte du FBI, je lui présentai mon permis de conduire.

Les miennes s'étant transformées en pièces à conviction, il fallait que je change de chaussettes. Je les choisis en laine ; elles me serviraient à prélever de nouveaux indices dans la salle à manger et la bibliothèque du chalet.

Bien sûr, toutes ces précautions deviendraient caduques si Madox glissait un sédatif dans nos verres, nous endormait avec un fusil anesthésiant et si nous nous réveillions morts, comme Harry.

Je balayai donc du regard l'ensemble du magasin, à la recherche de quelque chose qui ne déclenchcrait pas un détccteur de métaux et pourrait échapper à une fouille, tout en étant plus utile que... mettons... une paire de chaussettes de laine.

Leslie Scheinthal, une fort jolie femme, m'aborda.

– Puis-je vous conseiller ?

– Eh bien... C'est une longue histoire... Je cherche un équipement de survie. Comment dire ? Je vais camper dans la forêt et... Je n'ose pas l'avouer... J'ai peur des ours.

Elle eut un sourire presque maternel.

– Vous avez entièrement raison. On n'est jamais trop prudent. D'autant que vos armes de poing ne vous serviront à rien. Le dernier campeur qui a essayé de neutraliser un ours avec un pistolet a fini au fond de sa tanière, mangé par ses petits... Venez. J'ai tout ce qu'il vous faut.

Elle m'entraîna vers un rayon.

– Voilà. D'abord, une sirène à air comprimé. Généralement, ça les effraie. Vous pouvez aussi vous en servir si vous vous retrouvez en difficulté. Deux coups : un long et un court. C'est le code. D'accord ? Seulement six dollars. Et voilà le fin du fin. Un Bear Banger... Un lanceur de fusées, qui a la taille et l'aspect d'une petite lampe torche.

Elle sortit du rayon une boîte contenant le lanceur et six cartouches.

– Vous introduisez la cartouche dans le lanceur, vous appuyez sur le bouton. L'explosion de la cartouche provoque une forte détonation et la fusée s'élève à dix mètres de hauteur en émettant une lumière équivalant à celle de cinquante mille bougies, visible à six kilomètres le jour et à douze kilomètres la nuit. Surtout, ne la pointez pas vers l'ours. Vous pourriez le blesser et provoquer un feu de forêt... Trente dollars. D'accord ?

– D'accord.

Son sourire se fit enjôleur.

– Donc, vous prenez la sirène et le Bear Banger.

– En fait, je prendrai deux Bear Banger.

– Je vois que vous avez de la compagnie. Pour le lanceur, vous devez signer un formulaire.

– Tout ce que vous voudrez.

Elle me gratifia d'un autre sourire, à damner un saint. En mon for intérieur, je remerciai les ours de m'avoir aidé à résoudre mon problème.

Leslie m'entraîna jusqu'à la caisse. Je signai le formulaire, par lequel je m'engageais à n'utiliser le lanceur qu'en cas de légitime défense contre un animal sauvage. Exactement comme j'en avais l'intention...

J'aperçus, sur le comptoir, une boîte de barres énergétiques. J'en achetai une pour Kate. J'en aurais bien pris une pour moi, mais je préférais ne pas me couper l'appétit avant le dîner.

– Ce sera tout ? s'enquit Leslie.

– Oui.

Elle empaqueta les munitions, la sirène à air comprimé, les chaussettes, la barre de céréales et les deux Bear Banger. Je la payai avec ce qui me restait de liquide. Il me manquait deux dollars. Je m'apprêtais à lui rendre la barre mais elle interrompit mon geste.

– Vous me la devrez.

Elle me tendit sa carte.

– Revenez demain et faites-moi savoir si vous avez besoin d'autre chose. J'accepte les chèques.

– Merci, Leslie. À demain.

– J'espère.

Moi aussi...

Je regagnai le Dodge de Rudy et repartis pour le B&B de Wilma.

Ours. Madox. Danger nucléaire. ELF. Putyov. Griffith.

Asad Khalil, avec son fusil à lunette, me parut tout à coup bien inoffensif.

Chapitre 41

À 16 h 54, je m'engageai dans la longue allée menant au B&B.

Une femme me regarda venir par la fenêtre de la maison principale. Ce ne pouvait être que Wilma, se demandant probablement qui était le conducteur du Dodge.

Une fois devant la maison de l'étang, je rassemblai les sacs de plastique contenant mes emplettes, sortis, verrouillai les portières et criai :

– C'est ton montagnard !

Kate ouvrit la porte et me laissa entrer.

– Où as-tu eu cette guimbarde ?

– Rudy me l'a prêtée. Quand on est fugitif, on doit changer de monture.

– Comment ça s'est passé ? Et ces sacs ?

– Très bien, sauf que Madox ne prend pas les bons médicaments. Laisse-moi te montrer ce que j'ai acheté.

Je répandis le contenu des deux sacs sur la table de la cuisine.

– Des chaussettes propres pour moi, des munitions et des chargeurs supplémentaires pour nous...

– Pourquoi ?

– Une sirène à air comprimé et deux Bear Banger.

– Deux quoi ?

– Pour éloigner les ours et envoyer un signal de détresse en cas d'ennuis. Ingénieux, non ?

– John...

– Et une barre énergétique pour toi.

– Tu as mangé ?

– Oui. Des chocolats.

Je m'assis sur la chaise de la cuisine, enlevai mes chaussures, puis mes chaussettes, aux plantes maculées de fibres de tapis auxquelles se mêlait au moins un long poil sombre, dont j'espérais qu'il appartenait à Bain Madox, à Guillaume II ou à Harry Muller.

– Tout ça vient du bureau de Madox. J'ai l'intuition, l'espoir, en fait, que Harry s'est assis dans le même fauteuil que moi.

Je fourrai les chaussettes dans un des sacs, arrachai une page de mon carnet de notes et y écrivis un bref compte rendu sur la date, la méthode et le lieu du prélèvement, signai et mis la feuille dans le sac.

Je sortis ensuite le rouleau de pansement adhésif de ma poche, en ôtai le papier protecteur, détachai le morceau parsemé de fibres.

– Ça, ça vient du tapis du vestibule, expliquai-je à Kate.

Je pressai soigneusement le pansement contre l'intérieur du sac.

– Un jour, j'ai appliqué un pansement de ce genre sur un sandwich au jambon entamé, dans la cuisine d'un homme soupçonné de meurtre.

Je commençai à noter la description du pansement, tout en poursuivant :

– J'ai obtenu assez d'ADN pour prouver sa culpabilité. Mais son avocat a affirmé que cette preuve avait été obtenue de façon illégale, volée sans mandat. Elle était donc irrecevable. J'ai dû jurer que le suspect m'avait offert la moitié de son sandwich.

Je glissai la note dans le sac et conclus :

– Le juge a bien rigolé.

Je fermai le sac et demandai à Kate :

– Tu as du sparadrap ?

– Non, mais je peux en avoir. Qu'est-ce qui est arrivé ?

– À qui ? Oh... L'avocat de la défense m'a cuisiné pour savoir pourquoi l'accusé m'avait offert la moitié de son sandwich. J'ai dû raconter une histoire à dormir debout, puis ajouter que j'avais glissé le sandwich dans ma poche au lieu de le manger. Le juge a été très impressionné par mon bobard, et il a déclaré la preuve recevable. Quant à l'avocat, il est devenu dingue et m'a accusé de mensonge.

– C'en était un.

– Nous étions dans une zone grise.

– Résultat ?

– Justice a été rendue.

J'extirpai la serviette éponge du fond du second sac.

– Elle provient des toilettes du rez-de-chaussée. Je l'ai frottée un peu partout.

Tout en rédigeant une note sur cette serviette, j'ajoutai :

– Elle entre dans la même catégorie que le sandwich. M'a-t-on proposé de la garder, ou l'ai-je barbotée sans mandat de perquisition ? Qu'en penses-tu ?

– C'est à toi de répondre.

– Bien.

J'écrivis sur la feuille, en lisant à haute voix :

– Offerte par Carl, un des employés du suspect, quand il a remarqué qu'elle était... quoi ? Coincée dans la fermeture Éclair de ma braguette ?

– Tu aurais dû y réfléchir avant.

– Bon. Je finirai ça plus tard. Avec un peu de chance, certains de ces poils et de ces fibres correspondront à ceux qu'on a trouvés sur Harry. De même, on découvrira peut-être parmi eux certains de ses cheveux et des fibres de ses vêtements, qu'il aura laissés au Custer Hill Club.

– Bon travail, John.

– Merci. Jadis, j'étais un bon flic.

– Tu l'es toujours. À présent, je crois que nous disposons d'assez d'éléments pour appeler Tom Walsh et rentrer à New York le plus tôt possible.

Ignorant cette suggestion, je lui montrai mes chaussettes neuves.

– Il y a d'autres indices à prélever au chalet. Quel genre de chaussettes portes-tu ?

– Tu es vraiment sérieux à propos de cette invitation à dîner ?

– Tout ce qu'il y a de plus sérieux.

Je remis le rouleau dans ma poche.

– Ce n'est pas tous les jours qu'un homme soupçonné de meurtre organise un souper fin.

– Les Borgia le faisaient tout le temps, objecta-t-elle.

– Chérie, il t'a invitée.

– Et tu n'iras pas non plus... Dis-moi de quoi vous avez parlé, toi et Madox.

– Entendu. Mais, d'abord, appelle Wilma. Confirme-lui que tu lui rendras son ordinateur à 18 h 30 et demande-lui un rouleau de sparadrap.

Elle se dirigea vers le secrétaire. Quant à moi, je marchai pieds nus jusqu'au lit. Je ne tenais pas à souiller mes chaussettes neuves avec la moquette de Wilma.

Kate saisit le téléphone.

– Supplie-la également de t'appeler immédiatement si ton mari arrive au volant d'une Hyundai blanche.

Je m'attendais à ce qu'elle me traite de crétin infantile. Au lieu de cela, elle sourit et gloussa :

– D'accord.

Elle a parfois un sens de l'humour inattendu.

Elle eut Wilma au téléphone, la remercia pour le portable et promit de le lui rapporter à 18 h 30. Puis :

– Serait-ce abuser que de vous demander deux autres services ? Il me faudrait un rouleau de pansement adhésif. Bien sûr, je vous le rembourserai. Merci. Oh, et si vous voyez mon mari arriver dans une Hyundai blanche, pourriez-vous m'appeler tout de suite ?

Wilma répondit quelque chose. Kate pouffa. Puis, retrouvant son sérieux :

– C'est un simple ami, mais enfin... Oui...

– Précise-lui qu'il te faut assez de sparadrap pour ton poignet et tes chevilles, et emprunte-lui un fouet.

– Un instant, je vous prie...

Elle plaqua sa paume sur le récepteur, étouffa un fou rire.

– Et qu'elle nous prévienne si un autre véhicule se rapproche d'ici.

Kate me regarda, hocha la tête.

– Il est possible que mon mari conduise une autre voiture. Alors, si vous voyez un autre véhicule que la Hyundai, n'importe lequel, rouler en direction de la maison de l'étang... Oui, merci.

Elle raccrocha et me dit :

– Wilma suggère que mon ami déplace son Dodge. Elle me rappelle aussi qu'il y a une porte de sortie à l'arrière du pavillon.

Cette fois, nous nous laissâmes aller à une joyeuse hilarité, ce qui était précisément ce dont nous avions besoin.

– Comme si je ne savais pas comment me débarrasser d'un mec par la porte de service... gloussa Kate.

– Eh, là...

Elle sourit encore.

– Je crois que Wilma est désormais notre guetteur.

– Elle est motivée.

– Tu as parfois de bonnes idées...

– Moi aussi, je suis motivé.

Elle se pencha vers moi, passa ses bras autour de mon cou et m'embrassa. Profitant de ce moment de tendresse, elle m'annonça :

– J'ai réservé deux places sur un vol pour La Guardia au départ de Syracuse, à 8 h 30 demain matin. Il n'y en avait aucun plus tôt.

Je n'avais nullement l'intention d'en discuter. Je lui dis quand même :

– J'espère que tu n'as pas utilisé notre carte de crédit.

– Ils ne prennent pas les chèques par téléphone...

– Alors, quand tu arriveras à l'aéroport, transmets mes amitiés à Liam Griffith.

– John, ils ne pistent pas les gens grâce à leur carte de crédit aussi rapidement... Toutefois... Nous pouvons très bien rouler jusqu'à Toronto ce soir. Il y a, depuis là-bas, de nombreux vols pour New York et Newark.

– Nous ne franchirons aucune frontière internationale. Bien. Qu'est-ce que tu as découvert ?

Elle retourna devant le secrétaire, ouvrit son carnet de notes.

– D'abord, ainsi que je te l'ai dit, je n'ai pas pu joindre le commandant Schaeffer. Je l'ai appelé deux fois, lui ai laissé des messages lui indiquant que je le rappellerais. J'ai l'impression qu'il ne tient pas à me parler... Tu auras peut-être plus de chance.

– Je lui téléphonerai plus tard... Il n'y avait personne au croisement de la McCuen Pond Road.

– Ils ont peut-être annulé la surveillance.

– Peut-être. Mais il est possible que Schaeffer nous ait laissé tomber.

– Tu es quand même allé là-bas.

– J'ai gravé un message sur un bouleau.

– Je reprends... J'ai ensuite étudié les listings des passagers, les réservations et les contrats de location de voiture. Aucun nom ne m'a frappée, sauf deux : Paul Dunn et Edward Wollfer. Plus, bien sûr, celui de Mikhaïl Putyov. D'autres m'étaient familiers, mais peut-être parce que j'ai relu ces listes plusieurs fois. James Hawkins, par exemple...

– Tu as fait une recherche sur Google à son sujet ?

– Oui. Il existe un James Hawkins à l'état-major interarmes. Général d'aviation. J'ignore s'il s'agit du même homme.

– S'il s'est rendu au Custer Hill Club, c'est probablement lui. A-t-il loué une voiture ?

– Non. Il est arrivé de Boston samedi matin à 9 h 25, et reparti dimanche par le vol de 12 h 45, toujours pour Boston, avec correspondance pour Washington.

– Bien. S'il est allé chez Madox, il y a sans doute été conduit par l'estafette. Il est intéressant de constater que Madox n'a envoyé ses propres jets pour aucun de ces gros bonnets. Il ne voulait sans doute pas, tout comme ses invités, qu'on établisse un lien direct entre eux. C'est suspect.

– Peut-être pas. Souvent, les personnages publics n'acceptent pas de cadeaux ou de faveurs de la part de riches particuliers. Question d'éthique.

– C'est encore plus suspect... Donc, Madox comptait, parmi les participants à sa réunion, un membre de l'état-major interarmes, général de l'US Air Force.

– Je me demande, murmura Kate, si ces gens savaient que Harry était là, et ce qui lui est arrivé...

J'avais du mal à imaginer ces hommes respectables complices d'un assassinat.

– Quoi d'autre, venant de l'aéroport ?

– C'est tout. En ce qui concerne les dizaines d'autres noms, il nous faudrait une équipe pour découvrir de qui il s'agit et quels sont leurs liens éventuels avec Bain Madox.

– J'espère que nos collègues se penchent déjà là-dessus. Mais nous ne connaîtrons jamais les résultats.

Elle ne releva pas cette dernière phrase et reprit :

383

– Ensuite, j'ai fait une recherche Internet sur Madox lui-même. Bizarrement, il existe très peu de renseignements sur lui.

– Cela n'a rien de surprenant.

– Je n'ai trouvé que des indications professionnelles sur son statut de P-DG et de principal actionnaire de la Global Oil Corporation. De maigres renseignements biographiques... Presque rien de personnel : pas un mot sur son ex-femme ou ses enfants... Seulement cinq ou six références provenant de sources officielles. Pas un seule information officieuse, pas le moindre commentaire de qui que ce soit.

– De toute évidence, il a les moyens de les effacer.

– Apparemment, approuva Kate, consultant toujours ses notes. Seule information présentant un vague intérêt : environ 50 % de son holding pétrolier et gazier, et la moitié de ses tankers appartiennent à des entités anonymes du Moyen-Orient.

Je songeai à ce qu'il m'avait raconté sur son copain le ministre irakien du Pétrole. Cela pouvait pouvoir dire que, comme de nombreux magnats occidentaux de l'or noir, il était obligé de faire des courbettes à des potentats locaux. Mais comme il n'était pas genre à baiser les orteils de qui que ce fût, il envisageait peut-être d'éliminer ses partenaires pour l'éternité. Tout tournait peut-être autour de là.

– Rien d'autre sur lui ?

– Non. Je me suis alors renseignée sur ELF. Je n'ai rien appris de plus que ce que nous a expliqué John Nasseff. Sauf que les Russes utilisent leur système d'une façon différente de la nôtre.

– Exact. Ils ont plus de lettres dans leur alphabet.

Je bâillai, écoutai gronder mon estomac.

– Il y a une autre différence, précisa Kate. Écoute ça... Les Américains se servent de leurs émissions ELF comme d'un signal d'alarme. Mais les Russes, eux, pendant les périodes de grande tension, envoient à leurs sous-marins nucléaires un message continu signifiant : « Tout va bien. » Lorsque ce message positif s'arrête, cela veut dire qu'un nouveau message, urgent, celui-là, est en route. S'il n'est pas arrivé dans un délai normal pour une émission ELF, c'est-à-dire environ une demi-heure, ce silence signifie que la station ELF a été détruite. Les sous-marins sont alors autorisés à lancer leurs missiles contre leurs cibles prédésignées, aux États-Unis, en Chine ou ailleurs.

– Seigneur, j'espère qu'ils payent leur note d'électricité à temps.

– Moi aussi... Voilà pourquoi notre récepteur au Groenland a pu capter le signal russe émis depuis la presqu'île de Kola... Parce qu'ils ont envoyé en continu leur message « Tout va bien » pendant une période d'extrême tension que, selon cet article, nous avions nous-mêmes provoquée pour les piéger.

– N'est-ce pas finaud ? Et on parle de stratégie nucléaire ? Heureusement que la guerre froide est finie.

– Tu l'as dit... Cela m'a amenée à penser que Madox, qui a obtenu les codes ELF américains, a très bien pu se procurer ceux des Russes. Toujours selon cet article, écrit par un Suédois, le logiciel de cryptage russe n'est pas aussi inaccessible que le nôtre. Donc il se peut très bien que Madox ait changé sa fréquence ELF pour la remplacer par celle des Russes, et qu'il tente d'envoyer de faux signaux à leur flotte sous-marine pour vitrifier la Chine, le Moyen-Orient, ou n'importe quel pays qu'il a dans le nez.

– C'est une possibilité, en effet... Rien d'autre sur le sujet ?

– Rien, sinon que les Indiens cherchent à construire une station ELF.

Je me dressai d'un bond et beuglai :

– Les Indiens ? Pour quoi faire, nom de Dieu ? Balancer leurs tomahawks ? Ils ont déjà leurs casinos, merde !

– John, les Indiens d'Inde.

– Oh...

– Ils mettent sur pied une flotte nucléaire sous-marine. Tout comme les Chinois et les Pakistanais.

– Voilà autre chose. La prochaine fois, ce seront les postiers. Alors, nous pourrons recommander notre âme à Dieu.

– Le monde devient bien plus dangereux qu'au temps de la guerre froide, quand c'étaient juste eux et nous, murmura pensivement Kate.

Elle resta assise devant le secrétaire, garda le silence un long moment avant de murmurer :

– Je suis aussi tombée sur une nouvelle... pas très bonne.

– Tu veux dire : mauvaise ?

– Oui. J'essaie encore d'en évaluer ses conséquences. Finissons-en d'abord avec ce que nous devons discuter pour avoir une vue claire du contexte.

– Ta mère vient nous rendre visite ?

– Ce n'est pas une plaisanterie.

– D'accord. Et maintenant ?

– Mikhaïl Putyov.

Chapitre 42

– Mikhaïl Putyov, dis-je. Aucune trace de lui au Custer Hill Club. Et chez lui, ou au MIT ?

– J'ai d'abord appelé son bureau. Sa secrétaire, Mme Crabtree, m'a répondu qu'il était absent. Je lui ai dit que j'étais médecin et que mon coup de téléphone concernait un sérieux problème de santé.

– C'est un bon truc, ça. Je ne l'ai jamais utilisé.

– Il marche à tous les coups. Mme Crabtree s'est un peu radoucie. Elle m'a appris que le Pr Putyov n'était pas venu à son travail, n'avait pas averti de son absence et que les appels qu'elle avait lancés vers son mobile avaient atterri directement dans sa boîte vocale. Elle a également contacté Mme Putyov, qui ignorait où se trouvait son mari. De toute évidence, Putyov n'a confié à personne où il allait.

– As-tu pu obtenir son numéro de mobile ?

– Non. Mme Crabtree a refusé de me le donner. Mais elle m'a communiqué le sien, où on peut la joindre en dehors des heures ouvrables, et je lui ai laissé celui de mon bipeur. Elle m'a paru inquiète. Même scénario au domicile du professeur. Svetlana Putyov était au bord des larmes. Elle m'a affirmé que, même lorsqu'il passait la nuit chez sa maîtresse, il lui téléphonait pour s'excuser de ne pas rentrer.

– C'est un bon mari... Donc, il a disparu.

– Il se trouve toujours au Custer Hill Club ?

Je secouai la tête.

– Si c'était le cas, il l'aurait fait savoir. Un homme dans sa situation, surveillé par les Fédéraux, ne s'évanouit pas dans la

Nelson DeMille

nature en mettant sa femme et sa secrétaire dans l'obligation de s'adresser, en dernier recours, au FBI. Ce serait la dernière chose à faire.

– Donc ?

– Apparemment, tous ceux qui entrent au Custer Hill Club n'en ressortent pas indemnes.

– Tu y es pourtant allé deux fois. Tu veux essayer encore ?

– Jamais deux sans trois.

Elle fit mine de ne pas avoir entendu.

– Je suis donc retournée sur la Toile. J'ai tapé : « Putyov, Mikhaïl ». Je suis tombée sur des articles publiés, plus des appréciations personnelles écrites par d'autres physiciens. Tous le respectent. Ils le considèrent comme un as de la physique nucléaire.

– Tant mieux pour lui. Mais qu'a-t-il à voir avec Bain Madox ?

– Il pourrait s'agir d'une relation professionnelle ou simplement amicale.

– Alors, pourquoi n'a-t-il pas dit à sa femme qu'il se rendait là-bas ?

– Toute la question est là. Pour l'instant, nous savons simplement qu'un physicien nucléaire nommé Mikhaïl Putyov était invité au Custer Hill Club et qu'il a disparu. Tout le reste n'est que conjectures.

– Très juste. Tu as appelé le Point de Vue ?

– Oui. Il y avait deux messages de Liam Griffith, nous demandant de le contacter. C'était urgent.

– Pour qui ? Pas pour nous, en tout cas. As-tu dit que nous faisions du shopping à Lake Placid ?

– J'ai prié Jim de répondre à quiconque nous appellerait qu'on nous attendait au Point de Vue pour le dîner.

– Parfait. Ça va calmer Griffith jusqu'à ce qu'il se présente à l'hôtel et découvre qu'il a été floué... Walsh a appelé ?

– Non.

– Tu vois ? Notre chef nous lâche. C'est gentil à lui.

– Il estime que c'est nous qui l'avons lâché, John, et il nous rend la politesse.

– On s'en fout. Qui d'autre a cherché à nous joindre ?

– Le commandant Schaeffer a téléphoné au Point de Vue, ainsi que tu le lui avais suggéré. Son message était bref :

« Votre voiture a été ramenée à l'hôtel. Les clés sont à la réception. »

– Encore un charmant personnage. Il oublie de maintenir l'équipe de surveillance à son poste, mais il n'oublie pas de se couvrir vis-à-vis du FBI. Quoi d'autre ?

– Un certain Carl, dont le nom me rappelle quelque chose, a lui aussi laissé un message, disant : « Le dîner tient toujours. Amenez Mme Mayfield, comme convenu. » Madox n'a donc pas laissé son nom, ni aucun élément susceptible de relier notre disparition à son chalet ou à sa personne.

– Quelle disparition ?

– La nôtre.

– Pourquoi es-tu si soupçonneuse ?

– La ferme, John... Trois notes de la réception nous signalant différents coups de fil nous attendent aussi dans notre chambre.

– Griffith, et qui d'autre ?

Elle consulta son carnet.

– Liam Griffith, à 15 h 49, déclare gaiement : « Salut, les tourtereaux. J'espérais vous voir plus tôt. Rappelez-moi dès que possible. J'espère que tout va bien. »

J'éclatai de rire.

– Quelle enflure ! Il nous prend pour des demeurés ?

– Le deuxième nous demande si nous souhaitons commander un massage.

– Oui.

– Le troisième vient d'Henri. Adorable. Il aimerait savoir quelle moutarde te conviendrait pour tes... saucisses en robe des champs.

– Tu vois ? Tu ne me croyais pas.

– John, nous avons des problèmes plus urgents à régler que...

– Tu l'as rappelé ?

– Je l'ai fait, pour ancrer l'idée que nous retournerions au Point de Vue.

– Que lui as-tu répondu ? Moutarde française à l'ancienne, bien entendu ?

– On ne peut rien te cacher. Il est charmant. J'ai également pris rendez-vous pour un massage, pour nous deux, demain matin.

– Merveilleux. J'ai hâte de vivre cette expérience.

– Nous ne serons pas là-bas.

– C'est vrai. Je suis navré de décevoir Henri après tout le mal qu'il s'est donné, mais je ne regrette pas de rater l'apéritif avec Liam Griffith.

Kate semblait un peu lasse, ou inquiète. Je déclarai, pour la revigorer :

– Tu as fait un travail épatant. Tu es la meilleure partenaire que j'aie jamais eue.

– J'apprécie, même si je n'en crois pas un mot.

– Je suis sincère. Tu es remarquablement intelligente, pleine de ressources, courageuse, intuitive, fiable... Quoi d'autre ?

– Je suis ton supérieur.

– Exact. Et le plus compétent à qui j'aie eu affaire. Bien... Du côté de la FAA, la Direction générale de l'aviation civile ?

À ce moment-là, la sonnerie du téléphone me fit sursauter. Je me tournai vers Kate.

– Tu attends un appel ?

– Non.

– C'est peut-être Wilma...

Elle hésita, puis décrocha.

– Allô ? Oui, j'écoute... Oui, je le lui dirai. Merci.

Elle raccrocha.

– Effectivement, c'était Wilma. Le rouleau de sparadrap est sur le pas de la porte. Elle me répète aussi que mon ami devrait déplacer son Dodge.

Nous rîmes encore, mais moins joyeusement que la première fois. Je m'approchai de la fenêtre, inspectai les alentours. Ensuite, j'ouvris la porte et ramassai le gros rouleau de pansement adhésif.

J'allai m'asseoir à la table de la cuisine et entrepris, pour respecter la loi et les procédures en vigueur, de sceller avec le sparadrap les sacs contenant les indices.

– Parle-moi de la FAA, dis-je.

Kate n'en fit rien, revint à son idée première.

– Pourquoi ne pas aller récupérer la Hyundai chez Rudy ? Prenons ces indices et rentrons à New York en voiture.

– Tu as un stylo ? Il faut que je signe les scellés.

– Nous serions au 26, Fed vers...

Elle consulta sa montre.

– ... 3 ou 4 heures du matin.

– Tu peux t'en aller. Moi, je reste. C'est ici que ça se passe, alors c'est ici que je dois être. Stylo, s'il te plaît.

Elle sortit le sien de son sac, me le tendit.

– C'est ici que se passe quoi ?

– Je l'ignore, mais quand ça se produira, je serai là.

Je signai les scellés et ajoutai :

– En fait, nous devrions nous séparer, au cas où... Très bien, file jusqu'à Massena dans le Dodge de Rudy, loue un autre véhicule et rentre à New York.

Elle s'assit à mon côté, me prit la main.

– Laisse-moi achever mon compte rendu. Ensuite, nous déciderons.

Elle parlait comme si elle avait eu un atout dans sa manche : sans doute la mauvaise nouvelle.

– La FAA... C'est ça, la mauvaise nouvelle ?

– La bonne est que j'ai réussi à obtenir une information. La mauvaise, c'est l'information elle-même.

Chapitre 43

– La FAA, commença-t-elle. Comme tu l'avais prévu, cela a été le parcours du combattant. Finalement, quelqu'un m'a renvoyée vers le bureau des vols de Kansas City, où les deux jets de Madox ont fait escale samedi après-midi, venant des monts Adirondack. Selon ce bureau, ils ont refait le plein et donné de nouveaux plans de vol avant de repartir. L'un des Cessna Citation, piloté par le commandant Tim Black, numéro de queue N2730G, s'est envolé pour Los Angeles. Le second, immatriculé N2731G, a pris la direction de San Francisco avec, aux commandes, le commandant Elwood Bellman.

– Vraiment ?

Cela me surprit. J'étais certain que l'un des jets au moins, sinon les deux, retournerait à l'aéroport des Adirondack et embarquerait Madox en toute hâte, pour le mener là où il avait l'intention de fuir.

– Et ces deux villes étaient leur terminus ? demandai-je.

– Elles l'étaient il y a encore une heure. J'ai appelé Los Angeles et San Francisco. Les deux pilotes n'ont fourni aucun nouveau plan de vol.

– Très bien. Mais pourquoi ont-ils atterri à Los Angeles et à San Francisco ?

– C'est ce que nous devons découvrir.

– Il nous faut également savoir où ils logent, pour pouvoir les interroger.

– J'ai eu la même idée. J'ai appris que les pilotes privés utilisent ce qu'ils appellent des bases de maintenance, où l'on vérifie leurs appareils à l'arrivée et au départ. À Los Angeles,

les avions de la Goco sont pris en charge par la Garret Aviation Service, et à San Francisco, par le Signature Flight Support. J'ai donc appelé ces deux sociétés pour leur demander si on savait où trouver les pilotes et les copilotes. On m'a répondu qu'ils laissaient d'habitude un numéro local où les joindre, généralement celui d'un hôtel, ou les coordonnées de leur mobile. Mais pas cette fois. On ne pouvait les contacter qu'en s'adressant au département des vols de la Goco, à l'aéroport international Stewart de Newburg, près de New York, où l'entreprise a sa base d'opération, ses hangars d'entretien et ses services d'expédition.

– Tu as appelé ces gens ?

– Oui. J'ai téléphoné au bureau d'expédition de la Goco à Newburg. Toutefois, pour des raisons évidentes, je ne me suis pas identifiée comme agent du FBI et personne n'a accepté de me livrer la moindre information sur les deux équipages.

– Tu ne leur as pas dit que tu étais médecin et que les pilotes étaient en train de devenir aveugles ?

– Non, mais tu peux les contacter et voir ce que tu peux en tirer.

– Peut-être plus tard... Comment s'appellent les copilotes ?

– Curieusement, la mention de leur nom sur les plans de vol n'est pas obligatoire.

La Direction générale de l'aviation civile n'avait donc pas renforcé ses précautions après le 11 septembre. Mais cela, je le savais déjà.

– Le plan de vol, précisa Kate, indique le nombre de personnes à bord. Les jets en avaient chacun deux : le pilote et le copilote.

– Donc ces avions se sont posés, l'un à Los Angeles et l'autre à San Francisco, sans passagers. Ils sont immobilisés depuis dimanche soir et aucun nouveau plan de vol n'est prévu. J'en conclus que les commandants Black et Bellman font, en compagnie de leurs copilotes, du tourisme à Los Angeles et à San Francisco en attendant de nouvelles instructions.

C'était peut-être normal. Quatre aviateurs en goguette traversant l'Amérique à vide, brûlant plus de mille litres de kérosène à l'heure pendant que les tankers de leur patron acheminaient des millions de tonnes de carburant vers les États-Unis...

– Ça te paraît bizarre ? dis-je à Kate.

– À première vue, oui. Mais nous ne connaissons pas ce milieu... Par exemple, un des employés de la base de maintenance de San Francisco m'a suggéré que l'avion qui y était entreposé avait peut-être été loué et attendait son ou ses passagers.

– Tu crois vraiment que Madox louerait ses jets privés pour gagner quelques dollars supplémentaires ?

– Certains riches le font... Mais il y a plus.

– Je l'espérais.

– Mlle Carol Ascrizzi, qui travaille pour le Signature Flight Support, à San Francisco, m'a raconté qu'on lui avait demandé d'emmener, à bord de la navette de la société, le pilote et le copilote jusqu'à la station de taxis du terminus principal.

Cela ne me sembla ni curieux ni important, mais, à entendre le ton de voix de Kate, cela l'était.

– Et ?

– Selon Mlle Ascrizzi, la Goco, comme toutes les grosses sociétés, loue toujours une voiture avec chauffeur pour conduire l'équipage là où il doit se rendre. Elle a donc trouvé singulier que le pilote et le copilote aient prévu de prendre un taxi. Pour se montrer aimable envers de bons clients, elle leur a donc proposé de les déposer à leur hôtel... D'ordinaire, les équipages séjournent dans des établissements proches de l'aéroport, où ils bénéficient de tarifs préférentiels. Or le copilote a décliné son offre avec force remerciements, ajoutant qu'ils allaient dans le centre-ville et prendraient un taxi.

– Elle sait où ils sont descendus ?

– Non. Ils ne lui ont rien dit.

Ce qui, pensai-je, expliquait pourquoi ils préféraient un taxi à un navette gratuite, et pourquoi aucune voiture de location ne les attendait.

– Elle m'a informée que les deux hommes transportaient avec eux deux grandes malles de cuir noir sur roues, cadenassées, et si lourdes qu'ils s'y sont mis à deux pour charger chacune d'elles dans l'estafette.

– Bien. Grosses et lourdes. Cadenas. Roulettes. Il s'agit certainement de la cargaison que Chad a aperçue ici, à l'aéroport des Adirondack. À présent, elle a été déchargée à San Francisco et également, je présume, à Los Angeles. Alors, quoi ? De l'or ?

Deux cadavres ? Carol Ascrizzi a-t-elle été intriguée ? Les deux hommes lui ont-ils paru nerveux ? Ont-ils eu un comportement suspect ?

– Selon elle, ils étaient parfaitement détendus. Ils ont plaisanté sur le poids des malles et sur l'avarice de la Goco, qui n'avait pas loué pour eux une voiture avec chauffeur. Le copilote lui a fait du charme en lui susurrant à l'oreille qu'il espérait la revoir mercredi, jour de son départ, quand il reviendrait à l'aéroport.

– Départ pour où ?

– Il lui a parlé de La Guardia, sans mentionner les escales qui ponctueraient le trajet. Le pilote a donné pour instructions au Signature Flight Support de tenir l'appareil prêt mercredi à midi, avec le plein de kérosène.

– Parfait. Donc, à en croire Mlle Ascrizzi, les deux pilotes avaient l'air normal, ce qui n'était pas le cas de leurs bagages. En plus, la cargaison a été transportée à San Francisco et Los Angeles dans deux jets différents, qui ont atterri chacun dans une de ces deux villes, pourtant voisines. Et il n'y avait ni voiture ni chauffeur pour déposer l'équipage et leurs malles à leur destination.

– Exact, répondit Kate.

– Dernier point : le pilote a enjoint au Signature Fligth Support de San Francisco de tenir l'avion prêt à décoller mercredi à midi pour La Guardia. Mais d'après ce que tu m'as dit, il n'a pas encore remis son plan de vol à la FAA.

– Toujours exact. Mais ce n'est pas inhabituel. On ne dépose les plans de vol qu'un peu avant le départ, pour tenir compte des conditions météo, de l'encombrement éventuel des pistes, du trafic aérien, etc.

– C'est logique.

– Désolée de ne pas alimenter ta paranoïa.

– Rassure-toi, ce ne sera pas nécessaire. Elle a déjà de quoi se nourrir... Par exemple, la destination secrète du pilote et du copilote à San Francisco.

– Pourquoi secrète ? s'étonna-t-elle.

– Ils n'ont pas loué de voiture avec chauffeur, ce qui aurait laissé une trace écrite, ils ont refusé d'emprunter la navette de la société, où ils avaient pourtant chargé les deux malles qu'ils ont dû décharger à la station de taxis, puis charger de nouveau, à cause de leur taille, dans deux taxis différents qui les ont emmenés en ville. C'est insensé.

– Je me suis dit la même chose. J'ai donc téléphoné au Garrett Aviation Service, à l'aéroport de Los Angeles. Un employé du nom de Scott m'a raconté à peu près la même histoire : deux grosses malles noires, et la navette, uniquement jusqu'à la station de taxis.

– Ah ! Ces quatre types avaient reçu les mêmes instructions : transporter les malles en taxi. Par conséquent, les deux équipages avaient chacun une destination secrète, à Los Angeles et à San Francisco. Voilà pourquoi ils ont pris des taxis, presque impossibles à retrouver. Dès lors, la question essentielle se pose : tout cela est-il lié au projet de Bain Madox de devenir empereur d'Amérique du Nord, ou à tout autre dessein aussi démentiel ?

– Je crois que tout a un rapport.

– C'était ça, la mauvaise nouvelle ?

– Il nous faut d'autres éléments. Maintenant, raconte-moi ta conversation avec Madox.

– D'accord. Ensuite, j'aurai droit à la mauvaise nouvelle ?

– Oui. À moins qu'elle ne te saute aux yeux avant que nous ayons passé tous les sujets en revue. Pour l'instant, tu en es au point où j'en étais lorsqu'elle m'a frappée. Ensuite, une information supplémentaire a confirmé mes craintes.

Tout à coup, une association d'idées se forma dans mon esprit. Avant que j'aie eu le temps de l'approfondir, Kate me lança :

– À toi. Custer Hill, Bain Madox.

Chapitre 44

Je m'allongeai sur le lit. Elle s'accroupit à côté de moi et je lui racontai tout.

– Maintenant, dis-je, la pression est sur lui.

– Une bonne chose de faite. Est-ce à ce moment-là qu'il t'a invité à dîner ?

– Oui. Il doit me fournir les renseignements demandés.

– Parfait. Maintenant, il faut que tu rendes compte à Tom Walsh de tout ce qui s'est passé.

– D'accord.

– Quand ?

– Demain, assurai-je.

– J'ai appelé la compagne de Harry, Lori Bahnick, murmura Kate.

– C'était gentil de ta part. J'aurais dû m'en charger depuis longtemps.

– La conversation n'a pas été facile. Je lui ai promis que nous ferions tout notre possible pour châtier le coupable. Elle m'a demandé de te transmettre ses amitiés. Elle est heureuse que tu t'occupes de l'enquête.

– Tu ne lui as pas dit qu'officiellement je n'étais plus sur le coup ?

– Non.

Elle m'observa :

– J'ai cru comprendre que nous l'étions toujours...

Elle esquissa un bref sourire, que je lui rendis avant de changer de sujet.

– Bien. Il est possible que Madox réagisse de façon stupide, désespérée ou très intelligente.

– Il a déjà fait les trois en te conviant à dîner.

– En nous conviant, chérie... Et je crois que tu vois juste.

– Dès lors, pourquoi ne pas abattre tes cartes ? Ou, plus sensé encore, te retirer du jeu ? Puis-je appeler Tom Walsh maintenant ?

– Dernier détail. J'ai regardé par la fenêtre du bureau de Madox. Elle donne sur un bâtiment assez vaste pour loger vingt ou trente hommes, mais je pense qu'il n'y en a pas plus de la moitié de faction en même temps. J'ai également aperçu une bâtisse de pierre dont les trois cheminées crachaient de la fumée, et une camionnette d'entretien de générateurs Diesel garée devant la porte.

Kate hocha la tête et répéta :

– Il est temps de partager nos informations. Je vais appeler Tom. Toi, tu téléphoneras au capitaine Paresi.

– Je dois d'abord joindre Hank Schaeffer, pour que nous ayons davantage de détails à fournir à Walsh.

Je me levai et me dirigeai vers le téléphone. Utilisant ma carte, j'appelai le quartier général de la police de l'État, à Ray Brook.

Le commandant Schaeffer était là pour l'inspecteur John Corey.

– Où êtes-vous ? tonna-t-il.

J'actionnai l'amplificateur avant de répondre :

– Je n'en sais trop rien. Mais je viens de dépasser un panneau de signalisation en français.

Cela ne l'amusa pas. Il rétorqua sèchement :

– Avez-vous eu mon message à propos de la restitution de votre voiture Hertz au Point de Vue ?

– Oui, merci.

– Votre ami Liam Griffith est furieux contre vous.

– Tant mieux.

– Dois-je lui transmettre ce commentaire ?

– Je le ferai moi-même. À propos, je suis allé au Custer Hill Club. Je n'ai croisé aucune équipe de surveillance.

– Mes hommes étaient à leur poste. Mais je leur ai ordonné de se replier sur la roue 56, à cause de la Jeep noire qui n'arrêtait pas d'aller et venir dans le secteur. J'ai aussi fait placer une autre équipe sur la route forestière, pour repérer les mouvements suspects.

– Rien de neuf ?

– Personne ne s'est présenté au Custer Hill Club, excepté vous dans une Hyundai blanche d'Enterprise, et une camionnette d'entretien de générateurs Diesel. Qu'est-ce que vous foutiez là-bas ?

– Je vous le dirai tout à l'heure. La camionnette est-elle repartie ?

– Pas il y a cinq minutes, répondit-il. Personne d'autre n'est sorti de la propriété. J'en conclus que votre Puytov s'y trouve toujours. Avez-vous décelé une trace de lui là-bas ?

– Aucune. M'a-t-on suivi après mon départ du Custer Hill Club ?

– Non.

– Pourquoi ?

– Parce que j'ai reçu un appel direct de mon véhicule de surveillance, m'indiquant que celui qui quittait les lieux était une voiture d'Enterprise louée par M. John Corey. J'ai dit à mon équipe que vous étiez en service.

– Parfait.

Si Schaeffer ne mentait pas, cela signifiait que le police de l'État ignorait mon échange de véhicule à la station-service de Rudy. Or, je n'avais aucune raison de ne pas lui faire confiance. De toute façon, si j'avais été filé, je l'aurais remarqué.

– Que fabriquiez-vous au chalet ? insista le commandant.

– Je testais le suspect et récoltais des indices.

– Quel genre ?

– Des poils et des fibres de tapis.

Je lui décrivis l'ensemble de mes prélèvements. Il réagit vivement.

– Où sont-ils ?

– En ma possession.

– À qui comptez-vous les remettre ? À moi ou au FBI ?

– Avec qui suis-je le plus en délicatesse ?

– Avec ceux à qui vous ne les remettrez pas.

– Laissez-moi réfléchir à ce favorisera le mieux mon enquête, tout en servant mes intérêts et ceux de ma partenaire.

– Ne réfléchissez pas trop longtemps... Que vous a dit Madox ?

– Nous avons parlé des ours. Je lui ai ensuite signifié qu'il aurait à témoigner dans une enquête criminelle. Il est acculé. Volontairement ou non, il faudra bien qu'il collabore.

– Alors, vous ne le verrez plus qu'en présence de son avocat.

Je me demandai si cet avocat assisterait au dîner. À ce propos, je décidai de ne pas parler de l'invitation à Schaeffer avant d'être en route pour Custer Hill. Je tenais à ce qu'il sache où j'étais en cas de problème. Mais je ne voulais pas qu'il l'apprenne trop tôt, au cas où Griffith deviendrait une partie du problème.

– À mon avis, vous avez agi prématurément.

– De temps en temps, Commandant, il faut donner un petit coup de pouce au destin.

– C'est ça. Et merci de m'avoir consulté.

– Désolé, mais, au bout du compte, c'est une enquête fédérale. Et je ne les ai même pas consultés, eux. Donc je ne me sens pas...

– Sûr. D'ailleurs, on ne cesse de me faire comprendre qui en a le monopole.

– Je vous l'avais dit.

– Bien. Je vous ai rendu des services et vous m'en avez rendu en retour. Je crois que nous sommes quittes.

– En fait, j'en ai encore quelques-uns à vous demander.

– Mettez-les par écrit.

– Et à ce moment-là, je vous en revaudrai un.

Pas de réponse. Il paraissait de très méchante humeur. Je posai néanmoins ma question.

– Connaîtriez-vous la taille des générateurs Diesel de Custer Hill ?

– Pourquoi est-ce important ?

– J'ignore si ça l'est. Mais j'ai remarqué ce bâtiment, là-bas...

– Oui, je l'ai vu aussi quand je chassais chez Madox... J'ai demandé à un de mes hommes de téléphoner à Potsdam Diesel. Chou blanc : il a mal compris l'information ; ou l'employé qui lui a répondu ne lui a pas lu la bonne fiche.

– C'est-à-dire ?

– On lui a affirmé que les générateurs dégageaient une puissance de deux mille kilowatts... chacun. Nom d'un chien, ça pourrait alimenter une petite ville. Il doit s'agir de vingt kilowatts... Deux cents au maximum. Ou peut-être vingt mille watts.

– Y-a-t-il une différence ?

– Vous vous en rendrez compte en mettant votre petit oiseau dans une prise... Laissez-moi vous donner un conseil.

– Allez-y.

– Ne ruez pas dans les brancards. Travaillez en équipe.

Kate leva la main en signe d'approbation.

– Votre sollicitude me touche... Bonne chance avec le FBI.

– Ils rêvent de vous saigner à blanc.

– Je m'en bats l'œil. Un imbécile de Washington a envoyé un de mes amis se faire tuer. Je crois avoir identifié l'assassin. Merci pour votre aide.

– Bonne chance à vous.

Je raccrochai. Kate semblait perdue dans ses pensées. Elle déclara enfin :

– Quelqu'un s'est peut-être vraiment trompé dans le nombre de watts.

– Tirons ça au clair.

Je composai le numéro de Potsdam Diesel.

– Potsdam Diesel, répondit une jeune femme. Ici, Lu Ann. Que puis-je pour vous ?

– Salut, Lu Ann. Ici, Joe, le gardien du Custer Hill Club.

– Bonjour, monsieur.

– Al est là et s'occupe des générateurs.

– Un problème ?

– Non, mais pourriez-vous me communiquer les fichiers de vente et d'entretien ?

– Ne quittez pas.

Je plaquai ma paume sur le récepteur et chuchotai à Kate :

– Je ne suis pas très fort en électricité. Schaeffer a parlé de quoi ? De mégawatts ?

– De kilowatts. Mille watts font un kilowatt. Six mille kilowatts font six millions de watts. Une ampoule a généralement une puissance de soixante-quinze watts.

– Eh ben ! C'est une sacrée...

Lu Ann revint au bout du fil.

– Je les ai. Que désirez-vous savoir ?

– Voilà. En cas de coupure de courant, si je mets les géné-rateurs en marche, pourrai-je me faire du café et des toasts ?

Elle s'esclaffa.

– Vous pourrez préparer le petit déjeuner de tous les habi-tants de Potsdam.

– À ce point ? Je dispose de combien de kilowatts ?

– Attendez voir... Vous avez donc trois Detroit Brand, seize cylindres, moteurs Diesel, chacun capable de pousser le géné-rateur correspondant jusqu'à deux mille kilowatts.

Kate et moi échangeâmes un regard.

– Sans blague ! Quel âge ont ces générateurs ? Est-il temps de les remplacer ?

– Non. On les a installés en... 1984. Bien entretenus, ils devraient durer jusqu'à la fin des temps.

– À combien reviendrait un générateur neuf ?

– Oh... Je n'en sais trop rien, mais ceux qu'on a installés en 1984 coûtaient 245 000 dollars.

– Pièce ?

– Chacun, oui. Aujourd'hui, ils reviendraient beaucoup plus cher. Vous avez un problème avec la maintenance ?

– Non. Al fait un travail superbe. Je le vois transpirer d'ici. Quand aura-t-il terminé ?

– Euh... Nous n'avons que Al et Kevin. Le Custer Hill Club les a appelés samedi après-midi et nous sommes débordés... Vous savez qu'il s'agit d'une procédure accélérée et que vous payez le prix fort ?

Nouvel échange de regards entre Kate et moi.

– Pas de problème. Ajoutez mille dollars à la facture pour Al et Kevin.

– C'est très généreux de votre part.

– Donc... qu'en pensez-vous ? Encore une heure ?

– Je l'ignore. Souhaitez-vous que je les contacte ou désirez-vous aller leur parler vous-même ?

– Appelez-les. Nous avons un grand dîner, ce soir. Ils pour-raient peut-être revenir une autre fois...

– Quand ?

– Je vous le préciserai plus tard. En attendant, demandez-leur de débrayer. Je reste en ligne.

– Ne quittez pas.

Le Beau Danube bleu retentit dans l'écouteur.

– J'aurais dû faire ça il y a une heure, dis-je à Kate.

– Mieux vaut tard que jamais. Six mille kilowatts...

Lu reprit l'appareil.

– J'ai de bonnes nouvelles. Ils ont terminé et sont en train de ranger leurs outils.

– Magnifique.

Catastrophe...

– Puis-je faire autre chose pour vous ?

– Priez pour la paix du monde.

– C'est une belle idée.

– Bonne soirée, Lu Ann.

– À vous aussi, Joe.

Je raccrochai, me tournai vers Kate.

– C'est râpé.

– De toute façon, commenta-t-elle, Madox ne les aurait pas laissé partir. Et si nous n'étions pas encore convaincus qu'ils travaillaient sur une antenne ELF, nous le sommes.

– Cela ne fait que le confirmer. Si tu vois, ce soir, l'argenterie luire un peu trop, fais-le-moi savoir.

– John, n'allons pas à ce dîner. Sautons dans le Dodge et partons pour Manhattan. Tout de suite. Nous joindrons Tom Walsh en cours de route.

– Des clous. C'est là-bas que ça se passe. Nous n'allons pas au Custer Hill Club pour savourer des mets délicats ou recueillir davantage d'indices, mais pour déterminer si nous devons placer Bain Madox en état d'arrestation pour le meurtre de l'agent fédéral Harry Muller.

– Nous n'avons pas assez de preuves, ni de mobile pour...

– Au diable les preuves. Les pièces à conviction sont là, dans ces sacs. Quant au mobile, il est la somme de tout ce que nous avons vu et entendu.

Elle secoua la tête.

– Une arrestation, surtout celle d'un homme comme Madox, serait prématurée et nous placerait dans une situation impossible.

– Nous y sommes déjà. Nous devons coffrer ce salaud dès ce soir. Avant qu'il puisse mettre ses projets à exécution.

Elle garda le silence. Croyant avoir marqué un point, je coupai court :

– Très bien. Maintenant, voyons la mauvaise nouvelle.

Elle marcha jusqu'au secrétaire et, debout, tira l'ordinateur portable vers elle.

– Laisse-moi te montrer quelque chose...

Chapitre 45

Kate appuya sur quelques touches du clavier, faisant apparaître une page de texte sur l'écran, puis tourna l'ordinateur vers moi.

– Voici un commentaire non publié sur Mikhaïl Putyov, datant d'une dizaine d'années. Il s'agit d'une lettre de Leonid Chernoff, lui aussi physicien nucléaire russe installé aux États-Unis, envoyée à certains de ses collègues et dans laquelle il vante le génie de Putyov. Je cite : « Putyov est très satisfait de son poste actuel d'enseignant, qu'il trouve stimulant et lucratif, quoiqu'on puisse se demander s'il ne regrette pas l'époque où il travaillait, à l'Institut Kurchatov, sur le programme soviétique de miniaturisation. » Fin de citation...

– Miniaturisation de quoi ?

– Des armes nucléaires. Comme des obus ou des mines... ou encore des bombes transportables. Dans des malles ou des valises...

Il me fallut une demi-seconde pour comprendre. J'eus alors l'impression de recevoir un coup de poing dans l'estomac. Je fixai l'écran d'un air hébété, me remémorant tout ce que nous avions appris, découvert et subodoré.

– John, murmura Kate, je crois qu'il y a deux de ces bombes à Los Angeles, et deux à San Francisco.

– Nom de Dieu !

– J'ignore leur destination finale. Je ne sais pas si les deux jets de Madox doivent les acheminer quelque part, s'il est prévu de les charger à bord d'un navire, ou...

– Il faut absolument maintenir ces avions au sol.

– C'est fait. J'ai appelé mon ami Doug Sturgis, agent spécial affecté à l'antenne du FBI de Los Angeles. Je lui ai demandé de les faire saisir, dans le cadre d'une enquête fédérale urgente et hautement prioritaire.

Je hochai la tête. Je soupçonnais cet « ami » de Kate d'avoir été son amant quelques années plus tôt, à l'époque où elle-même travaillait à Los Angeles. J'avais eu le plaisir de rencontrer cette demi-portion alors qu'elle et moi traquions Asad Khalil en Californie. Nul doute que ce tombeur de carnaval allait se mettre en quatre pour sa vieille copine.

Néanmoins, je ne saisissais pas très bien comment elle avait pu déclencher une action urgente sur un simple coup de fil à un agent spécial de Los Angeles. Le fonctionnement interne du FBI resterait toujours pour moi un mystère. J'interrogeai Kate à ce sujet.

– Pour éviter de passer par Tom Walsh, répondit-elle, j'ai conjuré Doug de traiter ce cas comme un tuyau sur une menace terroriste anonyme. Cela accélérera les choses, si Doug déclare que ce tuyau lui paraît crédible.

– Et il va le faire ?

– C'est ce qu'il m'a affirmé. Je lui ai expliqué que je... que nous avions quelques problèmes avec l'ATTF, mais qu'il s'agissait d'une information d'une fiabilité indiscutable, que c'était dramatiquement urgent, que c'était de sa juridiction, et...

– Pigé. Et comme c'est ton pote, il va se décarcasser pour toi.

– Il ne se décarcasserait pour personne. Mais il doit réagir à toute menace terroriste crédible.

– Ouais. J'avais juste besoin de savoir que notre affaire était en de bonnes mains, et non dans celles de quelqu'un qui témoignerait plus tard à notre procès.

– Ne te tracasse pas. J'ai donné à Doug les noms de Tim Black et d'Elwood Bellman. Je lui ai précisé que Black séjournait sans doute dans un hôtel de Los Angeles, Bellman dans un établissement de San Francisco, et qu'il fallait les localiser le plus rapidement possible. Je lui ai fait part de mes soupçons sur les bombes atomiques qu'il transportent sans doute dans leur malle.

– Ça lui a mis la puce à l'oreille ?

Elle ignora cette mesquinerie et poursuivit :

– Il m'a promis de lancer immédiatement une chasse à l'homme, de prévenir l'antenne de San Francisco et de laisser les polices locales en dehors du coup. Il mettra aussi son patron de Los Angeles au courant. Tous les deux appelleront les pontes de New York et de Washington. Doug leur affirmera qu'il considère l'information comme fiable et leur décrira l'action en cours. J'ai suggéré à Doug de demander un niveau élevé de menace terroriste intérieure.

– Ça devrait tous les faire sauter au plafond. Toutefois, il ne s'agit pas d'une menace terroriste intérieure.

– Non. Et Bain Madox n'est pas un terroriste, du moins jusqu'à nouvel ordre. Mais je ne savais pas comment qualifier un complot visant à expédier quatre bombes miniaturisées à l'étranger. J'ai donc dit à Doug : « Considère l'affaire comme une menace terroriste interne tant que nous pensons que les malles se trouvent toujours à Los Angeles et San Francisco. »

– Excellente initiative.

– Le FBI des deux villes va contacter toutes les compagnies locales de taxis pour déterminer si quelqu'un, parmi leurs chauffeurs, se souvient d'avoir chargé aux stations des aéroports deux hommes transportant une grande malle de cuir noir. À mon avis, ça risque de ne pas aboutir. Comme tu le sais, nombre de ces chauffeurs sont des étrangers, qui détestent avoir affaire à la police ou au FBI.

Venant d'un agent fédéral, ce n'était pas une remarque politiquement correcte. Mais lorsque la pression devient trop forte, même les Fédés doivent se plier aux réalités.

– Nous avons un meilleur signalement des malles que des pilotes et des copilotes, poursuivit Kate. J'ai donc demandé à Doug de joindre la FAA, pour se faire envoyer par mail, dans les plus brefs délais, la photo de Black et de Bellman figurant sur leur licence. J'ai alors appris, à ma stupéfaction, que les licences de pilote ne comportent pas de photo...

– Nouvel exemple de l'ahurissante stupidité de la FAA post-11 septembre.

– Je ne te le fais pas dire. J'ai donc utilisé les adresses fournies à la FAA par les pilotes pour obtenir copie de leurs permis de conduire, avec photo. Black habite New York, et Bellman vit dans le Connecticut.

– Tu n'as pas chômé pendant mon absence... Néanmoins, si

ces quatre types accomplissent une mission secrète pour le compte de Madox, ils sont sans doute descendus dans leurs hôtels sous de fausses identités.

– Peut-être. Mais nous avons le vrai nom des deux pilotes. Le FBI, si ce n'est déjà fait, recevra donc très bientôt leur photographie. D'un autre côté, Doug a demandé à l'antenne de Kingston d'envoyer un agent au bureau d'expédition de la Goco à l'aéroport de Stewart, pour se faire communiquer l'identité des deux copilotes.

– Il est moins bête que je ne le pensais.

Pourtant, il y avait un hic : même si on semblait avoir résolu le problème, la localisation des quatre pilotes ne serait pas facile, surtout si Madox leur avait donné pour consigne d'adopter un profil bas, de ne pas répondre aux appels passés sur leurs mobiles, de rester confinés dans leur chambre d'hôtel, d'utiliser de fausses identité, et j'en passe...

– Malheureusement, reprit Kate, ces bombes, s'il s'agit bien de bombes, peuvent très bien avoir changé de main... À mon avis, Madox a prévu de les faire sortir du pays, sans doute pour le Moyen-Orient ou un autre pays musulman. J'ai appelé Garret Aviation Service. Là, on m'a assuré que les Cessna Citation ne pouvaient traverser le Pacifique, à moins de transiter par la côte ouest de l'Alaska, puis par les îles Aléoutiennes, ensuite par le Japon, etc. Cela impliquerait de nombreuses escales pour se ravitailler en carburant, sans compter de multiples formalités douanières. Nous pouvons donc éliminer l'hypothèse d'un transport aérien assuré par les jets.

J'acquiesçai et réfléchis. Les avions de Madox avaient atterri le dimanche soir à Los Angeles et à San Francisco. Les pilotes et les copilotes n'avaient laissé aucune adresse sur place, mais avaient indiqué qu'ils décolleraient le mercredi, c'est-à-dire le lendemain, pour New York. À mon sens, ils en étaient persuadés. Et c'était peut-être vrai. Dès lors, où était leur cargaison ? Car il y avait de fortes chances pour qu'ils ne l'aient plus en leur possession.

– J'en déduis, dis-je à Kate, que Madox va se servir, ou s'est déjà servi, de ses tankers pour acheminer ces bombes quelque part. Voilà pourquoi ses deux jets ont atterri dans des villes portuaires.

– Je suis parvenue à la même conclusion. J'ai demandé à

Doug de commencer à faire fouiller les navires et les conteneurs des deux ports, en commençant par les tankers de la Goco. C'est un énorme travail. Mais s'il met à contribution les équipes du Nest et les services de sécurité des ports, qui disposent eux aussi de détecteurs de neutrons et de rayons gamma, nous avons peut-être une chance.

– Très bien. Mais il faudrait vérifier également les entrepôts et les camions... Sans compter les aéroports, si les malles prennent place dans des soutes d'avions de ligne. Autant chercher une aiguille dans une meule de foin.

– Ces aiguilles-là sont radioactives. On peut les repérer.

– Peut-être, si elles sont toujours à Los Angeles et à San Francisco. Mais il est plus que probable qu'elles sont déjà en route, par mer ou par air, pour leur destination finale... Il y aura bientôt deux jours qu'elles sont arrivées sur la côte Ouest.

– Tu as peut-être raison, mais nous devons quand même les rechercher dans ces deux villes, au cas où elles s'y trouveraient encore. Il sera plus facile d'intercepter les pilotes, surtout s'ils regagnent demain leurs aéroports respectifs. Nous devons partir du principe qu'ils ignorent le contenu de leur cargaison. Doug va donc faire diffuser par les stations de radio un appel à Tim Black, à Elwood Bellman et aux deux copilotes, quand nous connaîtrons leur nom, les exhortant à contacter le FBI. Les chaînes de télévision diffuseront leur photo, une fois qu'on les aura communiquées à nos deux antennes locales.

– J'espère que ces types regardent la télévision pendant la journée.

– Quelqu'un d'autre, un employé d'hôtel, par exemple, pourrait les reconnaître.

– Parfait. Pourtant, si la recherche aboutit, je doute que le FBI trouve les pilotes en possession de leurs valises. Cela étant, on pourra leur faire avouer où ils les ont déposées et, s'ils le savent, qui les a récupérées. Mais la piste s'arrêtera là. Malheureusement, nous avons quarante-huit heures de retard...

Kate et son chéri de Los Angeles avaient fait tout leur possible en un temps record. Le travail, excellent, qu'ils avaient accompli conduirait certainement aux deux pilotes et à des informations sur les valises contenant les bombes. Restait le problème majeur : Madox avait déjà mis la machine en route, et il avait une énorme longueur d'avance.

409

Cependant, il existait encore un espoir : un lien ténu dans cette chaîne nucléaire.

– L'émetteur ELF, dis-je à Kate. Voilà comment il compte actionner les bombes.

Elle redressa la tête et s'écria :

– C'est ça ! Chaque bombe doit être dotée d'un récepteur de fréquences extrêmement basses relié au système de mise à feu. Nous savons que les ondes ELF peuvent parcourir le monde et pénétrer n'importe quoi. Lorsque les bombes auront gagné le lieu choisi par Madox, il enverra là-bas un message codé. En une demi-heure, le signal atteindra les récepteurs, où qu'ils se trouvent.

– Oui. Tout se passe comme si ce fumier avait construit sa station ELF il y a presque vingt ans pour envoyer de fausses instructions à la flotte sous-marine américaine en vue de provoquer la Troisième Guerre mondiale. Mais ça n'a pas marché. Il a donc conçu un autre moyen de rentabiliser son investissement. Et Putyov était chargé de bidouiller les bombes pour qu'elles explosent en recevant le signal ELF.

– J'ai aussi découvert sur Internet que ces bombes atomiques miniaturisées doivent être régulièrement entretenues. Cela faisait également partie du travail de Putyov.

– Feu Mikhaïl Putyov...

Kate hocha la tête. J'ajoutai :

– Où diable Madox s'est-il procuré ces engins ?

Ma réponse à ma propre question me parut aller de soi.

– Elles doivent être en vente libre sur le marché, par l'intermédiaire de nos nouveaux amis en Russie, ce qui explique pourquoi Madox a engagé un Russe. Nom d'un chien, je n'arrive même pas à trouver un bon mécanicien suédois pour réparer ma vieille Volvo, et lui il a dégoté un physicien russe pour mettre ses pétards au point ! Finalement, tout est une question de fric. Bon. Quatre villes vont donc avoir de sérieux problèmes d'ici quelques jours. Ou quelques heures... Des villes musulmanes. D'accord ?

– Je n'en imagine pas d'autres. Cela n'aurait aucun sens.

Silence. Puis Kate reprit :

– Je crois que nous avons fait tout ce que nous avons pu, sauf appeler le directeur du FBI. Doug, de son côté, va se démener comme un diable.

– Ouais. Ça donnera aux agents de Los Angeles de quoi s'occuper avant leurs cours d'aérobic.

– John...

– Mais quant à déterminer qui sait quoi, et quand... Je suis sûr que les huiles de Washington sont au courant. Simplement, elles ont oublié de nous mettre au parfum.

Pas de commentaire de la part de l'agent spécial Mayfield.

– C'est la seule façon d'expliquer la mission de Harry. Le ministère de la Justice et, par conséquent, le FBI à Washington savent ce que Madox prépare. D'accord ?

– Je n'en ai aucune idée. Mais je t'avais prévenu : en fourrant ton nez dans une enquête du ministère de la Justice, tu t'es heurté à quelque chose qui te dépasse.

– Je te livre deux hypothèses. Un, le gouvernement est au courant de ce qui se trame au Custer Hill Club, et Harry a été sacrifié afin de fournir un prétexte au FBI pour enfoncer les portes de Madox et l'arrêter. Mais la seconde est bien meilleure : le gouvernement sait tout, et Harry a été sacrifié pour que Madox et ses amis se remuent le cul et fassent péter leurs bombes toutes affaires cessantes.

– C'est délirant !

– Ah oui ? As-tu vu des équipes d'intervention du FBI investir le Custer Hill Club ?

– Non, mais... ils attendent peut-être le moment propice.

– Si c'est vrai, ils ont attendu trop longtemps... Harry était au Custer Hill Club samedi matin. La réunion entre Madox et ses amis a eu lieu samedi et dimanche. Putyov s'est pointé dimanche matin pour amorcer les bombes. Les jets de Madox ont atterri sur la côte Ouest dimanche soir. Les valises ont probablement quitté le pays lundi. Nous sommes mardi et Potsdam Diesel vient de mettre les générateurs en état de marche. Les bombes sauteront ce soir ou demain.

Je repris mon souffle.

– Et Madox n'agit pas seul. Ce n'est pas un hasard si, parmi ses hôtes de ce week-end, figuraient deux, peut-être trois ou plus encore, personnalités importantes du gouvernement... Nom de Dieu ! d'après tout ce que nous savons, le directeur du FBI et celui de la CIA sont dans le coup ! Et cela remonte peut-être plus haut.

Elle prit une grande inspiration.

411

– Très bien. Mais, au point où nous en sommes, quelle importance cela peut-il avoir ? Ce qui compte, c'est que nous avons fait le bon choix en appelant l'antenne du FBI à Los Angeles.

– J'espère que tu n'as rien dit à ton pote à propos de Madox, d'ELF ou de l'endroit d'où tu appelais...

– Non. Je voulais te parler d'abord. John... si je me trompais... En y réfléchissant, il pourrait y avoir une autre explication à tout cela...

– Kate, tu ne te trompes pas ! Nous ne nous trompons pas ! Tout est parfaitement clair. Madox, les bombes, ELF. Sans compter Putyov.

– Je sais, je sais. Il nous faut maintenant contacter Tom Walsh pour qu'il révèle lui-même au quartier général du FBI que cette information vient de moi... et de toi, et que nous appuyons nos conclusions sur...

– Entendu.

Je consultai ma montre : 18 h 10.

– Fais-le, dis-je. Moi, j'ai rendez-vous pour le dîner.

– Non. Tu n'as aucune raison d'y aller.

– Chérie, Madox a mis son émetteur ELF en marche, attendant un message lui indiquant que les quatre valises sont arrivées à bon port. Alors, une onde ELF se fraiera lentement un chemin à travers le continent, puis le Pacifique ou, en sens inverse, à travers l'Atlantique, jusqu'aux quatre récepteurs. Des millions de gens périront et un nuage radioactif se répandra au-dessus de la planète. Le moins que je puisse faire est d'essayer d'enrayer le processus à sa source.

Il y eut un très long silence. Enfin, Kate murmura :

– Je viens avec toi.

– Non. Tu vas appeler la cavalerie et l'envoyer au Custer Hill Club, sans mandat de perquisition à la con, en lui annonçant qu'un agent fédéral, présent sur la propriété, est en danger.

– Non !

– Appelle Walsh, appelle Schaeffer, appelle le shérif local si c'est nécessaire. Appelle aussi Liam Griffith et dis-lui où il pourra trouver John Corey.

– Entendu... Je comprends.

– Bien.

Je gagnai la cuisine, m'approchai de la table où j'avais déposé mon attirail. Mettant mes actes en accord avec mes paroles, je remplis mes deux chargeurs Glock de balles de 9 mm, glissai les deux étroits Bear Banger dans la poche intérieure de ma veste, à côté de mon stylo et, pour finir, enfilai mes chaussettes neuves qui, à présent, ne me paraissaient plus si indispensables. Même si je n'en voyais plus l'utilité, je pris également la sirène à air comprimé. Au cas où le Klaxon du Dodge de Rudy viendrait à lâcher...

Pendant ce temps, Kate pianotait sur l'ordinateur portable.

– Qu'est-ce que tu fais ?

– J'envoie un mail à Tom Walsh, lui demandant de joindre Doug à Los Angeles et lui révélant que l'information vient de moi.

– J'espère qu'il consultera son courrier électronique ce soir.

– C'est ce qu'il fait d'ordinaire.

Le FBI n'a toujours qu'un réseau de courrier électronique interne et « sécurisé ». Aussi invraisemblable que cela puisse paraître, Kate, tout comme l'agent de garde après la fermeture des bureaux, ne pouvait donc en envoyer, en lire ou en copier sur l'adresse du FBI. Elle était obligée d'expédier son message à l'adresse personnelle de Walsh. Et cela, un an après le 11 septembre !

– Je t'appellerai de mon mobile une fois à proximité du Custer Hill Club, lui dis-je.

– Minute... Voilà, c'est parti.

Elle ferma l'ordinateur, le posa sur la table de la cuisine, puis enfila sa veste de daim.

– Qui prend le volant ? lança-t-elle.

– Dans la mesure où je pars seul, je suppose que c'est moi.

Elle fourra la boîte de munitions de calibre 40 et les deux chargeurs dans son sac, saisit le téléphone mobile et marcha vers la porte. Je l'attrapai par le bras.

– Où vas-tu ?

– Tu m'as dit que Madox avait insisté pour me recevoir à sa table, mon ange. Et tu voulais que j'accepte. Donc je viens.

– La situation a changé.

Elle se dégagea, ouvrit la porte et sortit. Je la suivis.

Il faisait froid et sombre. Tout en marchant vers le Dodge, je tentai de la raisonner.

– J'apprécie ta sollicitude à mon égard, mais...

– Ma décision a davantage à voir avec moi qu'avec toi, pour une fois.

– Oh...

– Je ne travaille pas pour toi. C'est toi qui travailles pour moi.

– Eh bien, d'un point de vue technique... commençai-je.

– Tu prends le volant.

Je démarrai trente secondes plus tard, roulai en direction de la maison principale.

– Je me fais également du souci à ton sujet, ajouta Kate.

– Merci.

– Tu as besoin que quelqu'un veille sur toi.

– Je ne sais pas...

– Arrête-toi là.

Je me garai devant la maison de Wilma et de Ned.

– Va rendre son ordinateur à Wilma, m'ordonna Kate. Il ne lui reste que dix minutes avant la fermeture de ses enchères.

Je m'exécutai, sonnai à l'entrée. La porte s'ouvrit et Wilma apparut. Elle ressemblait à une Wilma. Elle me jaugea de la tête aux pieds, jeta un coup d'œil vers le Dodge, aperçut Kate et couina :

– Je ne veux pas de scandale chez moi.

– Moi non plus. Voici votre portable. Merci encore.

– Qu'est-ce que je dis si le mari vient la chercher ici ?

– La vérité. Rendez-moi un service. Si nous ne sommes pas rentrés demain matin, appelez le commandant Schaeffer, au quartier général de la police de l'État. Schaeffer... Vous vous rappellerez ? Dites-lui que John a laissé du matériel pour lui à la maison de l'étang. Bonne chance pour les enchères.

Elle regarda sa montre.

– Oh, mon Dieu...

Elle referma la porte.

Je regagnai le Dodge et nous nous en allâmes.

– Cette guimbarde est dégueu, commenta Kate en remplissant ses deux chargeurs.

– Tu trouves ?

Je lui relatai ma brève conversation avec Wilma. Elle répondit :

– Nous serons rentrés avant demain matin.

Cela me parut optimiste.

L'horloge du tableau de bord indiquait 15 h 10. Il devait y avoir une erreur. À ma montre, il était 18 h 26. Nous serions convenablement en retard pour l'apéritif.

J'avais l'intuition que, quelque part, une autre horloge égrenait ses secondes.

Chapitre 46

Tout en conduisant, je lançai à Kate :

– Qu'as-tu écrit dans ton mail à Walsh ?

– Je te l'ai dit.

– J'espère que tu n'as pas mentionné notre dîner au Custer Hill Club ?

– Si.

– Il ne fallait pas. À présent, les chasseurs de têtes peuvent nous intercepter ou nous devancer.

– Impossible. J'ai expédié mon courrier à un service qui l'enverra plus tard. En différé, à 19 h 30. C'est ce que tu voulais, non ?

– Moi ? Je ne me rappelle pas t'avoir dit ça.

– Je sais ce que tu as en tête. Tu penses qu'il nous faut arriver à l'intérieur du chalet avant que quiconque sache que nous nous rendons là-bas. Et, avant que Tom ait retrouvé ses esprits, nous aurons résolu l'affaire. Exact ?

– Exact.

– Et nous serons des héros.

– Tout juste.

Renonçant à discuter, elle me demanda :

– Tu crois que Madox va envoyer ce signal ELF ce soir ?

– Je l'ignore. Mais je suis persuadé que son invitation à dîner a quelque chose à voir avec le temps qui lui reste. Allume la radio. Si nous apprenons que des bombes atomiques ont explosé quelque part, je ralentirai. Nous n'aurons plus à craindre d'arriver en retard.

Elle tourna le bouton de la radio. Silence.

– Elle ne marche pas, dit-elle.

– Les ondes ELF ont peut-être neutralisé les grandes ondes et la modulation de fréquence.

– Très drôle.

Je roulais à présent sur la route 56, en direction de South Colton. Je sortis de ma poche les clés de la Hyundai, les posai dans la main de Kate.

– Je vais m'arrêter à la station-service de Rudy. Tu prends la Hyundai et tu files au quartier général de la police de l'État.

Elle baissa sa vitre et jeta les clés.

J'avais gagné.

– Ça va me coûter cinquante dollars, dis-je.

– Très bien, John. Nous serons là-bas dans une vingtaine de minutes. Profitons-en pour envisager ce à quoi nous devons nous attendre, ce que nous aurons à dire, à faire... Comment réagirons-nous en cas d'imprévu ? Et quel est notre objectif ?

– Tu parles d'un plan ?

– On ne peut rien te cacher.

– Je pensais que nous improviserions, répliquai-je.

– Ce n'est pas une bonne idée.

– D'accord... D'abord, oppose-toi à ce qu'on te passe au détecteur de métaux. Et surtout à ce qu'on te fouille.

– Cela va sans dire.

– Je ne crois pas qu'ils iront jusque-là, assurai-je, sauf si Madox renonce à cette comédie du dîner.

– Mais si c'est le cas ?

– S'ils nous demandent nos armes, nous les leur mettrons sous le nez et nous brandirons nos plaques.

– Et s'il sont dix, braquant leurs fusils sur nous ? questionna Kate.

– Nous nous comporterons en agents fédéraux et leur crierons qu'ils sont tous en état d'arrestation. Sans oublier de révéler à Madox que tous les Troopers de la police de l'État de New York sauront, à ce moment-là, où nous serons. C'est notre joker.

– Peut-être... Mais, pour l'instant, tout le monde ignore où nous allons. Et puis que ferons-nous si Madox se fout comme de l'an quarante que quelqu'un sache où nous nous trouvons ? Si Hank Schaeffer est dans la cuisine, en train de mitonner le dîner pendant que le shérif prépare le plateau des boissons ? Et si... ?

– Ne surestime pas Madox. Il est intelligent, riche, puissant et sans pitié. Mais ce n'est pas Superman, chérie. Superman, c'est moi.

– Très bien, Superman. À quoi d'autre devons-nous penser pour quitter le chalet sains et saufs ?

– Ne demande pas de Daiquiri glacé ou toute autre boisson susceptible d'être droguée. Bois ce qu'il boit. Idem pour la nourriture. Fais attention. Souviens-toi des Borgia.

– Toi, souviens-toi d'eux. Tu mangerais du chili et des hot-dogs, même en étant certain qu'on les a empoisonnés.

– Merveilleuse façon de mourir !

Je poursuivis mon exposé :

– En ce qui concerne notre conduite... Nous allons nous retrouver pris entre des mondanités et une enquête criminelle. Agissons en conséquence.

– C'est-à-dire ?

– Soyons polis, mais fermes... Madox est amateur de scotch. Essaie de jauger sa sobriété. S'il boit peu, prends ça comme un signe avant-coureur de gros ennuis.

– Compris... Parle-moi des Bear Banger.

Je lui en tendis un, lui expliquai comment s'en servir comme arme de dernier recours si on nous délestait de notre quincaillerie.

– Normalement, puisqu'il ressemble à une petite lampe torche, il échappera à une fouille. Mais tu peux, si tu veux, le fourrer entre tes jambes. Je suis sérieux... Mon plan initial, qui est toujours celui que je préfère, consistait à enfoncer la clôture, puis à renverser un ou deux poteaux de l'antenne avant de foncer sur les générateurs.

Silence.

– Ce serait la manière la plus directe de régler le problème ELF. C'est le point faible du plan de Madox pour faire exploser ses bombes, non ?

– Et s'il n'y a pas de bombes ? Si l'antenne ELF n'existe pas ? Si nous nous trompons du tout au tout ?

– Nous rembourserons les poteaux et les générateurs, et nous nous excuserons pour nos mauvaises manières.

Je sortis de ma poche ma carte du domaine de Custer Hill, l'étalai sur ses genoux.

– Où as-tu eu ça ?

– Harry me l'a donnée.

– Tu l'as prise à la morgue ?

– Elle n'était pas répertoriée...

– Tu as volé une pièce à conviction ?

– Arrête ton sermon. Je l'ai empruntée. Ça se fait tout le temps.

Je tapotai la carte.

– Là, à l'est de la propriété, une vieille route forestière mène directement à la clôture, puis au-delà. On la prend, on enfonce la clôture. Une centaine de mètres plus loin, on croise cette route circulaire qui relie tous les poteaux. Tu me suis ?

Elle ne regardait pas la carte, mais moi.

– Donc, repris-je, on vise un poteau, on accélère et on lui rentre dans le lard. Le poteau s'écroule, les fils partent avec et la station ELF est démolie. Qu'est-ce que tu en penses ?

– Un, c'est démentiel. Deux, cette caisse pourrie ne déracinera jamais le moindre poteau.

– Bien sûr que si.

– John, j'ai été élevée au fin fond du Minnesota, en pleine campagne. J'ai vu des camionnettes, des vans et des 4×4 heurter toutes sortes de poteaux. Le poteau gagne toujours.

– Ah, oui ? Difficile à croire.

– Et même si le poteau cède, les fils tiennent.

– Sans blague ! J'aurais dû te consulter avant de m'exciter là-dessus.

– Et si les fils s'arrachent et tombent sur le Dodge, nous grillons sur place.

– Très juste. Mauvaise idée. Bien. Si tu mets le nez sur la carte, tu apercevras le bâtiment des générateurs. Là. Tu vois ?

– Regarde la route.

– D'accord. Ce coup-ci, c'est du costaud. Le bâtiment est en pierre, avec des portes et des volets en acier. Mais il a un point faible : les cheminées... Nous montons sur le toit depuis celui du Dodge, et nous fourrons nos vestes dans le conduit des cheminées. Elles refoulent la fumée et le générateur tombe en panne.

– Je vois trois cheminées et deux vestes.

– Il y a une couverture à l'arrière du Dodge. Plus tout un bazar capable de boucher six cheminées. Alors ?

– Techniquement, admit-elle, cela me semble réalisable. As-tu pris en compte la présence de dix ou vingt vigiles avec leurs véhicules tout terrain et leurs fusils d'assaut ?

– Ouais. C'est pour ça que j'ai acheté des munitions supplémentaires.

– Ben voyons... Disons donc que ça marche, ou que ça ne marche pas. Nous présentons-nous toujours à la porte d'entrée pour le dîner ?

– Tout dépendra du résultat de notre échange de coups de feu avec les gardes. Nous improviserons.

– Ça me paraît un plan d'enfer. Où est cette route forestière ?

Visiblement, elle se payait ma tête.

– C'était juste une idée, lui dis-je.

– Idée foireuse.

– J'y ai pensé avant que nous soyons invités à dîner.

– J'espère bien. Je me demande comment tu as pu vivre assez longtemps pour que je te rencontre.

– Le génie, mon ange.

– Je m'en doutais. Tu as quand même soulevé un point important : le système ELF. Son point faible n'a rien à voir avec les poteaux, les fils ou les générateurs. Sa faille, c'est l'émetteur. Il se trouve certainement à l'intérieur du chalet, en sécurité, et hors de vue. Au sous-sol.

– L'abri antiatomique.

– Oui. Pour neutraliser la station ELF de Madox, c'est là que nous devrons opérer.

– Magnifique. Tu t'excuses et demandes à aller aux toilettes. Madox sait que ça prend dix à quinze minutes. Tu trouves l'émetteur et tu le bousilles.

– Et toi, tu me couvres en sortant le Bear Banger et en faisant feu.

Mme Mayfield avait, ce soir-là, un étrange sens de l'humour. C'était sans doute sa manière de lutter contre le stress.

– Ainsi que je l'ai mentionné tout à l'heure, lui dis-je, le véritable but de cette visite est d'arrêter Madox pour meurtre. En soi, l'émetteur ELF n'a rien d'illégal. Mais, après avoir arrêté Madox, nous le détruirons. Et si nous nous sommes trompés sur le meurtre et les bombes, nous rembourserons les dégâts.

– Il nous faudrait plusieurs jours, me rappela-t-elle, pour obtenir les résultats d'analyse des indices qui, les transformant en preuves, nous permettraient de procéder à cette arrestation.

– Selon la loi de l'État de New York, qui m'est plus familière qu'à toi, une arrestation peut avoir lieu si l'officier de police a la conviction qu'un crime se prépare. Mieux encore, si le suspect, pendant son interrogatoire, fait une déclaration susceptible d'être interprétée comme un aveu ou contredisant une déposition antérieure, il peut être coffré sur-le-champ.

– Tu en es sûr ? Cela ressemble fort à la méthode Corey.

En fait, j'avais tout inventé, mais cela se tenait.

– Si nous n'arrêtons pas Madox ce soir, insistai-je, nous porterons peut-être la responsabilité de quatre explosions nucléaires... demain, ou même dans quelques heures. C'est ce que tu veux ?

– Non, mais... Toute légalité mise à part, une arrestation au Custer Hill Club n'est pas jouée d'avance. Nous ne sommes que deux. Eux sont nombreux.

– Nous incarnons la loi.

– Je sais, John, mais...

– Tu as la petite carte où figure la déclaration de ses droits ?

– Non, mais, depuis le temps, je peux les réciter par cœur.

– Bien. Tu as des menottes ?

– Non. Et toi ?

– Pas sur moi. Nous aurions dû emporter le sparadrap. Mais Madox a peut-être gardé les chaînes dont il s'est servi pour entraver Harry. De toute façon, je peux toujours lui balancer un coup de genou dans les parties.

– Tu as l'air très sûr de toi.

– Je suis très motivé.

– Tant mieux. Alors, pourquoi avons-nous besoin de ces Bear Banger ? Nous avons nos armes, nos plaques...

– Euh...

– D'accord, John, je suis avec toi. Mais ne nous mets pas dans une situation dont nous ne pourrons pas nous dépêtrer.

C'était peut-être déjà fait...

– Souvenons-nous de Harry, murmura-t-elle.

Elle paraissait anxieuse à propos de cette soirée, mais, en

même temps, impatiente de la vivre. Je connais très bien ce sentiment. Nous ne faisons pas ce métier pour de l'argent. Nous l'aimons pour l'excitation qu'il procure, et pour des moments comme celui-là.

Devoir, honneur, patrie, vérité, justice... Tout cela est bel et bon. Toutefois, on peut très bien servir ces valeurs en restant derrière son bureau.

Ceux qui prennent des risques, qui s'aventurent sur le terrain avec leur arme et leur plaque n'ont qu'un but : affronter l'ennemi face à face. Ils n'ont pas d'autre motivation.

Cela, Kate le comprenait, tout comme moi. Et, d'ici une heure, Bain Madox allait lui aussi le comprendre.

Chapitre 47

Je longeai la station-service de Rudy, plongée dans le noir, poursuivis ma route à l'intérieur du parc régional.

Juste avant la Stark Road, je dépassai une camionnette d'une compagnie d'électricité garée sur le bas-côté. Ses feux de détresse clignotaient. J'étais persuadé qu'il s'agissait du véhicule de surveillance de la police de l'État. Je ralentis, pour être sûr d'être vu en bifurquant vers cette route. Je tournai la tête vers Kate.

– Appelle la police de l'État et demande qu'on me passe le commandant Schaeffer. C'est urgent.

Elle sortit son mobile de son sac, l'alluma.

– Pas de réseau, dit-elle.

– Comment ça ? La tour relais de Madox est à moins de dix kilomètres d'ici...

– Je n'ai pas de réseau.

J'allumai mon propre mobile. Pas de réseau non plus.

– Il faut peut-être que nous nous approchions un peu plus.

Je lui donnai mon téléphone, puis m'engageai sur la route forestière. Un mobile dans chaque main, Kate répéta :

– Pas de réseau.

– Bon...

Nous étions tout près de la McCuen Pond Road. Je me penchai vers le pare-brise, espérant distinguer, au croisement, un autre véhicule de surveillance. Il y en avait pas. Je consultai ma montre : 18 h 55.

Je continuai mon chemin. Quelques minutes plus tard,

j'arrivai en vue des lumières et des panneaux avertisseurs du portail de Custer Hill.

– Toujours pas de réseau ?

– Toujours pas.

– Comment est-ce possible ?

– Aucune idée, répondit Kate. La tour de Madox a peut-être un problème. Ou alors il l'a mise volontairement hors service.

– Oh... Bien sûr ! m'écriai-je. Parano jusqu'au bout des ongles !

– Parano et futé. Tu veux faire demi-tour ?

– Non. Et laisse les mobiles allumés.

– Entendu. Mais personne ne pourra capter notre signal tant que la tour de Custer Hill ne fonctionnera pas.

– C'est peut-être une défaillance technique momentanée.

Je n'y croyais pas. À présent que nous souhaitions qu'on nous localise, nous étions électroniquement silencieux. La soirée commençait mal.

Je freinai avant le ralentisseur, m'arrêtai devant le panneau « Stop ». Le portail s'entrouvrit. Un flot de lumière éclaira mon vigile favori, qui s'avança vers le Dodge. Je serrai la crosse de mon Glock plaqué contre ma cuisse.

– Reste sur tes gardes, murmurai-je à Kate.

– Demande-lui si tu peux lui emprunter son téléphone fixe pour appeler la police de l'État et lui dire que nous sommes au Custer Hill Club.

J'ignorai le sarcasme, observai la démarche nonchalante du vigile.

– De toute façon, dis-je à Kate, je suis sûr que l'équipe de surveillance nous a repérés.

– Aucun doute là-dessus : Rudy.

– Oh, merde ! J'ai fait une belle connerie !

Elle aurait pu m'en vouloir. Mais elle tapota ma main et répondit d'une voix apaisante :

– Il nous arrive à tous de nous comporter de façon stupide, John. J'aurais simplement préféré que tu choisisses un autre moment...

Je me donnai, mentalement, une gifle magistrale.

Le néonazi se planta devant moi. Je baissai ma vitre. Il parut surpris de me voir dans le Dodge de Rudy. Il regarda Kate, puis annonça :

– M. Madox vous attend.
– Tu en es sûr ?

Il ne réagit pas et resta là, plus raide qu'un épouvantail. Pour la première fois, je notai son nom, cousu sur son treillis. Papa et maman avaient appelé leur bambin Luther. Sans doute ne savaient-ils pas épeler Lucifer.

– Attend-on d'autres invités, Lucifer ?
– Luther. Non. Vous êtes les seuls.
– Monsieur.
– « Monsieur »...
– Et madame. Essaye encore.

Il prit une grande inspiration, pour me montrer qu'il s'efforçait de garder son calme.

– Il n'y a que vous, monsieur ; et vous, madame.
– Très bien. Entraîne-toi.

Je franchis la grille, à présent grande ouverte.

Je ralentis devant le pavillon de garde et donnai un grand coup de Klaxon à l'intention de l'autre vigile, qui bondit sur ses pieds.

J'accélérai brutalement.

– Pourquoi les as-tu provoqués ? Tu m'as fait une peur bleue.

– Désolé. Kate, ces deux salopards, et leurs copains, sont ceux qui ont capturé Harry samedi. Et, d'après ce que je sais, l'un d'eux, ou deux d'entre eux, ont participé à son assassinat.

Elle hocha la tête en silence. J'ajoutai :

– Nous les verrons tous dans le box des accusés.
– Nous les verrons peut-être tous d'ici une demi-heure.
– Tant mieux. Ça fera faire des économies aux contribuables.
– Calme-toi.

Alors que nous amorcions la montée vers le chalet, les détecteurs de mouvements allumèrent les projecteurs. L'absurdité de notre situation me fit frémir. Nous nous étions mis en quatre pour semer l'ATTF, Liam Griffith, le FBI et la police de l'État. Et maintenant que nous voulions que tous sachent où nous nous trouvions, un seul homme le savait : Bain Madox.

Quand je deviens vraiment paranoïaque, comme en cet instant, je me mets à imaginer que la CIA est dans le coup.

Kate rompit le silence :

– À quoi penses-tu ?

– À la CIA.

– Tu as raison. Au point où en est l'affaire, ses agents devraient entrer dans la danse.

– Sûr...

Pourtant, il est rare qu'on les voie ou qu'ils se manifestent à visage découvert. Voilà pourquoi on les appelle les spectres ou les fantômes. Si on les aperçoit, ce n'est qu'à la fin. Or, la fin était proche.

– En fait, dis-je à Kate, je sens la main de Ted Nash derrière tout ce qui se passe.

Elle me fixa avec stupéfaction.

– Ted Nash ? Voyons, Ted Nash est mort.

– Je sais. Mais j'adore te l'entendre dire.

Elle ne trouva pas ça drôle. Moi, si.

Nous étions presque arrivés au chalet. Deux projecteurs illuminaient le mât, le drapeau et le fanion du 7e régiment de cavalerie.

– Ce fanion, expliquai-je à Kate, indique que le colonel est dans les lieux.

– Je sais. As-tu déjà remarqué le mien au sommet de mon lit ?

Je souris et nous nous prîmes la main.

– J'éprouve une certaine... appréhension, avoua-t-elle.

– Nous ne sommes pas seuls. Nous avons derrière nous la puissance et l'autorité du gouvernement des États-Unis.

Elle regarda par-dessus son épaule.

– Je ne vois personne d'autre que nous, John.

Je constatai avec plaisir qu'elle gardait son sens de l'humour. Je serrai sa main, puis me garai devant le porche.

– Tu as faim ?

– Je suis affamée.

Nous sortîmes du Dodge et gravîmes les marches. Je sonnai à la porte.

Chapitre 48

Carl vint nous ouvrir et nous salua par un cérémonieux :
– M. Madox est heureux de vous recevoir.
– Bonsoir, Carl.
Son regard démentait sa mine impavide : il m'aurait volontiers craché au visage. Il nous précéda dans le vestibule.
– Si vous voulez bien me confier vos vestes...
– Nous les garderons, répondit Kate.
Carl parut contrarié, mais n'abandonna pas son ton de majordome.
– Les boissons seront servies au bar. Si vous voulez bien me suivre...
Il nous précéda jusqu'à la porte proche de la cage d'escalier, puis vers l'arrière du chalet. Tout était calme, silencieux. Pas âme qui vive.
J'avais toujours mon Glock à la ceinture, dissimulé par ma chemise et ma veste. Mon 38 personnel était dans son holster, contre ma cheville. Kate avait glissé son Glock dans la poche de sa veste. Elle n'avait pas d'arme d'appoint, hormis le Bear Banger, caché quelque part dans son jean. Le mien était fixé à la poche de ma chemise, comme un stylo. Mes deux chargeurs supplémentaires étaient dans ma veste, ceux de Kate, au nombre de quatre, dans la sienne et dans son sac à main. Nous avions de quoi affronter un ours ; ou Madox.
Kate avait l'air calme, très digne. Je lui souris et lui fis un clin d'œil.
Carl, lui, était toujours aussi impassible. Il s'arrêta devant une double porte. Une plaque de cuivre, vissée sur un des bat-

427

tants, indiquait : « Bar ». Il frappa, poussa le battant et nous dit :

– Après vous.

– Non. Toi d'abord.

Il hésita, puis entra. Il se dirigea vers la gauche. Là, debout derrière un comptoir d'acajou, Madox, une cigarette entre les doigts, sobrement vêtu, comme l'après-midi, d'un blazer bleu, d'un polo blanc et d'un blue-jeans, écoutait quelqu'un au téléphone. Un téléphone fixe, notai-je, et non un mobile.

À l'autre extrémité de la pièce faiblement éclairée, un feu brûlait dans la cheminée. À sa droite, des rideaux tirés masquaient peut-être une fenêtre ou une porte à deux battants donnant sur l'extérieur.

Madox abrégea sa communication.

– J'ai du monde. Rappelez-moi plus tard.

Il raccrocha et nous sourit.

– Soyez les bienvenus. Venez donc.

Kate et moi nous frayâmes un chemin entre les meubles, jusqu'au bar. La porte se referma derrière nous.

Madox écrasa sa cigarette.

– Je n'étais pas sûr que vous ayez reçu le message de Carl au Point de Vue. J'espérais que vous n'aviez pas oublié.

– Nous n'aurions manqué cette soirée pour rien au monde, répondis-je en atteignant le comptoir.

– Merci de nous avoir invités, ajouta Kate.

Madox nous serra la main.

– Que puis-je vous proposer ?

Il n'avait pas dit : « Donnez-moi le nom de votre poison favori », ce qui me soulagea.

– Que buvez-vous ? lui demandai-je.

Il me montra une bouteille posée sur le comptoir.

– Mon single malt personnel, que vous avez apprécié hier.

– Parfait. Je le prendrai sec.

Au cas où tu aurais trafiqué l'eau gazeuse ou les glaçons...

– Même chose pour moi, dit Kate.

Il versa le whisky dans deux verres de cristal, se resservit à la même bouteille, façon élégante de nous spécifier que son scotch n'allait pas nous tuer. Il leva son verre.

– À des temps plus heureux.

Opération Wild Fire

Nous trinquâmes. Et nous bûmes. Tous les trois. Lui d'abord, puis moi, puis Kate.

La pièce plongée dans une semi-pénombre se reflétait dans le grand miroir du bar. Tout au fond, une autre porte à deux battants s'ouvrait sur une salle de jeu.

Derrière le bar, à la gauche des étagères à bouteilles, une troisième porte, toute petite, conduisait probablement au cellier. Il y avait beaucoup trop de portes dans cette pièce, sans compter les rideaux et l'accès qu'ils dissimulaient. Je n'aime guère m'accouder à un bar en tournant le dos à la salle, avec un type debout derrière le comptoir et susceptible de s'éclipser en un clin d'œil. Je suggérai donc :

– Pourquoi ne pas aller nous asseoir près du feu ?

– Excellente idée, dit Madox.

Il contourna le comptoir tandis que Kate et moi marchions vers un groupe de quatre fauteuils club disposés autour de la cheminée.

Sans lui laisser le temps de nous indiquer un siège, Kate et moi choisîmes ceux qui se faisaient face. Madox s'assit dans le fauteuil installé devant l'âtre, tournant le dos à la double porte par où nous étions entrés. Depuis ma place, je distinguais la porte de la salle de jeu. Quant au champ de vision de Kate, il englobait le bar et sa petite porte latérale.

Je me levai et me dirigeai vers les rideaux, à la droite de la cheminée.

– Vous permettez ? dis-je en les écartant.

Ils dévoilèrent effectivement une porte-fenêtre donnant sur une terrasse sombre.

– C'est une belle vue, commentai-je en regagnant mon fauteuil.

Madox ne réagit pas. Mais l'ancien officier qu'il était ne pouvait qu'apprécier à sa juste valeur notre façon de nous couvrir et d'étudier tous les angles de tir possibles.

– Ne souhaitez-vous pas ôter vos vestes ? s'enquit-il.

– Non, merci, dit Kate. J'ai encore un peu froid.

Je ne répondis rien. Je notai néanmoins qu'il n'enlevait pas la sienne, sans doute pour les mêmes raisons que nous. Même si je n'aperçus aucun renflement sous le tissu, je savais bien qu'il cachait une arme quelque part.

J'examinai la pièce. Son aménagement évoquait davantage

429

le style d'un club privé que celui d'un chalet des monts Adirondack. Tapis persan de prix, beaucoup d'acajou, de cuir vert, de cuivre luisant. Aucune tête d'animal mort. J'espérais qu'il n'y en aurait pas tout à l'heure.

– Ce bar est la réplique exacte de celui de mon appartement de New York, lui-même copie du fumoir d'un club londonien, nous expliqua Madox.

– N'avez-vous pas trop de mal à vous y retrouver après deux ou trois verres de trop ?

Il eut un sourire poli.

– Bien. Débarrassons-nous des corvées professionnelles. J'ai récupéré le registre de mon personnel de sécurité présent ce week-end. Je vous le ferai remettre avant votre départ.

– Parfait. Et celui de vos domestiques ?

– J'ai également la liste de tous ceux qui étaient de service pendant ces trois jours.

– Superbe.

Restait la question épineuse de ses célèbres invités.

– Et vos hôtes ?

– Il faut que j'y réfléchisse.

– Pourquoi ?

– Ces gens ne sont pas n'importe qui. C'est d'ailleurs pourquoi, je présume, le gouvernement a envoyé ici M. Muller pour se procurer leur identité par des voies... détournées. Et vous voulez maintenant que je vous la révèle de mon plein gré ?

– Harry Muller est mort, répliquai-je. Et nous enquêtons sur son décès. Vous m'avez assuré, cet après-midi, que vous nous fourniriez ces noms.

– Je suis parfaitement conscient de la situation. J'ai d'ailleurs contacté mon avocat, qui me rappellera plus tard dans la soirée. S'il me conseille d'obtempérer, je vous les donnerai ce soir.

– S'il ne le fait pas, intervint Kate, nous vous les réclamerons officiellement.

– Ce serait peut-être la meilleure solution. Une injonction légale me dédouanerait vis-à-vis de mes hôtes.

Il nous racontait n'importe quoi, pour nous faire croire que ce problème le préoccupait. En réalité, il ne pensait qu'à son message ELF et au meilleur moyen de se débarrasser de nous. Je laissai donc le sujet de côté.

– Excellent whisky, dis-je.

– Merci. Rappelez-moi de vous en offrir une bouteille avant que vous partiez. Peu de femmes aiment le single malt, ajouta-t-il en se tournant vers Kate.

– Au 26, Federal Plaza, répliqua-t-elle, on me considère comme un homme parmi d'autres.

Il lui sourit.

– Ils devraient tous porter des lunettes.

Elle lui rendit son sourire.

Sacré Bain... Un vrai charmeur.

– Appréciez-vous votre séjour au Point de Vue ? poursuivit-il.

– Énormément.

– J'espère que le dîner ne vous fera pas regretter la cuisine de ce cher Henri. Vous pourriez ensuite passer la nuit ici...

J'ignorais si cette proposition s'adressait aussi à moi. Je déclarai tout de même :

– Nous vous prendrons peut-être au mot.

– Pourquoi pas ? La route jusqu'au Point de Vue est longue, surtout quand on a bu, même si je vous trouve pour l'instant éminemment raisonnables. D'autant, précisa-t-il à mon intention et toujours en souriant, que le véhicule que vous conduisez ne vous est pas familier.

Je gardai le silence.

– Voyons voir... Hier vous aviez une Taurus, ce matin une Hyundai, et ce soir vous êtes venu au volant du Dodge de Rudy. Avez-vous finalement trouvé un modèle qui vous convienne ?

– J'allais justement vous demander de me prêter une Jeep.

– Pourquoi changez-vous si souvent de voiture ?

– Nous sommes en cavale.

Il sourit de nouveau.

– Nous avons eu des problèmes avec nos deux véhicules de location, rectifia vivement Kate.

– Ah ? Je suis certain que l'agence vous en aurait fourni un autre... Mais c'est très aimable à Rudy de vous avoir prêté le sien.

Il revint à l'enquête.

– Je me suis renseigné. Ce soupçon d'homicide n'a pas

431

encore atteint le bureau du shérif. On considère toujours le décès de votre ami comme un accident.

– Il s'agit d'une affaire fédérale, réctifiai-je. Nous travaillons en collaboration avec la police de l'État. Où voulez-vous en venir ?

– Nulle part. Simple observation.

– Vous devriez laisser l'aspect opérationnel de ce cas aux représentants de la loi, rétorquai-je.

Il ne parut pas se formaliser de cette mise au point. De toute évidence, il tenait à nous apprendre qu'il en savait plus que ce qu'il était censé savoir, y compris, sans doute, que l'inspecteur Corey et l'agent du FBI Mayfield n'étaient pas en contact étroit avec leurs collègues.

Un silence neutre s'installa quelques minutes. Rougeoiement des bûches, reflet des flammes sur les verres de cristal... Enfin, Madox se pencha vers Kate.

– J'ai exprimé mes condoléances à M. Corey. J'aimerais les renouveler devant vous. M. Muller était-il également un de vos amis ?

– C'était un collègue très proche.

– Je suis vraiment désolé. Et navré que M. Corey croie qu'un de mes agents de sécurité puisse être impliqué dans son décès.

– Je le crois aussi. Et je suis persuadée que vous partagez la détresse des enfants de Harry, la douleur qu'ils ont éprouvée en apprenant non seulement que leur père était mort, mais qu'il avait probablement été assassiné.

Elle le fixa droit dans les yeux. Il soutint son regard.

– Sans parler, reprit-elle, de sa famille, de ses amis, de ses collègues. Lorsqu'il y a meurtre, la douleur se transforme très vite en colère. Je suis en colère.

Madox hocha lentement la tête.

– Je comprends. J'espère sincèrement qu'aucun de mes employés n'a le moindre rapport avec cette tragédie. Mais si cela s'avérait, je veux qu'il soit traduit en justice.

– Il le sera.

Je saisis la balle au bond.

– Il pourrait même s'agir d'un de vos domestiques. Ou d'un de vos invités.

– Vous avez d'abord parlé d'un de mes vigiles... Vous semblez vouloir élargir votre terrain de chasse. Pourriez-vous vous montrer plus explicite, me préciser pourquoi, à votre avis, un de mes employés, ou l'un de mes hôtes, aurait commis ce pseudo-homicide ?

Nous savions tous les trois que les soupçons se portaient sur Madox lui-même et que, d'une certaine façon, cela ne lui faisait ni chaud ni froid.

Néanmoins, certaines informations confidentielles le déstabiliseraient peut-être. Je lui donnai donc satisfaction.

– Bien. D'abord, j'ai la preuve que l'inspecteur Muller a pénétré dans votre propriété.

Je le dévisageai. Pas de réaction.

– Deux, des indices matériels confirmêt qu'il est entré dans le chalet.

Toujours aucune réaction.

D'accord, mon salaud...

– Trois, nous pouvons affirmer que l'inspecteur Muller a été détenu par vos agents de sécurité. Nous avons aussi la preuve que son camping-car a été déplacé.

Je lui détaillai l'ensemble des éléments dont nous disposions. Il resta de marbre, se contentant d'acquiescer de temps à autre, comme si mon exposé l'intéressait.

Je lui déballai tout, lui décrivant le déroulement du meurtre commis par au moins deux individus, l'un conduisant le camping-car de la victime, l'autre un second véhicule, une Jeep ou un 4 × 4, ce que confirmaient deux traces de pneus différentes, que personne n'avait trouvées, ce qu'il ignorait.

Je lui racontai que les premières analyses toxicologiques révélaient la présence de sédatifs puissants dans le sang de Harry, ce qui permettait de reconstituer l'assassinat : la victime droguée, maintenue à genoux par la lanière de ses jumelles, etc.

Madox opinait toujours. Mais son intérêt s'estompait, comme si tout cela lui semblait de plus en plus abstrait.

Si j'avais espéré une réaction de sa part, une manifestation de désarroi, d'incrédulité, de malaise ou de stupéfaction, j'en étais pour mes frais.

Sans détourner mon regard du sien, je bus une gorgée de scotch. Le silence qui suivit se prolongea longtemps, troublé seulement par le craquement des bûches. Enfin, Madox reprit la main.

– Je suis impressionné par la rapidité avec laquelle vous avez réuni un si grand nombre de pièces à conviction.

– Les premières quarante-huit heures sont cruciales.

– Je l'ai entendu dire... Comment se fait-il qu'autant d'indices mènent à ce chalet ?

– Si vous tenez à le savoir, j'ai prélevé ici même des fibres de tapis, des poils de chiens et des cheveux humains. Ils correspondent à ce qu'on a trouvé sur le corps et les vêtements de Muller.

– Vraiment ? Je ne me souviens pas de vous avoir autorisé à effectuer ces prélèvements... Le laboratoire a travaillé très vite...

– Je vous rappelle que nous enquêtons sur un homicide, dont la victime était un agent fédéral.

– Très bien. Alors, ces fibres ?

Je lui fis un bref cours de police scientifique, avant de préciser :

– Les fibres trouvées sur la victime correspondent à celles découvertes ici. Les poils de chien correspondront probablement à ceux de votre molosse. Comment s'appelle-t-il, déjà ?

– Guillaume II.

– C'est ça. Quant aux cheveux trouvés sur la dépouille de l'inspecteur Muller, sans parler des autres prélèvements d'ADN, ils nous conduiront aux tueurs.

Il ne cilla toujours pas.

– Avec votre aide, repris-je, nous pourrons établir la liste de toutes les personnes présentes ici ce week-end, puis opérer sur elles des prélèvements de cheveux, d'ADN et de fibres de vêtements, telles ces tenues de camouflage que portent vos vigiles. Vous me suivez ?

– Tout à fait.

– À propos de votre armée, où et sur quels critères avez-vous recruté ces hommes ?

– Ce sont tous d'anciens militaires.

– Ils sont donc experts en maniement des armes.

– Plus important, ils sont extrêmement disciplinés. Comme tout militaire, je préfère mille fois dix hommes disciplinés et bien entraînés à dix mille soldats médiocres.

– N'oubliez pas : « loyaux et motivés par une noble cause ».

– Cela va sans dire.

Kate prit la parole :

– Combien de vigiles sont présents ici ce soir ?

Il eut un petit sourire, comme s'il lisait dans ses pensées.

– Dix, je crois.

On frappa à la porte. Carl entra, poussant un chariot bas, sur lequel trônait un grand plateau couvert. Il installa le chariot entre nous, ôta le couvercle.

Là, sur le plateau d'argent, s'alignaient des dizaines de saucisses en croûte cuites à point, comme je les aime. Deux bols de cristal contenaient, l'un une épaisse moutarde à l'ancienne, l'autre de la moutarde de Dijon.

– Je dois vous faire un aveu, déclara notre hôte. J'ai téléphoné à Henri, pour lui demander si l'un de vous deux avait exprimé une préférence culinaire.

Il conclut joyeusement, en français, avec un grand sourire :

– *Et voilà !*

Ce n'était pas l'aveu que j'espérais. Il le savait, mais cette surprise-là n'était pas mal non plus.

– Désirez-vous autre chose ? interrogea Carl.

Madox consulta sa montre.

– Non, mais... Voyez où en est le dîner.

– Bien, monsieur.

Carl s'en alla.

– Pas de bécasse, ce soir. Steaks épais et pommes de terre. Goûtez donc une saucisse, monsieur Corey.

Je captai le regard de Kate. Il disait clairement que je serais incapable de résister à des saucisses en croûte, empoisonnées ou non. Elle avait raison. Le fumet de leur croûte et de leur chair valait tous les parfums de l'Arabie.

Toutes étaient piquées de cure-dents, rouges, bleus, jaunes. Je choisis le bleu, ma couleur préférée, plongeai une des saucisses dans la moutarde sombre.

– John, dit Kate, tu devrais te réserver pour le dîner.

– Juste une.

Je fourrai la saucisse dans ma bouche. Son goût était plus délectable encore que son fumet : croûte chaude et ferme, moutarde épicée.

– Je vous en prie, servez-vous, proposa Madox à Kate.

– Non, merci.

Elle me jeta un coup d'œil inquiet et dit à Madox :

– Vous, prenez-en une.

Il s'exécuta, mais opta pour la moutarde de Dijon. J'avais donc, peut-être, choisi la mauvaise.

En fait, je me sentais parfaitement bien. Je dégustai une autre saucisse, cette fois avec de la moutarde jaune, pour être du bon côté.

Madox mâcha la sienne, l'avala.

– Pas mauvais...

Il en désigna une piquée d'un cure-dent rouge, l'offrit à Kate.

– Vraiment pas ?

– Non, merci.

Il la mangea lui-même, cette fois avec de la moutarde fine. J'en dévorai donc une troisième.

Ces saucisses me firent penser à Guillaume II, dont l'absence m'intriguait. Les chiens alertent leur maître, et toute autre personne, si un intrus approche. J'avais la très forte intuition que Madox ne voulait pas que Kate et moi devinions la présence de gardes postés derrière les portes. Pour faire monter un peu plus la tension, je lâchai :

– Moi aussi, j'ai un aveu à vous faire. Vous connaissez les Borgia, n'est-ce pas ? Eh bien, après votre invitation, nous avons reçu le rapport d'analyses toxicologiques, révélant une grande quantité de sédatif dans le sang de Harry. Kate s'est inquiétée de... enfin, vous voyez...

Madox nous scruta tour à tour.

– Non, je ne vois pas. Et il est fort possible, asséna-t-il, que je n'y tienne guère.

– Kate et moi nous en voudrions de passer pour des invités discourtois, mais nous sommes un peu anxieux à l'idée que... qu'un membre de votre service de sécurité ait peut-être accès à des sédatifs puissants et les ait éventuellement administrés à la victime.

Silence. Madox alluma une cigarette, sans demander si cela gênait qui que ce soit. Kate était dans ses petits souliers. Quant à lui, il paraissait sincèrement offensé.

Pour le détendre, je saisis une autre saucisse en croûte – cure-dent bleu, moutarde jaune –, la mastiquai sans hâte avant de reprendre :

– D'un autre côté, il apparaît que Harry Muller a été drogué par un dard anesthésiant, puis maintenu dans cet état grâce à deux injections hypodermiques. Nous pourrions donc nous interroger sur le contenu de notre whisky ou de ces merveilleuses saucisses en croûte...

Madox but une gorgée de scotch, tira sur sa cigarette.

– Êtes-vous en train d'insinuer que quelqu'un, ici, essaierait de vous... droguer ?

– Je ne fais qu'extrapoler à partir des pièces à conviction.

Je me forçai à rire.

– Nombre de gens prétendent que j'ai besoin de sédatifs. Ceux-ci me feraient peut-être du bien s'il n'étaient pas suivis d'une balle dans le dos.

Madox resta paisiblement assis dans son beau fauteuil de cuir vert, souffla quelques ronds de fumée, puis lança à Kate :

– Si vous croyez cela, le dîner risque d'être lugubre.

Bien envoyé, Bain. Décidément, il me plaisait. Il était fort dommage qu'il dût mourir ou, s'il avait de la chance, passer le reste de sa vie dans un endroit bien moins confortable que celui-là.

Kate décida de passer à l'offensive.

– Je m'intéresse à Carl, dit-elle.

La voix de Madox se raffermit.

– Carl est un de mes plus anciens collaborateurs et amis. J'ai toute confiance en lui.

– Voilà pourquoi je m'intéresse à lui.

– Cela ressemble fort à une accusation contre moi, rétorqua brutalement Madox.

– L'inspecteur Corey et moi-même aurions dû vous informer que personne, parmi tous ceux qui se trouvaient chez vous ce week-end, n'est au-dessus de tout soupçon. Pas même vous.

À ce point de l'entretien, Madox aurait dû nous dire d'oublier le dîner et nous enjoindre de quitter sa maison. Mais il n'en avait pas fini avec nous, pas plus que nous n'en avions terminé avec lui.

Il était temps de passer à la vitesse supérieure. Je pris la parole à mon tour.

– Puisque nous parlons de vos invités... L'un d'eux, arrivé dimanche, n'a, semble-t-il, pas encore quitté votre propriété.

Madox se leva brusquement, marcha jusqu'au bar. Tout en se servant un autre verre, il grommela :

– Je ne vois pas très bien à qui vous faites allusion.

Je me levai à mon tour, fis signe à Kate de m'imiter.

– Au professeur Mikhaïl Putyov, martelai-je en me tournant vers le bar. Physicien nucléaire.

– Oh, Mikhaïl... Il est parti.

– Où ?

– Aucune idée. Pourquoi ?

– Eh bien, s'il n'est pas ici, il a disparu.

– D'où ?

– De chez lui et de son lieu de travail. Il avait interdiction de se déplacer sans en aviser le FBI.

– Ah bon ? Pourquoi ?

– Cela figure dans son contrat. Putyov est de vos amis ?

Son verre à la main, Madox s'appuya contre le bar, comme plongé dans une réflexion profonde.

– Ma question vous gêne ? lui dis-je.

Il sourit, leva les yeux vers moi.

– Non. Je pèse ma réponse.

Il nous regarda l'un et l'autre.

– Le professeur Putyov et moi avons des relations professionnelles.

Je sentis que nous touchions au but, qu'il allait baisser la garde et dévoiler enfin son vrai visage.

– Quel genre de relations professionnelles, monsieur Madox ?

Il eut un geste fataliste de la main, comme s'il abandonnait.

– Oh, John... Puis-je vous appeler John ?

– Bien sûr, Bain.

– Parfait. Comment décrire cette... ?

– Commencez par la miniaturisation des armes nucléaires, suggérai-je.

– Cela me paraît un bon début.

– Ajoutons également « bombes transportables ».

Il acquiesça en souriant.

Tout était beaucoup plus facile que je l'avais escompté, ce n'était peut-être pas bon signe. Je poursuivis quand même :

– Évoquons deux de vos invités : Paul Dunn, conseiller du Président pour les questions de sécurité, et Edward Wolffer, secrétaire d'État adjoint à la Défense.

– Eh bien ?

– Ils étaient ici. Exact ?

– En effet. Vous comprenez pourquoi je ne tiens pas à ce que des intrus rôdent dans les parages.

– Vous avez le droit de recevoir des amis pour le week-end, Bain.

– Merci. Et cela ne regarde personne.

– Pas dans le cas qui nous préoccupe.

– Vous avez peut-être raison, John.

– J'ai raison. Il y avait aussi James Hawkins, général d'aviation, membre de l'état-major interarmes. Exact ?

– Exact.

– Et puis qui ? questionnai-je.

– Oh, une dizaine d'autres, non impliqués dans l'affaire en cours. Sauf Scott Landsdale, qui assure la liaison entre la CIA et la Maison-Blanche.

– Évidemment...

Ce nom-là, je ne l'avais pas, mais j'aurais été déçu qu'un membre de la CIA ne soit pas mêlé à... je ne savais pas encore quoi.

– Ces quatre hommes constituent mon bureau exécutif.

– Bureau exécutif de quoi ?

– De ce club.

– Très bien. De quoi avez-vous parlé ?

– Du Projet vert et de Wild Fire.

– Bien sûr. Comment s'est passée la réunion ?

– À merveille.

Il consulta sa montre, je regardai la mienne. Il était 19 h 33. Si tout se passait comme prévu, Walsh s'apprêtait à lire son courrier électronique personnel. Et la cavalerie ne tarderait pas.

– À moi de vous poser quelques questions, nous dit Madox. Êtes-vous seuls ce soir ?

J'eus un rire appuyé, qui sonnait faux.

– Évidemment !

– Au point où nous en sommes, cela n'a plus d'importance.

Cette phrase, je la redoutais. Il ajouta :

– Comment avez-vous découvert tout cela ?

Je fus heureux de répondre :

– Grâce à Harry Muller. Il a écrit quelques mots à notre intention dans la poche de son pantalon.

– Oh... très intelligent. Avez-vous entendu parler de Wild Fire ?

439

– Pour être tout à fait franc avec vous, Bain, je ne lis pas tous les mémos que je reçois de Washington.

Je me tournai vers Kate qui, debout, le dos au feu, avait plongé la main dans la poche où elle cachait son revolver.

– Kate ? As-tu entendu parler de Wild Fire ?

– Non.

Je haussai les épaules, m'adressai de nouveau à Madox.

– J'ai dû rater ce mémo. Que disait-il ?

Mon ton faussement badin parut l'exaspérer.

– Ce projet ne fera l'objet d'aucun mémo, John. De toute façon, vous avez réuni la plus grande partie des informations que vous recherchiez. Ne faites pas preuve de paresse intellectuelle en me demandant de les interpréter pour vous.

– Tu te rends compte, Kate ? Il nous traite de paresseux. Après tout le travail que nous avons accompli !

– Vous semblez, dit Madox, avoir résolu l'affaire d'homicide, et vous êtes plus près que je ne le pensais d'appréhender le reste. Mais il vous faut encore reconstituer le puzzle.

Je me dirigeai vers les rideaux, ouvris les portes-fenêtres. La nuit était belle. Une demi-lune éclatante baignait la colline, faisant luire, dans le lointain, le toit métallique du bâtiment des générateurs, dont les trois cheminées fumaient. Deux véhicules tout terrain et une Jeep noire roulaient lentement autour de lui, comme pour le protéger.

– Je vois que les moteurs Diesel fonctionnent, constatai-je.

– C'est exact. Je viens de les faire démarrer.

Je regagnai le bar, où Madox s'accoudait toujours.

– Six mille kilowatts, dis-je.

– Encore exact. Qui vous a raconté ça ? Potsdam Diesel ?

– Où se trouve l'émetteur ELF ?

Ma question ne le surprit pas.

– Que vous ayez découvert que cette installation était une station ELF ne m'impressionne guère. Tout, ici, le laissait deviner : les générateurs, les câbles, cet emplacement au cœur des monts Adirondack...

– Où est l'émetteur, Bain ?

– Je vous le montrerai. Plus tard.

– Pourquoi pas tout de suite ?

– Tout à l'heure.

Il sourit : calme, détendu, presque ironique.

– Êtes-vous parvenus à des conclusions définitives ? Kate ? Une illumination ?

– Quatre malles contenant chacune une bombe atomique ont gagné Los Angeles et San Francisco à bord de vos deux jets privés, asséna-t-elle.

– Exact. Et ?

– Votre émetteur ELF enverra un signal pour les faire exploser lorsqu'elles seront parvenues à leur destination.

– Vous brûlez...

J'interrompis ce petit jeu de devinettes, qui commençait à me courir :

– Les jeux sont faits, mon pote. Je vous arrête pour le meurtre de l'agent fédéral Harry Muller. Tournez-vous, posez vos mains sur le comptoir et écartez les jambes. Kate, couvre-moi.

Je m'approchai de Madox, qui n'avait pas obtempéré.

La voix de Kate me fit sursauter.

– John...

Je pivotai. Debout sur le pas de la porte, Carl la tenait en respect avec un fusil de chasse.

À l'autre bout de la pièce, à l'entrée de la salle de jeu, un autre homme pointait un M-16 vers nous.

Un troisième surgit de la terrasse, un fusil-mitrailleur à la main.

Tous trois s'avancèrent à l'intérieur de la pièce. Je reconnus Luther, sorti de la salle de jeu. Quant au garde passé par la terrasse, c'était celui que j'avais effrayé avec mon coup de Klaxon.

Je me retournai. Madox braquait sous mon nez un gros Colt 45 automatique de l'armée.

Je ne prétendrai pas que je n'avais pas vu tout cela venir. Pourtant, la scène me parut irréelle, y compris les mots de Madox, qui résonnèrent dans la salle.

– Vous saviez bien que vous ne sortiriez pas d'ici vivants.

Chapitre 49

Kate et moi échangeâmes un regard. Elle ne semblait pas apeurée, mais furieuse. Peut-être contre moi.

– Face contre terre, tous les deux ! cria Madox. Un geste suspect et vous êtes morts.

Je m'exécutai, tout comme Kate. Face contre terre : c'est ainsi, dans la police et dans l'armée, qu'on désarme les prisonniers. Nous avions affaire à des gens qui connaissaient leur métier.

– Kate, vous d'abord, dit Madox. Vos armes. Lentement. John, restez le nez dans le tapis. Et n'essayez même pas de respirer.

Je ne voyais pas ce qui se passait. Mais j'entendis ce que je devinai être le bruit d'une botte ou d'un soulier envoyant le Glock de Kate à l'autre bout de la pièce et, de nouveau, la voix de Madox.

– Transportez-vous toujours votre arme dans la poche ?

Elle ne répondit pas. Il ajouta :

– Cela ne vous a pas servi à grand-chose. D'autres armes ?

– Non.

– Où est votre holster ?

– Au creux de mes reins.

– Prenez-le, ordonna-t-il. Enlevez-lui sa montre, ses chaussures, ses chaussettes et sa veste. Ensuite, passez-la au détecteur portatif.

Je perçus des froissements puis, quelques instants plus tard, l'injonction de Madox.

– Fouillez-la !

Et enfin, la voix de Kate :

– Ôtez vos sales pattes de là !

– Vous préférez qu'on vous déshabille ?

Pas de réponse.

– Rien à signaler, conclut Luther.

– Retournez-vous, dit Madox.

Je l'entendis rouler sur elle-même. Le détecteur émit un signal.

– Qu'est-ce que c'est que ça ? demanda Carl.

– Ma ceinture et ma fermeture Éclair, imbécile !

– Enlevez votre ceinture, dit Madox.

Je ne sais s'ils la passèrent de nouveau au détecteur, mais je ne perçus aucun son. Le Bear Banger n'avait donc pas été repéré.

– Carl, palpe-la.

J'ignore où il la palpa, mais elle rugit :

– Tu prends ton pied ?

Quelques secondes plus tard, Carl déclara :

– Rien à signaler.

Je n'avais pas la moindre idée de l'endroit où Kate avait caché son Bear Banger. Soit il avait échappé à la fouille, soit ils l'avaient trouvé mais ne savaient pas ce que c'était.

Madox s'adressa à l'autre garde.

– Derek, mets-lui les fers.

Je distinguai les sons métalliques d'anneaux qu'on verrouillait.

– À votre tour, John. Vous connaissez la manœuvre. Votre arme d'abord.

Toujours face contre terre, je mis ma main sous ma poitrine, comme pour atteindre mon arme, tirai mon Bear Banger de la poche de ma chemise et le posai sur le tapis, sous mon estomac.

Madox s'était placé derrière moi.

– N'envisagez pas de vous comporter en héros, ou votre femme est morte. Oui, je sais qu'elle est votre femme.

– Allez vous faire foutre.

J'extirpai mon Glock de ma ceinture, le fis glisser sur le tapis.

– Quoi d'autre ? Ne mentez pas, John, ou je vous loge une balle de 45 dans l'arrière-train.

– Le holster contre ma cheville gauche.

Quelqu'un souleva la jambe de mon pantalon, prit mon holster et mon calibre 38.

Ensuite, on m'enleva mes chaussures, mes chaussettes, ma veste de cuir et ma montre.

– Détecteur, dit Madox.

Un des types, je crois que c'était Luther, marcha autour de moi avec l'appareil. Sans résultat.

– Fouille-le.

Des mains palpèrent mes jambes, puis tâtèrent mon dos.

– Rien, annonça Luther.

– Bain, dis-je, Luther m'a peloté.

Cela ne plut pas au garde, qui aboya :

– Ta gueule, *monsieur* !

Je répondis :

– Tu es censé palper, pas t'attarder.

Un gros brodequin enfonça le côté droit de ma cage thoracique. Luther beugla :

– Enfoiré !

– Ne fais jamais cela sans mon autorisation ! gronda Madox.

Tout en reprenant mon souffle, je ne pus m'empêcher de ricaner :

– La discipline de votre soldatesque laisse à désirer, Bain.

– Fermez-la. Et retournez-vous !

Il me fallait le faire sans dévoiler la présence du Bear Banger. Au lieu de rouler sur moi-même, je feignis d'avoir très mal aux côtes après le coup de pied de Luther, me contractai en gémissant, oscillai à peine sur le côté et, d'une brusque poussée, me retrouvai sur le dos, exactement au même endroit, le Bear Banger à présent sous mes reins.

Madox se tenait à mes pieds. Carl, lui, était debout près de Kate, son fusil de chasse pointé sur elle.

À ma droite, Luther tapotait le creux de sa main du détecteur, comme une matraque avec laquelle il rêvait de me défoncer le crâne.

Je ne vis pas Derek, l'autre vigile. Sans doute se trouvait-il derrière moi, braquant son M-16 sur ma tête.

Seule bonne nouvelle : pour une raison ou une autre, Madox n'avait pas ouvert le feu.

Il parut deviner mes pensées.

– Vous vous demandez pourquoi je vous consacre, à tous

les deux, autant de temps et d'énergie. C'est parce que j'ai besoin que vous me fournissiez certaines informations. Et puis je ne veux pas de sang sur mon tapis persan.

Deux excellentes raisons, en effet...

– Ôtez votre ceinture.

Je défis la boucle, fis glisser ma ceinture dans les passants de mon pantalon et la jetai à côté de moi.

– Derek, entrave-le. Levez les jambes, John.

J'obéis. Derek fixa les bracelets autour de mes chevilles, les verrouilla. Leur poids me surprit. J'abaissai mes jambes, faisant cliqueter les fers.

Luther enleva mon stylo de la poche de ma chemise, passa le détecteur sur mon corps. Ma fermeture Éclair le déclencha. Luther le fit courir sur mon pantalon.

– Pas de couilles de cuivre, mon colonel.

Tout le monde gloussa, sauf Kate et moi.

J'avais conscience d'exaspérer tout le monde, y compris Kate, peut-être. Ces hommes, qui avaient jusque-là agi en professionnels, pouvaient très vite se montrer plus zélés. Je décidai donc de la boucler, pour le salut de Kate.

Je la regardai, allongée à moins d'un mètre de moi, sur le dos elle aussi, entravée tout comme moi.

– Tout ira bien quand ils seront là, murmurai-je.

– Je sais.

Viendraient-ils ? Toute la question était là.

– Taisez-vous ! nous intima Madox. Vous ne parlerez que lorsqu'on vous le demandera. Fouille-le, ajouta-t-il à l'intention de Luther.

Luther s'en donna à cœur joie, allant jusqu'à enfoncer ses pouces dans mes testicules.

– Rien à signaler.

Madox marcha jusqu'au bar. Il examina nos vestes, nos papiers d'identité, nos chaussures, nos ceintures. Il déversa ensuite sur le comptoir le contenu du sac de Kate et l'inspecta.

– Je compte six chargeurs pleins. Vous pensiez vraiment nous descendre tous ?

Les trois autres crétins s'esclaffèrent.

– Allez vous faire foutre ! criai-je.

En dépit de mes résolutions, je n'avais pas pu résister. Le ton de Madox se fit dédaigneux.

– C'est ce que votre ami Harry ne cessait de répéter. Allez vous faire foutre... Allez vous faire foutre... N'avez-vous pas quelque chose d'intelligent à dire ?

– Si. Vous êtes toujours en état d'arrestation.

Cela le fit rire.

– Vous aussi.

Il enleva les batteries de nos téléphones, examina mon stylo. Il n'avait toujours pas découvert le Bear Banger de Kate. J'espérais donc qu'elle l'avait toujours sur elle.

Madox parcourait à présent nos carnets de notes. Je savais qu'il ne parviendrait pas à lire les miennes, car personne, pas même moi, ne peut déchiffrer mon écriture. Celle de Kate, en revanche, est parfaitement claire.

– Je constate que vous avez l'esprit logique, lui dit-il. Qualité rare chez une femme.

Elle répondit, bien sûr :

– Allez vous faire foutre.

Il eut un autre petit rire. Puis, parcourant toujours ses notes :

– Kate, quelqu'un sait-il que vous vous trouvez ici ?

– Personne, hormis le FBI et la police de l'État, qui sont en route pour Custer Hill.

– S'il se passait quoi que ce soit au quartier général des State Troopers, je serais au courant.

Précision que j'aurais préféré ne pas entendre...

– John, reprit-il, que savent-ils, au 26, Federal Plaza ?

– Tout.

– Je ne crois pas.

– Alors, ne le demandez pas.

– On vous a vu vous entretenir avec Harry vendredi après-midi, devant l'ascenseur du 26, Fed. De quoi avez-vous parlé ?

Vraiment, je n'avais aucune envie d'apprendre que Madox avait un informateur au 26, Federal Plaza...

– John ?

– Nous n'avons pas parlé travail, répondis-je.

– Comme vous voudrez... Je suis un peu pressé par le temps. Nous verrons cela tout à l'heure.

– Le plus tard sera le mieux.

– Mais je ne serai pas très gentil.

– Vous ne l'êtes pas en ce moment, Bain.

Il rit encore.

– Vous n'avez encore rien vu, *mon pote*.

Il s'était déplacé et me faisait face, dardant sur moi son regard de faucon.

– Il existe deux sortes d'interrogatoires, John. J'ignore ce qu'il en est pour vous, mais je préfère celle sans os brisés, flots de sang ou cris implorant la pitié... Kate ? Et vous ?

Silence.

– À votre aise. Vous avez peut-être remarqué, à l'entrée de la propriété, la scie à ruban avec laquelle je débite mon bois. On peut y terminer sa carrière de deux manières : mort ou vivant. Putyov y est passé mort, parce que je l'aimais bien. Mais vous, vous m'agacez. Toutefois, si vous vous montrez coopératifs, je vous donne ma parole de soldat que vous connaîtrez une fin rapide et miséricordieuse : une balle dans la tête. Ensuite, seulement, la scie se chargera de vous. Cela vous convient-il ? John ? Kate ?

Pour gagner un peu de temps, je répondis :

– Marché conclu.

– Parfait. Vous avez demandé à voir mon émetteur ELF. Je vais donc vous le montrer.

Les quatre hommes changèrent de place.

– Bien. Monsieur et madame Corey, vous pouvez vous lever. Les mains sur la tête.

Je me redressai en grimaçant. Mon mal aux côtes n'était plus imaginaire. Je plaçai mes mains derrière mon dos pour m'aider à me lever, saisis le Bear Banger entre mes doigts, le fourrai dans mon caleçon et me remis sur pied.

Je me tournai vers Kate qui, debout, me regardait.

– Il faudra tenir le coup, lui dis-je.

Elle acquiesça.

– On se tait ! me rappela Madox.

Il consulta sa montre, fit signe à Carl.

– Allons-y.

– Suivez-moi, nous dit Carl. Dix pas d'intervalle.

Nous l'escortâmes jusqu'à la salle de jeu.

Je n'avais jamais marché avec des fers. Même si la chaîne était un peu lâche, j'avais du mal à mettre un pied devant l'autre. J'adoptai d'instinct une démarche traînante, comme les bagnards.

Le métal irritait déjà mes chevilles. Privé de ceinture, mon pantalon avait tendance à glisser. Je dus le remonter plusieurs fois, ce qui provoqua les hurlements de Luther.

– Les mains sur la tête !

Devant moi, Kate titubait presque. Mais son jean serré tenait bon et elle gardait les mains sur la tête.

J'ignorais qui me suivait. Jetant un coup d'œil par-dessus mon épaule, j'aperçus Madox à trois mètres derrière moi, son Colt à la main.

Luther fermait la marche avec son M-16. Derek était resté au bar, où il rassemblait tous les objets qu'on nous avait pris.

– La prochaine fois que vous vous retournerez, me dit Madox, il vous poussera un troisième œil au milieu du front. Compris ?

Bain Madox n'était ni charmant, ni bien élevé, ni même civilisé. Je crois que je l'aimais mieux ainsi, tel qu'en lui-même, débarrassé de son masque de seigneur.

Carl s'arrêta au milieu de la salle de jeu.

– Stop ! ordonna son maître.

Kate s'arrêta. Je l'imitai, examinai la pièce. Un des murs s'ornait d'un grand jeu de fléchettes, flanqué, en guise de cible, d'une photo en couleur de Saddam Hussein. Madox s'adressa à moi.

– Vous m'avez demandé quand la guerre débuterait. Le déclenchement des opérations est fixé au 15 mars, à quelques jours près en fonction d'éventuels impondérables techniques : les ides de mars. Mais je la commencerai plus tôt. Dans environ deux heures.

– Dînerons-nous d'abord ?

Luther, enfin, me trouva drôle.

Madox, qui m'avait dépassé et paraissait un peu tendu, voire préoccupé, ne réagit pas à ma question.

Carl avait mis son fusil de chasse à l'épaule, ce qui me permit de l'observer. C'était un Browning automatique, capable de tirer cinq cartouches de 12 mm en quelques secondes. Encore fallait-il rester sur ses pieds. Pour Carl, cela ne poserait pas de problème, jusqu'à ce qu'il presse la détente pour la sixième fois. À ce moment-là, le fusil serait vide.

Le Colt automatique 45 de Madox avait, lui, sept balles dans le barillet et une dans la chambre. C'était une arme notoirement peu précise, mais puissante.

Le M-16 de Luther était d'un tout autre genre. Très précis à moyenne distance, si Luther avait entre les mains sa version entièrement automatique, il pouvait vous balancer vingt balles au revêtement d'acier en moins de temps qu'il ne vous en faudrait pour crier « Je suis mort. »

Nous avions perdu Derek, la victime de mon coup de Klaxon. Kate et moi avions donc affaire à trois hommes armés jusqu'aux dents. Et nous étions entravés, pieds nus...

Conclusion : ce n'était pas le moment de sortir nos Bear Banger. D'autant qu'il nous fallait d'abord aller jusqu'à l'émetteur ELF. Il me restait à espérer que Kate l'avait compris.

Carl passa une main sous la grande table ronde de poker, fit un pas en arrière. La table se souleva. Je perçus le ronronnement d'un moteur électrique, tandis qu'elle continuait à monter, emportant avec elle la partie circulaire du plancher recouverte par une partie du tapis. Je voyais, à présent, le piston hydraulique qui haussait l'ensemble. Lorsque les pieds de table, le rond de tapis et la section du plancher se retrouvèrent à un mètre cinquante du sol, tout s'arrêta, laissant à la place un trou de plus d'un mètre de diamètre.

Carl s'assit sur le rebord, les jambes dans le vide, puis disparut. Quelques instant plus tard, une lumière surgit du trou sombre.

– Kate, à vous l'honneur, dit Madox.

Elle hésita. Il lui prit le bras, la poussa sans ménagement vers la trappe.

– Bas les pattes, connard ! m'exclamai-je.

Il me toisa et répondit :

– Un mot de plus et elle le regrettera. Compris ?

Je hochai la tête.

Il amena Kate jusqu'au rebord et précisa :

– C'est un escalier en colimaçon. Agrippez-vous aux rampes et descendez vite.

Elle s'assit, saisit la corde qui pendait de la partie de plancher surélevée et s'engouffra dans la trappe.

Madox me montra le trou.

– À vous.

Luther me poussa. Cet imbécile s'était mis en danger en s'approchant trop près de moi. Madox s'en aperçut et aboya :

– Recule, crétin !

– Je ne lui ferai pas de mal, dis-je.

Madox qui, lui, n'était pas bête, s'écarta de moi et me menaça de son Colt.

– Stop !

Je m'arrêtai.

Quelques secondes plus tard, Carl cria :

– C'est bon !

– Kate est en bas et Carl la tient en respect avec son arme, lança Madox. Vous êtes prévenu. Allez-y.

Je m'assis par terre et me glissai dans la trappe, jusqu'à ce que mes pieds sentent la première marche. Je savais qu'une fois que nous serions tous les deux dans cet antre souterrain, personne ne nous trouverait. Madox s'impatienta, arma son Colt.

– Dépêchons, John. Je n'ai plus de temps à perdre.

Je descendis l'escalier, qui s'enroulait autour du piston hydraulique. Les fers me gênaient mais j'avais les mains libres. Je m'appuyai aux deux rampes et glissai doucement.

Si Madox avait l'intention de nous passer les menottes, il me faudrait agir avant que cela se produise. Je savais que Kate en avait conscience.

L'escalier s'enfonçait à six mètres de profondeur, ce qui correspondait à un immeuble de deux étages. Il ne fallait pas être grand clerc pour en déduire qu'il s'agissait de l'abri anti-atomique.

Les marches aboutissaient à une pièce circulaire en béton, éclairée par des lampes au néon. Au fond, à environ trois mètres, une porte de chambre forte, en acier, s'encastrait dans le mur.

J'entendis encore une fois, derrière moi, la voix de Madox :

– Face contre terre.

Je me retournai. À l'autre bout de la pièce, Carl pointait son fusil sur Kate, allongée sur le sol.

J'aurais pu agir à ce moment-là. Mais, avant même que je l'aie décidé, Carl approcha le canon de son arme de la tête de Kate et beugla :

– Trois ! Deux !...

Je me couchai.

– C'est bon ! gueula Carl.

Les pas de Madox résonnèrent sur les marches. Des pas assurés, comme s'il avait emprunté cet escalier de nombreuses fois. Il ordonna à Luther, qui l'avait suivi :

– Ouvre la porte.

La roue cliqueta. La lourde porte s'ouvrit en grinçant légèrement.

– John, déclara Madox, si vous tentez quoi que ce soit, Kate sera abattue la première. Carl et Luther, vous m'entendez ? Un geste de Corey et vous la tuez. Je m'occuperai de lui moi-même.

Les deux gardes répondirent en chœur :

– Oui, monsieur.

– John, j'ai déjà presque dix minutes de retard. Ne mettez donc pas ma patience à l'épreuve. Vous faites ce qu'on vous dit ou je descends l'un de vous. Pigé ?

– Pigé.

– Parfait. On n'est jamais un héros pour sa femme, vous savez... Alors, ne tentez rien.

– Merci du conseil.

– Kate, debout. Les mains sur la tête.

Elle se leva.

– Suivez Carl, lui ordonna-t-il.

Puis, s'adressant à moi :

– John, debout. Les mains sur la tête. Suivez à vingt pas.

Je me levai, posai mes mains sur mon crâne. Kate et Carl avaient disparu. Je remarquai non loin de moi un grand sac de toile entrouvert, d'où dépassaient les manches de ma veste. Derek avait donc remis nos affaires à Luther, effaçant ainsi toute trace de notre présence au Custer Hill Club, hormis le Dodge de Rudy, dont ils se débarrasseraient au plus tôt.

Madox capta mon regard.

– Ils ne découvriront même pas votre ADN dans les excréments des ours.

Il désigna la porte, fichée dans un mètre cinquante de béton.

– Après vous. Bienvenue dans mon abri antiatomique.

Je me mis en marche, Madox et Luther et derrière moi. Je franchis la porte, qui se referma.

Nous devions nous trouver sous la terrasse, à l'arrière du chalet, enfoncés profondément dans la roche et sans communication avec le sous-sol de la maison.

Personne, depuis là-haut, ne nous trouverait jamais.

Chapitre 50

Nous longions à présent un couloir dont les murs de béton, de trois mètres de haut, étaient peints d'un gris clair qui laissait la place, un mètre plus loin, au bleu ciel. Le plafond était couvert de panneaux de verre dépoli, derrière lesquels brillaient des lampes violettes qui éclairaient, par terre, un horrible gazon artificiel, pour donner l'illusion d'une prairie ensoleillée.

– Une idée de mon idiote de femme, commenta Madox. Elle avait une peur irrationnelle de la guerre atomique.

– Comme c'est bizarre...

Il semblait de meilleure humeur. Il me montra, sur la droite, une porte ouverte sur une salle de jeu d'enfants.

– Nos bambins étaient jeunes, à l'époque. Elle était sûre qu'ils grandiraient ici. Elle avait vu *Le Dernier Rivage* et *Docteur Folamour* au moins vingt fois. Elle ne se rendait pas compte que le premier était un film sérieux, et l'autre une fable d'un humour macabre. Les films sur la guerre nucléaire l'envoyaient chez son thérapeute pendant des mois.

J'eus l'impression qu'il avait eu des problèmes avec l'obsession de sa femme vis-à-vis de l'apocalypse nucléaire et essayait peut-être de s'en débarrasser en provoquant sa propre guerre atomique. Mme Madox serait certainement la première personne à qui il téléphonerait dès qu'elle serait terminée.

Kate et moi avancions lentement, les fers aux pieds, le long du couloir. Chaque fois que je remontais mon pantalon, Luther beuglait : « Les mains sur la tête ! », et je répondais invariablement : « Va te faire foutre ! ».

452

J'entendais le ronronnement de la ventilation. Pourtant, l'air, humide, avait une odeur un peu nauséabonde.

De chaque côté du couloir, d'autres portes ouvertes révélaient des pièces meublées : des chambres, un salon, une cuisine, une longue salle à manger aux murs lambrissés, avec de lourds rideaux, un plafond à caissons et de somptueux tapis. D'une porte close parvenait un bruit de voix : la radio ou la télévision. Quelqu'un d'autre était peut-être là.

Madox se parlait toujours à lui-même.

– Elle a dépensé une fortune pour décorer cet abri. Elle voulait vivre les années suivant la catastrophe dans un décor qui ne la dépayserait pas. Cela étant, cette installation m'a bien servi. D'abord, pour mon émetteur ELF. Et aussi pour y entreposer des fortunes en œuvres d'art, en lingots d'or et en argent liquide.

Il ajouta en riant :

– Le dernier inspecteur des impôts venu fouiner par ici est toujours enfermé dans une des pièces.

Elle est bien bonne...

En fait, cet endroit faisait plutôt penser au bunker du Führer, mais il valait peut-être mieux éviter ce genre de remarque.

Nous atteignîmes le fond du couloir, long d'une cinquantaine de mètres. Carl déverrouilla une porte d'acier, l'ouvrit, alluma la lumière.

– Kate, suivez Carl, dit Madox. John, arrêtez-vous.

Kate passa la porte et je m'immobilisai.

– Tout va bien ! cria Carl.

– John, à vous, dit Madox.

Ces ordres aboyés commençaient à me fatiguer. Là encore, inutile d'en faire état, alors que nous étions si proches... de la fin.

Je pénétrai dans la salle. Kate était de nouveau face contre terre. Debout contre le mur du fond, Carl la tint en respect pendant mon entrée.

– John, face contre terre, m'intima Madox.

Je m'allongeai sur un épais tapis bleu. D'un point de vue professionnel, j'appréciai la précision militaire de Carl et de Bain, leur façon toute réglementaire de traiter leurs deux prisonniers qui, quoique désarmés et surveillés par trois hommes, restaient, pour eux, potentiellement dangereux. D'où les fers.

Jusque-là, ils n'avaient commis qu'une erreur : ils n'avaient pas trouvé les Bear Bangers. C'est pour repérer ce genre d'instruments que les policiers procèdent toujours à un déshabillage intégral et à une fouille des orifices naturels des suspects. Maintenant que nous étions dans le donjon, Madox allait peut-être nous y soumettre et nous faire passer les menottes. Ce serait alors le moment d'agir.

Pour l'heure, Carl et lui semblaient avoir un autre centre d'intérêt que nous. Toutefois, près de la porte, Luther nous menaçait toujours avec son M-16, le canon de son arme oscillant de Kate à moi. Je ne vis pas le sac de toile. Sans doute l'avait-il déposé quelque part en chemin. Par conséquent, les trois seules armes présentes dans cette salle étaient celles que l'on pointait sur nous.

Que Carl ait choisi un fusil de chasse automatique dans un endroit confiné était également très professionnel : les balles tirées par des fusils de forte puissance ont tendance, après avoir traversé ceux que l'on vise, à toucher des gens qu'on ne cherche pas à atteindre, puis à ricocher, devenant dangereuses pour le tireur et ses amis.

De ce point de vue, le M-16 de Luther était presque aussi dangereux pour lui que pour nous, même si je n'avais aucune envie qu'il s'en serve.

Le Colt 45 de Madox convenait très bien à un endroit clos aux murs de maçonnerie. Mortel à bout portant pour la personne visée, il n'était pas assez puissant pour blesser ou tuer quelqu'un d'autre. Et, contre une paroi de béton, ses balles au nez aplati avaient toutes les chances de s'écraser au lieu de ricocher.

Cette analyse m'amena à une conclusion sans appel : Kate et moi n'avions aucune chance. Les Bear Banger me paraissaient de plus de plus dérisoires.

– À genoux, dit Madox. Les mains sur la tête.

Je m'exécutai, tout comme Kate. Nous étions à trois mètres l'un de l'autre, dans la salle faiblement éclairée. Elle baissa les yeux vers l'endroit où se dissimulait son Bear Banger, quelque part dans son jean ou ses dessous, et sans doute derrière sa fermeture Éclair. Je répondis à son bref regard en secouant légèrement la tête. *Pas maintenant... Quand le moment sera venu, je te ferai signe.*

Mes yeux s'habituant peu à peu à la faible lumière, je distinguais mieux l'ensemble de la pièce. Madox nous tournait le dos, assis devant une sorte de tableau de bord électronique plaqué contre le mur du fond. J'en conclus qu'il s'agissait de l'émetteur ELF. Eurêka ! Et maintenant ?

Depuis la porte, Luther pointait toujours son flingue sur nous.

Carl n'était pas visible, mais je l'entendais respirer derrière moi.

La pièce était meublée de façon fonctionnelle, comme un bureau d'entreprise. Madox en avait fait son quartier général, où il pourrait passer la journée à téléphoner pour vérifier si, dehors, quelqu'un avait survécu au Big Bang. Sans doute avait-il aussi un téléscripteur, pour suivre l'évolution de ses stocks de pétrole.

Avec sa hantise de la guerre nucléaire, sa femme lui avait effectivement été utile. Je me demandai ce qu'elle était devenue. La scie à ruban ?

Je remarquai, à droite du tableau de bord, contre le mur lambrissé, trois écrans plats de télévision fixés à des bras mobiles. Ils semblaient neufs, et presque incongrus dans ce décor des années 1980.

À gauche du tableau de bord s'alignaient six téléviseurs plus anciens, tous allumés, et dont les images en noir et blanc changeaient sans arrêt : les écrans de sécurité. Je distinguai, sur l'un d'eux, un gros plan du pavillon de garde, puis, prise depuis ce pavillon, une vue du chalet, qui s'effaça devant un plan fixe du bâtiment des générateurs, et ainsi de suite.

Madox serait donc prévenu, comme nous, de l'arrivée de la cavalerie. Pour l'heure, tout, dans la propriété, paraissait normal, paisible.

Et même si la police de l'État et le FBI enfonçaient le portail et les portes du chalet, personne ne nous retrouverait. Si Schaeffer se souvenait de l'existence, quelque part, d'un abri antiatomique, il le chercherait probablement au sous-sol et confondrait sans doute l'une des caves avec l'abri en question. Jamais il ne découvrirait le système hydraulique sous le plancher de la salle de jeu. Et si, par miracle, il tombait dessus, il lui faudrait des heures pour faire venir une équipe de dynamiteurs capable de venir à bout de la porte blindée.

Oui, nous étions dans le pétrin. Je ne voyais qu'un seul

moyen, pour lequel j'aurais dû opter : abattre ce fou et ses sbires avant qu'ils nous tuent, et sans lui laisser le temps d'actionner ses quatre bombes à l'autre bout de la planète.

Il fit pivoter son fauteuil dans ma direction.

– Comprenez-vous ce qui se passe, John ?

– Vous allez envoyer une onde ELF aux quatre récepteurs fixés aux détonateurs de vos bombes.

– Exact. En fait, la transmission a déjà commencé.

Merde.

– Venez plus près, John. Sur les genoux. Vous aussi, Kate.

Kate et moi nous rapprochâmes péniblement du tableau de bord. Derrière nous, Carl cria :

– Stop !

Nous nous arrêtâmes.

– Vous voyez ces trois petites fenêtres ? demanda Madox.

Il nous désigna un boîtier noir au-dessus du tableau de bord. La première fenêtre de ce boîtier déroulait à une allure vertigineuse une série de lettres rouges.

– Je viens d'envoyer, expliqua Madox, la première des trois lettres codées qui déclencheront la mise à feu.

J'avais du mal à me persuader de la réalité de ce qui allait se produire.

– Pourquoi faites-vous ça ? murmurai-je.

Il sourit pour la première fois depuis les saucisses en croûte.

– Ah, la question du « pourquoi »...

Il alluma une cigarette.

– Pourquoi ? Parce que je suis écœuré et fatigué de voir se succéder des présidents potiches qui lèchent les orteils des Arabes. Voilà pourquoi.

Lui-même ne s'était pas privé d'en embrasser quelques-uns et il se vengeait. Je feignis d'abonder dans son sens.

– Vous savez, Bain, Kate et moi nous heurtons à cette situation tous les jours dans notre travail : des immigrés musulmans clandestins traités avec les plus grands égards, des gens soupçonnés de terrorisme menaçant de nous poursuivre pour arrestation arbitraire. Je comprends vos frustrations. Mais faire exploser quatre bombes atomiques au pays d'Ali Baba ne résoudra pas le problème. Cela ne fera que l'aggraver.

Il éclata de rire, ce qui me dérouta.

Il pivota de nouveau, appuya sur quelques touches de son clavier.

– Chaque lettre doit être cryptée grâce à un code à quatre chiffres.

– Je sais. Pourriez-vous m'expliquer cela en détail ?

Il sembla ne pas m'entendre, porta brièvement un écouteur à son oreille.

La première fenêtre du boîtier cessa de faire défiler ses lettres et se bloqua sur un « G » d'un rouge éblouissant.

– Quand la police de l'État et le FBI seront là, déclara Kate, ils détruiront vos générateurs et votre antenne.

Jouant toujours avec ses instruments électroniques, Bain répliqua sans se retourner :

– Kate, ils n'ont pas encore quitté le quartier général des State Troopers, qui est à plus d'une heure d'ici. Ils n'ont aucune idée de ce qui se passe dans cet abri. Et même s'ils l'investissaient dans la demi-heure, ils arriveraient trop tard. Tout sera terminé dans moins de vingt minutes.

La deuxième fenêtre du boîtier noir commença à dérouler ses lettres.

Madox pivota encore une fois et annonça :

– La deuxième lettre est partie. Les quatre récepteurs la recevront dans quinze minutes.

Je crus qu'il cherchait à nous tromper sur le temps qui nous restait.

– Une trentaine de minutes, rectifiai-je, pour lui montrer que nous avions potassé la question.

– Non. Quinze. C'est le temps qu'il faut à une onde ELF pour atteindre San Francisco et Los Angeles et pour que le récepteur décode son signal.

– Le Moyen-Orient, insistai-je. Trente minutes.

– Non ! s'écria-t-il avec impatience. Vous n'avez toujours pas compris, ce qui constitue pour moi une bonne nouvelle.

– Compris quoi ? interrogea Kate.

– Le Projet vert et Wild Fire.

Il se pencha vers le tableau de bord.

– Les générateurs se maintiennent à six mille kilowatts.

Il posa une main sur le clavier.

– Maintenant, il ne me reste plus qu'à taper le cryptage de la dernière lettre.

La défilement de la deuxième fenêtre du boîtier s'arrêta sur « O ».

– Nous avons un G et un O, poursuivit Madox. Dès lors, quel est le mot codé ? GOB ? GOT ? J'ai un trou de mémoire.

Il s'esclaffa.

– GOCO ? Non. Trop de lettres. Aidez-moi, John. Kate, s'il vous plaît... Ah, laissez-moi me souvenir... Ah, j'y suis ! GOD ! Dieu !

Il exultait, comme un gamin tripotant un nouveau jouet. Il pianota sur son clavier et la dernière fenêtre se mit à dérouler ses lettres.

Il se tourna de nouveau vers nous.

– Mon logiciel de cryptage a bien fonctionné. Il a envoyé les lettres G et O vers les récepteurs, ce que confirment celles qu'affichent le boîtier. Il s'agit du même système que celui utilisé par l'US Navy pour sa flotte de sous-marins. Mais peut-être le saviez-vous déjà. Êtes-vous au courant de ma petite expérience de 1984 ?

– Oui, dit Kate. Le FBI également...

– Vraiment ? Cela n'a plus d'importance. Lorsque le boîtier affichera GOD, le mécanisme sera enclenché. Un quart d'heure plus tard, à une minute près, en plus ou en moins, les récepteurs recevront le message. Ils le décoderont. Puis ils attendront deux minutes. Passé ce délai, s'ils n'ont pas détecté d'erreur, ou si l'émission en continu ne s'est pas interrompue, ce qui équivaudrait à un contre-ordre, ils enverront une impulsion électronique aux quatre détonateurs. Alors, nous aurons quatre belles explosions nucléaires, grâce à ce bon Pr Putyov.

Silence. Il alluma une autre cigarette, fixa la dernière fenêtre du boîtier, où les lettres se succédaient toujours. Tout à coup, elle afficha « D ». Le défilement cessa. Les trois fenêtres du boîtier formaient le mot : GOD.

Madox, qui, en cet instant, se prenait pour Dieu lui-même, s'exclama :

– Les trois lettres voyagent actuellement à travers le pays.

Je ne saisissais toujours pas ce qu'il voulait dire par « à travers le pays ». Mais peut-être ne tenais-je pas à le savoir.

Il pressa quelques boutons sur le tableau de bord. Quatre chiffres apparurent sur un grand écran : *15 : 00.*

Il appuya sur un autre bouton et le compte à rebours commença.

– Encore un quart d'heure. Ensuite, deux minutes, pendant lesquelles les récepteurs s'assureront, grâce au code de vérification, de l'exactitude du message. Et enfin...

Il frappa ses mains l'une contre l'autre.

– BOUM !

Je m'y attendais. Mais le pauvre Luther en mouilla presque son pantalon.

Madox s'amusait tellement qu'il répéta son geste trois fois. BOUM ! BOUM ! BOUM ! Mais la surprise ne jouait plus et personne ne sursauta.

Ce type avait perdu la boule. J'espérais que Carl et Luther s'en rendaient enfin compte. J'étais sûr que Harry en avait été convaincu à un moment ou à un autre. Carl et Luther se souviendraient peut-être de ce qui lui était arrivé.

La jubilation de Madox s'accentuait à mesure que le temps tournait. *13 : 36... 13 : 35...*

Il alluma une cigarette à celle qu'il venait de terminer, regarda sa montre, puis l'horloge du compte à rebours, quelques-uns de ses instruments et les six écrans de sécurité.

Au moins, il avait de quoi s'occuper pendant que le décompte se poursuivait, contrairement à Kate et à moi. En plus, mes genoux et mes côtes me faisaient mal, et mes bras, étirés par la position de mes mains sur ma tête, commençaient à fatiguer.

Carl se tenait toujours derrière nous. Tenter d'attraper mon Bear Banger, descendu loin le long de mes reins, n'aurait servi à rien. J'aurais peut-être réussi à le sortir, mais je me serais fait buter avant même de repérer dans quel sens pousser le bouton.

Kate avait de meilleures chances de s'emparer du sien et de l'avoir bien en main avant que Carl et Luther ne remarquent quoi que soit. Je constatai, à son expression tendue, qu'elle ne cessait d'y penser.

Madox fit une dernière fois pivoter son fauteuil.

– Vous me croyez sans doute fou, dit-il.

– Non, Bain, nous savons que vous l'êtes.

Il esquissa un sourire, mais prit conscience de la présence de ses hommes. Il ne tenait pas à leur fourrer des idées incongrues dans le crâne. Il redevint sérieux, comme n'importe quel individu sain d'esprit.

– Aucune grande figure de l'Histoire, pontifia-t-il, n'a échappé à ce qualificatif. César, Attila, Gengis Khan, Napoléon, Hit... En fait, celui-là était un peu déséquilibré... mais vous voyez ce que je veux dire.

– Je comprends que, si vous vous prenez pour Napoléon, vous avez besoin de parler à quelqu'un.

– John, je ne me prends pour personne, sauf pour moi.

– C'est un bon début, Bain.

– Je crois que vous n'appréciez pas mon action à sa juste valeur.

Il continua sur le même ton, énumérant les grands hommes qui avaient changé le cours de l'Histoire, y compris un certain Jean, roi de Pologne, qui avait sauvé Vienne des Turcs et n'avait rien reçu en échange.

On s'en fout, Bain...

Le compte à rebours indiquait *11 : 13*.

Profitant de ce que Madox se taisait pour allumer une énième cigarette, Kate l'interpella :

– Qu'est-ce que Wild Fire ?

Il souffla quelques ronds de fumée.

– C'est un protocole gouvernemental secret qui s'appliquera automatiquement si les États-Unis sont attaqués par une ou plusieurs armes de destruction massive. C'est le premier concept intelligent et efficace que nous ayons conçu depuis Mad, ou Mutuel Assured Destruction, la théorie de riposte globale à l'origine de l'équilibre de la terreur.

– Qu'est-ce que ça a à voir avec ce... ce qui se passe maintenant ?

Il la scruta à travers la fumée de sa cigarette.

– Vous ne savez vraiment rien ?

J'eus le sentiment que si nous donnions des réponses fausses à ces questions, s'il pensait que nous n'étions au courant de rien, nous rejoindrions l'inspecteur des impôts beaucoup plus tôt que prévu. Je répliquai donc :

– On nous a briefés, mais...

– Parfait. Racontez-moi.

– Très bien. Euh... Wild Fire est un protocole gouvernemental secret qui s'appliquera immédiatement...

– John, vous êtes un charlot. Moi, je vais tout vous dire.

Il se lança dans la description de Wild Fire, qui me donna froid dans le dos. Le plus effrayant, c'était qu'il connaissait les moindres détails d'un plan qui faisait partie des secrets les mieux gardés du pays, y compris le lieu où l'on planquait les extraterrestres de Roswell.

Le compte à rebours continuait : *9 : 34... 9 : 00... 8 : 59.*

Madox parlait toujours. Quand il énuméra les villes musulmanes qui seraient rayées de la carte en cas d'application de Wild Fire, je crus qu'il allait avoir un orgasme.

Lorsqu'il en arriva à la destruction du barrage d'Assouan, il leva les bras et clama :

– Des milliards de mètres cubes d'eau ! Le lac d'Assouan et le Nil vont balayer l'Égypte et répandre dans la Méditerranée quatre-vingt millions de cadavres !

Tout en me fascinant, sa démence ne m'empêcha pas de remarquer deux choses : un, il avait fourré son Colt dans la poche intérieure de sa veste ; deux, Luther avait l'air un peu inquiet, comme si ce qu'il venait d'entendre était nouveau pour lui. Il alluma même une cigarette, ce qu'il n'était pas censé faire pendant son service. D'autant que cela l'obligea, pour avoir les mains libres afin de prendre son paquet et son briquet, à mettre son fusil à l'épaule.

La pièce devenait enfumée. Je faillis m'en plaindre à haute voix, soulignant que cela nuisait à la santé des non-fumeurs. Mais Bain aurait eu beau jeu de répondre que ni Kate ni moi n'avions à nous soucier de l'avenir à long terme.

Le compte à rebours indiquait *7 : 28.*

Une sonnerie retentit. Elle provenait du mobile de Madox, qu'il sortit de sa poche.

– Madox, dit-il.

Il écouta. Puis :

– Le Projet vert est en route.

Il reprit son souffle et ajouta :

– Guillaume II.

Le nom du chien servait sans doute de code pour affirmer que tout allait bien, que Madox était libre de ses mouvements.

Il écouta encore.

– Parfait... Dans cinq ou six minutes. Il faudra ensuite

attendre les deux minutes de vérification. Oui... Qu'a-t-on prévu pour le dîner ?

Dix secondes plus tard, il s'esclaffa.

– Je vous ai peut-être évité un sort pire que la mort... Merci, Paul. Que Dieu nous bénisse tous.

Il raccrocha.

– Vous allez apprécier, John. On va servir au Président et à ses invités de la truite saumonée en sauce... Où en étais-je ?

– Excusez-moi, Bain. Je n'ai pas très bien saisi qui...

– Oh, excusez-moi. C'était Paul Dunn, le conseiller spécial du Président des États-Unis pour les questions de sécurité. On dîne ce soir à la Maison-Blanche en petit comité, entre intimes. Cela présente un avantage : le Président et la Première Dame pourront être rapidement évacués de Washington. Avec Paul.

– La nourriture est si mauvaise que ça ?

Il eut un rire joyeux.

– C'est vrai que vous êtes drôle.

Il remit son mobile dans sa poche.

– Pour votre information, j'ai ici un relais cellulaire. Quant à ma tour, elle est de nouveau active. Toutefois, malheureusement pour mes voisins, qui l'utilisent gratuitement, le système est maintenant brouillé. Où en étais-je ?

– Quatre-vingt millions de cadavres charriés par le Nil.

– Oui. D'un seul coup. Le plus grand massacre de l'Histoire du monde. Sans compter la centaine de millions de nos amis musulmans qui seront incinérés dans cent autres explosions nucléaires.

J'avais encore un certain mal à le suivre. Je saisissais bien le principe de Wild Fire, qui me semblait une riposte un peu expéditive à un attentat nucléaire commis aux États-Unis, mais qui étais-je pour juger ? Cependant, je ne comprenais pas comment Madox pourrait déclencher ce plan en éradiquant quatre villes musulmanes.

Soudain, je compris... Il ne s'agissait pas de villes musulmanes, mais de villes américaines ! Celles où se trouvaient déjà les bombes : Los Angeles et San Francisco. Seigneur ! Je me tournai vers Kate. Elle était blanche comme un linge.

Madox saisit une télécommande posée sur son tableau de bord et alluma les trois écrans plats.

Sur le premier, une présentatrice météo montrait du doigt une carte du pays.

– Washington, annonça Madox.

Il coupa le son. Sur le deuxième écran, un journaliste sportif donnait les résultats de la journée.

– San Francisco, dit-il.

Il coupa le son. Sur le troisième écran, deux journalistes jacassaient, avec, en arrière-plan, une vue de Los Angeles. Madox prêta l'oreille quelques secondes, puis regarda sa montre.

– Bon. Ici, il est 19 h 56. Là-bas, il est donc 16 h 56.

Il jeta un œil sur le compte à rebours. *4 : 48... 47, 46, 45...*

– Il nous reste donc cinq ou six minutes pour que la dernière lettre, D, parvienne aux récepteurs. Ensuite, deux minutes de vérification. Et puis... God !

Je m'éclaircis la voix.

– Êtes-vous... ? Êtes-vous vraiment... ?

Il se renversa dans son fauteuil pivotant, croisa les jambes et alluma une autre cigarette.

– Le Projet vert. Tel est le nom de mon plan pour déclencher Wild Fire. Tu piges ? Quatre bombes miniaturisées... Deux à Los Angeles, deux à San Francisco. Elles m'ont coûté dix millions de dollars, sans compter la maintenance. Elles vont péter dans moins de six minutes. Ensuite, Wild Fire vitrifiera ces enfoirés de musulmans, pour prix de ce qu'ils auront fait à Los Angeles et San Francisco.

Il s'interrompit brusquement, comme si une idée venait de le frapper, puis s'exclama :

– J'oubliais. C'est moi qui aurai fait sauter Los Angeles et San Francisco !

Il éclata de rire.

– Bain, pour l'amour du ciel, tu ne peux pas...

– Ta gueule, John. Tu parles comme ton copain Harry. Boucle-la et savoure la beauté de l'événement. Le Projet vert. Wild Fire... Tu vois cette bande qui court au bas de l'écran de la chaîne de Los Angeles ? Que dit-elle ? Alerte orange. Tu sais ce qu'elle dira dès demain ? Vert. Vert pour toujours. Tu ne seras plus jamais passé au détecteur dans un aéroport... En fait, toi, tu ne prendras plus jamais l'avion. Mais pense à nos compatriotes...

– Tu es malade ! hurlai-je. Tu vas assassiner des millions d'Américains !

– Écrase, John.

Il jeta un coup d'œil en direction de Carl et de Luther puis ajouta :

– La fin justifie les moyens.

– Jamais !

Il éleva la voix et asséna :

– Si ! Nous parlons d'un monde entièrement nouveau ! Tu es trop con pour comprendre ?

– Il faut que j'aille aux toilettes.

Madox se tourna vivement vers Kate.

– Qu'est-ce que vous dites ?

– Il faut que j'aille faire pipi. Je vous en prie, je ne peux plus me retenir. Je ne voudrais pas me... souiller devant vous.

Il parut irrité et réfléchit quelques instants.

– Ma chère, étant donné le travail de cochon qu'ont fait les ouvriers chargés de la purification de l'air, je n'y tiens pas plus que vous... Carl, accompagne-la.

– À quatre pattes, hennit le vigile. Tournez-vous.

Elle se mit à quatre pattes, se retourna.

– Par ici !

Je la perdis de vue, mais j'entendis Carl traverser la salle et une porte s'ouvrir derrière moi.

Madox observa la scène, tout comme Luther, qui sortit de nouveau son paquet de cigarettes.

– Allez-y, dit Carl à Kate. Je ne ferme pas la porte.

Le moment était venu. Carl surveillait Kate en me tournant le dos, Madox partageait son attention entre le compte à rebours qui en était à *3 : 26*, les écrans de sécurité qui ne signalaient toujours aucun problème, et les écrans plats où s'inscrivait l'heure à Los Angeles et à San Francisco.

Quant à Luther, il avait les yeux braqués sur la porte ouverte des toilettes.

Je tournai la tête, regardai derrière moi. Au-delà de Carl, l'arme à la hanche et pointé sur elle, j'aperçus Kate debout devant la cuvette, déboutonnant son jean et baissant sa ferme-ture Éclair.

J'ignore ce que Carl voulait mater, mais il allait voir autre chose.

– John, me dit Madox, tu n'as nul besoin de regarder ta femme se soulager. Tourne-toi par ici.

Je me détournai de la lumière à venir, retins mon souffle et fermai les yeux.

Une explosion assourdissante emplit la pièce, comme si son fracas avait été solide. Il y eut en même temps une lueur aveuglante, qui m'éblouit à travers mes paupières closes. Carl poussa un hurlement de douleur.

J'avais mon Bear Banger à la main. Cependant, la pièce étant remplie de fumée, je ne distinguai ni Madox ni Luther, et j'espérais qu'il ne me voyaient pas non plus. J'avais déjà décidé que Luther, avec son M-16, était le plus dangereux. Je pointai donc le lanceur vers l'endroit où je percevais du mouvement, et fis feu.

Une énorme détonation retentit. La fusée jaillit du lanceur et éclata contre le mur. Ou sur Luther.

Je ne cherchai pas à savoir si je l'avais touché, car tout le monde, à présent, était à moitié aveugle, sourd et complètement sonné.

Je fis un tour sur moi-même et plongeai en avant, vers l'endroit où Carl était étendu sur le dos. Je tendis le bras vers son fusil, ne rencontrai que le vide.

Kate cria quelque chose que je compris pas.

Je la regardai. Elle avait déjà le fusil de chasse entre les mains.

Je jetai un coup d'œil au visage de Carl, ou à ce qu'il en restait. Je m'accroupis et bondis vers Madox, qui s'agitait près de son fauteuil, désorienté mais prêt à agir. Freiné par mes chaînes, je tombai en avant puis, sur les mains et les genoux, m'approchai de lui.

De petite flammes s'échappaient du tapis. Un canapé fumait.

Avant que j'aie pu atteindre Madox, Luther se redressa. La crosse de son fusil contre l'épaule, il s'apprêtait à m'abattre lorsqu'une nouvelle explosion le souleva et le projeta contre le mur.

Sans lui laisser le temps de retomber, Kate fit feu une seconde fois. La mâchoire inférieure de Luther disparut.

Je me retournai vers Madox qui, à présent à genoux, me faisait face, son Colt à la main.

À l'instant où il levait son arme, Kate cria :

– Plus un geste ! Lâchez ça ! Lâchez ça ou vous êtes mort !

Il hésita un long moment. Pour l'aider à se décider, Kate tira en l'air et troua le plafond juste au-dessus de sa tête. Avant que le plâtre ne dégringole sur son crâne, il laissa tomber son arme.

Nous restâmcs ainsi, à genoux tous les deux, à un mètre cinquante l'un de l'autre. Kate se tenait six mètres plus loin, le fusil de chasse toujours braqué sur lui.

La pièce empestait la poudre. Une fumée bleue montait vers le plafond. Ma vision se rétablissait peu à peu, mais des taches noires dansaient devant mes yeux. Les détonations du fusil de chasse résonnaient encore à mes oreilles, assourdies. Quant aux autres bruits qu'il pouvait y avoir dans la pièce, je ne les entendais pas.

Je me relevai lentement, rétablis mon équilibre. Je ramassai le 45 de Madox sur le tapis, puis marchai vers Luther, assis contre le mur, près de la porte. Il n'était pas mort, mais je ne lui souhaitais pas de vivre avec la mâchoire inférieure en moins. La première cartouche de Kate lui avait déchiqueté le bras. Pourtant, retenu par sa lanière, son M-16 pendait toujours en travers de sa poitrine. Je l'enlevai, bloquai le cran de sûreté et le jetai par-dessus mon épaule.

Sur l'injonction de Kate, Madox s'était couché à plat ventre, le visage enfoui dans l'épais tapis bleu. Je levai la tête vers le compte à rebours. Il lui restait deux minutes avant d'arriver à *00 : 00*.

Il me fallait procéder selon les règles, pour être sûr que personne ne représentait plus un danger pour Kate et moi. Je me penchai donc sur Carl, qui vivait toujours et dont certaines parties du visage n'étaient plus à leur place.

Je commençai à le fouiller.

À ma stupéfaction, il se redressa, comme le monstre de Frankenstein sur la table du laboratoire.

Je fis un pas en arrière, le regardai se remettre sur ses pieds. Il était aveugle. Non pas temporairement, mais, à en juger par les brûlures qui entouraient ses yeux, de façon irrémédiable. Néanmoins, il plongea sa main à l'intérieur de sa veste et brandit un Colt 45 automatique.

Je faillis lui crier : « Lâche ça ! ». Mais il aurait alors su où tirer. Le temps pressant, je pris une décision difficile et lui balançai une balle de 45 en plein front.

Trop massif pour que l'impact le soulève, il tomba en arrière, de tout son long, comme un grand arbre.

– Cinquante-huit secondes ! s'écria Kate.

Je marchai jusqu'à Madox et lui demandai :

– Comment arrêter cet engin ?

– Va te faire foutre !

– Tu n'as rien de plus intelligent à dire ? Allons, Bain. Comment arrêter ce machin ?

– C'est impossible. Et pourquoi veux-tu le faire ? Réfléchis, John.

Pour être honnête, j'admets que j'y avais réfléchi. Que Dieu me pardonne : j'avais même songé à laisser les choses suivre leur cours.

– Quarante secondes, martela Kate.

Je me souvins alors de ce que m'avait dit Madox sur l'émission en continu et les deux minutes de vérification du code avant le signal de mise à feu. Si j'interrompais l'émission à sa source, le processus s'arrêterait. L'électronique n'est pas mon fort mais, en matière de destruction, je m'y connais.

Quinze secondes.

Bain m'avait aussi expliqué que la transmission pouvait durer une minute de moins, ou de plus que prévu...

Je reculai, intimai d'un geste à Kate de m'imiter.

– John...

Je fixai le compte à rebours : *00 : 00*.

Sur le boîtier noir, trois lettres clignotaient : GOD... GOD... GOD.

Je levai le Colt, visai l'émetteur ELF.

Madox s'était redressé. Agenouillé devant l'émetteur, comme s'il le protégeait, il leva les mains et hurla :

– John ! Ne fais pas ça ! Je t'en supplie, sauve le monde ! Sauve l'Amérique...

J'envoyai six balles dans le tableau de bord et, pour ne rien laisser au hasard, dans le reste de l'installation électronique. Kate logea ses deux dernières cartouches dans les débris fumants.

Tout vola en éclats. Et le mot « GOD » disparut.

Madox contempla l'émetteur anéanti. Ensuite, il se tourna vers moi, puis vers Kate.

– Vous avez tout détruit ! Vous auriez pu laisser le destin s'accomplir. Pourquoi êtes-vous si stupides ?

J'avais quelques réponses toutes prêtes à son intention, sur l'honneur, le devoir, la patrie, plus une blague ultime : « Si je suis si bête, pourquoi est-ce moi qui ai ton flingue ? ». Mais j'allai droit au but.

– Ça, c'est pour Harry Muller, lui dis-je.

Et je lui tirai ma dernière balle dans la tête.

Chapitre 51

Nous trouvâmes la clé des fers dans la poche de Carl, ce qui nous permit de libérer nos chevilles. Kate ramassa par terre le Colt 45 et le glissa dans sa ceinture.

Nous restâmes côte à côte dans la salle enfumée, aussi muets que les téléviseurs qui diffusaient toujours leurs images.

Après quelques minutes d'informations et de publicités, sans communiqué urgent, interruption dcs émissions ou obscurcissement total des écrans, je m'adressai à Kate :

– Je crois que tout est normal.

Elle acquiesça.

– Et toi, ajoutai-je, tu vas bien ?

– Oui. Juste un peu... hébétée.

Je la laissai reprendre ses esprits puis lâchai :

– Tu as fait du bon travail.

– Du bon travail ! Excellent, tu veux dire !

– Oui, excellent. Où avais-tu caché le Bear Banger ?

– Ça ne te regarde pas.

– Très juste.

Nouveau silence.

Je fixai le tableau de bord électronique.

– Les temps désespérés provoquent des actes désespérés, murmurai-je.

– John... Pendant un instant, j'ai cru que tu... que tu hésitais.

– Tu veux un aveu honnête ?

– Ne réponds rien.

– De toute façon, cela arrivera.

– Ne parle pas comme ça.

Je risquai une plaisanterie.

– Pourquoi ne resterions-nous pas ici quelques années ?

Je contemplai Bain Madox. Toujours à genoux, la tête en arrière, il reposait contre le rebord de l'émetteur. Ses yeux gris d'oiseau de proie étaient grands ouverts, plus froids que jamais. Sans le trou rouge au milieu de son front, j'aurais pu douter de sa mort.

– Tu as fait ce que tu devais, me dit Kate.

C'était faux. J'avais fait simplement ce que je voulais faire.

Je me détournai de Madox, fixai les six écrans de sécurité. Je ne vis personne, hormis une ombre mouvante dans le pavillon de garde. Ce devait être Derek. J'aperçus ensuite une Jeep passant devant le bâtiment des générateurs.

– Ils sont toujours là-bas. Et pas la moindre trace de la police de l'État.

– Nous allons attendre ici.

Je n'avais pas vraiment envie de me morfondre dans cette salle, avec deux macchabées, un tapis fumant et la puanteur du matériel électronique brûlé. Sans compter le râle de Luther, ce gargouillis que je connaissais si bien.

Il n'y avait plus grand-chose à faire pour lui, mais je pouvais quand même essayer. Je cherchai des yeux un téléphone fixe pour appeler le quartier général des State Troopers et leur demander de faire venir une ambulance, en profiter pour arrêter Derek ainsi que les autres vigiles et, surtout, nous sortir de là.

Kate scrutait toujours les écrans de télévision et l'horloge accrochée au mur.

– Il n'y a plus rien à craindre de ce côté-là, confirma-t-elle.

Je n'avais pas trouvé de téléphone. Peut-être y en avait-il un ailleurs ? Par exemple, dans la pièce d'où nous étaient parvenus des bruits de voix ?

Je n'eus pas le temps de m'y rendre.

Bien sûr, j'étais encore un peu assommé par le tir des fusées. Pourtant, j'aurais dû me montrer un peu plus vigilant.

Je dois dire à ma décharge et à celle de Kate que nous n'avions pas encore récupéré toutes nos facultés auditives. Ni elle ni moi n'entendîmes de pas dans le couloir. Et nous sursautâmes lorsqu'une voix gronda :

– Je ne m'attendais pas à ça !

Je me retournai brusquement. Là, dans l'encadrement de la porte, se tenait le fantôme de Ted Nash.

J'en restai bouche bée. Kate ne réagit pas. Ébahie, elle fixait d'un air incrédule la silhouette qui fit un pas vers nous.

Enfin, je réussis à articuler :

– Tu es mort.

– Pas le moins du monde. Désolé de t'attrister.

– Je ne suis pas triste. Je suis déçu.

– Sois un peu aimable, John.

Il regarda Kate.

– Comment vas-tu ?

Elle ne répondit pas.

J'avais toujours soupçonné la CIA d'être mêlée à cette affaire, mais je n'aurais jamais cru, même dans mes pires cauchemars, revoir Ted Nash en chair et en os.

Il balaya la pièce du regard, sans émettre le moindre commentaire sur les destructions, le sang répandu partout, Luther agonisant à quelques pas de lui, ou le cadavre de Carl gisant sur le sol. Ted n'était pas impressionnable. Toutefois, il considéra longuement Bain Madox et grommela :

– Un désastre.

Il énonça, non à notre intention, mais pour lui-même :

– Il va y avoir beaucoup de gens mécontents, à Washington.

Kate et moi gardâmes le silence. Je songeai au moyen d'ôter le M-16 de mon épaule et de le mettre en position de tir.

Cela n'avait rien de paranoïaque. Ted était un tueur et n'appréciait guère John Corey. De plus, il portait une veste de sport et avait la main droite plongée dans sa poche, comme un gandin à la jolie frimousse sur une photo de mode. Pose nonchalante de l'homme armé et dangereux.

Enfin, Kate émergea de sa léthargie.

– Qu'est-ce que tu fais là ?

– Je travaille.

– Tu... tu étais dans la tour nord...

– Comme toi, John, et comme d'autres gens prévus à la réunion, j'étais en retard. Le destin réserve parfois d'étranges surprises...

– Le destin se marre, répliquai-je. Que vas-tu inventer, Ted ? Vas-tu m'affirmer que tu avais l'intention d'empêcher Madox d'agir, mais qu'une fois de plus tu n'es pas arrivé à temps ?

Il sourit.

– Je n'étais pas là pour ça. Mais toi, si, apparemment.

– Je suis juste venu dîner.

Soudain, avant que nous ayons pu échanger d'autres reparties, il sortit son pistolet, un Glock identique au mien.

– Vous avez tout fait foirer !

– Non, Ted. Nous avons simplement sauvé Los Angeles et San Francisco. Nous sommes les héros. Les salauds sont morts.

Il ne cachait plus son exaspération, plus violente encore que celle qui le submergeait chaque fois qu'il se trouvait en ma présence. Et l'arme qu'il tenait à la main ne laissait planer aucun doute sur le camp qu'il servait.

– Vous n'avez pas idée de la catastrophe dont vous êtes responsables. Le monde tel que nous le connaissons allait changer pour toujours. Comprenez-vous cela ? Comprenez-vous ?

Il était au bord de la crise de nerfs.

– C'était le plan le plus ingénieux, le plus audacieux et le plus courageux jamais conçu. En un jour, un seul jour, John, nous aurions balayé une menace mortelle pour l'Amérique. Et toi... Toi et cette pute, là, vous avez tout bousillé !

– Je suis vraiment confus.

Kate prit une profonde inspiration et lança sèchement :

– En premier lieu, Ted, je ne suis pas une pute. Deuxièmement, si le gouvernement veut détruire ou menacer d'anéantir le monde arabo-musulman à coups de bombe atomique, il devrait avoir le courage de le faire à visage découvert au lieu de déclencher une fausse attaque terroriste sur deux villes américaines et de tuer des millions de nos compatriotes !

– Ta gueule ! Qui se soucie de Los Angeles et de San Francisco ? Pas moi ! Ni toi, d'ailleurs. Ne me bassine pas avec ta morale, Kate. Nous avions une chance de régler une fois pour toutes le problème de l'islam. Mais toi et ce clown que tu as épousé...

Pour la première fois, il remarqua la lanière à mon épaule et le canon noir du M-16 derrière mon dos. Il pointa son Glock sur moi.

– Enlève ce putain de fusil de ton épaule ! Ne le touche pas. Laisse-le glisser sur le sol. Maintenant !

Je me penchai sur la gauche pour que la lanière commence

à glisser le long de mon bras, tout en me demandant comment saisir le fusil, en ôter le cran de sûreté, le plaquer contre ma hanche et tirer au jugé.

Nash se lassa de la lenteur de ma réaction.

– Pas la peine. Crève.

Il visa mon torse et ricana :

– Pour ta gouverne... Je l'ai baisée.

J'entendis une énorme détonation. Son Glock s'envola. Il fit un bond en arrière, comme si on l'avait frappé en pleine poitrine, et alla s'écraser contre le mur, à côté de Luther. Tandis qu'il retombait lentement vers le sol, Kate vida le Colt 45 de Carl dans sa poitrine, qui se souleva violemment chaque fois qu'elle y logeait une balle.

Je la regardai tirer les trois derniers coups de feu. Il n'y avait rien d'hystérique ou de dément dans ses gestes. Elle serrait le gros automatique à deux mains, de façon réglementaire, les genoux et les bras tendus, comme on le lui avait appris : viser, doigt sur la détente, feu ; viser, doigt sur la détente, feu... Jusqu'à ce que le barillet soit vide.

Je marchai vers elle pour prendre le revolver, mais elle le jeta loin d'elle.

Elle gardait les yeux braqués sur le corps de Nash, couvert de sang, défiguré par une ultime blessure.

– Je ne suis pas une pute, Ted...

Il faudrait que je me souvienne de ne plus employer ce mot lors de nos disputes.

Chapitre 52

Je finis par trouver un téléphone fixe et appelai le commandant Schaeffer, qui ignorait où nous étions et ce qui se passait.

Il ne comprit pas grand-chose à ce que je lui racontai, mais promit d'envoyer ses State Troopers.

Armés du M-16 de Luther et du Glock de Nash chargés jusqu'à la gueule, Kate et moi explorâmes les autres pièces de l'abri, dont le confort nous laissa pantois.

Nous trouvâmes le sac de toile et récupérâmes nos affaires. Nous découvrîmes ensuite le bar de Bain Madox, réplique de celui du rez-de-chaussée. Kate dénicha une bouteille de Dom Pérignon 1978, la déboucha et but le champagne dans un verre à whisky.

Je me contentai d'une Carlstadt tiède, bière qui ne se bonifie pas avec l'âge et était devenue un peu trouble depuis 1984. Elle fit quand même l'affaire.

Je songeai à Ted Nash. C'était la seconde fois et, je l'espérais, la dernière, qu'il surgissait du royaume des morts. J'avais compté cinq trous dans sa carcasse, ce qui n'était pas si mal pour huit coups. Pourtant, je n'avais pu m'empêcher de lui prendre le pouls. Je voulais être sûr. Pour de bon...

En moins de trois minutes, il avait réussi à me mettre hors de moi. D'abord, je ne suis pas un clown, Ted, et ma femme n'est pas une pute. Quant à l'autre chose... Eh bien, elle avait eu lieu. Même Kate avait pu se tromper sur certains hommes. Je suis certain que tous ses amants ne se nommaient pas John Corey...

Devinant ce qui me passait par la tête, elle termina son deuxième verre de champagne et martela :

– Cela ne s'est jamais produit. Il mentait.

De toute façon, je ne pouvais plus l'interroger.

– Les types de la CIA mentent toujours, dis-je.

– Crois-moi.

Elle avait le Glock posé près d'elle. Je lui jurai donc :

– Je te crois, mon ange.

Elle retrouva alors ses réflexes d'avocate et d'agent du FBI.

– Je peux mettre la première et la deuxième balles sur le compte de la légitime défense. Je ne peux pas expliquer les six autres.

– Disons qu'il s'est suicidé...

Elle ne répondit pas.

Un heure s'était écoulée. Nous regagnâmes la salle de l'émetteur ELF. Nous vîmes, sur les écrans de sécurité, les hommes de Schaeffer arriver dans des voitures officielles ou banalisées suivies d'une ambulance, toutes en file indienne sur la McCuen Pond Road, devant le portail fermé.

Bizarrement, la grille ne s'ouvrit pas. Le véhicule de tête l'enfonça.

Deux State Troopers en uniforme pénétrèrent dans le pavillon de garde. Quelques minutes plus tard, deux infirmiers évacuèrent du pavillon, sur une civière, un corps inerte qu'ils chargèrent dans l'ambulance.

Kate frissonna.

– Que se passe-t-il ?

– À mon avis, Derek n'est pas dans son assiette. Il a dû manger quelque chose qu'il a mal digéré... Il est sans doute mort. Madox avait besoin de lui pour nettoyer le chalet et se débarrasser du Dodge, mais il ne tenait pas à ce qu'il parle.

– C'est vraiment un parfait salaud.

– C'était...

Nous attendîmes encore un quart d'heure pour laisser aux hommes de Schaeffer le temps d'investir le chalet. Nous marchâmes ensuite jusqu'à l'escalier en colimaçon, actionnâmes, après quelques tâtonnements, le système hydraulique qui soulevait la table de poker, et montâmes jusqu'à la salle de jeu où l'air était frais.

Nelson DeMille

Exhibant nos pièces d'identité, nous passâmes d'un soldat à l'autre, avant de nous retrouver dans la grande salle, où le commandant avait établi son poste de commandement, avec une radio et quelques subordonnés. Guillaume II dormait devant l'âtre.

Schaeffer se précipita vers nous.

– Nom de Dieu, qu'est-ce qui se passe, ici ?

– Le meurtre est résolu. Les coupables sont Bain Madox et son bras droit.

– Où est-il ?

– Dans l'abri antiatomique.

Je lui indiquai comment s'y rendre.

– Vous avez trois morts en bas. Plus un blessé grave.

– Qui est mort ?

– Madox, Carl et un autre type.

– Madox ? Comment est-il mort ?

– Convoquez vos hommes de la police scientifique et laissez-les le déterminer. Le blessé doit être soigné d'urgence.

Schaeffer donna ses instructions par radio. J'ajoutai :

– Vous devriez désarmer les vigiles et les coffrer.

– C'est fait. Ils sont enfermés dans leur baraquement, sous bonne garde.

– Parfait, approuvai-je.

– Qu'avons-nous contre eux ?

– Complicité d'assassinat ou, tout au moins, non-assistance à personne en danger. Annoncez-leur la mort de leur patron et voyez s'ils commencent à parler. Et ne cherchez pas Putyov.

– Pourquoi ?

– Le regretté M. Madox, si j'en crois ses déclarations, a liquidé son invité et l'a passé, cerveau compris, dans la scie à ruban.

– Quoi ?

– Putyov a eu ce qu'il méritait. Mais je ne veux pas me mêler de ça. Demandez aux gens de la CIA de s'occuper de la scie. S'ils ne trouvent rien, vous pourrez toujours récolter quelques excréments d'ours et y prélever un peu de l'ADN du professeur Putyov.

– Entendu. Nous avons découvert l'un des agents de sécurité mort dans le pavillon de garde. Selon les infirmiers, il a été empoisonné. Juste avant de passer l'arme à gauche, il se tordait comme un épileptique.

– Seigneur, j'espère qu'il n'avait pas goûté les saucisses en croûte.

– Comment ?

– Les gens du FBI sont là ? demanda Kate.

– Et comment ! Ils ont installé leur propre poste de commandement dans le bureau de Madox. Votre pote Griffith est avec eux. Il vous cherche toujours.

– Allons lui dire bonjour, me suggéra Kate.

– D'accord.

Je saluai Schaeffer.

– À tout à l'heure.

Il fronça le nez.

– Vous empestez la fumée et vous avez une allure épouvantable. Qu'est-il arrivé ?

– C'est une très longue et très étrange histoire. Je vous la raconterai plus tard.

Je pris le bras de Kate et nous quittâmes la grande salle.

Une dizaine de State Troopers erraient dans la maison. Visiblement, ils ignoraient ce qu'ils étaient censés faire. Je hélai l'un d'eux.

– Où est la cuisine ?

– La cuisine ? Oh... au fond du corridor.

– Merci.

Je m'enfonçai dans le couloir.

– Nous devons aller voir Liam Griffith, me rappela Kate.

– Schaeffer m'a affirmé qu'il était dans la cuisine.

– Non. Dans le bureau de Madox.

Je tapotai mon oreille.

– Tu peux répéter ?

Elle soupira et me suivit.

La cuisine était déserte. Pas la moindre trace d'un dîner en préparation. Je le fis remarquer à Kate.

– Je crois que ce dîner était une ruse, John.

– Vraiment ? Alors, pas de steaks ni de pommes de terre ?

– Qu'est-ce que nous faisons là ?

– J'ai faim.

– Je vais aller te chercher les saucisses en croûte.

– Non, merci.

J'ouvris l'énorme réfrigérateur, dénichai du fromage et des tranches de rôti froid.

– Comment peux-tu manger ? s'exclama Kate. J'ai l'estomac retourné.

– Moi, j'ai faim.

Je posai le fromage et le rôti sur le plan de travail, puis allai me laver le visage au-dessus de l'évier. J'avais l'impression d'avoir encore des parcelles de Madox sur moi.

Au moment où je me passais le front sous l'eau, Liam Griffith entra et s'écria :

– Où diable étiez-vous ?

Je levai la tête.

– Pourriez-vous me donner ce torchon ?

Il hésita, puis me le tendit.

– Qu'est-ce que vous faisiez, tous les deux ?

Je m'essuyai les joues et rétorquai :

– Nous sauvions la planète.

– Mais encore ?

Je lançai le torchon à Kate qui alla, à son tour, se laver à l'évier.

– Eh bien, dis-je à Griffith, nous avons tué un de vos copains.

Je défis l'emballage du cheddar et précisai :

– Ted Nash.

Griffith garda le silence. Mais je devinai, à l'expression de ses traits, qu'il ne comprenait pas.

– Ted Nash est mort, dit-il enfin.

– Je viens de vous l'apprendre. N'est-ce pas magnifique ?

Il ne pigeait toujours pas. J'eus la certitude qu'en dépit de sa morgue et du sentiment de son importance, il n'était au courant de rien.

Après s'être essuyé le visage et les mains, Kate se tourna vers lui.

– Il n'a pas péri dans la tour nord, dit-elle. Mais maintenant, il est mort.

Silence. Puis :

– Je l'ai tué.

– Quoi ?

– Un morceau de fromage ? lui proposai-je.

– Hein ? Non.

Il se racla la gorge, tenta de se donner une contenance.

– Ainsi que vous le savez, nous annonça-t-il enfin, vous êtes tous les deux dans de sales draps. J'ai ordre de vous ramener à New York dès que je vous aurai localisés, ce que je viens de faire. J'ai le plaisir de vous informer que vous risquez de faire l'objet d'une procédure disciplinaire ou, je l'espère, pis encore.

Cause toujours...

J'eus le temps d'engloutir une demi-livre de fromage et de rôti avant qu'il ait terminé son discours. Je consultai plusieurs fois ma montre, pour l'inciter à abréger.

Sa tirade achevée, il répéta :

– Que s'est-il passé ?

– Kate et moi avons trouvé l'assassin de Harry Muller.

– Où ?

– Ici.

– Qui est-ce ?

– Bain Madox, le propriétaire de ce chalet, martela Kate.

– Où est-il, à présent ?

– Dans l'abri antiatomique.

– A-t-il été arrêté et placé en lieu sûr ?

– Mieux que ça, Liam. Je l'ai buté.

Silence.

– Vous n'avez pas besoin d'en savoir davantage et nous ne dirons rien de plus, terminai-je.

– À votre aise. Je vous demanderai donc de venir avec moi.

– Où, Liam ?

– Je vous l'ai dit. À New York. Un hélicoptère nous attend à l'aéroport.

Je regardai Kate, qui hocha la tête.

– Très bien, dis-je à Griffith. De toute façon, nous n'avons plus rien à faire ici.

Nous montâmes dans sa voiture de location et quittâmes le chalet. Illuminée par les projecteurs, la bannière étoilée flottait toujours en haut du mât, au-dessus du fanion du 7e régiment de cavalerie, dernier vestige de l'existence de Bain Madox.

Oui, j'éprouvais à son égard des sentiments mêlés, négatifs

pour la plupart, mais... S'il n'avait pas assassiné Harry et s'il n'avait pas envisagé de tuer des millions d'Américains, dont Kate, moi et quiconque se serait mis en travers de sa route, sans compter deux cent millions d'hommes, de femmes et d'enfants innocents, eh bien...

C'était un homme complexe et il me faudrait du temps pour le percer à jour.

Nous dépassâmes la scie à ruban, à laquelle je n'avais accordé jusque-là qu'une attention distraite. Elle me ramena à la réalité. Les grandes tragédies, comme l'apocalypse nucléaire, m'ont toujours paru un peu abstraites. Seuls les objets en apparence dérisoires, comme cette scie, nous permettent d'appréhender le mal.

Retour à New York. Une foule de gens nous attendait au 26, Federal Plaza, y compris, bien sûr, Tom Walsh et une dizaine de pontes de Washington. Tous nous accueillirent avec transports, bras et carnets de notes ouverts.

On nous questionna pendant des heures. Kate et moi nous en sortîmes sans dommages. À mesure que la nuit passait, je me rendis compte que nous étions les seuls, dans la pièce, à ne pas nous ronger les sangs.

Le spectacle d'un Tom Walsh accablé et se tortillant dans son fauteuil me réjouit, tout comme la délectation avec laquelle je posai, pendant notre interrogatoire, les pieds sur son bureau. Vers 3 heures du matin, j'eus de nouveau faim et exprimai le désir de déguster de la cuisine chinoise. On envoya quelqu'un, qui trouva un Vietnamien ouvert. On n'est pas tous les jours le centre de toutes les attentions. Il faut bien en profiter un peu.

De nombreux fils restaient à démêler. J'ignorais jusqu'où cela remonterait, et quelles instances étaient impliquées dans le complot du Projet vert. Et, bien sûr, ni Kate ni moi n'en saurions jamais rien.

À l'aube, deux agents du FBI nous raccompagnèrent chez nous et nous souhaitèrent bonne nuit, en dépit de l'heure matinale.

Nous admirâmes, depuis le balcon de notre appartement, le lever du soleil sur Lower Manhattan, en nous remémorant le matin du 11 septembre 2001, alors que nous regardions la fumée noire obscurcir le soleil, non seulement pour nous ou pour New York, mais pour l'ensemble du pays.

Je pris la main de Kate et chuchotai :

– Comme notre métier nous l'apprend tous les jours, la violence engendre la violence. Chaque meurtre venge celui qui l'a précédé et sert d'excuse à celui qui suivra.

Elle se serra contre moi.

– Tu sais... J'avais envie de... de décrocher... de partir quelque part. Mais maintenant, après tout ça, je veux rester ici, faire ce que je peux...

Je la dévisageai, puis contemplai de nouveau Lower Manhattan où, naguère, les tours jumelles jaillissaient dans le ciel.

– Je me demande si nous verrons, de notre vivant, le niveau d'alerte se maintenir au vert.

– J'en doute, répondit-elle. Mais si nous y mettons du nôtre, nous pourrons peut-être l'empêcher de passer au rouge.

Le FBI de Los Angeles et de San Francisco localisa les pilotes, ainsi que leurs coéquipiers, et trouva les valises dans leurs chambres d'hôtel. L'un d'eux, un copilote, était assis sur la sienne et regardait la télévision lorsque les agents fédéraux ouvrirent sa porte.

Ultime catastrophe, je reçus du Point de Vue une note de trois mille dollars. Ainsi que l'avait prédit Kate, la comptabilité du Bureau refusa d'en entendre parler. Walsh n'ayant aucune intention d'intervenir en notre faveur, nous dînons moins souvent en ville, ce qui nous change.

Il est prévu que nous nous rendions au quartier général du FBI à Washington, pour y subir un ultime débriefing et signer nos dépositions. Nous guettons aussi des nouvelles du bureau exécutif du Custer Hill Club. Mais, jusqu'à présent, ses membres sont toujours en poste.

Nous n'aurons pas, à Washington, à expliquer comment et pourquoi Kate a tué un agent de la CIA. Le représentant de l'agence à l'ATTF nous a assuré qu'aucun individu répondant au nom de Ted Nash n'a été découvert dans le chalet de Custer Hill et que le Ted Nash que je connaissais a péri le 11 septembre 2001.

Je me suis bien gardé, tout comme Kate, de le contredire.

Toutefois, lorsque je rentrerai de la capitale fédérale, dans quelques jours, j'aurai sur moi un chèque de trois mille dollars, en remboursement de nos frais d'hébergement et de nourriture à Saranac Lake, État de New York.

Composition PCA
44400 – Rezé

Imprimé au Canada
Dépôt légal : juin 2007
ISBN : 978-2-7499-0744-4
LAF 895